POLITICAL RUSSIAN

An Intermediate Course in Russian Language
for International Relations, National Security
and Socio-Economics

Sixth Edition

Natasha Simes and Richard M. Robin

AMERICANCOUNCILS° FOR INTERNATIONAL EDUCATION
A C T R ▲ A C C E L S

KENDALL HUNT
PROFESSIONAL

Acknowledgments for the Sixth Edition

The authors are pleased to acknowledge the important assistance of Michael Loginov, editor-in-chief of the Russian magazine *Profile*, for guiding our choice of key materials in this edition, as well as that of Natalya Rozinskaya, a long time editor of *Literaturnaya Gazeta*, who reviewed the entire Russian text. The authors also owe a special debt of gratitude to John Harrington, Associate Dean of The Paul H. Nitze School of Advanced International Studies, Marco Campos, Director of SAIS Language Studies, and Daria Mizza, SAIS Senior Foreign Language Technology Specialist. We also want to express our appreciation to Fulbright Teaching Assistant Olga Belova of Saratov State University in Russia for creating the Quia computer exercises, which auto-correct answers to this edition's assignments. Finally, we wish to thank Dan E. Davidson, Executive Director of the American Council of Teachers of Russian for his continuing support of the development of Russian-language materials for professional use -- in this case, materials for international affairs specialists. We are grateful to him as well for making the audio links in this edition available to students of political Russian on the ACTR website.

For the first time, this edition has links to Russian radio broadcasts and computerized exercises in addition to recordings of materials from the text. To make these materials more up-to-date (and less expensive), we placed them on the web at http://textbooks.americancouncils.org/politicalrussian/

Approximately three-quarters of this sixth edition of Political Russian is new. The authors welcome comments and suggestions for improvement from teachers, students, and other users of this volume.

 is a trade mark of Quia.com.

N.S. and R.M.R
Washington, D.C.
June 2009

Cover photo source: ITAR-TASS PHOTO/Musaeljan Vladimir

Library of Congress Control Number: 2009933760

ISBN 978-0-7575-6404-8

Printed in the United States of America
10 9 8 7 6 5 4 3 2

ОГЛАВЛЕНИЕ

КРУГ ПЕРВЫЙ

Урок один: Встречи и переговоры:
Визит французского министра иностранных дел

Урок два: Мировая экономика
Встреча «большой восьмёрки»

Урок три: Экономическое развитие
Станки останавливаются

Урок четыре: Бизнес и финансы

Проблемы и перспективы развития и кредитования малого и среднего бизнеса

Урок пять: Нераспространение ядерного оружия

Новый век — новые опасности: Чем грозит распространение оружия массового поражения

Урок шесть: Военные операции
Война в Осетии: день четвертый

Урок семь: Выборы
Будут ли россияне снова выбирать губернаторов?

КРУГ ВТОРОЙ

Урок один: Правительственные кризисы
Парламентский кризис в Украине: движение к ответственной политике

ЧАСТЬ ОДИН

ЧАСТЬ ДВА

Урок два: Чрезвычайное положение
В Тбилиси в ход пошли дубинки и слезоточивый газ

ЧАСТЬ ОДИН

ЧАСТЬ ДВА

Урок три: Рецессия, депрессия
В преддверии депрессии

ЧАСТЬ ОДИН

Урок четыре: **Терроризм и войны**
                        Теракты в Мумбае: почерк «Аль-Каиды»

Урок пять: Демография и иммиграция
Демографическая катастрофа: что делать?

ЧАСТЬ ОДИН

ЧАСТЬ ДВА

Урок шесть: Независимые российские СМИ
Последний год для независимых российских СМИ?

ЧАСТЬ ОДИН

ЧАСТЬ ДВА

PREFACE

HOW TO USE
POLITICAL RUSSIAN

Why POLITICAL RUSSIAN? It is apparent that the United States and Russia need each other in solving some of the most urgent problems facing both countries and the world. To deal with Russia intelligently, the United States needs a growing pool of people capable of communicating with the Russians in their own language. The current situation where, with the exception of professional students of Russian affairs, almost no American can conduct business in Russian is increasingly unacceptable. It is an obstacle to meaningful U.S.-Russian interaction, and it puts Americans who are engaged in various activities with Russians in a disadvantageous position compared to their Russian counterparts.

POLITICAL RUSSIAN is written especially for generalists and practitioners engaged in international relations, foreign trade or people-to-people exchanges with Russia. The book is aimed at the development of three basic types of skills: **reading, speaking,** and **listening.** We assume that students starting the book have acquired a "first-year" knowledge of Russian and, therefore, have been exposed to a skeletal grammar and lexicon, although we make no assumption about the level of control and expect little more than a *novice*[1] level of proficiency.

Ancillaries. The sixth edition of POLITICAL RUSSIAN adds a number of new web-based ancillaries, accessible at **http://textbooks.americancouncils.org/politicalrussian:**

---

[1]The terms **Novice, Intermediate, Advanced,** and **Superior** refer to the proficiency guidelines of the American Council for the Teaching of Foreign Languages, 1001 N. Fairfax St., Suite 200, Alexandria, VA 22314.

- New opening audio texts
- Authentic audio from Russian radio
- Recorded conversations
- Quia® online interactive exercises

Structure. The structure of POLITICAL RUSSIAN is based on the goal of **functional proficiency** in the three skills, rather than on "covering the grammar," with an added dose of political vocabulary. Each chapter, therefore, is based on directly applicable topics: official visits, international negotiations, economics and trade, national security and arms control and so on.

Spiraling. A direct corollary to proficiency-based language learning is the principle of spiraling or **concentric circles**. This book is structured around two such concentric circles, **Circle One** and **Circle Two**. In both circles students are presented with *authentic* texts, i.e. unadapted Russian which exposes a student to all elements of authentic language: excerpts of real radio, actual newspaper articles and realistic speaking situations.

Circle One is aimed at students who have already completed an introductory course and are familiar with but may not have actively mastered the case system and some elements of verb conjugation. The number and scope of the tasks that students can accomplish are limited, because their world of language mastery is still quite small.

Within *Circle One* students expand the scope of their usable language. Speaking and reading vocabulary is widened with the injection of carefully measured doses of political terminology.

A complete coverage of *Circle One* requires about 60 hours of instruction plus homework. A student who has successfully mastered *Circle One* should have attained the following proficiency levels:

Speaking – *Intermediate High* with politics, national security, and economics as areas of particular strength ("hot-house specials" in ACTFL terms[2]).

Reading – *Advanced High* with a hot-house special in politics.

Listening – *Intermediate High* with a hot-house special in politics.

Reading and listening. Students are taught **strategies** to get the facts from short newspaper and radio reports, using context to help build their vocabulary. Students learn to **skim** and **scan** for as much useful information as can be found in longer and more complicated reports which may be just beyond their immediate level. In addition, emphasis is placed on the use of focusing attention on what *can* be understood, rather than what *cannot* be understood.

---

[2]A **hot-house special** is an area of special interest in which a foreign language speaker shows uncharacteristic fluency and accuracy. In the classic example a former navy pilot is unable to order a cup of coffee in the target language, but he has no difficulty describing how to land a fighter plane.

Speaking tasks are centered around role-play situations in which students are taught to respond in coherent sentence-length utterances on political topics. Work on speaking in short paragraphs also begins at this level.

Writing is used as a support tool to develop the three primary skills.

Grammatical support for these activities comes in the way of short explanations and exercises designed to give students total control over basic items necessary for sentence structuring and partial control over more complicated items, which are reviewed and expanded in *Circle Two* with an eye for total control. Because the grammatical competence of incoming students cannot be predicted, we have included in *Circle One* a comprehensive review of basic grammar fundamental to communication on the themes introduced, including a systematic review of case distribution. Grammatical structures which play a significant role in political reportage of facts, such as those governing dates and quantities, receive particular emphasis.

Each unit of POLITICAL RUSSIAN includes:

a) A main text, which is an excerpt of an article or a full article from Russian periodicals. There are a number of activities that can accompany the main text. Instructors interested in teaching close reading or translation can assign written translations into English or grammatical analysis of the text. Those interested in further work on basic phonetics and intonation can assign phonetic reading based on the accompanying recordings.

b) A pattern-oriented glossary and vocabulary exercises. Glossaries become the core of the student's vocabulary. Building on these basic linguistic patterns the student will be able to actively operate with a wide range of political, military, and socio-economic concepts.

c) Grammar explanations and exercises, some of which are recorded and are indicated as such. Grammar is presented in each unit functionally, as needed, and where possible, through charts, tables, and examples without prolonged explanations. Thus, grammar is viewed as a support to communication, and not as an end in itself.

d) Speaking exercises and dialogues, a new feature in this edition. All Speaking exercises end in a lively dialogue between two Russian journalist before or after a press-conference on the subject of the unit. Students make short reports and recreate situations connected with the theme of the unit.

e) Global reading skills exercises. Because reading of original texts is the most important source of information, the book sets a goal of teaching students to read quickly, skimming and scanning for specific facts or opinions. This section includes current periodicals.

f) Close reading exercises. In these exercises, students learn to follow the flow of a text based on paragraph transitions and other specific vocabulary items.

g) Global listening skills exercises. Listening exercises, new in this edition, are based on current radio broadcasts. These exercises teach techniques of accurate listening comprehension.

h) Quia® online exercises, new to this edition, with auto-correct answers for each assignment.

i) Recordings of the units' texts and some exercises.

Circle Two resembles Circle One except each unit contains two sets of exercises.

Stress marks. Students using POLITICAL RUSSIAN are assumed to be transitioning between elementary Russian, the materials for which probably included stress marks almost everywhere to authentic Russian, which does not mark stress. In POLITICAL RUSSIAN stress marks are included for most, but not all activities. Students will find the place of stress marked for the opening texts, vocabulary lists and exercises, speaking exercises, and grammar explanations, including charts and tables. However in the grammar exercises themselves, as well as all reading texts toward the end of each unit, stress marks are absent.

Modularity. POLITICAL RUSSIAN features a wealth of integrated texts and exercises. Nevertheless, this is a modular textbook. Instructors are free to pick and choose from the materials without fear that the structure of the book will topple. Exercises in listening, vocabulary development, and speaking are very closely integrated. However, those teachers who choose a greater emphasis on reading or grammatical structure are free to pursue those goals. Cutbacks in the amount of listening-speaking activities covered should not adversely affect work in reading or grammar.

We believe that students completing both *Circle One* and *Circle Two* of POLITICAL RUSSIAN will find themselves linguistically well equipped for work in all endeavors concerning issues of Soviet and Russian politics, history, government, trade, and national security.

SUGGESTIONS TO THE TEACHER: USE AT HOME AND IN CLASS

The suggestions for managing assignments given below are just suggestions. Different instructors emphasize different skills. The modularity of POLITICAL RUSSIAN allows emphasize of one skill, for example, reading, at the expense of listening or grammatical accuracy without fear that the structure of the textbook will fall apart.

Those users who plan to cover the book in full are advised to vary activities within a class day. In other words Monday should not be the "reading day," Tuesday the "grammar day" and so forth.

Outside materials. Russian political realities are a constantly moving target. The Sixth Edition reflects the many changes that have occurred over the last few years. All texts are authentic and are a reflection of expository prose on public issues today. However, we encourage instructors to supplement texts for Reading exercises in POLITICAL RUSSIAN with their own materials from the Russian media if they so desire.

UNIT STRUCTURE IN *POLITICAL RUSSIAN*

Units for Circle One and Circle two follow the same outline. The sample below consists of five stages, but it should be viewed only as a guide, not as a hard and fast rule.

STAGE I

At home
1. Text:
    *   Phonetic reading out loud (with the recording)
    *   Translation and analysis
2. Words and expressions:
    *   Reading out loud
3. Grammar:
    *   Reading explanations of new grammar, analysis of examples and its uses in the text

In class
1. Phonetic reading and translation of the text
2. Additional explanation of *Words and Expressions* list
3. Introduction, if necessary, of grammar and analysis of examples
4. Grammatical analysis of the text
5. Introduction of Reading rule 1 (see Reading ex. 1)

STAGE II

At home
1. Vocabulary exercises:
    *   All exercises up to and including *Give Russian equivalents for the following expressions* exercise
    *   Words and expressions review
    *   Working with the recording of the text to improve pronunciation and intonation
2. Grammar exercises:
    *   As many as the instructor considers appropriate
3. Speaking exercise(s)
4. Reading exercise 1: Pre-text and Post-text

In class
1. Vocabulary exercise(s)
2. Speaking exercise(s)
3. Grammar exercise(s)
4. Introduction of new grammar and analysis of examples and its uses in the text.
5. Reading exercise:
   - Post-text (a pre-text-exercise is corrected by the instructor outside of class).

STAGE III

At home
1. Vocabulary exercise(s)
2. Checking the assigned grammar exercises
3. New grammar:
   - Reading explanation of new grammar and analysis of the examples
4. Speaking exercise(s)
5. Reading exercise 2: Pre-text and Post-text

In class
1. Vocabulary exercise(s)
2. Speaking exercise(s)
3. Grammar exercise(s)
4. Introduction of new grammar and analysis of examples and uses of it in the text
5. Reading exercise 2: Introduction of Reading rule 2 (see Reading ex. 2)
   - Post-text (a pre-text-exercise is corrected by the instructor outside of class).

STAGE IV

At home
1. Vocabulary exercise(s)
   - *Questions* exercise
2. Grammar exercise(s)
3. New grammar: Introduction of new grammar and analysis of examples and its uses in the text.
4. Speaking exercise(s)
5. Reading exercise 3: Pre-text and Post-text
6. Listening exercise(s)

In class
1. Vocabulary: review
2. Speaking exercise(s)
3. Grammar exercise(s)
4. Reading exercise 3:
   - Post-text (a pre-text-exercise is corrected by the instructor outside of class)
5. Listening exercise(s)

STAGE V

At home
1. Vocabulary: review.
2. Speaking exercise: dialogue
3. Grammar: review
   - Translation from English into Russian
4. Reading exercise 4: Pre-text and Post text
5. Listening exercise(s)

In class
1. Speaking exercise:
   - Role-play on the basis of the dialogue
2. Grammar exercise:
   - Check in class.
3. Reading exercise:
   - Post-text (a pre-text-exercise is corrected by the instructor outside of class)
5. Listening exercise(s)

Test of Unit 1:
   a. Written test based on vocabulary and grammar of Unit 1
   b. Role-play
   c. Reading test

Begin new unit
An overlap of Stage V of a previous unit with Stage I of a new unit is recommended.

КРУГ ПЕРВЫЙ

КРУГ ПЕРВЫЙ
УРОК ОДИН
ВСТРЕЧИ И ПЕРЕГОВОРЫ

@ **ТЕКСТ. Прослушайте, прочитайте и затем переведите текст на английский язык в письменной форме.**

ВИЗИТ ФРАНЦУЗСКОГО МИНИСТРА ИНОСТРАННЫХ ДЕЛ

По приглашению российского МИД в Москву с официальным визитом прибыла французская правительственная делегация во главе с министром иностранных дел Франции. На аэродроме гостей встречали ответственные представители МИД РФ, а также видные общественные и политические деятели. В тот же день в честь высокого гостя Кремль устроил приём, на котором руководители МИД РФ и Франции выступили с краткими приветственными речами. Министры высказались за развитие сотрудничества между двумя странами.

На следующий день начались российско-французские переговоры. Состоялся обмен мнениями по вопросам двусторонних отношений. Участники переговоров обсудили будущее российско-французской торговли и констатировали, что отношения между Францией и Россией строятся на основе доверия. Стороны подписали договор о торговле.

@ КОГНАТЫ

официа́льный визи́т	мини́стр	респу́блика
аэродро́м	го́сти	полити́ческий

СЛОВА И ВЫРАЖЕНИЯ

ви́дный – prominent
    де́ятель – figure
    обще́ственный де́ятель – public figure
    полити́ческий де́ятель – political figure

встре́ча – meeting

встреча́ть (встреча́ют)/встре́тить (встре́тят) госте́й на аэродро́ме – to meet the guests at the airport

выска́зываться (выска́зываются) / высказаться (вы́скажутся) – to speak out
    за разви́тие сотру́дничества – in favor of developing cooperation
    против торго́вого режи́ма – to speak out against a trade regime

выступа́ть (выступа́ют) / вы́ступить (вы́ступят)
    с кра́ткой ре́чью по вопро́сам сотру́дничества – to make a short speech on the issues of cooperation
    с отве́тной ре́чью за разви́тие – to respond with a speech in favor of development
    с приве́тственной ре́чью – to make a welcoming speech

выступле́ние – speech

глава́ (f) – chapter

глава́ (m) – head; leader

госуда́рственный секрета́рь Госуда́рственный Департа́мент (for the US) – State Department

констати́ровать (*imperfective only*: **констанстанти́руют), что...** – to state the fact that...

министе́рство иностра́нных де́л (for Europe) – ministry of foreign affairs

мини́стр иностра́нных де́л (МИД)

мини́стр, министе́рство – minister, ministry
    оборо́ны – of defense
    торго́вли – of commerce

обсужда́ть (обсужда́ют) / обсуди́ть (обсу́дят) вопро́сы – to discuss the issues…
    двусторо́нних свя́зей– of bilateral contacts
    сотру́дничества – of cooperation

обсужде́ние – discussion

отве́тственные представи́тели – high-standing officials, spokesmen

подписа́ние – signing

подпи́сывать (подпи́сывают)/ подписа́ть (подпи́шут) – to sign
  догово́р *о чём* – to sign a treaty *on something*
  соглаше́ние о торго́вле – an agreement on trade
  коммюнике́ об обме́не информа́цией – a communiqué on information
  exchange

прави́тельственная делега́ция – government delegation
  во главе́ с премьер-мини́стром – led by the prime-minister
  во главе́ с ли́дером демократи́ческого меньшинства́ конгре́сса – led by
  Democratic minority leader of Congress

прибыва́ть (прибыва́ют) /прибы́ть (прибу́дут) – to arrive
  с официа́льным визи́том в Москву́ – on an official visit to Moscow

приглаше́ние: по приглаше́нию – by invitation

состоя́ться (*perf. only*) – to take place
  состоя́лся обме́н мне́ниями по вопро́сам двусторо́нних отноше́ний –
  there was an exchange of opinions on the issue of bilateral relations
  состоя́лись перегово́ры о торго́вом режи́ме – talks took place about a trade
  regime

стро́иться на осно́ве – to be built on the basis
  взаимопонима́ния – of mutual understanding
  (не)дове́рия – of (mis)trust

устра́ивать (устра́ивают) / устро́ить (устро́ят) – to give a
  приём в честь высо́кого го́стя – reception for the guest of honor
  обе́д в честь главы́ делега́ции – dinner for the head of the delegation
  обе́д в честь ли́дера республика́нского большинства́ – dinner for the
  Republican majority leader

Восто́чная Евро́па, восто́чноевропе́йский

За́падная Евро́па, западноевропе́йский

Росси́я, Росси́йская Федера́ция, РФ, россия́не, говори́ть по-ру́сски, Москва́

Фра́нция, францу́зский, францу́зы, Пари́ж, говори́ть по-францу́зски

Центра́льная Евро́па, центра́льно-европе́йский

ЛЕКСИЧЕСКИЕ УПРАЖНЕНИЯ

Просмотрите слова и выражения к тексту «Визит французского министра иностранных дел » и сделайте следующие упражнения.

 А. Заполните пропуски правильными предлогами.

1. Государственный секретарь США прибыл _____ приглашению РФ.
2. Состоялись переговоры _____ торговле.
3. Премьер-министр прибыл _____ неофициальным визитом.
4. Москва находится _____ Восточной Европе.
5. Прибыла делегация _____ главе _____ министром торговли.
6. Состоялись переговоры _____ вопросам культуры.
7. _____ честь президента устроили приём.
8. Представитель администрации выступил _____ краткой речью.
9. Главы государств подписали договор _____ культурном обмене.
10. _____ приёме стороны обменялись приветственными речами.
11. Этот видный деятель высказался _____ обмен мнениями с РФ.

Б. Дайте русские эквиваленты следующим английским фразам.

- by invitation
- to arrive in Paris on an official visit
- to discuss issues of bilateral relations
- talks on cooperation have taken place
- to be built on the basis of mutual understanding
- White House spokesman
- public figure
- delegation led by the Senate Republican majority leader
- reception in honor of the head of the delegation
- exchange of opinions on export
- to speak against trade regime
- to sign an agreement on information exchange

В. РАБОТА ПО МОДЕЛЯМ

1. Заполните пропуски словами по смыслу.

а. состоялись переговоры о ⎫ *чём*
_____
_____

б. представитель ⎫ *чего*
_____ ⎬ прибыл в ⎫ *куда*
_____
_____

в. отношения строятся на основе ⎫ *чего*
_____
_____

г. *какие*
_____ деятели обменялись мнениями по вопросам _____ *чего*

д. Прибыла *какая* _____ делегация во главе с _____ *кем*

е. Белый дом устроил приём в честь ⎫ *кого*
_____
_____

2. Закончите предложения, используя слова из правой колонки.

a. Мини́стр

| оборо́ны |
| энерге́тики |
| иностра́нных дел |
| фина́нсов |

обсужда́л вопро́сы

| чего |
| взаимопо́мощь |
| вое́нная по́мощь |
| экономи́ческий |
| кри́зис |

б.

| *кто* |
| глава́ делега́ции |
| высо́кий гость |
| премье́р-мини́стр |

вы́ступил, -а, -о, -и

| *где* |
| перегово́ры |
| приём |
| обе́д |

в.

| *кто* |
| Госсекрета́рь США |
| ви́дный полити́ческий де́ятель |

вы́сказался

| *за что... против чего* |
| торго́вля с РФ |
| са́ммит |

г.

| *кто* |
| представи́тель госдепарта́мента |
| мини́стр энерге́тики |
| ли́дер республика́нского меньшинства́ |
| ли́дер демократи́ческого большинства́ |

подписа́л
догово́р

| *о чём* |
| обме́н информа́цией |
| по́мощь |
| двусторо́нние |
| отноше́ния |
| э́кспорт |

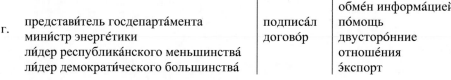

Д. Ответьте на следующие вопросы.

1. Как называ́ется глава́ МИД?
2. Кто встреча́ет прави́тельственные делега́ции на аэродро́ме?
3. Каки́е вопро́сы обсужда́ют мини́стры торго́вли?
4. Что устра́ивают в честь высо́ких госте́й?
5. Что подпи́сывают в результа́те перегово́ров?
6. За что выска́зываются росси́йские полити́ческие де́ятели?
7. За что выска́зываются америка́нские полити́ческие де́ятели?
8. С каки́ми реча́ми выступа́ют на приёмах?
9. Где живу́т францу́зы?
10. Кто живёт в Росси́и?
11. Фра́нция нахо́дится в Центра́льной Евро́пе?
12 Где нахо́дится Росси́я?
13. На како́м контине́нте нахо́дится Фра́нция?
14. Росси́я - восто́чноевропе́йская страна́?
15. На како́м языке́ говоря́т во Фра́нции?
16. Как называ́ется столи́ца Росси́и?

ГРАММАТИКА: ПРЕДЛОЖНЫЙ ПАДЕЖ (PREPOSITIONAL CASE)

The prepositional case has three uses:

1. After the preposition *O* 'about' to answer the questions *о ком, о чём:*

бесе́ды **о** сотру́дничеств**е**   talks *on cooperation*
вопро́с **о** равнопра́в**ии**   the issue *of equality*

Before vowels **а, э, и, о,** and **у, о** becomes **об:**

Говоря́т **об** обо́роне.   Defense is being discussed.

O becomes **обо** in the following set expressions:

> **обо всех** – about everyone; about all
> **обо всём** – about everything
> **обо мне** – about me

2. After the prepositions *B* and *HA* to answer the question *ГДЕ* 'where *at*' (location):

в Восто́чной Евро́п**е**   in Eastern Europe
в Южной Аме́рик**е**   in South America
на америка́нском контине́нт**е**   on the American continent
на Ку́б**е**   in Cuba
на переговора́х   at the negotiations

Note that **в** usually means "in" and is used with buildings, cities, and countries. **Ha** usually means "on" and is used with *events*: **на переговора́х** 'at the negotiations.'

Ha is also used with compass directions: **на ю́ге** in the south.
Ha is used in set phrases such as: **на ро́дине, на о́строве, на контине́нте, на Аля́ске, на Украи́не, на по́чте, на заво́де, на вокза́ле, на стадио́не, на ры́нке, на би́рже, на фро́нте.** See the lists on the following page.

In addition, **на** and **в** plus prepositional are used in certain set time expressions having to do with weeks, months, years, and centuries:

на э́той неде́ле
в про́шлом ме́сяце
в бу́дущем году́
в 1998-м году́
в про́шлом ве́ке.

A small group of masculine nouns have in the prepositional endings in stressed **ý** after the prepositions **в** and **на**, such as **в году́**. See the list on the next page.

3. **After the preposition *ПРИ* "under" or "during" (a regime or government):**

при Ста́лине	*under* Stalin
при администра́ции Бу́ша	*during* the Bush term
при Петре́ I (Пе́рвом)	*under* the reign of Peter the Great

List of HA words: Some words which require the preposition HA in prepositional:

на…

заво́де	по́чте
фа́брике	ро́дине
стадио́не	ю́ге
вокза́ле	се́вере
ста́нции	юго-восто́ке
контине́нте	се́веро-за́паде
Аля́ске	би́рже
о́строве	ры́нке
including names of islands: **на Ку́бе, на Тайва́не)**	фро́нте

Masculine nouns in *ý* after prepositions В, НА:

на…	в…
берегу́	*како́м* году́?
Дону́	кото́ром часу́?
мосту́	Крыму́
краю́ (on the edge)	краю́ (in the region)
борту́	лесу́
шкафу́	плену́
льду́	порту́
посту́	ряду́ (among)
	тылу́
	строю́ (in the ranks)

ГРАММАТИЧЕСКИЕ УПРАЖНЕНИЯ НА ПРЕДЛОЖНЫЙ ПАДЕЖ

Read all the grammar related to prepositional case; look through the reference chart at the end of the unit and the Appendix.

А. Где употребляется предложный падеж? Find prepositional case in the text and explain its use.

Б. Предлоги О, В, НА. Use the proper preposition, **о (об,обо)**, **в**, or **на** in the sentences below. Note the exceptions in the list on the previous page.

1. Что вы знаете ____ ситуации в российской экономике?
2. ____ переговорах стороны обсуждали вопросы российско-французского сотрудничества.
3. ____ Западной Европе почти все страны — члены ЕС. (EU)
4. Во время своего визита на прошлой неделе президент хотел говорить ____ обороне.
5. Что Москва хотела увидеть ____ столе переговоров в Женеве?
6. ____ заводах и фабриках прошли митинги протеста.
7. Сколько американцев находилось ____ вьетнамском плену?
8. Отношения между США и Канадой строятся ____ основе равноправия.
9 Россия находится ____ двух континентах.
10. Министр иностранных дел дал пресс-конференцию ____ борту авиалайнера.
11. Первая экономическая депрессия произошла ____ 20-х годах.
12. Какое население живет ____ этом маленьком острове в Индийском океане?
13. Город Одесса находится ____ юге европейской части бывшего СССР.

В. Предлог ПРИ. Form phrases using **при** + prepositional case. following the pattern below and be able to translate into English.

Образец: При президенте Картере...
Under President Carter...

республиканская администрация
Владимир Путин
лейбористское правительство
президент Буш
социалисты
коммунисты
администрация Медведева

Quia **Г. Предлоги с предложным падежом.** Form phrases using the words below according to the pattern and be ready to translate into English.

В + (adjective) noun **+ говорится о +** (adjective) noun

Образец:	В этой статье говорится о реформах...	
	This article deals with reforms...	
газета	конституция	договор
передача	документ	

@ **Д. Ответьте на вопросы.** Answer the following questions using the words in the right-hand column. Watch out for **ý**-nouns in prepositional case listed on p. 8.

1. О чём состоялись переговоры?

   – эта правительственная делегация
   – двусторонние отношения
   – демократическое большинство
   – Аляска
   – энергетический кризис

2. Где находился Государственный секретарь?

   – Западная Европа
   – важные переговоры
   – Франция
   – борт самолёта
   – министерство иностранных дел

3. Где живут эти люди?

   – Украина
   – Крым
   – развитая страна
   – густой лес

4. На чём строятся наши отношения?

   – дружеская основа
   – равноправная торговля
   – взаимное доверие

5. О ком писала газета «Известия»?

    – глава делегации
    – Генеральный секретарь ООН
    – американский президент

6. Где строятся новые фабрики?

    – Дон
    – Куба
    – далёкий север
    – европейский континент

7. При ком эти отношения быстро развивались?

    – Хрущёв
    – социалистическое правительство
    – демократическая администрация

8. О чём говорится в этой статье?

    – государственный департамент
    – Краснодарский край
    – фашистский плен

9. Где говорится о мировом рынке?

    – французская газета
    – длинная статья
    – секретный документ

10. Где работают эти молодые французы?

    – нью-йоркская биржа
    – морской порт
    – остров Сахалин

E. Составляем вопросы. Write questions for the italicized words in the sentences below using one of the following interrogatives: **о ком? о чём? где? когда? на чём? в чём? при ком? при чём?**

1. Президéнт США находился с визитом *в Париже*.
2. В 1960-х годах прошлого века мир стоял *на краю ядерной катастрофы*.
3. *В конституции* говорится о свободе слова.
4. Министры торговли разговаривали *о будущем сотрудничестве между двумя странами*.
5. *При администрации президента Картера* мы в первый раз услышали об энергетическом кризисе.
6. *На прошлой неделе* в Москву прибыл министр культуры Боливии.
7. Российская пресса писала *о новом Генеральном секретаре ООН*.
8. *При Сталине* миллионы советских людей находились в лагерях.
9. *В 1979* году Египет и Израиль подписали соглашение в Кэмп-Дэвиде.
10. Некоторые американские солдаты много лет были *во вьетнамском плену*.

Ж. Числительные. Review cardinal numerals in prepositional case. Consult the appendix. Form phrases with the words below according to the model. Write out the numerals.

Образец: на/ 3/ украинская фабрика
                          Кто работает на *трёх украинских фабриках?*

1. на/ 2/ важная встреча
2. при/ 5/ последняя администрация
3. в/ 41/ российское министерство
4. о/ 4/ государственный секретарь

З.   Порядковые числительные в предложном падеже. Review ordinal numerals in prepositional case. Consult the appendix. Spell out the numerals in the following phrases.

	1		2		3
	1787 году		80-х годах		XX веке
в	1990 году	в	60-х годах	в	XXI веке
	2000 году		40-х годах		XXII веке

И. Как по-русски? Give Russian equivalents for the phrases below. Consult the chart at the end of the unit for the idiomatic uses of the prepositional case.

*   with the support of
*   in what century?
*   next week
*   in the spirit of mistrust
*   in January
*   under no circumstances
*   first of all

К. Составьте предложения. Write ten sentences to illustrate different uses of prepositional case.

Л. Переведите на русский язык.

1. Last month the UN Secretary General was on an unofficial visit to Cuba.
2. Under what conditions will new factories be built in Eastern Europe?
3. The newspaper says that in 1989 talks were held on the future of Central Europe.
4. The French President is confident of his economic reform program.
5. There were millions of Soviet soldiers in German captivity in 1942.

6. International tension existed on the European continent under the Socialist government.
7. The press accused this senior US official of secret negotiations.
8. Both sides stated that relations between the Russian Federation and France are built on the basis of mutual trust.
9. The economic crisis began in 1929 on the New York stock exchange.
10. US-Russian relations have not been developing successfully during the last two administrations.
11. In the course of talks, our delegation inquired about three new ports in the north of Russia.
12. The minister was on board the American plane.
13. Under no circumstances will the head of this delegation sign a treaty on cooperation.
14. At the reception, prominent officials exchanged speeches on issues of bilateral relations.

ГРАММАТИКА: НАЧИНАТЬ / ОКАНЧИВАТЬ (ЗАКАНЧИВАТЬ)

The sentence "The announcer begins *the broadcast*" has a direct object, whereas the sentence "The broadcast begins at three o'clock" does not. But ask yourself, *what* does the broadcast begin. It begins *itself.* In English the "itself" is understood and deleted. In Russian the "itself" must be expressed by means of **–ся**: **Переда́ча начина́ет***ся* **в три часа́.**

Now look at the following examples of verbs for "beginning" and "ending." Note which have **–ся** and which do not:

Совеща́ние начина́ет*ся* **сего́дня.**
The conference begins (*what? – itself*) today.

Перегово́ры зака́нчивают*ся* **за́втра.**
The negotiations end (*what? – themselves*) tomorrow.

Мини́стр начина́ет своё выступле́ние.
The minister is beginning (*what? – not himself, but something else*) his speech.

Мини́стр зака́нчивает своё выступле́ние.
The minister is finishing (*what? – not himself, but something else*) his speech.

Note that **начина́ть/нача́ть** and **зака́нчивать/ зако́нчить (око́нчить)** are never reflexive before an infinitive. (If you begin *to do* something, you are beginning *something else,* not yourself.)

ГРАММАТИЧЕСКИЕ УПРАЖНЕНИЯ НА ГЛАГОЛЫ «НАЧИНАТЬ / ЗАКАНЧИВАТЬ (ОКАНЧИВАТЬ)»

А. Частица -СЯ. Add **–ся** (or **–сь**) where necessary. Some of the verbs below have various prefixes, but their meanings remain the same. Be prepared to translate the sentences.

1. Новая сессия канадского парламента должна _____ 8 сентября. (начать, начаться)

2. Вскоре после войны в возрасте 15 лет Горбачёв _____ свою трудовую деятельность. (начал, начался)

3. В 1939 году Ельцин _____ службу в армии. (закончил, закончился)

4. _____ передача «За круглым столом». (начинает, начинается)

5. До президентских выборов еще два с лишним года, но кампания уже _____. (начала, началась)

6. Сегодня _____ официальный визит президента Французской республики. (заканчивает, заканчивается)

7. Обе стороны готовятся к переговорам, но когда именно они _____, ещё неизвестно. (начнут, начнутся)

8. Великая Отечественная война _____ 9 мая 1945 года. (закончила, закончилась)

9. Я _____ писать свой первый роман в 90-х годах. (начал, начался)

Б. Раскройте скобки.

1. Вчера в Воронеже [began] _____ строительство нового комплекса.

2. Мы уже [have finished] _____ обсуждать этот вопрос.

3.   В РФ [is beginning] _____ пе́репись населения (census).

4. Заседание [will begin] _____ 17-го мая, но ещё неизвестно, когда оно [will end] _____ .

5. Социологи [will finish] _____ собирать необходимые данные о разводе, а потом [begin] _____ общая дискуссия по этой проблеме.

В. Составьте предложения. Write five sentences to illustrate the uses of **–ся** verbs.

ГРАММАТИКА: ВИД ГЛАГОЛА (VERBAL ASPECT)

Every Russian verb comes in pairs. This division into pairs is called *verbal aspect*. One category of the pair is called *imperfective aspect,* the other *perfective aspect.*

Imperfective verbs place no time limit on the verb in question. *Perfective* verbs, on the other hand, name specific, limited actions and indicate completion as in the following example.

IMPERFECTIVE	**PERFECTIVE**
Мини́стр **встреча́лся** с генера́лом.	Мини́стр **встре́тился** с генера́лом.
The minister *met (was meeting, used to meet)* with the general.	The minister *met* with the general. (There was one completed meeting.)

The aspect distinction between limited and non-limited action has dozens of semantic ramifications. For the time being, however, we will limit ourselves to the basics:

Present tense: Use *imperfective only. There is no perfective* in present tense.

Дипломáты **встреча́ются** → The diplomats *meet*
OR
The diplomats *are meeting*

Has been doing something (present perfect progressive tense) is expressed by the *imperfective present.*

> С концá войны́ у́ровень жи́зни наро́да **растёт**.
> Since the war's end, the people's standard of living *has been growing.*

Past tense

USE *IMPERFECTIVE* FOR	USE *PERFECTIVE* FOR
Repeated action	Specific action (with a result)
Сове́тский Сою́з **всегда́ ока́зывал** Анго́ле вое́нную по́мощь.	Сове́тский Сою́з, коне́чно, **оказа́л** Анго́ле необходи́мую по́мощь.
The Soviet Union *always* rendered the support necessary for Angola.	The Soviet Union naturally *offered* Angola military aid.

Note that in this context the *imperfective* often corresponds to "used to." Perfective is sometimes rendered as "have done something."

Нау́чно-техни́ческое сотру́дничество ра́ньше **охва́тывало** все о́бласти произво́дства.	Нау́чно-техни́ческое сотру́дничество **охвати́ло** но́вые о́бласти произво́дства.
Scientific and technical cooperation *used to* encompass all areas of industry.	Scientific and technical cooperation *has encompassed* all areas of industry.
Long-term action	Limited-term, specific action
Обе стороны́ **до́лго** гото́вились к предстоя́щей встре́че.	Обе стороны́ подгото́вились к встре́че **за одну́ неде́лю.**
Both sides spent *a long while* preparing for the meeting.	Both sides prepared for the meeting *within a week.* OR It took both sides a week to prepare for the meeting.

In this context, the *imperfective* often gives the idea of "was doing" or "spent time doing": (imperfective) Compare with (perfective).

Совеща́ние **зака́нчивалось.** The conference *was ending.*	Совеща́ние **зако́нчилось.** The conference *ended.*

The *imperfective* also conveys "state of being."

В делега́цию **входи́ли** депута́ты Госуда́рственной Ду́мы.
The Deputies of the State Duma *made up* the delegation (i.e., they "were" the delegation).

В це́нтре внима́ния ра́дио и телеви́дения **находи́лись** вопро́сы торго́вли.
Issues of trade *were* the center of attention for radio and television.

Переговóры **проходи́ли** в тёплой и дрýжеской обстанóвке.
The negotiations *took place* in a warm and friendly atmosphere.

Future tense: The rules for past tense above also operate for the future tense. Look at the following examples:

Long-term action	Limited-term, specific action
РФ всегдá **бýдет окáзывать** дрýжествен- ным стра́нам необходи́мую пóмощь.	РФ, конéчно, **окáжет** дрýжественным стра́нам необходи́мую пóмощь.
Russia *will always render* the aid required by friendly countries.	Russia *will* naturally *offer* friendly countries the necessary support.
Производи́тельность трудá **бýдет расти́** и дáльше.	К 2009-му гóду производи́тельность трудá **возрастёт** на 20 процéнтов.
Labor productivity *will rise* further. *(No time limit.)*	By 2009 labor productivity *will have risen* by 20%.

Hard and fast rules

1. Verbs of *beginning* and *ending* **начинáть(ся)/ начáть(ся), закáнчивать(ся)/ закóнчить(ся)**, as well as the verb **продолжáть** 'to continue', always take *imperfective* infinitives:

   Мы нáчали **готóвиться** к встрéче.
   Они продолжáют **встречáться**.

2. Time expressions with **за** 'within a certain time period' and **к** 'by a certain time' always use *perfective* verbs (except, of course for the present tense, where there is no perfective):

   Строи́тели **сдадýт (сдáли)** пéрвую сéкцию ГЭС **к начáлу** слéдующего финáнсового гóда.
   The builders *will have completed (have completed)* the first section of the power station *by the beginning* of the next fiscal year.

   Нáше предприя́тие **вы́полнило (вы́полнит)** план **за два гóда.**
   Our enterprise *fulfilled (will fulfill)* the plan in two years.

3. **Нельзя́** takes an *imperfective* infinitive when it means "forbidden" or "must not." It takes a *perfective* infinitive when it means "impossible."

Нельзя́ называ́ть всех чле́нов.	**Нельзя́ назва́ть** всех чле́нов.
All the members *must not be named.*	It's *impossible to name* all the members.

4. Some verbs have only one aspect.

    Состоя́ться 'to be held' is perfective only:
    Вчера **состоя́лось** заседа́ние комите́та вое́нного плани́рования НАТО.
    NATO's Military Planning Committee *met* yesterday.

    Испо́льзовать, as well as some other **–овать** verbs of foreign origin such as
    констати́ровать have imperfective forms only.

ГРАММАТИЧЕСКИЕ УПРАЖНЕНИЯ НА ВИД ГЛАГОЛА

Read all the grammar related to verbal aspect; look through Table 2 at the end of the unit.

A. Употребление видов глагола в контексте. Analyze different uses of verbal aspects in the text.

 Б. Повторение вида глагола. Review all verbs in the vocabulary list, as well as in both sections of Grammar. Conjugate the following verbs.

> прибывать/прибыть
> констатировать
> обсуждать/обсудить
> встречать / встретить
> обвинять/обвинить
> устраивать / устроить
> состояться
> выступать/ выступить
> высказываться/ высказаться
> подписывать/ подписать

В. Раскройте скобки. Supply the verbs as required in the proper aspect, and explain your reasoning. Indicate the key words which determine the aspect.

1. Каждый день стороны [discussed] _____ вопросы торговли.
2. Президент Франции [will arrive] _____ в следующий понедельник и переговоры [will begin] _____ в среду.
3. За последние 4 года производство газа на Аляске [has increased] _____ в 5 раз.
4. Наконец [finally] обмен мнениями [has taken place] _____.между этими странами.
5. Белый дом [will give] _____ приём к концу его визита.

7. Когда США и РФ в первый раз [signed] _____ соглашение?
8. В 1933 году национал-социалисты начали [control] _____ Рейхстаг.

@ **Г. Choose and use the proper modifier in the sentences below.**

1. **в тот же день**   Коммунисты продолжали говорить о международной
   весь день   напряжённости.

2. **каждый месяц**   Переговоры прошли без успеха.
   один раз

3. **2 года**   Нельзя быстро увеличить производство автомобилей.
   за 2 года

Д. Составьте предложения. Write ten sentences to illustrate the use of the imperfective and perfective aspect and translate them into English.

Е. Переведите на английский язык.

1. Soviet propaganda used radio and television extensively.
2. It took them a week to discuss the plan of the meeting.
3. In the course of negotiations, both sides discussed the issue of bilateral relations and signed an agreement.
4. The world continues to talk about the energy crisis.
5. In the fifties, many Americans were accused of collaboration (сотрудничество) with the Soviet Union.
6. Negotiations will start on Wednesday and will finish next week.
7. One is not allowed to inquire (ask) about issues of defense.
8. *Pravda* always wrote about official visits to the Soviet Union.
9. How long were these Americans in POW camps?
10. Russia has developed friendly relations with the US over the last two years.
11. He says that next year socialists will nationalize everything.
12. By the end of the century, scientific and technical cooperation will encompass (охватить) new areas.
13. For five years, the salary (зарпла́та) was growing (increasing).
14. Last year newspapers stopped talking about the energy crisis.
15. It is forbidden to use this TV set!
16. It is impossible to have a friendly exchange of views with this official!
17. The head of the delegation has been giving his presentation for 30 minutes.

ЦИТИРОВАНИЕ ИСТОЧНИКОВ (QUOTING SOURCES)

ЛЮДИ	ГОВОРЯТ
а́втор	говори́т, что…; говори́т *о чём*
представи́тель	по́дчёркивает, что…
глава́	заяви́л, что…
ли́дер	объяви́л *о чём*
президе́нт	отмеча́ет, что…
журнали́ст	сказа́л в интервью́…
сове́тник по дела́м	в переда́че
заммини́стра	по телеви́дению
госсекрета́рь	по ра́дио

Printed or broadcast formats:	
В каких СМИ?	**Что…?**
в переда́че	говори́тся, что
в газе́те	говори́лось, что
в конститу́ции	
в докуме́нте	говори́тся *о чём*
в догово́ре	говори́лось *о чём*
в интервью́	

УПРАЖНЕНИЯ НА УСТНУЮ РЕЧЬ

А. Как цитируются источники. Когда вы разговариваете, вы используете слова интенции, которые помогают вам выразить ваши намерения, интенции. Например, если вы хотите процитировать кого-то или что-то, вы можете сказать:

в э́той заме́тке (статье́) говори́тся, что...
а́втор констати́рует, что...

Образец: В статье́ говори́тся, что отноше́ния очень плохи́е.
По́льский президе́нт **констати́рует**, что отноше́ния очень плохи́е.

Процитируйте следующие предложения:

1. Мини́стр иностра́нных дел Фра́нции при́был в Москву́ с официа́льным визи́том по приглаше́нию росси́йского МИД.
2. В тот же день в честь высо́кого го́стя Кремль устро́ил приём.
3. Мини́стры вы́сказались за разви́тие сотру́дничества ме́жду двумя́ стра́нами.

4. Уча́стники перегово́ров обсуди́ли бу́дущее росси́йско-францу́зской торго́вли
5. Отноше́ния ме́жду Фра́нцией и Росси́ей стро́ятся на осно́ве дове́рия.

Б. Отве́тьте на сле́дующие вопро́сы по тексту «Визит французского министра иностранных дел», цитируя статью и участников бесед.

1. Кака́я делега́ция прибыла́ в Москву́?
2. Кто встреча́л госте́й на аэродро́ме?
3. Что в тот же день устро́ил Кремль?
4. За что вы́сказались мини́стры иностра́нных дел на приёме?
5. На како́й осно́ве стро́ятся отноше́ния ме́жду РФ и Фра́нцией?
6. Что обсуди́ли уча́стники перегово́ров?
7. Како́й догово́р подписа́ли сто́роны?

В. Переска́з.

1. Расскажите историю об официальном визите, переговорах и договоре, подписанном в результате его, на основе текста «Визит французского министра иностранных дел». Цитируйте обе статьи и участников переговоров, используя:

   в э́той статье́ говори́тся *о чём*… ,
   кто… **констати́рует, что**….

2. Расскажите о другом официальном визите, используя ту же историю, заменив:

   уча́стников встре́чи
   место встре́чи
   тему бесе́д
   хара́ктер отноше́ний

Г. Пресс-конференция. Вы — представитель министра иностранных дел Франции. Проведите пресс-конференцию после его визита в РФ. Не забывайте цитировать источники!

@ **Д. Разговор.** Послушайте разговор двух журналистов после пресс-конфере́нции и разыгра́йте его с други́ми студе́нтами.

Анто́н:	Ты куда́ сейча́с?
Верони́ка:	В МИД.
Анто́н:	О го́споди, заче́м?

Вероника: Замминистра устра́ивает бри́финг для у́зкого кру́га.

Анто́н: Ох уж э́ти их бри́финги! Под больши́м секре́том сообща́ют тебе́ то, что все и так зна́ют. Да от них сло́ва живо́го не дождёшься.

Вероника: Так-то оно́ так. Но на́до подде́рживать отноше́ния, а, кро́ме того́, мо́жет, пойма́ю кого́-нибудь в коридо́ре и зада́м па́ру вопро́сов «без протоко́ла».

Анто́н: А пото́м напи́шешь: «Как сообща́ет хорошо́ осведомлённый исто́чник в МИД…»

Вероника: «Высокопоста́вленный исто́чник…»

Анто́н: Да-да. А что, со́бственно, ты хо́чешь узна́ть?

Вероника: Есть ли ша́нсы подписа́ть догово́р с брита́нцами. Уже три дня на́ши в Ло́ндоне веду́т перегово́ры с Фо́рин Офис.

Анто́н: О чём догова́риваются?

Вероника: Официа́льно об упроще́нии визо́вого режи́ма, а на са́мом деле по широ́кому кру́гу вопро́сов. Ты же зна́ешь, росси́йско-брита́нские двусторо́нние отноше́ния пережива́ют кри́зис.

Анто́н: Да уж, ско́ро в Англию никого́ пуска́ть не бу́дут. Я вот что поду́мал. Брось ты свой МИД, и пое́хали со мно́й во францу́зское посо́льство.

Вероника: Заче́м?

Анто́н: Там сего́дня приём по слу́чаю национа́льного пра́здника – Дня взя́тия Басти́лии. У францу́зов отли́чно ко́рмят. И бу́дет брита́нский посо́л! У него́ всё и узна́ешь.

Вероника: Отли́чная мысль! Это мо́жет быть интере́сно! Я с тобо́й, пожа́луй. Подвезёшь?

Полезные слова

высокопоста́вленный исто́чник – a high standing source

корми́ть: отли́чно ко́рмят – they serve good food

осведомлённый: как сообща́ет хорошо́ осведомлённый исто́чник в МИД … – according to a well-informed Foreign Ministry source

пережива́ть кри́зис – to undergo a crisis

подвезёшь? – will you give me a lift?

пойма́ть – to catch

посо́льство, посо́л – embassy, ambassador

протоко́л: зада́ть па́ру вопро́сов «без протоко́ла» – to ask a couple of questions off the record

пуска́ть – to allow in

сло́ва живо́го не дождёшься – you can't expect them to say anything human

слу́чай: по слу́чаю национа́льного пра́здника – on the occasion of a national holiday

сообща́ть под больши́м секре́том – to inform confidentially

у́зкий: для у́зкого кру́га – for a narrow circle

упроще́ние визо́вого режи́ма – easing off the visa regime

Фо́рин Офис – брита́нский МИД

УПРАЖНЕНИЯ НА ЧТЕНИЕ: ВВЕДЕНИЕ

Background, schema, and prediction. Most people believe that when we read we merely reproduce the words we see on the page in our heads one after the other. And indeed, many first-graders read that way. But when we approach a text, regardless of language, we bring to it many assumptions and predictions about what we expect to read. Those assumptions help us make sense of the text and, if they are violated, we start to question the meaning.

Consider a short news story:

> Federal prosecutors today filed charges in _____ against Illinois congressman David Preston of the state's eighth congressional district. The _____ is expected to seek an indictment for five counts of _____. Preston is accused of having _____ over _____ in cash payments from various _____ connected with the _____ industry. Preston released a statement through his _____ proclaiming his innocence. "I look forward to _____," Preston said.

Because this story follows a familiar script whose details vary little from case to case, we can make fairly sure predictions about what we are reading without having the words at hand. We know that the people seeking the indictment are prosecutors probably working for the Justice Department. Preston probably is alleged to have taken a large sum in bribes, most likely from lobbyists connected with… oil? gas? gambling? — but certainly not the clergy or college professors (we don't call them "industries"). Preston may have issued his statement through his lawyer or his press secretary, but not his mother. And he looks forward to being vindicated (as unlikely as that may be), and not to going to jail.

We know all these things because we know the *schema* for this kind of text. We also have lots of other background knowledge — about Congress, lobbyists, and Justice Department investigations that make the news. In other words, understanding what we read is not just deciphering one word after another, but using our real-world knowledge to make sense of a text.

Part of the challenge of reading a foreign language is to transfer those real world skills. In some cases, you may need additional background knowledge. In others, you might need to know what to expect in how a certain kind of text works — what is likely to be reported.

In short, much of the task of reading a text is predicting what is likely to be said and then checking to see if those predictions were correct.

When you read a text, you have many tools at your disposal: your own background knowledge of the subject discussed, the context provided by the piece itself, and finally, cognates. Most likely you already know something about what the author is planning to say. Before you start to read a new text, ask yourself what you can expect to learn from it. What information are you *likely* to get? Then see if what you actually read meets your expectations. In other words, don't approach a passage as a set of hieroglyphics to be deciphered. Use what you actually know about the word, as well as the context provided to figure out what is likely to be said in advance.

For example, assume that you are reading a Russian description about diplomatic contacts between Israel and South Africa. Would you expect the piece to characterize them as productive or suspicious?

After deciding what you suspect you might read, check to see if the context of what you are reading supports your conclusions. Use context and cognates to help you guess at the meanings of key words. Don't feel that you have to get the exact meaning of every word on your first run through. The purpose of reading expository prose is to get information, not to decipher the meaning of individual words.

Pre-text exercises do three things. They provide background knowledge or remind you of background knowledge you should bring with you to a text. They challenge you to figure out what kind of information a text is likely to contain. Finally, they suggest what kind of information you might be able to extract from a text.

УПРАЖНЕНИЯ НА ЧТЕНИЕ 1

Предтекстовые упражнения (Pre-text Exercises)

A. Text Schema. The schema of "Meetings, Greetings, and Negotiations." Nearly all straight news texts about negotiations give you the following information, usually in this order:

1. Who met whom?
2. Who went where?
3. Who is who? (or Who's from where?)
4. What (was / is being /will be) discussed?
5. What is the source of the report on this subject?
6. Details about the discussion.
7. Analysis of the (possible) results of the discussion.
8. Background information (what had happened earlier).
9. Deeper analysis, quotes of the opinions of other experts.

Not every category is filled in every article on meetings and greetings. Before going on, skim the article to see how many of the nine items above are covered.

Б. Getting the details. Now go back and fill in the details for all the categories you selected.

Официальный визит
Президента Виктора Ющенко в Португалию

Президент Виктор Ющенко прибыл с двухдневным официальным визитом в Португалию для встреч с властями. Запланировано, что в ходе визита состоится встреча Ющенко с Президентом Португалии Анибалом Антониу Каваку Силвой, Жозе Сократешем, который является премьер-министром, председателем парламента Жайме Гамой и представителями политических партий. Об этом сообщает пресс-служба Президента.

Стороны обсудят вопросы двустороннего сотрудничества в политической, торгово-экономической, военно-технической и гуманитарной сферах. Кроме договора о военном сотрудничестве, планируется подписание Дорожной карты украино-португальских отношений на 2008-2010 годы, соглашения о воздушном соединении и соглашения по борьбе с терроризмом.

ПОСЛЕТЕКСТОВЫЕ УПРАЖНЕНИЯ (POST-TEXT EXERCISES)

Post-text exercises teach how to extract information quickly. Often by using your knowledge of the world at large, by using context, and by knowing important key words, the sentences yield up their meanings quickly. On the other hand, information and opinions can be hidden in much denser prose, and sometimes a closer reading becomes necessary.

Russian with its developed inflectional system allows you to approach each sentence as a mathematical formula with several unknowns to be deduced from the context. In order to learn to read efficiently, you have to learn how to make those deductions.

First and foremost, **never** look up a word in the dictionary before you have figured out the structure of the sentence. If you know the role each word plays, you have a good chance of guessing the meaning of the unknown word from context, or of deciding that you don't need an exact meaning to get at the information you want.

Here are some rules of reading more complicated prose in Russian.

Reading rule 1: First of all, you should identify **the subject** - *the "doer" of the action in the nominative case*. If you fail to spot it right away, look for **the verb phrase** or **predicate** – *the "action" or "state" of the "doer."*

Verb phrases can be:

1. a *verb*
    Они **обсудили** вопрос.
    Они **хотят обсуждать** вопрос.

2. *a form of "to be" +*   → *a short adjective*
                              → *a short past passive participle*
                              → *a noun, numeral, a prepositional phrase*
                              → *a full adjective*

    Это **будет невозможно сделать.**
    Работа **была сделана.** *(passive predicate)*
    Победа на фронте — это **4 тысячи** танков.
    Народу **нужна** свобода.

    Remember that "to be" in the present tense is not obvious.

3. *a part of an equation phrase (an "A is like B" sentence) used with the instrumental case: "to be" (in past and future) + instrumental case*

    являться + *instrumental case*
    оставаться + *instrumental case*
    делать/сделать, становиться/стать, *etc.*

    Он **будет членом** правительства.
    Вопрос **остаётся открытым.**
    Эти меры **являются незаконными.**

    The grammatical structure of a verb phrase will indicate *the number and the gender* of the subject. Some sentences consist of predicates without real subjects: *Нужно идти.*
    There can be several subjects for one verb phrase or several verb phrases for one subject. *РФ и США готовы сотрудничать. Волков не должен и не может вам помочь.*

Note: Enumeration of subjects or predicates, unless connected by *и*, is separated by a comma.

Послетекстовые упражнения (Using sentence structure)

1. In paragraph 1 find the verb phrase for the subject **президент**. Is it...
    a. "to be"
    b. a verb

2. In the second sentence of the same paragraph, the predicate for **который** is …
    a. "to be" + a short adjective
    b. "A=B" + instrumental case

Translate these *subject-predicate pairs* into English.

Послетекстовое упражнение (Using context)

1. **Дорога** in Russian means a "road." Take a guess about the meaning of **дорожная карта**.
2. You may be able to figure out the word **запланирован** if you already know that the word **план** is its root. What does it mean?
3. **Об этом** in the second sentence of the first paragraph must refer to something in the first sentence. What do you think it is?
4. Find the Russian for *humanitarian sphere*.

Упражнения на чтение 2

Предтекстовые упражнения

A. **Did they report everything?** How many of the categories listed for Reading Exercise 1 were reported on? How many players were reported on?

Б. **Big deals or sweet nothings?** Some reports on meetings, greetings, and negotiations list substantive issues discussed and their outcomes. Others report only diplomatic niceties. Given the players involved, what would you expect in an article of this length? Was your assumption correct?

Избранный президент РФ Дмитрий Медведев на встрече с президентом США Джорджем Бушем

Апрельская встреча Медведева с главой американской администрации в Сочи состоялась после того, как тот провёл переговоры с бывшим президентом Путиным, сообщил пресс-секретарь президента прессе. «Российско-американские отношения являются ключевым фактором безопасности в мире», — сказал Медведев. Он заверил, что на посту президента РФ ему «хотелось бы сделать так, чтобы наши отношения развивались и дальше без остановок».

Медведев отметил, что за последние восемь лет Владимиром Путиным и Джорджем Бушем сделано немало для развития двустороннего российско-американского взаимопонимания.

В свою очередь Буш выразил Медведеву благодарность за возможность встретиться, подчеркнул, что рад возможности встретиться с избранным президентом РФ, чтобы «обсуждать проблемы и находить новые решения».

ПОСЛЕТЕКСТОВЫЕ УПРАЖНЕНИЯ (USING SENTENCE STRUCTURE)

Reading rule 2: Once you've found the subject and the predicate, look for **an object of the predicate**. It completes the meaning of the sentence.

Objects can be:

1. *direct — a noun or a pronoun in the accusative case. (only for active predicates)*

   Делегаты обсудили **доклад**.

2. *indirect — nouns or pronouns in the dative, genitive, or instrumental case.*

   Договор способствует **взаимопониманию**.
   Они добиваются **частичного разоружения**.
   Эта встреча станет **ключом** к договору.

3. *prepositional — objects with prepositions.*

   Большинство населения живёт **в центральной части России**.

4. *an object clause.*

   Он сказал, *что переговоры закончились*.

Упражнения

1. Find and classify objects for the following predicates:

   Paragraph 1 *dir. obj.*   *indir. obj.*   *prepos. obj.*   *clause.*

   состоялась   _____   _____   _____   _____
   провёл   _____   _____   _____   _____
   сообщил   _____   _____   _____   _____

   Paragraph 3

   выразил   _____   _____   _____   _____
   подчеркнул   _____   _____   _____   _____

2. Find and classify the following predicates:

   Paragraph 1 *verb*   *"to be"*   *"A=B" + instrumental case*

   сообщил   _____   _____   _____
   являются   _____   _____   _____

   Paragraph 2

   сделано   _____   _____   _____
   рад   _____   _____   _____

Послетекстовое упражнение (using context)

1. **Ключ** in Russian means a 'key." What is the English for **ключевой фактор**?
2. What is an equivalent for **сказать спасибо** in official language?

УПРАЖНЕНИЕ НА ЧТЕНИЕ 3

Предтекстовые упражнения

A. Background knowledge. This article is about a meeting that took place immediately following a Russian invasion of Georgia, a staunch U.S. ally. Before reading the article, decide which of the following statements are likely to have been true:

❑ The U.S. Secretary of State accused Georgia of backsliding.

❑ Georgia accused Russia of entering its airspace.

❑ Russia accused Georgia of provoking a crisis.

❑ The Secretary of State warned Russia that we would not turn a blind eye to what was happening.

❑ The Secretary of State told Georgia that we would send troops to defend them.

❑ The source for this report was an official State Department spokesperson.

Briefly check the article to see if your guesses were correct.

Б. Fightin' words? Do the following noun-verb phrases indicate verbal aggression?

Кондолиза Райс побывала…
Грузия обвинила…
Российский МИД не комментировал…
Российский МИД обвинил…
Один из членов сказал, что ни при каких условиях…

Госсекретарь США с «очень значительным» официальным визитом в Тбилиси

Госсекретарь США Кондолиза Райс побывала с «очень значительным» официальным визитом в Тбилиси.

В среду, когда Райс прилетела в Тбилиси, Грузия обвинила Россию во вторжениях военных истребителей в ее воздушное пространство. Российский МИД не комментировал это заявление, но несколько раньше в очередной раз обвинил Тбилиси в провокациях в зонах конфликтов.

На борту самолета Кондолизы Райс один из членов её делегации сказал, что ни при каких условиях США не могут закрывать глаза на провокационную политику РФ. Чиновник пожелал остаться анонимным.

Послетекстовое упражнение (Using sentence structure)

Find and classify the predicates and the objects for the following subjects:

	predicate(s)	*object(s)*
paragraph 1		
госсекретарь	_____	_____
paragraph 2		
Райс	_____	_____
МИД	_____	_____
paragraph 3		
один	_____	_____
США	_____	_____

Translate these *subject-predicate-object* phrases into English.

УПРАЖНЕНИЯ НА ЧТЕНИЕ 4

Предтекстовые упражнения

A. **Time frames.** When is the event under discussion — past, present or future? Find words (especially verbs) that indicate the time frame. Are the key verbs perfective or imperfective?

Б. **Background.** This article concerns a meeting of heads of state. Name all the countries involved.

B. Initials. Find identifying phrases for **ШОС** and **РТ**.

Г. A big deal or just protocol? Are substantive issues mentioned, or is this just about a diplomatic guest-list? Find the words for any issues that are mentioned.

В августе Таджикистан с официальным визитом посетят главы России, Китая и Монголии

Душанбе. 8 июля. «Азия-Плюс» — Перед запланированным на конец августа очередным саммитом глав государств-участников Шанхайской организации сотрудничества (ШОС) Республику Таджикистан с официальным визитом посетят президент РФ (Российской Федерации) Дмитрий Медведев, председатель КНР (Китайской Народной Республики) Ху Цзиньтао и президент Монголии Намбарын Энхбаяр.

Как стало известно «АП» в министерстве иностранных дел РТ, вышеназванные национальные лидеры в качестве глав государств прибудут в Таджикистан с официальными визитами впервые.

«В настоящее время внешнеполитическое ведомство РТ совместно со службами протокола соответствующих сторон готовят программы официальных визитов глав вышеназванных государств», — отметил источник.

По словам представителя МИД РТ, в Душанбинском саммите ШОС, помимо глав государств-членов организации, предусмотрено присутствие президентов Ирана, Монголии, Индии и Пакистана как государств, имеющих статус наблюдателя, а в качестве гостей приглашены президенты Туркменистана и Афганистана.

ПОСЛЕТЕКСТОВОЕ УПРАЖНЕНИЕ (USING CONTEXT)

1. What is the English for **саммит**?
2. Give the English for **статус наблюдателя**.
3. Here is a list of abbreviations used in this article: **ШОС, РТ, МИД**. Find what each one stands for.
4. Give an equivalent for **государства-члены**.

@ УПРАЖНЕНИЯ НА АУДИРОВАНИЕ

До ПРОСЛУШИВАНИЯ (PRE-LISTENING EXERCISES)

А. Фоновая информация. The following report appeared on Russian state controlled television and concerns a summit conference of a group of countries that were part of the Soviet Union. The subject is tensions in the Caucasus.

1. The organization is one with military and security ties to Russia. Which countries are likely to be members?

2. What resolution did the organization most likely adopt?
   a. Russia acted correctly to stop aggression.
   b. U.N. peacekeepers should be summoned.
   c. The warring parties should settle the conflict.

Б. Нужные слова

безопа́сность – security

нападе́ние *на кого-что* – attack *on someone or something*

напряжённости – tensions

обеспе́чение – guarantee

обеспоко́ен *чем* – troubled *by something*

оборо́нный < **оборо́на** – defense

осужда́ть / осуди́ть – to condemn

оце́нка ситуа́ции – evaluation of the situation

подде́рживать / поддержа́ть пози́цию – to support a position

подпи́сывать / подписа́ть – to sign: **бы́ло подпи́сано** *кем* – was signed *by someone*

подчёркивать / подчеркну́ть – to underscore

призыва́ть / призва́ть *кого-что сделать что* – to call *on someone to do something*

сотру́дничество – cooperation

принима́ть / приня́ть (совме́стную) деклара́цию – to adopt a (joint) statement

соде́йствие *чему* – promotion *of something* (e.g. peace, harmony, etc.)

член – member

B. Что было сказано? Consider the following statements. Check the ones which are likely to have been in the report. Then listen to the report and confirm your conclusions.

❑ Члены-государства приняли декларацию, которая осудила Россию.

❑ Президент России сказал, что нужна новая система международной безопасности.

❑ Президент считает, что Россия играет активную роль в содействии миру в регионе.

❑ Обеспечение безопасности для Южной Осетии и Абхазии невозможно.

❑ На этой встрече присутствовал президент Грузии.

ПОСЛЕ ПРОСЛУШИВАНИЯ (POST-LISTENING EXERCISES)

A. Некоторые подробности. Now find out:

1. ОДКБ = Организация _____.

2. В принятой декларации участники встречи осудили _____ Грузии на Южную Осетию и поддержали активную _____ России.

3. Президент России обеспокоен эскалацией _____ в регионе.

4. Этот договор был подписан в _____ году.

5. В организацию входят _____, _____, _____, _____, _____ и _____.

6. ОДКБ ведёт совместную борьбу с _____, нелегальной _____ и перемещением _____.

Б. Место ударения. It's one thing to see a word printed on the page. It's another to perceive it correctly when you listen. Using the report as a source, place stress marks over the word in boldface.

1. Участники встречи **приняли** декларацию.

2. Президент России просто зачитал журналистам **принятую** декларацию.

3. Нужно объективно, без **двойных** стандартов подойти к **оценке** ситуации.

4. Мы поддерживаем активную роль России в **содействии** миру и **сотрудничеству** в регионе.

5. Это **оборонный** альянс.

ТАБЛИЦЫ

ТАБЛИЦА 1. ПРЕДЛОЖНЫЙ ПАДЕЖ (PREPOSITIONAL CASE)

MEANING	PREPOSITION	QUESTION	VERBS
About	**о, об, обо** (about, concerning)	**О ком?** **О чём?**	говори́ть расска́зывать чита́ть знать спра́шивать мечтать
Location	**в, на** (in, on, at)	**Где?** **В чём?** **На чём?**	быть находи́ться рабо́тать учи́ться стро́ить лежа́ть стоя́ть висе́ть
Period under a regime or government	**при** (under, during)	**Когда?** **При ком?** **При чём?**	

Time Expressions:

в кото́ром часу́

в э́том ме́сяце

в апре́ле

в про́шлом году́

в 1989-м году́
(ordinal numeral)

в 20-м ве́ке
(ordinal numeral)

в 40-х года́х
(ordinal numeral)

на бу́дущей неде́ле

Useful Idioms:

е́хать на ⎱ маши́не
лете́ть на ⎰ по́езде
             самолёте

говори́ть на ру́сском языке́
(говори́ть по-ру́сски)

ката́ться на вертолёте

в хоро́шем настрое́нии – in high spirits

в обстано́вке *чего* – in an atmosphere of…

в ду́хе *чего* – in the spirit of…

в хо́де *чего* – in the course of…

уве́рен, –а,–о,–ы в поли́тике – confident in a policy

обвиня́ть(ся) в рефо́рмах – to accuse of/be accused of reforms

при подде́ржке *кого*– with the support of

при каки́х усло́виях– under what conditions

ни при каки́х усло́виях – under no conditions

при усло́вии, что… – under the condition that…

при по́мощи – with the support of

во–пе́рвых, во–вторы́х

ТАБЛИЦА 2: ВИДЫ ГЛАГОЛА
IMPERFECTIVE ASPECT – EMPHASIZES PROCESS

DENOTES:

	REPEATED ACTION	LONG-TERM ACTION, "STATE-OF-BEING" ACTION
	Possible modifiers: **ка́ждый день, раз в ме́сяц, всегда́, иногда́, ча́сто, ре́дко, обы́чно, по сре́дам, поро́й, вре́мя от вре́мени.**	*Possible modifiers:* **весь день, до́лго, це́лую неде́лю, пять лет**
Past	Раз в неде́лю **прибыва́ли** иностра́нные делега́ции. *Once a week foreign delegations arrived.*	Переговоры **проходи́ли** в тёплой и дру́жеской обстано́вке. *Negotiations took place in a warm and friendly atmosphere*
Present	Ка́ждый день **прибыва́ют** иностра́нные делега́ции. *Every day foreign delegations arrive.*	Сейча́с делега́ция **прибыва́ет** на Вну́ковский аэродро́м. *At this moment, the delegation is arriving at Vnukov Airport.*
Future	Делега́ции **бу́дут прибыва́ть** по сре́дам. *Delegations will arrive every Wednesday.*	Уровень произво́дства **бу́дет увели́чиваться** 5 лет. *The level of production will be growing for 5 years.*

IMPERFECTIVE ASPECT is used in the infinitive after:

1. **начина́ть, продолжа́ть, конча́ть** or any other verb indicating beginning or ending.
2. **нельзя́** in the meaning of *must not* or *not allowed*.

Утром **на́чали прибыва́ть** делегации – Delegations *began to arrive* in the morning.
Нельзя́ называ́ть те́му диску́ссии – The topic of discussion *must not be announced.*

PERFECTIVE ASPECT – EMPHASIZES RESULT
DENOTES:

	SPECIFIC "ONE-TIME" ACTION; A SEQUENCE OF SPECIFIC ONE-TIME ACTIONS; LIMITED-TERM ACTION ***Possible modifiers:*** **то́лько что** **за 5 лет** (unless used in present tense) **к 1998-му году**
Past	То́лько что **прибыла́** иностра́нная делега́ция. A foreign delegation just *arrived*. За 5 лет у́ровень произво́дства **увели́чился.** Over 5 years, the level of production *has increased*. (It took 5 years to increase the level of production.)
Present	
Future	Делега́ция **прибу́дет** в понеде́льник и **отбу́дет** во вто́рник. The delegation *will arrive* on Monday and *leave* on Tuesday. Строи́тели **сдаду́т** пе́рвую о́чередь но́вой ГЭС к 2010-му году. The builders *will have completed* the first section of a new power station by 2010.

PERFECTIVE ASPECT is also used in the infinitive after **нельзя́**, to denote impossibility:

Нельзя́ будет **обсуди́ть** прое́кт
It will be *impossible to discuss* the project.

КРУГ ПЕРВЫЙ
УРОК ДВА
МИРОВАЯ ЭКОНОМИКА

@ **ТЕКСТ. Прослушайте текст, затем прочитайте и переведите его на английский язык в письменной форме.**

ВСТРЕЧА «БОЛЬШОЙ ВОСЬМЁРКИ»

На Хоккайдо завершилась очередная встреча глав государств и правительств «большой восьмёрки». Особое внимание руководители ведущих стран Запада уделили инфляционным процессам в мировой экономике. Лидеры G8 считают, что стабилизация цен на нефть и продовольственные товары необходима и международные организации могут играть роль в регулировании экономических процессов, инвестиций и разрешении кризисов.

Важное место на переговорах занимала тема будущего мировой финансовой системы. Все едины во мнении, что финансовая структура, которая сложилась после второй мировой войны, работает неэффективно. Нужно создавать новые институты, более соответствующие современному положению дел.

Руководители стран «восьмёрки» рассмотрели также вопросы защиты прав интеллектуальной собственности, важного фактора развития инновационной экономики. Проблемы изменения климата также обсуждались на встрече. Лидеры «восьмёрки» считают необходимым принять решение о «посткиотском процессе» и заключить новое соглашение на конференции рамочной Конвенции ООН по изменению климата.

В целом, как считают наблюдатели, встреча на Хоккайдо носила дружеский и конструктивный характер.

@ **КОГНАТЫ**

инфляцио́нный проце́сс
эконо́мика
стабилиза́ция
организа́ция
регули́рование
экономи́ческие проце́ссы
инвести́ции
кри́зис
фина́нсовая систе́ма
конструкти́вный хара́ктер

структу́ра
неэффекти́вно
институ́т
интеллектуа́льный
фа́ктор
инновацио́нная эконо́мика
пробле́ма
посткио́тский проце́сс
кли́мат

СЛОВА И ВЫРАЖЕНИЯ

ВБ – Всеми́рный банк разви́тия и реконстру́кции – World Bank

все еди́ны во мне́нии = все согла́сны – everyone unanimously agrees

ВТО – Всеми́рная торго́вая организа́ция – WTO

заверша́ть/заверши́ть – to conclude; to come to an end

заверше́ние – completion

заверши́лись перегово́ры глав – talks have ended among
    госуда́рств и прави́тельств – ...heads of states and governments
    веду́щих стран За́пада – ...leading countries of the West
    дальневосто́чных стран – ...Middle-Eastern countries

заключа́ть/ заключи́ть (заключа́т) соглаше́ние по измене́нию кли́мата – to conclude a treaty on climate change

занима́ть / заня́ть (займу́т; за́нял, заняла́, за́няли) – to occupy

игра́ть роль в разреше́нии кри́зисов – to play a role in the resolution of crises

МВФ – Междунаро́дный валю́тный фонд – IMF

наблюда́тель – observer

необходи́ма стабилиза́ция цен на *что* – it is necessary to stabilize prices for
    нефть – oil
    продово́льственные това́ры – food products

необходи́мо регули́рование экономи́ческих проце́ссов – it is necessary to regulate economic processes

необходи́мы инвести́ции – investments are necessary

носи́ть (но́сят) / (no perfective) *како́й* **хара́ктер** – to be charcaterized as …
    делово́й
    конструкти́вный

ра́мочная Конве́нция ООН – a convention within the UN framework

рассма́тривать / рассмотре́ть (рассмо́трят) вопро́сы *чего́* – to consider the
    questions of …
    защи́ты прав интеллектуа́льной со́бственности – intellectual property
    protection
    инновацио́нной эконо́мики – the innovative economy

скла́дываться / сложи́ться (сло́жатся) – to emerge; to take shape

создава́ть (создаю́т) / созда́ть (созда́м, созда́шь, создади́м, создаду́т; создала́,
    со́здали) – to create
    но́вые институ́ты – …new institutions
    продово́льственный кри́зис – … a food crisis

соотве́тствующий совреме́нному положе́нию дел – appropriate for today's situation

те́ма … занима́ла ва́жное ме́сто – the theme occupied an important place
    бу́дущего мирово́й фина́нсовой систе́мы – …of the world financial system's
    future…
    оздоровле́ния фина́нсовой структу́ры – … of improving the financial
    structure …

уделя́ть / удели́ть (уделя́т) внима́ние *чему́* – to pay attention to
    инфляцио́нным проце́ссам – … inflationary processes
    мирово́й фина́нсовой систе́ме – …the world financial system
    стабилиза́ции цен на нефть – … stabilization of oil prices

фина́нсовая структу́ра сложи́лась – the financial system was formed
    по́сле второ́й мирово́й войны́ – after the second world war
    во вре́мя холо́дной войны́ – during the Cold War

А́зия

Да́льний Восто́к, дальневосто́чный

Кита́й, кита́йский, кита́йцы, говори́ть по-кита́йски, на кита́йском языке́,
    Пеки́н

Ю́го-Восто́чная А́зия

Ю́жная А́зия

Япо́ния, япо́нский, япо́нцы, говори́ть по-япо́нски, на япо́нском языке́, То́кио

ЛЕКСИЧЕСКИЕ УПРАЖНЕНИЯ

Просмотрите слова и выражения к тексту «Встреча "большой восьмёрки" на Хоккайдо» и сделайте следующие упражнения.

 А. Заполните пропуски правильными предлогами. Не забывайте предлоги из предыдущего урока.

1. ___ Горбачёве увеличились цены ___ продовольственные товары.
2. Настоя́шая администрация не уделя́ет внима́ния ___ инфляцио́нным проце́ссам.
3. ___ сле́дующем ме́сяце заверши́тся конфере́нция ра́мочной Конве́нции ООН ___ измене́нию кли́мата.
4. Индия должна́ игра́ть бо́льшую роль ___ разреше́нии кри́зисов.
5. Наши фина́нсовые структу́ры не соотве́тствуют ___ совреме́нному положе́нию дел.
6. Не́которые стра́ны обвиня́ют Росси́ю __ защи́те свои́х скинхе́дов.

Б. Дайте русские эквиваленты следующим английским фразам.

- investments are necessary
- negotiations were concluded
- to pay attention to oil prices
- intellectual property protection
- to play a role in crises resolution
- be of a businesslike character
- to occupy an important place
- appropriate for today's situation
- food crisis is emerging
- leading capitalist countries

В. РАБОТА ПО МОДЕЛЯМ

1. Заполните пропуски словами по смыслу.

чему

а. Сто́роны удели́ли внима́ние
_____
_____
_____

что

б. В совреме́нном ми́ре   необходи́ма / необходи́м / необходи́мы
_____
_____
_____

чём

в. США игра́ют большу́ю роль в
_____
_____
_____

какой

г. Перегово́ры носи́ли
_____
_____
_____
  характер

чего

д. Те́ма
_____
_____
_____
  занима́ла ва́жное ме́сто.

2. Закончите предложения, используя логически правильные факты.

а. Ли́деры «восьмёрки» удели́ли внима́ние _____.
б. На́ша фина́нсовая структу́ра сложи́лась _____.
в. Ва́жный фа́ктор инновацио́нной эконо́мики _____.
г. Ну́жно созда́ть _____.
д. Необходи́ма стабилиза́ция _____.
е. ВТО мо́жет игра́ть роль в _____.
ж. «Посткио́тский проце́сс» рассма́тривает пробле́мы по _____.

@ **Г. Ответьте на следующие вопросы.**

1. Что такóе «большáя восьмёрка»?

2. Какáя рáзница мéжду «большóй восьмёркой» и «большóй семёркой»?

3. Какúе стрáны вхóдят в «восьмёрку»?

4. Где онú обы́чно встречáются?

5   Какúе вопрóсы обы́чно рассмáтриваются на э́тих встрéчах?

6. Какúе вы знáете междунарóдные организáции?

7. Чем онú занимáются?

8. Какúе процéссы игрáют вáжную роль в мировóй эконóмике?

9   Когдá сложúлась настоя́щая финáнсовая систéма?

10. Почемý нýжно создавáть нóвые инститýты?

11. Почемý вопрóс защúты прав интеллектуáльной сóбственности сегóдня игрáет осóбенно вáжную роль?

12. Что такóе «киóтский процéсс»?

13. Какóй харáктер нóсят встрéчи «восьмёрки»?

14. Кто живёт в Япóнии?

15. На какóм языкé там говоря́т?

16. На какóм континéнте нахóдится Китáй?

17. На какóм языкé говоря́т в Южной Корéе?

18. Как называ́ется столúца Сéверной Корéи?

19. Китáй нахóдится в Юго-Востóчной Азии?

ГРАММАТИКА: ВИНИТЕЛЬНЫЙ ПАДЕЖ (ACCUSATIVE CASE)

The accusative case has the following basic uses:

1. **Direct object** to answer the questions **кого, что?**

встреча́ть **госте́й**	to meet *guests*
устро́ить **приём**	to set up a *reception*

2. **Direction,** to answer the question **куда** 'where *to*' after the prepositions **в** 'in, to,' **на** 'on, at,' **под** 'under', **за** 'behind.'

   прибы́ть ⟨→ **в Вашингто́н** / → **на конфере́нцию** ⟩ – to arrive   *in Washington* / *at a press conference*

   упа́сть **под лёд** – to fall *under the ice*
   сесть **за стол** перегово́ров – to sit down *at the* negotiating *table*

3. **After certain prepositions: через** 'across, through' and **сквозь** 'through': **через что? сквозь что?**

   че́рез мост – *across the bridge*
   сквозь тума́н – *through the fog*

4. **In time expressions**

   Without prepositions to express **duration** to answer **как до́лго** or to express frequency to answer **как ча́сто.**

   вести́ перегово́ры **два дня** – to negotiate for two days
   вести́ перегово́ры **всю ночь** – to negotiate all night (long)
   проходи́ть **ка́ждый день** – to take place every day

   With prepositions: **в** 'at, on' specifying a time or a date, **через** 'in, after some period of time,' **за** 'over, within a period of time.'

в суббо́ту	*on Saturday*
в э́то вре́мя	*at this/that time*
через час	*in an hour*
за после́дние го́ды	<u>over the last years</u>

See the reference chart at the end of Unit 2 for additional time expressions using the accusative case.

ГРАММАТИЧЕСКИЕ УПРАЖНЕНИЯ НА ВИНИТЕЛЬНЫЙ ПАДЕЖ

Read all the grammar related to accusative case; look through the reference chart at the end of Unit 2 and the Appendix.

А. Употребление винительного падежа. Find accusative case in the text. Explain its use.

@ Б. Ответьте на вопросы. Use the prepositions **в** or **на**. Use the words given. *Remember: choice of case does not affect the choice between* **в** *and* **на**.

Вопросы:	Ответы:
1. Куда́ прибыла́ делега́ция?	— Госуда́рственный департа́мент
Где нахо́дится делега́ция?	— большо́й приём
2. Куда́ ты положи́л карту Росси́и?	— край стола
Где лежи́т карта Росси́и?	— книжный шкаф
3. Куда́ плывёт 5-й америка́нский флот?	— Средиземное море
Где нахо́дится 5-й америка́нский флот?	— юго-запад
4. Куда́ едут э́ти солда́ты?	— фронт
Где сейча́с э́ти солда́ты?	— Дальний Восток
5. Куда́ шли партиза́ны?	— густой лес
Где жи́ли партиза́ны?	— непроходимые джунгли

B. Употребление предлогов. Fill in the blanks below using one of the following prepositions: **в, на, через, за, под, сквозь**. Write "0" if no preposition is necessary.

1. Участники встречи ждали ____ видного политического деятеля.
2. Когда демократы вернутся ____ Белый дом?
3. Война началась, когда армия перешла ____ границу.
4. ____ конференции состоялась дискуссия по вопросу военной помощи.
5. Студенты изучали ____ договор о ПРО.
6. Советским людям было трудно путешествовать ____ границу.
7. Какие страны входят ____ НАТО?
8. Словарь упал ____ пол. Достань мне его, пожалуйста!
9. ____ дым ничего не было видно.
10. Отсюда ракета летит ____ Кубу 10 минут.

Г. Числительные. Study the table "The Measured..." which follows the accusative case chart at the end of Unit 2. Fill in the missing parts with the appropriate numeral from the choices at the end of the exercise. Underline the noun in the sentence which is being measured. Translate these sentences into English.

1. База находилась на расстоянии в _____ от города.
2. Он стал президентом на срок в _____.
3. Африка получила помощь в _____ от США.
4. Наш дефицит платёжного баланса в _____ увеличивается.
5. Урожай в _____ недостаточен для этой страны.
6. Уровень безработицы 2007 года в _____ упал до 5%.
7. Венгрия - страна с населением в _____.

($800,000,000,000; 3 километра; 110,000 тонн [1]; 10%; 5 лет; $60,000,000; 4,000,000 человек)

Д. Составьте предложения. Write your own sentences expressing "the measured." Translate them into English.

 E. Times per time period. Form phrases using the words below according to the model: and be able to translate into English.

<u>Numeral</u>   +   **раз(а)**   +   **в**   +   <u>noun</u>
accusative   *accusative*

Образец: **три раза в год**
                   Three times a year

час   век   неделя
минута   месяц

Note: Nouns which have the same form for nominative singular and genitive plural are:

раз, человек, солдат, партизан

Ж. Русские эквиваленты

 1. Consult idiomatic use of the accusative case in the chart at the end of Unit 2. Give Russian equivalents for the following phrases.

- to invite to a reception
- in response to a welcoming speech
- to enter a bloc
- to agree on trade with...

---

[1] тóнна = metric ton (1,000 kog *or* 2,200 lbs)

- to resemble an economic crisis
- the 6% rate of unemployment
- to thank for economic assistance
- 13 seat-majority in the Duma
- to speak in favor of the proposal
- to endanger

2.   Составьте предложения. Make up sentences using these phrases.

@ 3.   Answer the following questions, using the words in the right-hand column.

1.   Кого члены делегации увидят на приёме?

– видные общественные деятели
– ответственные представители администрации
– лидер республиканского большинства

2.   Куда едут участники переговоров?

– Внуковский аэродром
– Япония
– Украина

3.   Через что летит этот самолёт?

– Североамериканский континент
– Аляска
– государственная граница

4.   Куда (за что) везут раненых?

– линия фронта
– Дон
– граница

5.   Сквозь что пробирается отряд партизан?

– густой туман
– тропический лес

6. Что обсуждают главы делегаций?

        – мировая финансовая система
        – международная торговля
        – инфляционные процессы

7. Куда (подо что) упала машина?

        – лёд
        – мост

8. Сколько времени проходили переговоры?

        – целая неделя
        – весь месяц
        – 4 года

9. Как часто они встречаются?

        – каждая пятница
        – раз в неделю

И. Составьте предложения. Write questions for the italicized words in the sentences below.

1. Главы госудáрств и прави́тельств прибыли **в столицу России**.
2. Переговоры между РФ и Францией проходили **14 часов**.
3. Стороны подписали **рамочную конвенцию**.
4. Журналисты-международники часто ездят **за границу**.
5. Наша группа прибыла в Вашингтон **в ответ на приглашение МИД**.
6. Этот политический деятель всегда высказывается **за хорошие отношения** между США и РФ.
7. Грузовики переехали **через мост**.
8. Президент встречается с прессой **раз в месяц**.
9. **В субботу** состоится пресс-конференция с министром иностранных дел Российской Федерации.

К. Числительные в винительном падеже. Review cardinal numerals in the accusative case. Consult the appendix.

1. Составьте фразы. Form phrases with the words below according to the model:

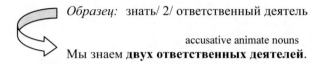

Образец: знать/ 2/ ответственный деятель

accusative animate nouns
Мы знаем **двух ответственных деятелей**.

Use the following: (write out the numerals)
а. встречать/ 4/ военная лётчица
б. голосовать за/ 3/ генеральный секретарь ООН
в. видеть/ 5/ китайские солдаты
г. при/ 2/ первый заместитель (deputy) министра
д. книга о/ 12/ американский президент

2. Составьте фразы. Form phrases with the words below according to the model:

Образец: через/ 2/ бетонный мост

accusative feminine or masculine inanimate nouns
Танки прошли через **два бетонных моста**.

Use the following: (write out the numerals)
а. ехать на/ 6/ международная конференция
б. подписать/ 11/ важный документ
в. через/ 2/ огромный континент
г. находиться на/ 1/ пресс-конференция
д. обвиняться в/ 4/ авиационная катастрофа

 Л. Выражения времени. Review time expressions and idioms in the accusative case. Translate the words in brackets.

1. Президент отвечал на вопросы [for 30 minutes] _____.

2. Кого они благодарят за [military aid] _____?

3. [This very minute] _____ зазвонил телефон.

4. Наша сторона не согласилась на [new trade regime] _____.

5. [Over the last 15 years] _____ нефтяной рынок сократился.

6. Инфляционные процессы [endanger] _____ финансовую систему.

7. Главы делегаций должны подписать договор [within two days] _____.

8. [Every Wednesday] _____ они встречаются после работы.

9. Он станет президентом на срок в [5 years] _____.

10. Мы готовились к переговорам [for an entire summer] _____.

ГРАММАТИЧЕСКИЕ УПРАЖНЕНИЯ НА ВИНИТЕЛЬНЫЙ И ПРЕДЛОЖНЫЙ ПАДЕЖИ

А. Use the words in parentheses in the proper case.

1. В сегодняшней газете говорилось о [продовольственный кризис] _____.

2. Самолёт летит через [Китай] _____.

3. Наши студенты изучают [финансовые структуры] _____.

4. Каким был государственный долг [national debt] США при [президент Картер] _____?

5. Отношения между США и СССР строились на [взаимное недоверие] _____.

6. Сегодня на Внуковском аэродроме встречают [видный политический деятель] _____ Великобритании.

Б. Переведите на русский язык.

1. Newspapers today say that China responded to the food crisis.
2. During this administration the 11% rate of inflation has dropped.
3. Both sides have been discussing issues of intellectual property for an entire month.
4. The Russian Navy in the Baltic Sea was sailing west.
5. The war began on the same day when the army crossed our frontier.
6. They were waiting for the democratic majority leader all afternoon.
7. On Monday the Republican candidate received a 10-vote majority.
8. Great Britain does not look like "Good Old England" (**хорошая добрая Англия**) anymore.
9. These specialists know a lot about the Far East.

ГРАММАТИКА: ВОЗВРАТНЫЕ ГЛАГОЛЫ (REFLEXIVE VERBS)

The particle **–ся** (**–сь** after a vowel), 'self', attaches to the end of a verb and usually signals that *something has happened to the direct object.*

Reflexive *ся*-verbs have the following meanings:

1. **Reflexive meaning:** direct object is deleted because it is the same as the subject.

    Президе́нт **выска́зывается** за рефо́рмы.
    The president *expresses (himself)* in favor of reforms.

    Ме́стное населе́ние **обороня́ется** от партиза́н.
    The local population *is defending itself* against the guerillas.

2. **Reciprocal meaning** ("each other"): direct object can either be included in the subject or expressed in a phrase with **с** + instrumental.

    Главы сверхдержа́в **встре́тились** в Жене́ве.
    The leaders of the superpowers *met* in Geneva.

    Глава́ США **встре́тился с росси́йским главой** в Жене́ве.
    The U.S. leader *met the Russian leader* in Geneva.

    Главы делега́ций ни о чём не **договори́лись.**
    The leaders of the delegations *have* not *agreed* on anything.
    Глава́ делега́ции США ни о чём не **договори́лся с главой** делега́ции РФ.
    The leader of the US delegation *has* not *agreed* on anything *with the leader of the Russian team.*

3. **Passive meaning** (with imperfective verbs only): the direct object becomes the passive object, i.e. the action is done to it.

    (они́) заключа́ют соглаше́ние в срок.
    Соглаше́ние **заключа́ется** в срок.
    The agreement *is being concluded* on time.

    If the doer of the action is expressed, it is in the instrumental case.

    Рабо́чие выполня́ют план в срок.
    План **выполня́ется рабо́чими** в срок.
    The plan *is being completed by workers* on time.

4. **After "change of state" transitive verbs with no direct object:** The direct object, "itself," is understood and expressed as **–ся**, as in verbs of *beginning* and *ending* which you learned in Unit 1. The following verbs belong to this group:

    начина́ться/нача́ться (see Unit 1)
    конча́ться/ко́нчиться (see Unit 1)
    продолжа́ться/продо́лжиться

улучша́ться/улу́чшиться
ухудша́ться/уху́дшиться
увели́чиваться/увели́читься
уменьша́ться/уме́ньшиться
открыва́ться/откры́ться
закрыва́ться/закры́ться

Война́ **продолжа́ется.** (Reflexive because there is no direct object)
The war *goes on.*

Прави́тельство **продолжа́ет войну́**. (Not reflexive because of the direct object.)
The government *continues the war.*

Состоя́ние эконо́мики **улу́чшилось.**
The condition of the economy *has improved.*

Рефо́рмы **улу́чшили состоя́ние** эконо́мики.
The reforms *have improved the condition* of the economy.

Certain verbs acquire a different meaning with –*ся*:

The verb **находи́ть** means *to find*, while **находи́ться** means *be located.*
The verb **скла́дывать** means *to arrange*; **скла́дываться** means *to take shape.*

Many verbs require –*ся*:

боя́ться (боя́тся) *чего* – to be afraid *of something*
стара́ться – to attempt
станови́ться *чем* – to become
состоя́ться
явля́ться *чем* – to be *something*; to appear *as something*
остава́ться – to remain

Note that the **–ся particle** "uses up" the verb's ability to take a direct object. *No –ся verb may take a direct object!*

ГРАММАТИЧЕСКИЕ УПРАЖНЕНИЯ НА ВОЗВРАТНЫЕ ГЛАГОЛЫ

Read all the grammar related to reflexive verbs. Consult Table 5 at the end of Unit 2.

1. **Спряжение глагола.** Review the conjugations of each of the reflexive verbs in the grammar section of this unit. Translate the phrases below. Where context allows for both aspects, give both.

    1. Они [will defend themselves] _____.

    2. Они [were defending themseves] _____.

    3. Мы [are defending ourselves] _____.

    4. Заседание [closed] _____.

    5. Переговоры [are closing] _____.

    6. Выставки [will open] _____ завтра.

    7. Они [are meeting] _____.

    8. Они [met] _____.

    9. Они [will meet] _____.

    10. Доходы (income) [are getting smaller] _____.

    11. Доходы [were getting smaller] _____.

    12. Доходы [have gotten larger] _____.

    13. Доходы [will get larger] _____.

    14. Собрание [was held] _____ в 16 часов.

    15. В центре Москвы [are located] _____ правительственные учреждения.

    16. В это время министр иностранных дел [was] _____ за границей.

    17. Стороны [exchanged] _____мнениями.

    18. Становится ясно, что генералы Пентагона [fear] _____ успешного конца переговоров.

    19. Президент [speaks in favor of] _____ за развитие сотрудничества.

2. RECIPROCAL MEANING

 А. Вставьте нужную форму глагола.

1. На аэродроме президента (встречали/встречались) В. Путин и другие ответственные представители администрации.
2. На приеме делегаты имели возможность (познакомить/ познакомиться) друг с другом.
3. После войны Сэмюэльсон часто (видел/виделся) с Петровым, но за последние годы эти ветераны войны ни разу не (встретили/встретились).
4. Председатель российской делегации (познакомил/познакомился) своего американского партнёра со своим заместителем и (договорил/договорился) с ним о следующей встрече.
5. Мы таких случаев пока не (встречали/встречались).

 Б. Встреча и знакомство. Look at the following models. Then translate the phrases using the verbs below. Remember that Russian has different verbs for *meet (=get acquainted)* and *meet (=have a meeting wth)*

Познакомьтесь!
Познакомьте меня со своим заместителем!
Я вас с ним с удовольствием познакомлю!
Они уже познакомились!
Бизнесмена встретили на аэродроме.
С кем она встречалась?

1. Два будущих лидера [met] _____ ещё до войны.
    (*Is there more than one meaning for "meet"?*)
2. Они [got together] _____ неофициально.
3. На пресс-конференции [they acquainted us with the facts] _____.
4. Депутаты [will meet] _____ завтра.
5. Конгрессмен [met] _____ одного из членов российской делегации в коридоре, и они договорились [to meet] _____ через неделю.
6. Конгрессмен обещал [to introduce] _____ Маркова со своими коллегами.

В. Переведите. Remember to keep an eye out for correct verbal aspect.

1. The minister met with the head of the delegation.
2. The leaders of both countries agreed on nothing.
3. Kennedy and Khrushchev met only once.
4. These statesmen often saw each other.
5. Could you introduce me to Barack Obama? I've never met him.
6. The trade minister met with the American delegation yesterday.
7. They agreed on the next meeting.

3. PASSIVE MEANING

A. Страдательный залог. Translate the following sentences. Then paraphrase them into active voice. You may have to insert a subject if one is not expressed, or you may resort to an *они* form verb without the *они* pronoun.

Образцы: Такие случаи часто встречаются.
                  Мы часто встречаем такие случаи.
                  В газете сообщаются нужные факты.
                  В газете сообщают нужные факты.
                                    or
                  Газета сообщает нужные факты.

1. Из Вашингтона сообщается о решении Белого дома выйти из договора о ПРО (ABM).
2. На Западе считается, что многие из принятых реформ окажутся безрезультатными.
3. В документе говорится о необходимости продолжать поиски путей (search for ways) защиты интеллектуальной собственности.
4. Итоги конференции публикуются в печати.
5. В настоящее время рассматривается план, который позволит решить продовольственный кризис.

 Б. Страдательный залог. Rewrite the following sentences with a –ся verb in the passive meaning according to the model.

Образцы: Наши ученые разрабатывают (develop) новые оборонные системы.
                  Новые оборонные системы разрабатываются нашими учеными.
                  Здесь строят жилые дома.
                  Здесь строятся жилые дома.

1. План выполняют в срок.
2. Эти меры обсуждали на последнем заседании.
3. Советские издательства (publishing houses) не печатали (publish) антисоветской литературы.
4. В газете пишут, что положение на Дальнем Востоке ухудшается.
5. Закон запрещал экспорт американских компьютеров в СССР.
6. «Чарли Роуз» является передачей, на которой видные общественные деятели обсуждают важные текущие (current) вопросы.

4. "CHANGE OF STATE" VERBS

 A. Згачение возвратных глаголов. Determine which sentences require reflexive meaning. Pick the correct verb. If the verb is unfamiliar, figure out its meaning from context.

1. В следующем году думают (увеличить/увеличиться) производство проигрывателей компактных дисков. (CD players)
2. За прошлый период экономическая помощь странам данного региона (уменьшила/уменьшилась) более, чем на 28 процентов.
3. Американская выставка в Москве (открывает/открывается) в июне этого года.
4. Администрация США (продолжает/продолжается) продавать оружие антидемократическим режимам.
5. Новые реформы далеко не (улучшили/улучшились) экономическую ситуацию в этом секторе. Напротив, ситуация значительно (ухудшила/ухудшилась).
6. В Нью-Йорке (открыла/открылась) сессия Генеральной Ассамблеи ООН. Сессия будет (продолжать/продолжаться) в течение трех недель.
7. Средняя зарплата (wages) научных работников значительно (повысила/повысилась).
8. В данный момент (разрабатывает/разрабатывается) план, который позволит (will allow) нам подключиться (to join) к вашим компьютерным сетям.

Б. Раскройте скобки. Fill in the blanks with the correct verb. Determine whether **-ся** is needed.

1. Экономические системы этих стран [were developing] _____ по капиталистическому пути.
2. Председатель [closed] _____ заседание без окончательного решения.
3. На Западе забывают, что количество граждан, желающих эмигрировать из России, [has gone down] _____.
4. До сих пор [continue] _____ попытки (attempts) разрешить продовольственный кризис.
5. Было бы наивно предполагать (believe), что РФ не [was developing] _____ противоракетные системы.
6. С результатами соревнования вас [will acquaint] _____ наш корреспондент в Лондоне.
7. С запуском (launch) первого искусственного спутника Земли в 1957 году [opened] _____ новый век в истории человечества (mankind).
8. Министры [were speaking in favor] _____ за развитие сотрудничества между двумя странами.

5. VERBS WHICH ARE ALWAYS REFLEXIVE. Раскройте скобки.

1. Завтра в Хельсинки [will take place] _____ собрание
    конференции «За безъядерную Европу» (nuclear-free Europe).
2. [It is becoming] _____ ясно, что новая администрация
    действительно [is trying] _____ найти выход из положения.
3. Ответ американского госсекретаря [is] _____ примером
    легкомысленного (frivolous) отношения к серьезному предложению. Но
    причина американского отказа от серьезных переговоров [remains]
    _____ пока неясной.

 6. REVIEW EXERCISES. Раскройте скобки.

1. В 60-х годах в дискуссионном клубе университета студенты [met] _____,
    [exchanged opinions] _____, [discussed]
    _____ текущие события. [Were discussed] _____ и
    философские вопросы о взаимоотношении между личностью и обществом
    (man and society). Но руководство университета, которое [was afraid of]
    _____ столь свободных обсуждений, неожиданно дало
    приказ [to close] _____ клуб.

2. Раньше считали, что Карибский кризис 1962 года [ended] _____ вскоре
    после того, как представитель советского посольства в Вашингтоне [met]
    _____ с одним американским корреспондентом в китайском ресторане. Там
    они [agreed] _____, что американский корреспондент [would report]
    _____ президенту о «неофициальном» советском предложении.
    Но недавно истоики пришли к выводу, что это версия — один из мифов
    Холодной войны.

3. В газете [it says] _____, что сегодня [will take place] _____
    прием, после которого [is being arranged] _____ официальный
    обед.

4. Ситуация, которая [is taking shape] _____ похожа на
    предкризисную.

ГРАММАТИЧЕСКИЕ УПРАЖНЕНИЯ НА ВИД ГЛАГОЛА: (VERBAL ASPECT CONTINUED)

Review Table 3 at the end of Unit 1.

А. Вид глагола. Pick the correct verb. Justify to yourself the reason you picked it. If the verb is unfamiliar, try to grasp its meaning from context.

1. Конференция организации «Врачи за мир и безопасность» (заканчивала/закончила) свою работу. Результаты конференции публикуются в официальном документе.
2. За последнее десятилетие число боеголовок (warheads) увеличивалось/ увеличилось) на пятьдесят процентов.
3. Переговоры по развитию сотрудничества в науке и технике (начинались/начались) еще в 90-х годах. Но стороны начали серьёзно (обмениваться/обменяться) опытом только в начале нашего века.
4. Российская сторона **не раз** [= больше, чем один раз, т.е. много раз] (высказывалась/высказалась) за двусторонний обмен информацией.
5. Вчера в Москву (прибывала/прибыла) делегация из КНР. Сегодня утром заместитель министра иностранных дел РФ (устраивал/устроил) прием в МИД.
6. Переговоры в Женеве завершились успешно. Главы делегаций (подписывали/подписали) договор об экономической взаимопомощи.
7. Сначала премьер-министр (выступал/выступил) с речью, а потом он (соглашался/согласился) ответить на вопросы журналистов.

Б. Раскройте скобки.

1. Мы надеемся, что наши партнёры [will sign] _____ это немаловажное соглашение.
2. Американские газеты не раз (= много раз) [have reported] _____ о готовности Москвы регулярно [to exchange] _____ опытом в этой области.
3. Обе стороны договорились [to meet] _____ два раза в год.
4. При администрации Клинтона безработица [was declining] _____. К концу его срока она [was reduced] _____ на 1,6 (один и шесть десятых) процента.
5. На будущей неделе мы [will be discussing] _____ вопрос эмиграции.

ГРАММАТИКА: «ЛИ», А НЕ «ЕСЛИ»

Watch the "ifs."

Consumers asked *if that model is still being produced.*
Потреби́тели спроси́ли, **произво́дится** *ли* **ещё э́та моде́ль.**

The representative wants to know *if the car can compete.*
Представи́тель хоте́л бы зна́ть, **бу́дет** *ли* **но́вая маши́на конкурентоспосо́бна.**

The assistant manager has not found out *if China will supply* the spare parts.
Замести́тель дире́ктора ещё не узна́л, **бу́дет** *ли* **Кита́й предоставля́ть** запча́сти.

Ask *if the refrigerators will be sold* in all 35 countries.
Спроси́те, **бу́дут** *ли* **продава́ться э́ти холоди́льники** во всех тридцати́ пяти́
стра́нах.

When "if" means "whether", (and that is *most* of the time), use **ли**: invert the subject and
predicate and make **ли** the *second* word in the clause.

When "if" is used in an "If A... then B..." sentence, use **е́сли**.

ГРАММАТИЧЕСКИЕ УПРАЖНЕНИЯ НА «ЛИ», А НЕ «ЕСЛИ»

A. Ли или если? Determine which of the following English sentences will have **ли** in
Russian.

1. If you ask a stupid question, you get a stupid answer.
2. Have you learned if the contracts have been signed?
3. We'd like to find out if Kryukov has arrived yet.
4. I'll agree to the conditions if you agree as well.

Б. Переведите.

1. Она́ нас спроси́ла, *if the plant had opened.*
2. Мы забы́ли, *if China had supplied the spare parts.*
3. Председа́тель не узна́л, *if his assistant has arrived.*
4. Потреби́тели всегда́ спра́шивают, *if a new product costs* (сто́ить) *more.*
5. Дава́йте спро́сим, *if this shop works in the mornings.*
6. Мы не зна́ли, *if the U.S. buys raw materials* (покупа́ть сырьё у …) *from
   Kazakhstan.*
7. На́до спроси́ть, *if the IMF will give credit to Poland.*
8. Мы бы хоте́ли узна́ть, *if the President sent the Prime Minister a telegram.*

УПРАЖНЕНИЯ НА УСТНУЮ РЕЧЬ

А. Процитируйте следующие предложения, используя

в э́том догово́ре говори́тся о...
в э́той заме́тке говори́тся, что....
представи́тель администра́ции подчёркивает, что...
а́втор заме́тки констати́рует, что...

1. На Хокка́йдо заверши́лась очередна́я встреча глав госуда́рств и прави́тельств «большо́й восьмёрки».
2. Осо́бое внима́ние руководи́тели веду́щих стран За́пада удели́ли инфляцио́нным проце́ссам в мирово́й эконо́мике.
3. Стабилиза́ция цен на нефть и продово́льственные това́ры необходи́ма.
4. Фина́нсовая структу́ра, кото́рая сложи́лась по́сле второ́й мирово́й войны́, рабо́тает неэффекти́вно.
5. Защи́та прав интеллектуа́льной со́бственности явля́ется ва́жным фа́ктором разви́тия инновацио́нной эконо́мики.
6. Необходи́мо заключи́ть но́вое соглаше́ние по измене́нию кли́мата в ра́мках (in the framework) «посткио́тского проце́сса».

Б. Отве́тьте на следующие вопросы по тексту, цитируя заметку и участников бесед.

1. Кака́я встре́ча заверши́лась на Хокка́йдо?
2. Како́му вопро́су лидеры «большо́й восьмёрки» удели́ли осо́бое внима́ние?
3. Что необходи́мо в настоя́щий моме́нт?
4. Каку́ю роль мо́гут сего́дня сыгра́ть междунаро́дные организа́ции?
5. По како́му вопро́су все еди́ны во мне́нии?
6. Что ну́жно сде́лать, чтобы оздорови́ть фина́нсовую структу́ру?
7. Почему́ руководи́тели стран «восьмёрки» рассмотре́ли та́кже вопро́сы защи́ты прав интеллектуа́льной со́бственности?
8. Како́й друго́й ва́жный вопро́с обсужда́лся на встре́че «восьмёрки»?

В. Пересказ

1. **Расскажите историю о встрече «восьмёрки»** на основе текста «Встреча "большой восьмёрки" на Хоккайдо». Процитируйте статью и участников встречи, используя:

в этом догово́ре говори́тся о..., в этой заме́тке говори́тся, что..., представи́тель администра́ции подчёркивает, что..., автор заме́тки констати́рует, что...

2. Расскажите тот же текст, заменив:

> – уча́стников встре́чи
> – ме́сто встре́чи
> – те́мы бесе́д
> – хара́ктер встре́чи

Г. Пресс-брифинг. Вы представитель Президента США на пресс-брифинге по результатам «Встречи "большой восьмёрки"». После вашего выступления ответьте на вопросы прессы по состоянию мировой экономики. Не забудьте процитировать источники!

Д. Разговор. Прослушайте разговор двух журналистов после пресс-брифинга и разыграйте его с другим студентом.

Вероника: Каки́е у тебя́ впечатле́ния от Хокка́йдо? Ты ведь е́здил на встре́чу ли́деров «восьмёрки»?

Антон: Нет, не получи́лось. Мой босс хоте́л посла́ть меня́, а пото́м переду́мал. Но в э́том нет никако́й траге́дии! Ведь все э́ти загранкомандиро́вки так, для прико́ла! Чтоб разобра́ться, в чём де́ло, далеко́ е́здить не на́до: доста́точно зале́зть в интерне́т. Вот и всё.

Вероника: Ну, и разобра́лся? Что происхо́дит с мирово́й эконо́микой? Бу́дет депре́ссия? Аме́рику трясёт!

Антон: При таки́х це́нах на нефть весь мир трясёт!

Вероника: Высо́кие це́ны на нефть подстёгивают це́ны на продово́льствие. Я чита́ла, в Африке уже́ начали́сь голо́дные бу́нты.

Антон: И вдоба́вок ко всему́ грядёт фина́нсовый кри́зис. Все говоря́т одно́: на́до стабилизи́ровать це́ны на нефть и на продово́льствие. Весь вопро́с — как?

Вероника: Мне ка́жется, что существу́ющие междунаро́дные фина́нсовые организа́ции не спосо́бны спра́виться с экономи́ческими пробле́мами. Ведь они́ создава́лись по́сле второ́й мирово́й войны́, когда́ мир был совсе́м ины́м.

Антон: Нужны́ фина́нсовые структу́ры, кото́рые соотве́тствовали бы совреме́нному положе́нию дел.

Вероника: Я чита́ла интере́сную статью́ в после́днем но́мере «Уолл-стрит джо́рнэл». Там говори́лось об а́вторских права́х и защи́те интеллектуа́льной со́бственности. Я счита́ю, что без э́того никака́я инновацио́нная эконо́мика невозмо́жна.

Антон: Абсолю́тно согла́сен. Вот уже́ зову́т на бри́финг. По-мо́ему, мы хорошо́ подгото́вились к нему́! Пошли́!

Полезные слова

а́вторские права́ – copyright

впечатле́ния – impressions

голо́дные бу́нты – hunger riots

грядёт кризис – crisis is imminent

загранкомандиро́вки – overseas business trips

зале́зть в интерне́т – to go to the internet

ино́й – друго́й

переду́мать – to change one's mind

подгото́виться *к чему́* – to get ready for…

подстёгивать – to hasten

получи́ться: не получи́лось – it didn't work out

прико́л: так, для прико́ла! – just for show!

происходи́ть *с кем* – to occur; to happen to…

разобра́ться – to figure out

спра́виться *с чем* – to cope with…

трясти́: *кого́* **трясёт!** – somebody is shivering!

УПРАЖНЕНИЯ НА ЧТЕНИЕ 1

ПРЕДТЕКСТОВЫЕ УПРАЖНЕНИЯ

A. Key words and content. Sometimes if you know a few new words, you can use background knowledge to figure out the meaning of an article.

Look at these keywords you already know:

встре́ча ли́деров	револю́ция в энерге́тике
глоба́льное измене́ние кли́мата	ры́нок
парниковые га́зы	стаби́льность в це́нах

Now consider these new words:

веду́щие стра́ны – leading
вы́делить (де́ньги) ≅ **дать**
поднима́ющаяся эконо́мика < **поднима́ться** – to rise
предотврати́ть – to prevent
продово́льственный < **продово́льствие** – foodstuffs
развива́ющаяся страна́ < **развива́ться** – to develop
си́ла – force
совеща́ние – conference

Б. The gist. What are the main points of the article? Based on the word list above and background knowledge, answer the questions.

1. What countries were at the meeting?
2. What interrelated issues were discussed? Name at least three.
3. Name one measure that the countries should adopt.

B. Now the details. Read the article to see if your guesses were correct. In addition, supply some more details:

1. Where did the meeting take place?

2. What was said about $45 trillion?

3. Globalization is considered to be... what?

4. The communiqué said that globalization...
   a. is an unpredictable force for the future.
   b. holds promise for developing nations.
   c. forces a measure of risk into new economies.
   d. must be controlled in developing economies.

G-8: климат и финансово-продовольственный кризис

Встреча лидеров Великобритании, Италии, Канады, России, США, Франции, ФРГ и Японии проходит в курортном городке Тояко на северном японском острове Хоккайдо. В центре её внимания — глобальные изменения климата, мировые финансово-экономические и острые международные проблемы.

В начале минувшего месяца Международное энергетическое агентство (МЭА) опубликовало доклад, в котором говорилось, что правительства всех стран мира должны выделить 45 трлн долл. на «технологическую революцию в энергетике». «Технологическая революция» необходима, чтобы предотвратить увеличение выброса парниковых газов в атмосферу.

Кроме того, лидеры высказались за стабильность в мировых ценах на нефть и продовольствие, а также на финансовых рынках. «Главной движущей силой» мирового экономического роста в сочетании с демократией и экономической свободой считается глобализация. Лидеры ведущих стран планеты выразили такое мнение в заявлении по мировой экономике, принятом во вторник на совещании в Японии. «Глобализация и постоянно открытые рынки, — подчеркивается в заявлении, — предоставляют огромные возможности для наших стран, для поднимающихся экономик и развивающихся стран».

ПОСЛЕТЕКСТОВЫЕ УПРАЖНЕНИЯ

Reading rule 3: Look for words *which modify other words* and therefore clarify their meaning.

A noun modifier can be:

1. **an adjective (in the same gender, number, and case as the noun it modifies)**

    Директивы **восьмого пятилетнего** плана

    an adjective, which can also be modified by an adverb

    стратегически важная программа

2. **a pronoun or a numeral**

    её задачи
    четыре плана

3. **a noun or a noun phrase**

    соглашение **о сотрудничестве**
    заместитель **координатора**

1. Find and classify the modifiers for the following words: **встреча, городок, внимание, изменение, правительства, трлн (триллион), революция, заявление, рынки.**

2. Translate these nouns with their modifiers into English.

Послетекстовое упражнение

1. What is the Russian for *greenhouse gases emission into the atmosphere*?
2. Find a Russian equivalent for *to allocate*.
3. Make a list of cognates used in this article.
4. Make a list of words in this article that you have learned in the first two units.

УПРАЖНЕНИЯ НА ЧТЕНИЕ 2

Предтекстовые упражнения

А. Нужные слова

влия́ть / повлия́ть *на кого-что* – to influence *someone/something*
вме́шиваться *во что* – to interfere *with something*
заёмщик – borrower < **занима́ть/заня́ть** – to borrow; to occupy
ипоте́чный < **ипоте́ка** – mortgage
котиро́вка – stock price < quote
невозвра́т < **возвраща́ться** – to return
о́чередь – line (queue); place in line: **в пе́рвую о́чередь** – in the first place; to begin with
це́лый – whole: **в це́лом** – as a whole; in general

Б. Background knowledge and predictions. Look at the first sentence of each paragraph to collect the following information.

1. What kind of crisis is being discussed?
2. When and where did it take place?
3. Who was the main figure reported on? What was this person's job?
4. What does ФРС logically stand for (in both English and Russian)?

Now, without reading more of the article, answer the questions.

1. What caused the crisis under discussion (2006–2007)?
2. What kinds of loans are being discussed?
3. Did the government initially respond with strong intervention?

12 месяцев полумрака

Ипотечный кризис в США быстро привел отечественную финансовую систему в упадок в 2006 году и в начале августа 2007 года перерос в глобальный: он обрушил котировки многих мировых индексов, и в первую очередь американских. Считается, что причиной американского ипотечного кризиса послужило растущее по экспоненте число невозвратов кредитов, которые были выданы банками неблагонадежным заемщикам с плохой кредитной историей.

Министр финансов США Генри Полсон предложил провести глубокую реформу всей системы финансовых органов, контролирующих и регулирующих её. Главной идеей его плана стала централизация финансовой власти в руках Федеральной резервной системы, которой будет предоставлена возможность влиять не только на основные банки, но и на всех участников рынка.

Таким образом, ФРС должна будет отвечать за стабильность всего рынка в целом. Это означало бы, что государство будет вмешиваться в работу всех экономических институтов, чего не делало со времен Великой депрессии.

ПОСЛЕТЕКСТОВЫЕ УПРАЖНЕНИЯ

Reading rule 3: Modifiers (continued)

Noun modifiers can also be:

1. **participles**

   читающее население

2. **participial phrases**

   армия, *выходящая* из страны

3. **adjectival phrase**

   оружие, *способное* уничтожить цель

They all agree with the noun they modify in *number, gender, and case.*

4. Both noun and verb can be modified by a subordinate clause, a clause which contains its own subject and predicate.

Встреча посвящена книге, **о которой говорит весь мир.**
Когда главы государств встретились, они подписали договор.

Note: Который reflects *the number and the gender* of the noun it modifies.

1. Find the subject, the predicate, and the object to the predicate in the first sentence. The object is...
   a. a direct object
   b. an indirect object
   c. a prepositional object

   Translate the sentence into English.

2. In the second sentence of the same paragraph, the subject **число** is modified by... (true or false for each):
   a. a noun
   b. a numeral
   c. a participial phrase
   d. a participle

3. In the same sentence, the predicate to the subject **которые** is...
   a. a verb
   b. "to be" + short adjective
   c. "to be" + short past passive participle

4. In the first sentence of the second paragraph, **органов** is modified by...
   a. a noun
   b. a numeral
   c. a participial phrase
   d. a participle

5. In the second sentence of the same paragraph, the predicate to the subject **централизация** is ...
   a. a verb
   b. "to be
   c "A=B"+ instrumental case

   Translate the sentence into English.

Послетекстовые упражнения (Using context)

Словообразование

- The verb **падать / упа́сть** is *to fall*. What then does **привести́** (что-кого) **в упа́док** mean?

- The root –**бла́го-** is *goodness* (День **благо**дарения – Thanksgiving). The root – **надеж-** (sometimes -**надёж-**) means hope or reliability. So who were **неблагонадёжные заёмщики**?

- An **уча́стник** is a *participant*. What does **часть** mean?

Упражнения на чтение 3

Предтекстовые упражнения

A. Numbers at a glance. Quickly find:

1. Consumer price index inflation for May
2. Consumer price index inflation for June
3. Are the rates cited high, low, or as expected for Europe?
4. A figure of 25 points was mentioned. Points for what? (Hint: what's the one way that the **ЕЦБ** could influence the situation?)

Б. Some additional details.

1. Judging by the article, what was the state of the economy in Europe sixteen years ago?
2. Who is Amelia Torres? To what two factors did she ascribe the change in the economic indicators that were cited?
3. What might the markets in Europe be hoping for?

Инфляция в Еврозоне в июне достигла максимального за последние 16 лет уровня

Индекс потребительских цен в Еврозоне в июне 2008 года в годовом выражении, по предварительным данным, увеличился на 4,0%. Вот данные официального статистического агентства Евросоюза Eurostat, опубликованные 30 июня. В мае инфляция составила 3,7% в годовом исчислении, подтвердив предварительные расчеты. Этот рост будет рекордно быстрым за последние более чем 16 лет.

Еврокомиссия считает, что основное давление на инфляцию серьёзно продолжают оказывать нефть и продовольствие. Об этом заявила сегодня на брифинге представитель Еврокомиссии Амелиа Торрес. «Мы пока не имеем никаких более четких показателей, но думаем, что это — результат роста цен на нефть и на продовольствие», — сказала она.

Такие данные по инфляции только добавляют участникам рынка оснований надеяться на повышение ключевой процентной ставки ЕЦБ на 25 базисных пунктов уже на этой неделе. В то же время Европейский центральный банк (ЕЦБ) раздирают противоречия по поводу повышения базовой учетной ставки.

ПОСЛЕТЕКСТОВЫЕ УПРАЖНЕНИЯ

Reading rule 3: Modifiers (continued)

A verb modifier can be:

1. **an adverb.** Adverbs answer the questions *where, when, how,* and *why,* but not *which one* or *what kind of.*

   Его выступление было встречено *холодно*. *(How?)*

2. **an adverbial phrase.**

   Делегация прибыла **в Москву**. *(Where?)*

3. **a verbal adverb and a verbal adverbial phrase.**

   Понимая ситуацию, он не задавал вопросов. *(Why?)*

Note: A verbal adverbial phrase is always set off by a comma.

1. In the third sentence of paragraph 1, the predicate is modified by...
    a. a noun phrase
    b. a verbal adverbial phrase
    c. an adverb

2. In the first sentence of paragraph 2, the predicate is modified by...
    a. a noun phrase
    b. a verbal adverbial phrase
    c. an adverb

    Translate this sentence into English.

Послетекстовые упражнения (Using context)

1. What is the Russian equivalent for
    — consumer price index
    — according to preliminary numbers

2. What is the English equivalent for
    — в годовом исчислении
    — по предварительным данным

3. Словообразование

    a. The verb **дава́ть / дать** means *to give*. **Данные** is its past participle. What is the English translation for it?

    b. **Ключ** means a key. What does **ключево́й** mean?

УПРАЖНЕНИЯ НА ЧТЕНИЕ 4

ПРЕДТЕКСТОВЫЕ УПРАЖНЕНИЯ

A. Cooking the books? Examine the graphical data below. Do the graphs correspond to the data in the article?

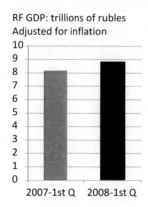

RF GDP: trillions of rubles
Adjusted for inflation

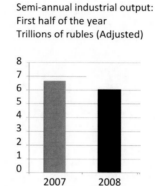

Semi-annual industrial output:
First half of the year
Trillions of rubles (Adjusted)

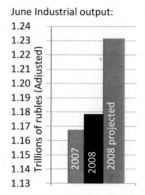

June Industrial output:

Б. The data in context. Making sense of this data requires some background knowledge on the Russian economy. After rescanning the article decide which of the following categories best applies to each of the statements below for the time reported on:

a.   False
b.   True, reported directly in the article
b.   True — conclusion reached by reading the article
c.   True — based on the article and background knowledge about the Russian economy

___   The industrial sector of the Russian economy lagged behind the overall economy.

___   Overall, the economy has grown quite fast.

___   Oil and gas production has fallen sharply.

___   The change in industrial production was expected.

___   Automobile production bucked the current manufacturing trend.

___   Production of a number of manufactured goods was a leading cause for a weaker industrial output over the year reported.

Данные о социально-экономическом положении России в первом полугодии 2008 года

Росстат опубликовал данные о социально-экономическом положении России в первом полугодии 2008 года. Так, по данным Росстата, объем ВВП России за I квартал 2008 года составил в текущих ценах 8838,1 млрд. рублей. Темп роста его реального объема относительно I квартала 2007 года составил 8,5%. Рост объема промышленного производства в I полугодии 2008 года в России по сравнению с аналогичным периодом прошлого года составил 5,8%. Рост производства в июне составил 0,9% — это в 6 раз меньше предсказанных аналитиками 5,4%. Говорят, что столь низких показателей в России не отмечалось с ноября 2002 года.

В мае этого года статистика была куда лучше. Тогда только обрабатывающий сектор прибавил 10%, в июне лишь 6 десятых. Почти ни одна отрасль в июне не показала рост более 4,5%. Нужно отметить, что есть исключение — производство легковых автомобилей и мясной продукции — 24 и 14 процентов соответственно.

Резко снизился выпуск растительного масла, хлеба, товарной целлюлозы, бумаги, автомобильных шин, цемента, стальных труб. Замедление темпов в обрабатывающих отраслях сопровождается стагнацией в сфере добычи полезных ископаемых. Добыча нефти и газового конденсата в сравнении с прошлым снизилась в июне на 0,8%.

ПОСЛЕТЕКСТОВЫЕ УПРАЖНЕНИЯ

Reading rule 1 (continued from unit 1)

Sometimes the **subject**, the "doer" in the nominative case, is missing in the sentence. However, the **predicate** will indicate the reason for its absence. Here are two of such reasons:

1. A predicate in the third person plural indicates that «они» is omitted, a commonly used construction in Russian.

   Говорят, что скоро будет война.

2. A predicate "to be" + **важно, нужно, необходимо, надо** indicates the use of **Impersonal construction**, where the "doer" is either missing (in a general statement) or is used in the dative case. **Impersonal constructions** are also used with the following verbs: **удаваться, хотеться, следовать (ought to, have to do something), предстоять** etc.

   (Нам) нужно развивать торговлю.
   Никому не **хотелось** воевать.

1. In the first sentence of paragraph 1, find the object to the predicate **опубликовал.** It is…
    a. direct
    b. indirect
    c. prepositional

    Translate the sentence into English.

2. In the last sentence of paragraph 1, the subject to the predicate **говорят** is...

    a. the "doer" in the nominative case
    b. the **они**-construction
    c. an impersonal construction

    Translate the sentence into English.

3. In the fourth sentence of the second paragraph, the subject to the predicate **нужно отметить** is...
    a. the "doer" in the nominative case
    b. the **они**-omitted construction
    c. an impersonal construction

    Translate the sentence into English.

Послетекстовые упражнения

Словообразование

- **Пред** means **перед, before** in English. **Сказа́ть** means **to say**. What is **предска́занный**?

- **Низ** means **bottom.** What is the English equivalent of **снизиться**?

- **Медленный is slow.** Give the English word for **замедле́ние.**

@ УПРАЖНЕНИЯ НА АУДИРОВАНИЕ

До прослушивания

Фоновая информация. In this interview a cable news host asks a Russian economist about his views. Before you listen decide whether or not you are likely to hear the following phrases:

❑ **рост ВВП замедля́ется** – GDP growth is slowing
❑ **эконо́мика перегре́та** – the economy is overheated
❑ **производи́тельность труда́ повы́силась** – labor productivity has risen
❑ **инфля́ция ускоря́лась** – inflation has quickened
❑ **де́ньги бы́ли бро́шены** *во что* – money was injected into...

Listen to the interview to see if you were right.

После прослушивания

A. Getting the gist. In their discussion of inflation, both the host and the guest name some causes of economic problems. (The host quotes the opinion of IMF economists.) Who says what?

Host (Quoting IMF)	Guest	Problem
❑	❑	The economy is overheating.
❑	❑	Inflation is on the rise.
❑	❑	Wages are rising faster than productivity.
❑	❑	Government spending is increasing.
❑	❑	Infrastructure is inadequate.

Б. New words firm listening. Listen to the interview once again to complete the following phrases:

1. Рост ВВП _____ хорошими темпами.
2. Рост зарплаты _____ производительность труда.
3. _____ директор фирмы.
4. Проблема существует на протяжении _____.
5. Проблема будет поправляться на фоне более умеренных _____ государства.   *на фо́не – based on*   *уме́ренные – moderate*
6. Инфляция очень _____.
7. Инфляция _____ вверх.   *вверх – up*
8. Государство думает, что оно решит все проблемы, просто раздав _____.   *раздав – after handing out*

В. Место ударения. Based on the interview, mark the stress of all new words in Exercise Б.

ТАБЛИЦА 1. ВИНИТЕЛЬНЫЙ ПАДЕЖ (ACCUSATIVE CASE)

Meaning	*Preposition*	*Question*	*Verbs*
Direct Object	Ø	кого? что?	Any transitive verb понима́ть обсужда́ть ждать и т.д.
Direction of Movement	в, на (in, on, at) за, под (behind, under)	куда? за что? подо что?	прибыва́ть идти́ е́хать плыть лете́ть класть ста́вить па́дать везти́ вести́ нести́ сади́ться и т.д.
From One Side to the Other	через (across) сквозь (through)	через что? сквозь что?	
About	про	про кого? про что?	говори́ть расска́зывать спра́шивать ду́мать и т.д.

Time Expressions	Useful Idioms
В какóй день недéли? – В э́тот день – На слéдующий день – В срéду **Когда?** – В э́тот момéнт – В э́ту минýту, секýнду – В э́то врéмя – В два часá В пéрвый (послéдний) раз Раз в недéлю, год Через час – in an hour, an hour later Год назáд – a year ago, a year later За э́ту недéлю – within a week За послéдние 20 лет **Как дóлго?** – всю ночь – цéлое лéто – два вéка – однý минýту – весь мéсяц – недéлю **Как чáсто?** – кáждый день – кáждую срéду – раз в год – пять раз в год	**отвечáть/отвéтить на агрéссию** – to respond to an aggression **в отвéт на сáнкции** – in response to the sanctions **похóж, похóжа, похóже на крúзис** – resembles a crisis **приглашáть/приглаcúть на встрéчу** – to invite to a meeting **входúть в блок** – to be a member of a bloc **выступáть/вы́ступить за предложéние** – to take a stand in favor of the proposal **благодарúть/поблагодарúть за пóмощь** – to thank for assistance **голосовáть/проголосовáть за соглашéние** – to vote for an agreement **отвéтственность за поражéние** – responsibility for defeat **ставúть/постáвить под угрóзу** – to threaten **брать/взять под контрóль** – to take under control **соглашáться/согласúться на э́кспорт** – to agree to export

ТАБЛИЦА 2. "THE MEASURED"

If you want to say in Russian:

The *ten percent rate of inflation* is dropping.
Уровень **инфля́ции в 10 проце́нтов** падает.
or
The capital *is at the distance of 70 miles from* … (to…)
Столица находится на **расстоянии в 70 миль** от … (до …)

In other words, to express measurement-modifiers, use this:

THE MEASURED (make sure you have it)	В (preposition)	NUMBER (in accusative case)
дефици́т – deficit		130 000 000 000
у́ровень инфля́ции – rate of inflation		5%
у́ровень безрабо́тицы – rate of unemployment		4%
экономи́ческая по́мощь – economic aid		73 000 000
госуда́рственный долг – national debt		360 000 000 000
расстоя́ние – distance	**В**	12 000
грани́ца – frontier		100
большинство́ – majority		3
срок – term		4
пери́од – period		19
урожа́й – crop		700
вес – weight		2
населе́ние – population		350 000 000

Note: The **в** + number constructions above cannot be used to "change" numbers. For that we use **на** + accusative: Уровень инфля́ции **в 10 проце́нтов** увели́чился **на 2 проце́нта.** – The *ten percent* inflation rate rose *by two percent*.

COMMONLY MEASURED ITEMS

Nom. singular оди́н, одна́, одно́	Genitive singular два, две, оба, обе, пол	Genitive plural 5–0, сколько, много, etc.
го́лос	го́лоса	голосо́в
челове́к	челове́ка	челове́к
год	го́да	лет
то́нна	то́нны	то́нн
до́ллар	до́ллара	до́лларов
фунт	фу́нта	фу́нтов
ми́ля	ми́ли	ми́ль
проце́нт	проце́нта	проце́нтов
рубль	рубль	рубле́й
ме́сто	ме́ста	мест

EXAMPLES

UNIT OF MEASURE *(case depends on the final digit)*	MEASURED IN
миллиа́рд	до́лларов
пять	проце́нтов (percent)
четы́ре	проце́нта
миллио́на	фу́нтов (pounds)
миллиа́рдов	рубле́й
ты́сяча	киломе́тров
сто	миль (miles)
три	ме́ста, го́лоса (seats, votes)
четы́ре	го́да
девятна́дцать	лет
семьсо́т	тонн (metric tons)
две	то́нны
миллио́н	челове́к

ТАБЛИЦА 3: REFLEXIVE VERBS

MEANING	NON-REFLEXIVE CONSTRUCTION (Has a direct object)	REFLEXIVE CONSTRUCTION Direct object replaced by –ся
Reflexive (self)	*subject* *direct object* **Британцы** защищают **британцев**. *The British* defend *the British*.	**Британцы защищаются.** *The British defend themselves.*
Reciprocal (each other)	*subject* *direct object* **Госсекретарь** встречает **президента**. *The Secretary of State* meets *the President*.	Госсекретарь и президент **встречаются**. *The Secretary of State and the President* meet *(each other)*. Госсекретарь **встречается с президентом**. *The Secretary of State meets with the President.*
Passive (imperfective only)	*subject* *direct object* **Администрация** разрабатывает **космическое оружие**. *The administration is developing space-based weaponry.*	Космическое оружие **разрабатывается**. *Space-based weaponry is being developed.* Космическое оружие разрабатывается **администрацией**. *Space-based weaponry is being developed by the administration*
"Change of state" transitive verbs	*subject* *direct object* **Правительство** увеличивает **бюджет на оборону**. *The government is increasing the defense budget.*	Бюджет на оборону **увеличивается**. *The defense budget is being increased.* Бюджет на оборону увеличивается **правительством**. *The defense budget is being increased by the government.*

КРУГ ПЕРВЫЙ

УРОК ТРИ
ЭКОНОМИЧЕСКОЕ РАЗВИТИЕ

ТЕКСТ. Прослушайте текст, затем прочитайте и переведите его на английский язык в письменной форме.

СТАНКИ ОСТАНАВЛИВАЮТСЯ

Мировой финансовый кризис ударил по российской экономике сильнее, чем ожидалось. Пессимисты, анализирующие её состояние, предсказывают россиянам скорое разорение многих промышленных предприятий.

Дорогие кредиты. Недоступность кредитов —давняя головная боль российской экономики. Проценты по кредитам заметно выросли. Ведь большую часть кредитных денег мы берём у западных банков. Но из-за кризиса занимать деньги за границей стало дорого, ставки по кредитам взлетели.

Структура промышленности. Нынешнее состояние российской промышленности не способствует быстрым темпам развития. Даже те отрасли, которые показывают значительный рост, сильно зависят от импорта и отнюдь не стимулируют развитие смежных отраслей.

Курс рубля. Постоянное укрепление рубля тешит импортёров, но никак не может радовать отечественную промышленность. На внутреннем рынке ей всё сложнее выдерживать конкуренцию с импортными товарами и всё сложнее продавать свои товары за границу.

Больши́е зарпла́ты. В Росси́и дефици́т рабо́чей си́лы. Причём осо́бенно большо́й — среди́ специали́стов. Сраже́ние за профессиона́лов привело́ к ситуа́ции, когда́ зарпла́ты у нас расту́т значи́тельно быстре́е, чем производи́тельность труда́.

Нало́ги. Есть ещё оди́н фа́ктор: росси́йские нало́ги велики́, и гла́вное — госуда́рство наконе́ц-то научи́лось их собира́ть и жесто́ко кара́ет за любо́е наруше́ние. В ито́ге предприя́тия не мо́гут применя́ть схе́мы нало́говой оптимиза́ции и пла́тят по́лностью 18 проце́нтов НДС и 26 проце́нтов еди́ного социа́льного нало́га (ЕСН). Это и уво́дит их в «ми́нус».

@ КОГНАТЫ

анализи́ровать	и́мпорт	пессими́ст	стимули́ровать
банк	конкуре́нция	проце́нт	схе́ма
дефици́т	креди́т	ситуа́ция	темп
	оптимиза́ция	специали́ст	фа́ктор

СЛОВА И ВЫРАЖЕНИЯ

бо́льший (бо́льшая, бо́льшее, бо́льшие) – greater (*formed from the comparative of* **большо́й***; note the change of stress*

брать (беру́т) / взять (возьму́т)
    и́з-за кри́зиса ста́ло до́рого – due to the crisis it became expensive
        брать де́ньги у за́падных ба́нков – to borrow money from Western banks
        занима́ть де́ньги у вну́тренних ба́нков – to borrow from domestic banks
        покупа́ть сырьё у Росси́и – to buy raw materials from Russia

всё сложне́е – it is more and more difficult
    выде́рживать конкуре́нцию с и́мпортными това́рами – to remain competitive with imported goods
    продава́ть свои́ това́ры за грани́цу – to sell abroad

до́ступ – access

досту́пный – available

жесто́ко кара́ть за любо́е наруше́ние – to punish severely for any transgression

зави́сеть (зави́сят, *imperfective only*) **от** *чего*
    и́мпорта – to depend on imports
    вну́треннего ры́нка – the domestic market
    ку́рса рубля́ – the ruble exchange rate

заме́тно расти́ (расту́т; рос, росли́) / вы́расти (вы́растут; вы́рос, вы́росла) – to grow dramatically

зарпла́та – salary

нало́ги велики́ – taxes are high

недосту́пность креди́тов — да́вняя головна́я боль росси́йской эконо́мики – the unavailability of credit is a recurrent problem of the Russian economy

плати́ть (пла́тят) / заплати́ть – to pay
    18 проце́нтов НДС (налог на доба́вленную сто́имость) – VAT
    26 проце́нтов еди́ного социа́льного нало́га – General Social Tax

предска́зывать (предска́зывают)/ предсказа́ть (предска́жут) россия́нам ско́рое разоре́ние – to predict imminent ruin

приводи́ть (приво́дят) / привести́ (приведу́т; привёл, привели́) *к чему* – to lead to
    к ситуа́ции – a situation
    к дефици́ту рабо́чей си́лы – a labor shortage

применя́ть схе́мы нало́говой оптимиза́ции – to use tax-evasion schemes

проце́нты по креди́там – interest rate

си́льный – *comparative* – **сильне́е**
    сильне́е, чем ожида́лось – stronger than expected

сме́жные о́трасли – related branches of industry

спосо́бствовать (спосо́бствуют) бы́стрым те́мпам разви́тия укрепле́нию рубля́ – to contribute to rapid development of the strengthening of the ruble

сраже́ние за *кого-что* – the battle for
    профессиона́лов – a fight for professionals
    производи́тельность труда́ – labor productivity

ста́вки по креди́там взлете́ли (вы́росли) – interest rates soared

станки́ остана́вливаются – the production (machine) is slowing

те́шить = ра́довать (ра́дуют)– to please
    импортёров
    оте́чественную промы́шленность – domestic industry
    промы́шленные предприя́тия – industrial enterprises

уводи́ть (уво́дят)/ увести́ (уведу́т; увёл, увели́) в «ми́нус» – to force into the red

ударя́ть (ударя́ют) / уда́рить (уда́рят) по *чему* – to hit
    росси́йской эконо́мике – the Russian economy
    промы́шленным предприя́тиям – to hit industrial enterprises

учи́ться (у́чатся) / научи́ться собира́ть нало́ги – to learn how to collect taxes

Объединённое Короле́вство (Великобрита́ния), брита́нцы, говори́ть по-англи́йски, Ло́ндон

Се́верная Аме́рика, североамерика́нский

США, Соединённые Шта́ты Аме́рики, америка́нцы, говори́ть по-англи́йски, Вашингто́н

Центра́льная Аме́рика, центральноамерика́нский

Ю́жная Аме́рика, южноамерика́нский

ЛЕКСИЧЕСКИЕ УПРАЖНЕНИЯ

Просмотрите слова и выражения к тексту «Станки остана́вливаются» и сделайте следующие упражнения.

А. Заполните пропуски правильными предлогами.

1. Кри́зис уда́рил ____ мирово́й эконо́мике.
2. Пессими́сты предска́зывают ____ промы́шленным предприя́тиям ско́рое разоре́ние.
3. Проце́нты ____ креди́там заме́тно расту́т.
4. Росси́я берёт бо́льшую часть креди́тных де́нег ____ за́падных ба́нков.
5. ____ кри́зиса ста́вки ____ креди́там взлете́ли.
6. Структу́ра промы́шленности не спосо́бствует ____ бы́стрым те́мпам разви́тия.
7. Кто покупа́ет стратеги́чески ва́жное сырьё ____ Росси́и?
8. Эконо́мика Япо́нии си́льно зави́сит ____ импорта не́фти.
9. Сраже́ние ____ профессиона́лов привело́____ больши́м зарпла́там
10. Что приво́дит предприя́тия ____ «ми́нусу»?

Б. Дайте русские эквиваленты следующим английским фразам.

- to hit the economy more strongly than expected
- to predict imminent ruin
- interest rate has gone up
- owing to the crisis
- to contribute to rapid development
- to depend on imports
- to remain competitive
- salaries are growing faster than productivity
- to collect taxes
- to force into the red

В. РАБОТА ПО МОДЕЛЯМ

1. Заполните пропуски словами по смыслу.

чему?

а. Кри́зис уда́рил по

_____
_____
_____
_____

Что?

б. _____
_____

заме́тно вы́рос -ла, ло, ли

Что?

в. _____
_____
_____

си́льно зави́сит от и́мпорта.

чему?

г. Фина́нсовый кри́зис привёл к

_____
_____
_____
_____

Что?

д. _____
_____
_____

уво́дит предприя́тия в «ми́нус».

2. Закончите предложения, используя логически правильные факты.

а. Недосту́пность креди́тов — это _____
б. Специали́сты предска́зывают Росси́и _____
в. Из-за кри́зиса брать де́ньги у за́падных ба́нков ста́ло до́рого потому́ что, _____
_____
г. Отрасли, завися́щие от и́мпорта, _____
д. Росси́и всё сложне́е продава́ть свои́ това́ры за грани́цу _____
е. Зарпла́ты в Росси́и расту́т значи́тельно быстре́е, чем _____
ж. Нало́ги в 18% НДС и 26% ЕСН _____

@ **Д. Ответьте на следующие вопросы.**

1.   Какой кризис ударил по мировой экономике?
2.   Этот кризис уже перерос (grew) в глобальный?
3.   Какие страны чувствовали удар по своей экономике больше всего?
4.   Что привело к настоящей ситуации?
5.   Как сказать по-английски «Ипотечный кризис»?
6.   Где он начался?
7.   Как переживает (experience) Россия этот кризис?
8.   Что значит выражение «дорогие кредиты»?
9.   Объясните разницу (difference) между экспортом и импортом.
10. Что импортируют США? Откуда?
11. Что экспортирует Россия? Куда?
12. Что импортирует Западная Европа из РФ?
13. Какие самые большие страны-экспортёры нефти?
14. Что такое ОПЕК?
15. Какой сегодня курс доллара? Фунта? Евро?
16. Какие рынки вы знаете?
17. Что приводит к инфляции?
18. Какие существуют налоги?
19. На каком языке говорят в США?
20. На каком континенте находятся США?
21. На каком языке говорят в Южной Корее?
22. Объединённое Королевство — это центральноамериканская страна?
23. Какая это страна?

ГРАММАТИКА: ДАТЕЛЬНЫЙ ПАДЕЖ (DATIVE CASE)

In this chapter we see three of the uses of the dative case:

1. as an indirect object
2. after the preposition **к**
3. after the preposition **по**

1. Indirect object

An indirect object denotes a person or a thing which receives something from a subject to answer the question *кому, чему*.

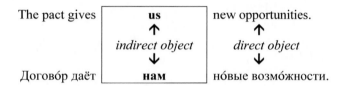

The pact gives	**us**	new opportunities.
	↑	↑
	indirect object	*direct object*
	↓	↓
Договóр даёт	**нам**	нóвые возмóжности.

Sometimes where Russian uses dative, English uses "for" *or* "to":

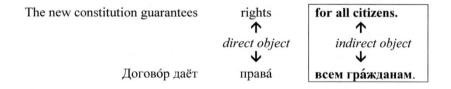

The new constitution guarantees	rights	**for all citizens.**
	↑	↑
	direct object	*indirect object*
	↓	↓
Договóр даёт	правá	**всем грáжданам.**

A number of verbs such as **говорúть/ сказáть** or **покáзывать/ показáть** *naturally* take indirect objects (*to tell* or *show* something *to* someone).

The verbs of inquiring **спрáшивать / спросúть** and requesting **просúть/попросúть** take a *direct* object in *accusative*, not dative:

Об этом лучше *спросúть* **нóвого послá, Илью́ Ивáнова**.

For a more complete of verbs with dative list, see Table 2 at the end of this unit.

2. Dative after the preposition К

At last, a rule with no exceptions: **к** always takes dative. **К** has three basic meanings:

a. *towards; up to* (answers *куда, к чему* with verbs of motion)*:*
    Правúтельственная машúна подъéхала **к Бéлому Дóму.**

The government car pulled *up to the White House.*

b. *to (a person) =* English *to go to see someone* or *to go to someone's place (house, office, etc.)* answers *к кому* with verbs of motion:

Они́ пошли́ **к мини́стру**
They went *to see the minister.*
Ара́бы то́лько приду́т **к Аме́рике** за креди́тами.
The Arabs will just go *to the U.S.* for credit.

c. *by (plus a time expression):*

к концу́ го́да.
By the end of the year.

3. Dative after ПО

At first glance **по** appears to be an all-purpose preposition. For the time being learn these set phrases:

a. *by means of (a communications medium):*
    по телефо́ну, по телеви́зору, по ра́дио, по телегра́фу

b. *according to; following (a set scale or pattern):*
    по Це́льсию, по Фаренге́йту, по слова́м а́втора, по зако́ну

c. *on (a topic):*
    по вопро́су:
    заявле́ние по вопро́су экономи́ческого разви́тия

    по исто́рии:
    уче́бник по исто́рии Росси́и

    по сотру́дничеству:
    перегово́ры по сотру́дничеству

По is also used in pluralized time expressions:
по утра́м – *in the mornings*
по вечера́м
по ноча́м
по понеде́льникам, по вто́рникам, etc.

ГРАММАТИЧЕСКИЕ УПРАЖНЕНИЯ НА ДАТЕЛЬНЫЙ ПАДЕЖ

Read through the material on the dative case. Look through the reference chart at the end of Unit 3 and the Appendix.

А. Употребление дательного падежа. Find the forms of the dative in the text. Explain their use.

@ **Б. Answer the following questions using the words in the right-hand column.**

1. По чему ударил кризис?
   - мировая экономика
   - смежные отрасли
   - промышленные предприятия
   - курс евро
   - быстрые темпы развития

2. К какому числу подпишут первый договор?
   - начало года
   - конец месяца
   - первое декабря
   - середина квартала

3. Кому сообщили о новых налогах?
   - объединённая сессия Конгресса
   - все сенаторы
   - только эти члены парламента
   - избирательная комиссия

4. Куда (к кому) уехал наш секретарь?
   - свои родные
   - своя семья
   - глава делегации
   - наблюдатель ООН

5. Как сообщили о гибели космонавтов?
   - телевидение
   - телефон
   - радио
   - интернет

В. Дательный или винительный падеж? Answer the questions using dative and accusative where needed according to the model. Be able to translate the answers.

Образец: Куда́ они́ прибы́ли?   – мы, наша ро́дина
              Они́ при́были **к нам** на **на́шу ро́дину.**

1. Куда́ идёт заммини́стра?   – мини́стр, МИД
2. Куда́ пое́хали эмигра́нты?   – родственники, Изра́иль
3. Куда́ прие́хал мэр Москвы́?   – Нью-Йорк, мэр *(mayor)*
4. Куда́ идёт эта делега́ция?   – Генера́льный секрета́рь, Организа́ция
5. Куда́ прибыл глава́ оппози́ции?   Объединённых На́ций
                                     – Сена́т, новый лидер
                                       демократи́ческого большинства́

Г.   Составьте предложения. Write five sentences to illustrate the use of dative versus accusative with verbs of motion.

Д.   Заполните пропуски. Fill in the blanks with the correct preposition. Mark 0 if no preposition is needed.

1. В своем заявлении _____ корреспондентам _____ вопросу о расширении торговых контактов между РФ и ЕС российский представитель сказал, что договор должен войти в силу (come into effect) _____ началу года.
2. _____ вашим словам можно подумать, что вы против нашей инициативы _____ урегулированию конфликта.
3. Представитель Всемирного банка сообщил _____ делегатам, что в настоящих условиях _____ латино-американским странам-должникам (debter-countries) не будет предоставлен долгосрочный кредит.
4. В своем выступлении _____ телевизору представитель Думы упомянул о договоренности _____ созданию самостоятельных торговых предприятий.
5. Участники конференции должны прибыть _____ нам в Москву _____ первому марта.
6. Мы с ними обычно встречаемся _____ понедельникам и средам.

Е.   Раскройте скобки. Determine whether you need direct objects or indirect objects to fill in the blanks.

1. РФ отказалась продать [Poland] _____ [oil] _____.
2. Заместитель (deputy) министра торговли сообщил [correspondents] _____ о провале переговоров.
3. Я [you] _____ коротко расскажу [the history] _____ наших торговых отношениях, потом попрошу [you] _____ задать [me] _____ вопросы.

4. Мы уверены, что [us] _____ окажут [help] _____.
5. Президент отправил (sent) [the UN General Secretary] _____
   [a telegram] _____.

Ж. Write five sentences to illustrate the use of indirect object versus direct object.

3. Asking and answering. Remember:
спрашивать/спросить *кого о чём* (accusative, not dative, and cannot add **вопрос**) but
задавáть/задáть *кому* вопрос
отвечáть/отвéтить *кому <u>на вопрос</u>*

Раскройте скобки.

1. Мы спросили [the chairman] _____ о предстоящих переговорах, но он [us] _____ не ответил [the question] _____.
2. Премьер-министр сделал краткое заявление, а потом журналисты задавали [him] _____ вопросы.
3. [the head] _____ делегации попросили рассказать [members] _____ ИК об успехах встречи.
4. Ключевые вопросы задавали [the UN General Secretary] _____ уже после пресс-конференции. Интересно, о чём [him] _____ спрашивали?
5. По-моему, вы не точно ответили [our question] _____.

И. Идиоматические выражения с дательным падежом. Review idiomatic uses and time expressions in the dative case table at the end of Unit 3. Give Russian equivalents for the following expressions.

- By April 15
- In the President's opinion
- They export oil to Western Europe
- In the evenings
- To answer somebody's questions
- In his statement to the press
- On Tuesdays
- In his address to the people of Russia
- According to the text of the speech
- We will sell machine tools to China

К. Составьте вопросы. Write questions for the italicized words below.

1. Мы не раз показывали *американцам* свои добрые намерения (intentions).
2. Делегация сразу пошла *к замминистра*.
3. Договор подпишут *к двадцатому декабря*.
4. Вы должны спросить *Веру Цветкову* о планах комитета.
5. Вы должны задать этот вопрос *Вере Цветковой*.
6. Мы пришли *к вам на консультацию*.
7. В министерстве иностранных дел брифинги обычно бывают *по пятницам*.

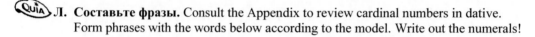**Л. Составьте фразы.** Consult the Appendix to review cardinal numbers in dative. Form phrases with the words below according to the model. Write out the numerals!

Образец: объяснить/ это/ 3/ общественные деятели
         Объясните это **трём общественным деятелям.**

1. по/ 2/ важный вопрос
2. подойти к/ 5/ ракетная установка (launcher)
3. приказывать / 20/ китайский солдат
4. показывать выставку / 40/ официальные деятели

М. Переведите.

1. We asked the economics minister many questions.
2. We asked him about the next round (круг) of negotiations which will be broadcast on television.
3. Specialists predicted in December the imminent ruin of some Russian industrial enterprises by the beginning of next year.
4. It is becoming more difficult to sell our goods to domestic consumers.
5. The financial crisis hit the banks in the United States and Canada.
6. The existing structure of Russian industry doesn't contribute to rapid development.
7. The labor shortage resulted in disproportionately (непропорционально) high salaries.
8. In my opinion, we shouldn't be borrowing money from domestic banks.
9. We came to Moscow to see the head of the Central Bank.
10. People pay taxes to the state.

ГРАММАТИКА: ПРИЧАСТИЯ В РУССКОМ ЯЗЫКЕ — ВВЕДЕНИЕ (PARTICIPLES)

Russian participles are a cross between a verb and an adjective. Therefore, they have a double nature — they retain some characteristics of both verbs (tense, voice, case government, reflexive **ся**-ending, etc.) and adjectives (gender, number, and case).

Look at the phrases below:

		Verb (stem)		Adj. (ending)	
1.	Челове́к, всегда́	говор	**я́щ**	**ий**	пра́вду
2.	Ме́ры,	принима́	**ем**	**ые**	кабине́том
3.	На мосту́,	постро́	**енн**	**ом**	один год наза́д
4.	Без специали́ста,	знако́ми	**вш**	**егося**	с пробле́мой

1. A man always *telling* the truth
2. Measures *adopted* by the cabinet
3. On the bridge *built* a year ago
4. Without a specialist (who was getting) *familiarized* with the problem

All participles can be substituted with **который**-clauses.

Челове́к, всегда́ **говоря́щий** правду
Челове́к, **кото́рый** всегда́ **говори́т** правду

ДЕЙСТВИТЕЛЬНЫЕ ПРИЧАСТИЯ НАСТОЯЩЕГО ВРЕМЕНИ (PRESENT ACTIVE PARTICIPLES

Now look at the following sentences and their translations:

1. Дости́гли соглаше́ния, **предусма́тривающего** (кото́рое предусма́тривает) бо́льших проце́нтов по креди́там.
2. They reached an agreement provid*ing* (which provides) for a higher interest rates.
3. Это журнали́ст, **проводя́щий** (кото́рый прово́дит) рассле́дование сканда́ла с прода́жей ору́жия Ира́ну.
4. This is a journalist *conducting* (who is conducting) an investigation of the scandal in connection with the weapons sales to Iran.
5. **Гостя́щая** в Москве́ францу́зская делега́ция отбыва́ет за́втра. (Делега́ция, кото́рая гости́т).
6. The French delegation *staying* (that is staying) in Moscow departs tomorrow.

These are present active participles. They always function as adjectives, and like adjectives, they must agree in gender, number, and case with the noun they modify.

These participles modify their antecedents in terms of action in the present and as such they correspond to **кото́рый** clauses with the verb in the present tense. They can be placed before or after the noun they modify.

Э́то наруше́ние мо́жет име́ть **выходя́щие** за ра́мки догово́ра после́дствия.
Э́то наруше́ние мо́жет име́ть после́дствия, **выходя́щие** за ра́мки догово́ра.

This violation may have consequences *exceeding* the limits of the treaty.

In English a participle with a modifying phrase comes after the noun as above. Note that in Russian such a participial phrase may precede or follow the noun: (≅ the "*exceeding* the narrow limits of the treaty" consequences)

Present active participles are formed only from imperfective verbs and often (but not always!) correspond to the *–ing* form in English. They can also be rendered by means of pronouns who, which and that.

Some participles are used as adjectival nouns and therefore stand alone.

Социалисти́ческая па́ртия защища́ет права́ всех **трудя́щихся**.
The Socialist party defends the rights of all the *workers*.

You can identify present active participles by the **-щ-** suffix added to the stem of the verb: гостя́**щ**ая.

ДЕЙСТВИ́ТЕЛЬНЫЕ ПРИЧА́СТИЯ ПРОШЕ́ДШЕГО ВРЕ́МЕНИ (PAST ACTIVE PARTICIPLES

Now look at these sentences and their translations:

Экспе́рты задава́ли друг дру́гу вопро́сы во вре́мя **дли́вшейся** всю ночь диску́ссии. Experts were asking each other questions during the discussion, *which lasted* all night.

В све́те слов и дел, **после́довавших** по́сле встре́чи, появи́лись но́вые вопро́сы. New issues have emerged in light of the words and deeds *that followed* the meeting.

The forms you have just seen are **past active participles**. They also agree in gender, number, and case with the noun they modify and can stand either before or after that noun.
These participles modify their antecedents in terms of actions in the past, and as such, they correspond to **кото́рый** clauses with the verb in the past tense.

Экспе́рты задава́ли вопро́сы во вре́мя диску́ссии, **кото́рая дли́лась** всю ночь.
В све́те дел, **кото́рые после́довали** по́сле встре́чи, появи́лись но́вые вопро́сы.

Past active participles can be formed from both perfective and imperfective verbs. Notice the difference in translation of the verbal aspect in the sentences below:

Вот америка́нский критик, **отмеча́вший** э́тот факт.
Here is the American critic, *who was emphasizing* that fact.

Вот америка́нский критик, **отме́тивший** э́тот факт.
Here is the American critic, *who had emphasized* that fact.

Past active participles are most often rendered into English by *who*, *which*, and *that* clauses.

You can identify past active participles by the –**вш** *suffix added to what is left when you remove the past tense* –**л, –ло, –ла, –ли**: **дли́вшийся**.

Verbs whose past tense forms end in **ёл**, replace **ёл** with **едш**:

пришёл	**прише́дший, -ая, - ее, - ые**
привёл	**приве́дший, -ая, - ее, - ые**
принёс	**принёсший,-ая, - ее, - ые**
привы́к	**привы́кший,-ая, - ее, - ые**

Exception: расти́ - (past tense) **рос** → **ро́сший, -ая, - ее, - ие**

ТАБЛИЦА 1: ДЕЙСТВИТЕЛЬНЫЕ ПРИЧАСТИЯ (ACTIVE PARTICIPLES

	Imperfective		*Perfective*	
Infinitive	**обсужда́ть** to discuss	**прибыва́ть** to arrive	**обсуди́ть** to discuss to have discussed	**прибы́ть** to arrive to have arrived
Present participle	**обсужда́ю щий** discussing	**прибыва́ ющ ий** arriving	NO PRESENT TENSE	
Past participle	**обсужда́ вш ий** who discussed	**прибыва́ вш ий** who arrived	**обсуди́ вш ий** who discussed	**прибы́ вш ий** who arrived

ГРАММАТИЧЕСКИЕ УПРАЖНЕНИЯ НА ДЕЙСТВИТЕЛЬНЫЕ ПРИЧАСТИЯ НАСТОЯЩЕГО И ПРОШЕДШЕГО ВРЕМЕНИ

А. Употребление причастий. Read all the grammar on active participles. Review their formation. Study Table 1 on the previous page. Find active participles in the text. State the aspect and tense of these participles, as well as their gender, number, and case.

 Б. Составление форм причастий

1. Make present active participles using the verbs below.

   Образец: гостить ➔ они гост**ят** ➔ гост**ящий**

   предска́зывать/ предсказа́ть, продава́ть/ прода́ть, занима́ть/ заня́ть, анализи́ровать, брать/ взять, покупать/ купить, зави́сеть, стимули́ровать, учи́ться/ научи́ться, расти, привести́

2. Now make perfective and imperfective forms of past active participles out of the same verbs if possible.

   Образцы: читать ➔ читал ➔ чита**вший**
   прочитать ➔ прочита л ➔ прочита **вший**

 В. Раскройте скобки. Determine the type of participle. Be able to translate them into English.

1. Невозможно начать важный диалог между Востоком и Западом при [отношения, строящиеся на недоверии] _____.

2. Западная Европа должна покупать нефть у [страны Ближнего Востока, продающие её по довольно высоким ценам] _____.

3. Представитель Пентагона ничего не сказал о [встреча, состоявшаяся две недели тому назад в Вашингтоне] _____.

4. Администрация не ответила на [перемены, происходившие в России)] _____.

5. Деловые круги Японии с интересом подошли к [предложения, обсуждающиеся в министерствах торговли двух стран] _____ .

Г. Употребление причастий. Determine the type of participle in the sentences below. Replace participial constructions with relative clauses. Be able to translate them.

Образец:

Машины, **подъезжавшие** и **отъезжавшие** от здания Конгресса, тормозили движение.

Машины, **которые подъезжали** и **отъезжали** от здания Конгресса, тормозили движение.

1. Зарплаты, **растущие** быстрее, чем производительность труда, приводят к инфляции.
2. От кандидата демократической партии, **предсказавшего** будущий конфликт с республиканцами, зависит победа на праймериз.
3. Проценты по кредитам, заметно **выросшие** за последнее время, — давняя головная боль российской экономики.
4. В статье говорится о банках, **берущих** большую часть кредитных денег у западных банков.
5. Главы делегаций произнесли речи на приёме, **состоявшемся** здесь вчера.
6. Он рассказывал о кризисе, **ударившем** по российской экономике.
7. Среди делегаций, **прибывших** на заседание ЕС, был наблюдатель от России.
8. Штат (staff) Белого Дома, **устраивавший** приём, не присутствовал на нём.
9. В интернете было много информации о канцлере ФРГ, **находящемся** сейчас с официальным визитом в Москве.
10. Государство, наконец-то **научившееся** собирать налоги, жестоко наказывает за любое нарушение.

Д. Употребление причастий. Replace relative clauses in the sentences below with participial constructions. Be able to translate the latter into English.

1. Предприятия, которые **платят** полностью 18 процентов НДС и 26 процентов единого социального налога (ЕСН), скоро разорятся.
2. Для пессимистов, которые **анализируют** ипотечный кризис, ясно, что российские банки не смогут брать кредитные деньги у Запада.
3. Мы хотим избежать (to avoid) ошибок стран, которые **начали** развивать банковскую систему раньше.
4. В статье говорится о кредитных ставках, которые **взлетели** из-за кризиса.
5. Нынешнее состояние российской промышленности, которое не **стимулирует** развитие смежных отраслей, не способствует быстрым темпам развития.
6. Глава американской делегации назвал сессию, которая **завершилась** на днях, «самой успешной встречей».
7. Господин Шмидт был главой делегации, которая **находилась** в Москве.
8. Первая сессия Конгресса США 103-го созыва, которая **начала** свою работу 4 ноября, являет собой «неизвестную величину» (entity unknown).

E. Переведите на русский язык.

1. According to Russian radio reports, the financial crisis that hit the economy was stronger than expected.
2. The (самолётостроение) Russian aircraft industry, which doesn't stimulate the development of its related branches, shows little growth.
3. The state, which has finally learned how to collect taxes, cruelly punishes any transgression.
4. Expensive foreign credits are bad for the industries which depend on imports.
5. Economists analyzing the state of the Russian economy predict imminent ruin for many industrial enterprises.
6. The session, which has now been going on for seven hours, will probably end at 8:00 p.m.
7. According to the author of this article, important agreements were signed at the meeting that took place in the French capital.
8. The fight for professionals, which has resulted in disproportionately (непропорционально) big salaries, is a recurrent problem in the Russian economy.
9. This is a book about Russian economy of the late (в конце) 1990s, which was growing at the rate of 7-8 percent a year.
10. The car industry, which has not remained competitive with Japanese imports, has to rethink (передумать) its strategy.

ЦИТИРОВАНИЕ ИСТОЧНИКОВ

Media:

по ра́дио	сообща́лось *о чём*
по телеви́дению	сообща́лось, что...
на са́йте	передава́лось *о чём*
в Интерне́те	передава́лось, что...

According to:

по слова́м а́втора кни́ги...
по мне́нию автора статьи́...
по конститу́ции...
по зако́ну...

УПРАЖНЕНИЯ НА УСТНУЮ РЕЧЬ

А. Цитируем источники. Процитируйте следующие предложения, используя:

по телеви́дению передава́лось, что...
на госуда́рственном са́йте сообща́ется, что…
в э́той заме́тке говори́тся, что...
по слова́м а́втора э́той переда́чи...
а́втор заме́тки отмеча́ет, что...

1. Мирово́й фина́нсовый кризис уда́рил по росси́йской эконо́мике сильне́е, чем ожида́лось.
2. Недосту́пность креди́тов — да́вняя головна́я боль росси́йской эконо́мики.
3. Зарпла́ты у нас расту́т значи́тельно быстре́е, чем производи́тельность труда́.

Б. Моё мнение. Когда вы хотите выразить своё мнение, вы можете начать словами:

по-мо́ему,...
мне ду́мается,...

Если вам хочется объяснить, почему у вас такое мнение, вы можете начать своё объяснение, сказав:

ведь...
потому́, что...

Образец: **Мне думается,** отноше́ния ме́жду РФ и США строятся на осно́ве дове́рия. **Ведь** они подписа́ли но́вый догово́р!

Выразите своё мнение, используя следующие предложения:

1. Проце́нты по креди́там заме́тно вы́росли в Росси́и.
2. Ны́нешнее состоя́ние росси́йской промы́шленности не спосо́бствует бы́стрым те́мпам разви́тия.
3. Постоя́нное укрепле́ние рубля́ те́шит импортёров, но ника́к не ра́дует отече́ственную промы́шленность.
4. Постоя́нное укрепле́ние рубля́ ника́к не мо́жет ра́довать отече́ственную промы́шленность.
5. Сраже́ние за профессиона́лов привело́ к ситуа́ции, когда́ зарпла́ты у нас расту́т значи́тельно быстре́е, чем производи́тельность труда́.
6. Предприя́тия не могут применя́ть схе́мы нало́говой оптимиза́ции и пла́тят нало́ги по́лностью.

В. Вопросы. Ответьте на следующие вопросы по тексту урока, цитируя текст статьи и выражая своё мнение.

1. Почему́ экономи́сты предска́зывают россия́нам ско́рое разоре́ние мно́гих промы́шленных предприя́тий?

2. Как мирово́й фина́нсовый кри́зис повлия́л на ситуа́цию с креди́тами в Росси́и?

3. Как влия́ет значи́тельный рост не́которых отрасле́й промы́шленности на разви́тие сме́жных отрасле́й?

4. Кого́ ра́дует и кого́ не ра́дует постоя́нное укрепле́ние рубля́?

5. Почему́ зарпла́ты в Росси́и расту́т значи́тельно быстре́е, чем производи́тельность труда́?

6. Кака́я ситуа́ция с нало́гами, по слова́м а́втора статьи́?

7. Почему́ така́я ситуа́ция уво́дит предприя́тия в «ми́нус»?

8. Что зна́чит выраже́ние "уводи́ть в «ми́нус»"?

Г. Пересказ. Расскажите текст Урока 3, цитируя текст статьи и выражая своё мнение. Не забывайте цитировать источники и выражать своё мнение!

Д. Маленькая история. Расскажите маленькую историю об этой ситуации в другой стране, используя следующие выражения. Не забывайте цитировать источники и выражать своё мнение!

according to the radio report...; to hit the economy; owing to ... interest rates soared; to borrow from; to predict ruin; to remain competitive; to result in; to force into the red.

Е. Доклад об экономическом положении. Опишите доклад российского министра экономики о состоянии российской экономики на заседании Думы и вопросы парламентариев ему.

Ж. Пресс-конференция. На пресс-конференции выступает глава американского федерального резерва с либеральными и консервативными журналистами. Приготовьте вопросы о состоянии российской экономики и о возможности улучшения её.

@ **3. Разговор.** Прослушайте разговор двух журналистов о состоянии российской экономики и разыграйте его с другим студентом.

Вероника: Честно говоря, меня удивляют все эти жалобы на состояние российской экономики. Посмотри вокруг! Все получают большую зарплату!

Антон: Слишком большую, Вероника. Зарплата растёт быстрее, чем производительность труда. А, кроме того, нам не хватает квалифицированных кадров. Ведь многие специалисты уехали.

Вероника: И всё-таки, согласись, жизнь в последнее время стала лучше. Государство, наконец, научилось собирать налоги и повышает пенсии.

Антон: Это так, но налоги слишком высоки. Если предприятие платит по-честному, то неизбежно оказывается в «минусе».

Вероника: Ты просто пессимист какой-то! Ну, по крайней мере, рубль у нас сильный. А посмотри, что происходит с долларом!

Антон: Сильный рубль хорош для импортёров, но никак не может радовать отечественную промышленность. Из-за роста курса рубля нашим предприятиям всё сложнее продавать свои товары за границу. А тут ещё мировой финансовый кризис…

Вероника: Не понимаю, почему мировой финансовый кризис должен нас затронуть. У нас свои дела, а у них свои!

Антон: Распространённое заблуждение! Кризис ударил по всем. Ты заметила, что процентные ставки взлетели? Компаниям приходится платить больше по ссудам.

Вероника: Но это наши банки подняли ставки по кредитам.

Антон: А почему, не задумывалась? Откуда у наших деньги?

Вероника: Ну, я не экономист как ты… А, действительно, откуда?

Антон: Долгое время отечественные банки брали деньги у западных по относительно низким ставкам и выдавали кредиты в России под более высокие проценты. На этом строился их бизнес…

Вероника: Ну и?..

Антон: Ну, а потом разразился кризис на рынке высокорисковых ипотечных кредитов или, как его ещё называют, рынке ипотеки subprime…

Вероника: Я плохо понимаю, что это за штука.

Антон:	За́падные ба́нки выдава́ли ипоте́чные креди́ты ненадёжным заёмщикам — ну, тем, у кого́ была́ плоха́я креди́тная исто́рия.
Вероника:	Плоха́я креди́тная исто́рия — это зна́чит, я уже́ брала́ креди́т ра́ньше и не смогла́ расплати́ться, да?
Антон:	Пра́вильно. И креди́тов таки́м заёмщикам бы́ло вы́дано мно́го. Есте́ственно, должники́ не смогли́ плати́ть — ну, нет де́нег! Переоцени́ли свои́ возмо́жности! Поэ́тому число́ невозвра́тов на́чало расти́ по экспоне́нте. Ба́нки понесли́ огро́мные убы́тки и ста́ли выдава́ть ме́ньше креди́тов.
Вероника:	И тогда́ ста́вки вы́росли! Ну, на́до же! Я и не ду́мала, что существу́ет така́я связь ме́жду на́шей эконо́микой и ипоте́чным кри́зисом на За́паде.

Полезные слова

жа́лобы на … – complaints about …
заду́мываться – to give a thought to something
на ры́нке высокориско́вых ипоте́чных креди́тов – on the high-risk mortgage market
не хвата́ет квалифици́рованных ка́дров – there is a shortage of qualified specialists
невозвра́ты – failures to repay
ненадёжные заёмщики – unreliable borrowers
переоцени́ть свои́ возмо́жности – to overestimate one's capacity
плати́ть бо́льше по ссу́дам – to pay more for the debt
плати́ть по-че́стному – to pay honestly
понести́ огро́мные убы́тки – to suffer great (financial) losses
расплати́ться – to pay off
распространённое заблужде́ние – a common misunderstanding
у нас свои́ дела́, а у них свои́ – we play our business and they play theirs

УПРАЖНЕНИЯ НА ЧТЕНИЕ 1

ПРЕДТЕКСТОВЫЕ УПРАЖНЕНИЯ

А. Аббревиатуры. Что есть что? This article is impenetrable without the meaning of the initials. Hunt through the article to find the full form of **НДПИ** and **НДС**.

Once you learn what **Н** stands for, you can figure out **ФНС**. (Hint: What is **ФСБ**? Google it if you have to.)

Б. Who contributes to the revenue pie? Below is a chart for revenue sources for the Russian *federal* budget. Scan the information in the article to determine whether it is accurate.

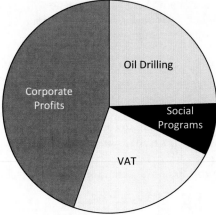

В. Some more details. Rescan the article to find out:

1. Something was said about an increase of nearly 40 percent. What precisely?

2. In what connection was the figure of nearly a trillion rubles mentioned? What was said about 95 percent of this sum?

3. The percentages 31 and 19.5 are mentioned in the same paragraph. Were the same things being compared? What is the basis for your conclusion?

4. In the next paragraph we see percentages of 46.4 and 48.2. Were the figures comparisons of the same thing? Why do you think so?

5. What was said about 30 percent of the corporate profits tax?

6. Is this the same 30.4 percent mentioned in the last paragraph? On what do you base your answer?

ФНС: нефть обеспечила 36% доходов федерального бюджета

Поступления налогов и сборов в федеральный бюджет РФ, включая единый социальный налог, составили в январе-июле 2008 года 2,7 трлн. рублей, что на 39,6% больше, чем за 7 месяцев 2007 года, говорится в сообщении Федеральной налоговой службы.

Основная часть поступлений по НДПИ (налог на добычу полезных ископаемых) обеспечена за счет нефти. Всего в бюджетную систему России в январе-июле поступило 951,1 млрд. рублей НДПИ на нефть. Из них 903,6 млрд. рублей зачислено в федеральный бюджет В целом НДПИ обеспечил 36% доходов федерального бюджета за 7 месяцев.

На втором месте по значимости — налог на добавленную стоимость, на его долю приходится 31% в структуре доходов федерального бюджета за январь-июнь. Поступления НДС в январе-июле 2008 года составили 843 млрд. рублей и по сравнению с тем же периодом 2007 года выросли на 19,5%.

Поступления налога на прибыль в бюджетную систему за январь-июль выросли на 46,4% и достигли 1 трлн. 645,2 млрд. рублей. Из них в федеральный бюджет поступило 489,3 млрд. рублей (+48,2%), В результате доля налога на прибыль в общем объеме поступлений федерального бюджета составила 18%.

Поступления единого социального налога в федеральный бюджет в январе-июле 2008 года составили 287,7 млрд. рублей и выросли по сравнению с аналогичным периодом прошлого года на 30,4%.

Послетекстовые упражнения (Using sentence structure)

Commas can give you clues as to which parts of the sentence are doing what, especially because the use of commas is far more rigid in Russian than in English.

A comma can separate:

1. an enumeration of nouns, adjectives, verbs, adverbs, numerals, prepositional phrases, clauses, etc.

   Он говорил **долго, медленно, скучно.**

2. nouns, adjectives, verbs, adverbs, prepositional phrases, etc., after: **а, но, или, ни...ни.., как..., так и...** etc., which are basically enumerations. (see above)

   Он говорил **медленно,** *но* **интересно**.

3. independent clauses after **а, но, и, или**, etc.

   Промышленность загрязняет воздух, **а** люди им дышат.

4. subordinate clauses after conjunctions *кто,* **что, куда, когда, который, чем, если, хотя, с тех пор, как**, etc.

    Речь, **о которой** писали все газеты, произвела сенсацию.

5. detached words such as:

   a. noun phrases, adjectival phrases, participial phrases which follow a noun or a pronoun and reflect its number, gender, and case

       Они говорили об Устинове, **новом главе...**
       Мы увидели политика, **знаменитого своей дружбой...**
       В коммюнике, **подписанном вчера**, говорилось о...

   b. verbal adverbial phrase

       Встретив делегацию, мы повезли её на приём.

6. author's words or a quotation

   Соединённые Штаты, **утверждает автор,** не пойдут на уступки.

7. transition markers, the words which express relationships in a sentence

   В Москве, **например**, преступления практически прекратились.

1. In the first sentence of paragraph 1, a comma after **РФ** is used to separate...
   a. a clause
   b   a phrase

2. A comma after **налог** is used to separate …
   a. the end of a phrase
   b. the beginning of a transition marker

3. A comma before **рублей** separates …
   a. a clause
   b. a phrase

4. A comma after **больше** sets off...
   a. a phrase
   b. a quotation

5. A comma after *2007* **года** separates...
   a. a quotation
   b. a transition marker

Translate the first sentence into English.

Послетекстовые упражнения (Using context)

1. **Поступле́ние** is a financial term which means *receipt.* What does the verb **поступи́ть** mean in the same context?

2. Find a Russian equivalent to the English *VAT.*

3. Does a tax similar to the Russian **НДПИ** exist in the US?

4. Make a list of taxes mentioned in this article.

УПРАЖНЕНИЯ НА ЧТЕНИЕ 2

Предтекстовые упражнения

A. **Down on the farm.** Scan the article quickly to find out which of the following statements are true:

❑ The harvest is up.
❑ The harvest is static.
❑ Food exports have increased.
❑ Imports of staples have increased.
❑ Crop prices have fallen.
❑ Crop production and wholesale prices correlate with grocery prices.

Б. Measuring production. Russian uses metric measurements:

це́нтнер – 100 kg (220 lbs.), about 3.7 bushels of wheat (bushels depends on the commodity measured)
гекта́р – 10, 000 m² (2.47 acres)

В. Нужные слова

влеку́щий (< влечь) за собо́й – to cause
заморо́зка – freeze
зерновы́е – grain crops < **зерно́** – grain
наложе́ние – overlay
оби́льный – voluminous
отка́зываться – to refuse
отыгра́ть поте́ри – to win back losses
переку́пщик – wholesaler; middleman < **пере** – re-; over + **-куп-** – buy
перерабо́тчик – (re)processor < **пере + -работ-**
проду́кты пита́ния – food stuffs; groceries
спосо́бствовать тому, что – to contribute to (a factor)
сырьё – unprocessed material
теку́щий – current
урожа́й – harvest > **урожа́йность** (The suffix **–ность** is equivalent to *–ness*.)
хлебопёк < **хлеб + печь** (past tense: **пёк, пекла́, пекли́**) – to bake

Г. Getting the details. Now look for this information. What was said about…?

- nearly 13 million metric tons of wheat
- farmers with weaker outputs
- bread processers

Рекордный урожай зерна будет обеспечен усилиями всего нескольких регионов

Урожай зерновых в России ожидается выше прогнозов. По словам главы Минсельхоза Алексея Гордеева, в 2008 году он будет рекордным за последние 15 лет. Урожайность на 20% выше, чем в прошлом году, и составляет 33,2 центнера с гектара. На фоне продовольственной проблемы, актуальной для большинства стран мира, это очень неплохая новость. По данным Агентства по регулированию продовольственного рынка, в прошлом году Россия экспортировала в Европу, Африку и азиатские страны 12,76 млн тонн зерна. В этом году возможно увеличение экспорта до 15 млн тонн.

Проблема в том, что обильный урожай способствует тому, что закупочные цены на зерно снижаются. Перекупщики предлагают крестьянам сдавать зерно по крайне низким ценам — 2–3 тыс рублей за тонну. Многие отказываются, считая такую оценку своего труда недостойной, но кто-то — в основном слабые хозяйства — сдают и по дешевке, чтобы иметь наличные деньги на текущие нужды.

Эксперты спорят, отразится ли высокий урожай, влекущий за собой снижение закупочных цен, на розничных ценах на хлеб, и отсюда идет цепочка по снижению цен на другие продовольственные товары. Наложение этих факторов в прошлом году было негативно, а в этом году сыграло позитивно.

Однако многие эксперты считают, что цены на хлеб снижаться не будут. В этом не заинтересованы хлебопеки, которые попытаются за счет удешевления сырья отыграть свои потери, связанные с предвыборной заморозкой цен на социально значимые продукты питания.

То же касается и другого сырья — мяса, молока. Переработчики, привыкшие к частым ценовым скачкам на сырье, каждое его удешевление считают разовым и кратковременным и всячески стремятся создать задел на будущее, когда отпускные цены вырастут вновь.

Послетекстовые упражнения (Using sentence structure)

1. Explain how a comma after **Алексея Гордеева** is used in the first sentence of the first paragraph. It marks...
    a. a quote
    b. a phrase

    Translate this sentence into English.

2. Explain the use of a comma after **проблемы** in the third sentence of the same paragraph. It is used to mark...
   a. a clause
   b. a phrase

   Translate this sentence into English.

3. In the first sentence of the second paragraph, two commas separate...
   a. an enumeration
   b. clauses

4. In the third sentence of the same paragraph, a comma after **отказываются** sets off...
   a. a quote
   b. a phrase

5. In the same sentence, a comma after **недостойно** marks...
   a. a clause
   b. a phrase

6. In the same sentence, a hyphen after **кто-то** sets off...
   a. detached words
   b. a transition marker

   Translate this sentence into English.

Послетекстовые упражнения (Using context)

1. What does **Минсельхоз** stand for?

2. Give the antonyms for **экспортировать** and **экспорт**.

3. Find the antonym for **снижаться** as used in this article.

УПРАЖНЕНИЯ НА ЧТЕНИЕ 3

Предтекстовые упражнения

А. Путин и конкуренция в бизнесе. One of the criticisms leveled at Russian business in the first decade of the 21st century was the lack of transparent competition. Companies were often interlocked in secret agreements, both with each other and with the government. The state either directly or through corporate proxies often took a direct hand in corporate governance and control of the overall economy, a practice referred to informally as **ручно́е управле́ние**.

Б. The gist: prediction and confirmation. Before you read the first paragraph, what do you think is likely to be said in this article about **ручное управление.**

  a.   It stifles competition and indicates a greater need for rule of law.
  b.   It is a necessary evil given the lack of a strong legal system.
  c.   It assures emerging market efficiency and price stability.

Now check your guess by reading the first paragraph.

В. Getting the details. Key phrases in the article give you most of the details. Find the key phrases that complete these sentences — rough paraphrases of what was said in the article. Sometimes the information is spread across a sentence or two.

  1.   Putin said the government should win the battle against...
  2.   The prime minister pressed for systemic solutions to create...
  3.   Two years ago a fair competition law set forth...
  4.   Putin told his government that competition in Russia...
  5.   Putin said that Russians suffer from... because of...
  6.   As an example Putin cited....

Г. Нужные слова

  да́нные – data; information. *Note that* **да́нные** *literally means "givens"; "Data" is Latin for "givens."*
  довести́ *что* **до конца́** – to bring *something* to a successful outcome
  законода́тельство – legislation < **закон** 'law' + **-дат-** 'give'
  намеча́ться / наме́титься – to be noted
  обора́чиваться ро́стом цен – to be reflected in rising prices
  обраща́ть / обрати́ть внима́ние *на что*
  определён поря́док *чего* – *lit.* the order *for something* has been determined, *but this is a set phrase: something* has been set forth *(or)* has been laid out.
  правопримен́тельная пра́ктика – legal proceedings
  привлече́ние к отве́тственности *за что* – prosecuting *for something* (*lit.* bringing *someone* to answer *for something*)
  приводи́ть (привожу́, приво́дишь / привести́ (приведу́, приведёшь; привёл,

привела́, привели́) *пример, ситуацию* – to give *an example, a (hypothetical) situation*.

принима́ть / приня́ть зако́н – to pass a law

прозра́чный – transparent

регули́ровать *sometimes means* to regulate, *but more often means* to bring under control; to normalize

соотве́тствие: в соотве́тствии *с чем* – in accordance *with something*

спосо́бствовать *чему* – to help along *with something*

ука́зывать / указа́ть *на что* – to point *to something*; to indicate *something*

усто́йчивый – solid; unchanging; firm

Путин призывает уйти от «ручного управления» развитием конкуренции

Правительство должно уйти от "ручного управления" по защите конкуренции, — заявил премьер Владимир Путин на совещании по вопросам развития конкуренции. — У нас пока нет системы, регулирующей ситуацию на рынке в соответствии с законодательством. Её ещё предстоит создать.

За последнее время наметилось немало картельных соглашений, с которыми Путин рекомендовал правительству "довести борьбу" до конца. Он подчеркнул, что должны быть приняты системные решения "по формированию более прозрачных, гибких и справедливых правил конкурентной борьбы". Эти правила должны способствовать поддержанию устойчивого роста экономики, снижению динамики инфляции, уменьшению уровня коррупции.

Два года назад был принят новый закон "О защите конкуренции" и определен порядок привлечения к ответственности за нарушение антимонопольного законодательства. По мнению Путина, применение нового закона "уже дало определенные позитивные результаты, в том числе в части формирования правоприменительной и судебной практики".

Как передал "Интерфакс", Путин также обратил внимание членов правительства на недостаточный уровень развития конкуренции в России. На основании этих данных он заметил, что "пока уровень развития конкуренции в экономике явно недостаточный". Путин указал на потери, которые несут граждане, для которых монопольное поведение оборачивается ростом цен. В пример премьер привел ситуацию с ростом цен на авиатопливо, вызвавшим подорожание авиаперевозок.

Послетекстовые упражнения (Using sentence structure)

Reading rule 1: (continued from Units 1 and 2)

There is one more situation when "the doer" in the nominative case is missing. In addition to **они–omitted** construction and an **Impersonal** construction, sometimes the demands of Russian grammar *disguise* the **"doer" in genitive clothing**.

We are familiar with the construction of possession where the "doer" is **У** + possessor in genitive case, or the negation of presence when nominative case changes into genitive.

Genitive plural is expected after **много, мало, несколько, сколько, столько, доста́точно, большинство́, оди́н (одна́, одно́, одни́) из…, ряд.** The predicate in such sentences is in the singular.

Меньшинство военнопленных вернулось домой.
Во вьетнамских лагерях **нет** *американских военнопленных.*
У правительства **нет** *денег.*

1. There is no subject, and the "doer" is in the nominative case because
   a. *они*-construction is used.
   b. it is a "disguised" subject.
   c. this is an impersonal construction.

2. In sentence three of the same paragraph, the subject is missing because it is …
   a. *они*-construction is used.
   b. it is a "disguised" subject.
   c. this is an impersonal construction.

   Translate this sentence into English.

3. In the first sentence of paragraph 2, there is no subject in the main clause because…
   a. *они*-construction is used.
   b. it is a "disguised" subject.
   c. it is an impersonal construction.

   Translate this sentence into English.

4. In the last sentence of this paragraph, two commas are used. They set off …
   a. an enumeration
   b. clauses
   c. a quote
   d. a phrase

   Translate this sentence into English.

Послетекстовые упражнения (Using context)

Словообразование

1. **Рука** means *hand.* What is a good equivalent for **ручное управление**?

2. What is a synomym for **предстоят**?

3. List adjectives that Putin uses to describe rules of competition.

4. Translate into Russian:

   These rules must contribute to…   steady economic growth
                                       reducing the inflation
                                       reducing the level of corruption

УПРАЖНЕНИЯ НА ЧТЕНИЕ 4

ПРЕДТЕКСТОВЫЕ УПРАЖНЕНИЯ

A. Getting the gist. A glance at the headline and first paragraph sums up the message. What key words (or roots) tell you the status of Russian oil production for the period of this report?

Б. Getting the details by common sense. Try to answer the questions before you re-read the article.

1. In the first half of this year oil production
   a. went up.
   b. went down.
   c. grew faster.
   d. grew more slowly.

2. At the beginning of the second half of the year, production
   a. went up.
   b. went down.
   c. grew faster.
   d. grew more slowly.

3. Earlier, in the winter and compared to the previous years production
   a. went up.
   b. went down.
   c. grew faster.
   d. grew more slowly.

4. Based on your answers above, which line best represents oil production for the first seven months of the current year?

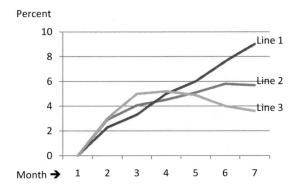

B. More details. Based on what you read, complete these suppositions.

1. Lukoil VP said that compared to last year production rates would…
2. Oil revenues will continue if…
3. The Eastern Siberia pipeline will…
4. Siberian oil fields will eventually…

Россия вступила в полосу спада нефтедобычи

Росстат опубликовал разочаровывающие данные. С января по июль промышленное производство выросло на 5,4% против 7,6% за тот же период годом ранее. Одновременно, по данным Росстата, в стране с каждым месяцем ухудшаются показатели добычи нефти, и в ближайшие годы ситуация будет только усугубляться. В июле падение нефтедобычи составило уже 1,9%, хотя еще в январе-феврале добыча выросла по сравнению с первыми двумя месяцами 2007 года на 0,6%.

Одним из первых о достижении Россией пика в нефтедобыче и вступлении в полосу спада еще в апреле заявил вице-президент "Лукойла" Леонид Федун, сообщивший, что темпы нефтедобычи в России начинают снижаться и уже никогда не выйдут на высокие показатели 2007 года.

Большинство экспертов также признают, что в ближайшее время нужно смириться с мыслью о том, что Россия будет добывать меньше нефти, а возобновление роста добычи в ближайшие годы невозможно. В этих условиях рост потока нефтедолларов в страну возможен лишь в том случае, если нефть продолжит адекватными темпами дорожать на мировом рынке либо сократится ее внутреннее потребление.

Эксперты ждут возобновления роста нефтедобычи с запуском в конце 2009 года первой очереди нефтепровода Восточная Сибирь – Тихий океан (ВСТО), который позволит начать разработку восточносибирских месторождений.

Ввод в строй этих месторождений позволит лишь временно нарастить добычу нефти. Прогрессирующее истощение месторождений ныне основного нефтедобывающего региона — Западной Сибири — снова приведет к стагнации нефтедобычи.

ПОСЛЕТЕКСТОВЫЕ УПРАЖНЕНИЯ (USING SENTENCE STRUCTURE)

1. In the third sentence of the first paragraph, explain the use of a comma after **одновременно**. It separates... (true or false for each):
    a. the author's words
    b. a transition marker
    c. detached words

    Translate the sentence into English.

2. In the last sentence of the first paragraph, a comma after 1, 9% separates...
    a. a clause
    b. an enumeration

    Translate the sentence into English.

3. In the second sentence of this paragraph a comma after **Леонид Федун** sets off...
    a. a phrase
    b. a clause

4. In the same sentence, a comma after **сообщивший** sets off...
    a. a phrase
    b. a clause

5. In the first sentence of paragraph 3, a comma after **нефти** separates...
    a. a subordinate clause
    b. an independent (main) clause

    Translate this sentence into English.

ПОСЛЕТЕКСТОВЫЕ УПРАЖНЕНИЯ (USING CONTEXT)

1. **Instrumental of manner of action.** One of the functions of instrumental case is to show a manner of action. The opening sentence of paragraph 2 starts with it. Make sure you find a subject and a predicate to the subject. Then, find a prepositional object to the predicate. Having done all this, translate the sentence into English.

2. **Словообразование**

    Мир means peace. What is the English for **смири́ться**?

3. **Как по-русски?** Find the Russian equivalents for:
    *   to come to terms with
    *   to be the first to announce

4. **Дешеве́ть** means *to get cheaper*. Find an antonym for it in the article.

@ **УПРАЖНЕНИЯ НА АУДИРОВАНИЕ**

ДО ПРОСЛУШИВАНИЯ

A. About this broadcast. In this radio discussion the hosts banter about recent changes in the price of gasoline in Russia. In the segment immediately preceding this one, they reported that Russian truck drivers have staged protests over the high cost of fuel and demand the government step in to regulate the price at the pump. Listen to the report once to determine which of the following issues were discussed:

❑ How energy consumption fuels inflation

❑ Attempts to save on energy consumption

❑ What determines the retail price of gas

❑ The cost of refined gasoline to the producer

❑ Why energy-producing countries have high prices

❑ Renewable alternatives to oil-based fuels

❑ The cost of refined gasoline to the producer

❑ The government's take: taxes, fees, and duties

Б. Of rubles and liters. As in most of the world, Russian pumps measure in liters. A U.S. gallon is 3.8 liters. Moreover, Russian measures octane differently than we do. For example, Russian regular is leaded and is rated 92 as opposed to our unleaded 87. To get a feel for prices at the pump consider the chart below:

Average Moscow pump prices (regular, leaded 92), mid-summer

Year	rubles/liter	Exchange Rbls/ 1 USD	USD/1 U.S. gal.
2003	11	30	1.39
2004	15	29	1.97
2005	17	28	2.31
2006	18	27	2.53
2007	20	26	2.92
2008	24	23	3.97

В. Нужные слова

води́тель – driver
зави́симость: зави́симости *от чего* > **зави́симый**; **незави́симый**
запра́вка < **заправля́ть/запра́вить маши́ну**
и́стинный = реальный
на са́мом де́ле = реально
потреби́тель – consumer > **потреби́тельские це́ны** на *что*
расхо́д – expense; outlay
себесто́имость – raw cost
то́пливо – fuel
учёт: с учётом – taking into account

Г. Piecing the facts together. The graphic below could be used to illustrate what the radio hosts were discussing. Apply the appropriate labels to the parts of the graphic (light and dark). Fill in exact figures, where possible. But watch out. Some decoy terms are also supplied!

24 rubles

refining
distribution
corruption
speculative add-on
federal tax
miscellaneous fees
duties

ПОСЛЕ ПРОСЛУШИВАНИЯ

Now listen to the segment again to hear the Russian expressions for those things you used on your labels. See if you heard any of the following words:

взя́тки
нало́г
перерабо́тка
платежи́
по́шлина
сбо́ры
транспортиро́вка

A. **More language from context.** Acquiring language is often a matter of figuring out *if* you heard something and, if so, how it was said. Did you hear the following? If you did, state how it was expressed in Russian.

1. Diesel fuel has gone up by 30 percent.
2. Tax on recovery of natural resources.
3. I am a gasoline consumer.
4. How much does gasoline cost for real?
5. Drivers are calling for government regulation.

ТАБЛИЦА 2. ДАТЕЛЬНЫЙ ПАДЕЖ

Uses	*Preposition*	*Question*	*Verbs*
Indirect Object	Ø	*кому* *чему*	**Natural Indirect Object** дава́ть пока́зывать сказа́ть покупа́ть и т.д.
"Dative Objects"	Ø		звони́ть помога́ть спосо́бствовать меша́ть принадлежа́ть прика́зывать угрожа́ть отка́зывать сочу́вствовать и т.д.
Direction of Movement	**к** *(towards,* *in the direction of)*	*куда* *к кому* *к чему*	*Verbs of Motion:* *Carrying and Leading*
Location	**по**	*где*	

Time Expressions	**Useful Idioms**

к концу́ го́да
к нача́лу января́
к середи́не фина́нсового го́да
к пе́рвому кварта́лу
по суббо́там
по среда́м
по вечера́м
по утра́м
	Impersonal constructions
	
	1. на́до, ну́жно
	2. мо́жно
	   нельзя́ - impossible, forbidden
	3. ну́жно, интере́сно
	   неудо́бно, ску́чно
	4. каза́ться, удава́ться/ уда́сться, приходи́ться, нра́виться, хоте́ться подлежа́ть и т.д.
	5. Ско́лько вам лет? – Мне 40 лет.
	6. Нам пора́ на уро́к.

	По- idioms по телефо́ну, телеви́зору, ра́дио, по́чте по вопро́су … эконо́мики – on economics по Це́льсию, Фаренге́йту, по пра́вилу, по зако́ну, по конститу́ции по слова́м а́втора – according to the author по доро́ге, по пути́ – along the road, path е́здить по стране́ – to travel around the country
	Other idioms отвеча́ть кому́-то́ на вопро́с – to answer somebody's question обраща́ться к … – to make an address to …. обраще́ние к …– an address to… гото́виться к – to get ready for ….

	Learn also
	
	по-мо́ему
	по-тво́ему
	по-ва́шему
	по-на́шему *but* по его
	                      по её } мне́нию
	                      по их

КРУГ ПЕРВЫЙ
УРОК ЧЕТЫРЕ
БИЗНЕС И ФИНАНСЫ

@ **ТЕКСТ. Прослушайте текст, затем прочитайте его и переведите на английский язык в письменной форме.**

ПРОБЛЕМЫ И ПЕРСПЕКТИВЫ РАЗВИТИЯ И КРЕДИТОВАНИЯ МАЛОГО И СРЕДНЕГО БИЗНЕСА

Кредитова́ние ма́лого и сре́днего би́знеса (МСБ) для мно́гих банки́ров – оди́н из основны́х ви́дов де́ятельности. Но вме́сте с тем э́то и дово́льно риско́вое де́ло. Не зря ба́нкам нужны́ столь внуши́тельные паке́ты докуме́нтов. Так, не удаётся обойти́сь без заявле́ния на предоставле́ние креди́та для би́знеса, анке́ты поручи́телей, фина́нсовой отчётности за два после́дних кварта́ла теку́щего года с отме́ткой инспе́кции, спи́ска основны́х средств, ко́пий догово́ров с кру́пными покупа́телями и поставщика́ми, учреди́тельных докуме́нтов.

Как бы́ло отмече́но анали́тиками, за после́дние три-четы́ре го́да объём кредитова́ния ма́лого и сре́днего би́знеса вы́рос на 80%. И банки́ры уверя́ют, что они́ откры́ты для сотру́дничества с ма́лым и сре́дним би́знесом. Предпринима́тели же э́то отрица́ют, жа́луясь на то, что им про́ще заня́ть на «чёрном» ры́нке, не́жели получи́ть креди́т в ба́нке.

Основны́е пробле́мы кредитова́ния бизнеса
Одни́м из основны́х препя́тствий, меша́ющих кредитова́нию, явля́ется нежела́ние заёмщиков предоставля́ть ба́нку информа́цию о своём би́знесе, ведь ни для кого́ не секре́т, что большинство́ ма́лых предприя́тий рабо́тает с примене́нием

так называемых се́рых схем.

Втора́я причи́на – дово́льно до́лгий срок рассмотре́ния креди́тной зая́вки: ча́сто заёмщикам невозмо́жно получи́ть де́ньги «пря́мо сейча́с». Банк отдаёт предпочте́ние заёмщикам, кото́рые плани́руют свои́ фина́нсовые пото́ки и зара́нее прихо́дят за креди́том. Креди́тное реше́ние де́йствует в тече́ние 60 дней, позволя́я заёмщику зара́нее подгото́виться к «высо́кому» сезо́ну, собра́ть все докуме́нты, получи́ть креди́тное реше́ние и взять де́ньги в тот моме́нт, когда́ они́ ему́ бу́дут необходи́мы.

Вы́ход из ситуа́ции о́чень просто́й – повыше́ние дове́рия ме́жду ба́нками и заёмщиками. Банк и клие́нт должны́ выступа́ть как делов́ые партнёры. Заёмщики должны́ понима́ть, что ба́нку вы́годно, что́бы би́знес заёмщика рабо́тал при́быльно.

@ КОГНАТЫ

кредитова́ние	би́знес	банки́р	риско́вый
паке́т докуме́нто	кварта́л	инспе́кция	ко́пия
анали́тик	информа́ция	секре́т	схе́ма
плани́ровать	фина́нсовый	сезо́н	моме́нт
ситуа́ция	партнёр		

СЛОВА И ВЫРАЖЕНИЯ

брать (беру́т) / (возьму́т) взять

вид де́ятельности – type of activity

внуши́тельный – an impressive package

вы́годно – profitable; advantageous
  ба́нку вы́годно, что́бы би́знес заёмщика рабо́тал при́быльно – it is good for the bank when the borrower's business is profitable

вы́ход из ситуа́ции – a way out

жа́ловаться (жа́луются) / пожа́ловаться *на что* – to complain about
  препя́тствия – …obstacles
  до́лгий срок рассмотре́ния креди́тной зая́вки – … a long waiting period to get credit

зря – in vain; for no purpose
  не зря – not by accident; on purpose

кредитова́ние ма́лого и сре́днего би́знеса – bank loans for small and medium-size businesses

нежела́ние заёмщиков – borrowers' unwillingness

не́жели = чем – rather than

обходи́ться (обхо́дятся) / обойти́сь (обойду́тся) – to make do; to avoid. *See* **удаётся.**

объём – volume

отдава́ть (отдаю́т) / отда́ть (отдаду́т) предпочте́ние *чему* – to give preference to …

отрица́ть (*imperfective only*) – to deny

перспекти́вы разви́тия – outlook for development

повыше́ние дове́рия – growing trust

позволя́ть (позволя́ют) / позво́лить (позво́лят) *кому де́лать что* – to allow *someone to do something*
    позволя́ть заёмщику – to allow the borrower to
    зара́нее подгото́виться к «высо́кому» сезо́ну – to allow the borrower to get ready for high season
    собра́ть все докуме́нты – …to collect all the documents
    получи́ть креди́тное реше́ние – … to receive permission to get credit
    взять де́ньги в тот моме́нт, когда́ они́ бу́дут необходи́мы – … to borrow money when it is necessary

приходи́ть (прихожу́, прихо́дят) / прийти́ (приду́т) *за чем* – to go (to the bank) for…
    креди́том – …for a loan
    креди́тной зая́вкой – … a credit application
    анке́той поручи́телей – …guarantors' profiles

просто́й – comparative = **про́ще**

пря́мо сейча́с – right away

риско́ванный, – ая, -ое, – ые

риско́вое *(colloquial)* **де́ло** – **риско́ванное де́ло** – risky (affair)

схе́мы: так называ́емые се́рые схе́мы – so-called "gray schemes"; non-transparent transactions

удаётся (уда́стся, удало́сь) – it is (will be, was) possible to…
    не удаётся обойти́сь без *чего* – it is impossible to make do without…
    без заявле́ния на предоставле́ние креди́та для би́знеса – without an application for credit
    без анке́ты поручи́телей – without guarantors' profiles
    без фина́нсовой отчётности за два после́дних кварта́ла теку́щего го́да с отме́ткой инспе́кции – without a financial report for the last two quarters of the current year with a tax inspection stamp
    без спи́ска основны́х средств – without a list of main assets
    без ко́пий догово́ров с кру́пными покупа́телями и поставщика́ми – without a list of contracts with large buyers and suppliers
    без учреди́тельных докуме́нтов – without articles of incorporation

фина́нсовые пото́ки – financial flows

ФРГ, Федерати́вная Респу́блика Герма́ния, не́мцы, говори́ть по-неме́цки, Берли́н

Нидерла́нды, Голла́ндия, голла́ндцы, говори́ть по-голла́ндски, Гаа́га

А́фрика

Се́верная А́фрика, североафрика́нский

Ю́жная А́фрика, южноафрика́нский

ЛЕКСИЧЕСКИЕ УПРАЖНЕНИЯ

Просмотрите слова́рь и выраже́ния к те́ксту «Пробле́мы и перспекти́вы разви́тия и кредити́рования ма́лого и сре́днего би́знеса» и сде́лайте сле́дующие упражне́ния.

 А. Запо́лните про́пуски пра́вильными предло́гами.

1. Не́которые заёмщики зара́нее прихо́дят ____ креди́том.
2. ____ предпринима́телям не удаётся легко́ получи́ть креди́т ____ ба́нке.
3. Заёмщики не хотя́т предоставля́ть ____ба́нку информа́цию ____ своём би́знесе.
4. Нужна́ фина́нсовая отчётность ____ два после́дних кварта́ла теку́щего го́да.
5. ____ ба́нкам нужны́ внуши́тельные паке́ты докуме́нтов.
6. Ба́нки откры́ты ____ сотру́дничества ____ ма́лым и сре́дним би́знесом.
7. Нельзя́ обойти́сь ____ анке́ты поручи́телей.
8. Вот ко́пии на́ших догово́ров ____ кру́пными покупа́телями и поставщика́ми.

 Б. Да́йте ру́сские эквивале́нты сле́дующим англи́йским фра́зам.

- working capital for small and medium-size businesses
- right away
- it is impossible to do without an application for credit
- to allow the borrower to get ready for "high season"
- financial flows
- a way out
- growing trust
- non-transparent transactions
- a list of main assets
- to give preference to medium size business
- articles of incorporation
- outlook for development

В. РАБОТА ПО МОДЕЛЯМ

1. Заполните пропуски словами по смыслу.

    кому

а. _____ } не удаётся собра́ть все докуме́нты пря́мо сейча́с.
_____
_____

                                 чему

б. Банки́ры отдаю́т предпочте́ние } _____
_____
_____

                              что

в. Заёмщики жа́луются на } _____
_____
_____

    кто   *чего*

г. _____ { обхо́дится без } _____
_____   _____
_____

                                     сделать что

д. Креди́тное реше́ние позволя́ет заёмщику зара́нее } _____
_____
_____

                               чему

е. Заёмщики гото́вятся к } _____
_____
_____

ж.   Предпринима́тели прихо́дят за

чем

_____
_____

2. Зако́нчите предложе́ния. Испо́льзуйте логи́чески пра́вильные фра́зы.

а.   Для кредитова́ния ма́лого и сре́днего би́знеса (МСБ) нужны́ внуши́тельные

паке́ты докуме́нтов, потому́ что _____.

б.   Заёмшику не удаётся обойти́сь без _____.

в.   Предпринима́тели жа́луются, что им про́ще заня́ть на «чёрном» ры́нке,

не́жели получи́ть креди́т в ба́нке, в то вре́мя как банки́ры уверя́ют, что

_____.

г.   Нежела́ние заёмщиков предоставля́ть ба́нку информа́цию о своём би́знесе

объясня́ется тем, что _____.

д.   До́лгий срок рассмотре́ния креди́тной зая́вки объясня́ется тем. что банк

_____.

е.   То́лько повыше́ние дове́рия ме́жду ба́нками и заёмщиками мо́жет помо́чь

найти́ вы́ход из ситуа́ции. Де́ло в том, что _____.

@ Г. Ответьте на вопросы.

1. Что такое МСБ?

2. Объясните, почему кредитование МСБ – это довольно рисковое дело для многих банкиров.

3. Какие документы входят в столь внушительные пакеты, без которых нельзя обойтись для получения кредита?

4. Что такое анкеты поручителей?

5. Что значит отметка инспекции?

6. Почему банкирам нужны учредительные документы?

7. Объясните, что делают следующие лица: покупатели, поставщики, заёмщики и предприниматели.

8. Что такое так называемые серые схемы?

9. К какому сезону заёмщику нужно хорошо подготовиться?

10. Как заёмщики готовятся к «высокому» сезону?

11. Что значит отсутствие доверия между банками и заёмщиками?

12. Что такое ФРГ?

13. Как называются люди, которые там живут?

14. На каком языке говорят голландцы?

15. Нидерланды находятся в Южной Африке?

ГРАММАТИКА: ДАТЕЛЬНЫЙ ПАДЕЖ (DATIVE CASE CONTINUED)

In this unit we see more uses of the dative:

1. **In impersonal constructions where "the doer" is missing, a general statement, or in the dative case.**

   Impersonal constructions can express:

   a. Need

Нам **ну́жно** поду́мать об э́том. Нам **на́до** поду́мать об э́том.	We have to think this over. (*Lit.:* To us it is necessary to think this over.)

   Note that **надо** must take an infinitive: **на́до поду́мать** – It is necessary *to think*. **Ну́жно** changes gender for the noun needed (never the person needing!).

   Нужны́ но́вые зако́ны.
   New laws are needed.

   б. "Permitted/possible" and "forbidden/impossible." Look at the following sentences:

   Вам **мо́жно** позвони́ть домо́й.
   You *can* call home. (To you *is permitted/possible* to call home.)

   Вам **нельзя́** звони́ть домо́й.
   You *must not* call home.

   Вам **нельзя́** позвони́ть домо́й.
   You *cannot* call home. (physically impossible), similar to:
   невозмо́жно позвони́ть домо́й.

Need, possibility, impossibility, prohibition summary chart:

Expression	Grammar	Takes an infinitive in
на́до	*dative for needer*	*imperfective, perfective*

Вам на́до написа́ть э́тот ра́порт – You need to write that report.
Вам на́до писа́ть ра́порты. – You need to write reports (over and over again).

Expression	Grammar	Takes an infinitive in
ну́жно	*dative for needer* *nominative for object needed*	*imperfective, perfective*

Вам ну́жно написа́ть э́тот ра́порт – You need to write that report.
Вам ну́жно писа́ть ра́порты. – You need to write reports (over and over again).
Нам ну́жен э́тот ра́порт сейча́с же! – We need that report now!

Expression	Grammar	Takes an infinitive in
мо́жно	*dative for the one able or permitted*	*imperfective, perfective*

Вам мо́жно прочита́ть э́тот ра́порт – You may read that report.
Вам мо́жно чита́ть таки́е ра́порты. – You can read reports like that.
Нам ну́жен э́тот ра́порт сейча́с же! – We need that report now!

You cannot negate мо́жно! Use one of the expressions below.

Expression	Grammar	Takes an infinitive in
нельзя́	*dative for the one not allowed or unable*	*imperfective = must not* *perfective = impossible*

Вам нельзя́ чита́ть э́тот ра́порт. – You must not read that report.
Нельзя́ прочита́ть э́тот ра́порт. – That report is impossible to read.

Expression	Grammar	Takes an infinitive in
невозмо́жно	*usually not used with dative*	*imperfective, perfective*

Э́тот ра́порт невозмо́жно прочита́ть. – That report is impossible to read.
Таки́е ра́порты невозмо́жно чита́ть – Such reports cannot be read (as a rule).

в. **Physical or emotional states of being. Note these sentences:**

Ему́ (бы́ло) **ску́чно**.
He is (was) *bored* (*Lit.:* To him it is [was] boring).

Ей (бы́ло) **интере́сно**.
She is (was) *interested*.
Нам (бы́ло) **неудо́бно**.
We are (were) *uncomfortable/embarrassed*.

Всем (бы́ло) **я́сно** *or*
Всем (бы́ло) **изве́стно, что…**
Everyone is (was) *aware that…*

As you can see, impersonal constructions often refer to physical or mental states and are formed with a dative plus an adverbial form ending in **–o**.

Where the context is clear, impersonal constructions usually stand alone, as a general statement without a dative:

Ну́жно поду́мать.
It is necessary to think things over.

Ску́чно слу́шать.
It's boring to listen.

г.   **Constructions with verbs.** Learn the following set phrases:

кому́…

хо́чется *де́лать что-то* – feels like (doing something)
хоте́лось *де́лать что-то* – felt like (doing something)
ка́жется, что… – seems that…
каза́лось, что… – seemed that…
уда́стся *сде́лать что-то* – will manage
удаётся *сде́лать что-то* – manages (to do something)
удало́сь *сде́лать что-то* – managed

2.   **Verbs that take dative objects**

помога́ть/помо́чь: помогу́, помо́жешь, помо́гут, помо́г, помогли́
спосо́бствовать: спосо́бствую
меша́ть/помеша́ть *кому-то* де́лать *что-то*
принадлежа́ть: принадлежу́, принадлежи́шь, принадлежа́т
прика́зывать/приказа́ть: прикажу́, прика́жешь, прика́жут
угрожа́ть

3. **Idioms with dative**

    обраща́ться/обрати́ться *к кому, чему* – to appeal *or* turn *to someone*; to address *someone* (about some sort of problem)

    Конгре́сс обрати́лся **к мирово́й обще́ственности.**
    The Congress turned *to the world public at large.*

    гото́виться/подгото́виться *к чему* – to prepare for

    Страна́ гото́вится **к вы́борам.**
    The country is preparing *for elections.*

    призыва́ть/призва́ть (призову́т) *к чему* – to call for

    РФ призва́ла **к созда́нию** комите́та по э́тому вопро́су.
    The RF called *for the creation* of a committee on this issue.

    приводи́ть/привести́ (приведу́т; привёл, привели́) *к чему* – to lead to; to bring about
    Э́то приведёт **к расшире́нию** конта́ктов.
    That will bring about *a broadening* of contacts

ГРАММАТИКА: СПРА́ШИВАТЬ (TO INQUIRE) AND ПРОСИ́ТЬ (TO REQUEST)

Consider the following sentence and its translation:

    Она́ **попроси́ла** меня́ **спроси́ть** вас об э́том.
    She *asked* me to *ask* you about it.

The verb for "request" is **проси́ть (прошу́, про́сишь, про́сят) / попроси́ть**, while "inquire" is **спра́шивать / спроси́ть (спрошу́, спро́сишь, спро́сят)**. Both verbs take accusative, *not* dative.

ГРАММАТИ́ЧЕСКИЕ УПРАЖНЕ́НИЯ НА ДА́ТЕЛЬНЫЙ ПА́ДЕЖ

A. **Употребле́ние да́тельного падежа́.** Read over the grammar on dative case in this unit. Review the dative case chart at the end of Unit 3. Then read over the text. Find all the places where dative is used and determine the reason for each occurence.

@ Б.   Вопросы. Answer the questions using the words in the right-hand column.

1. Кому нужны кредиты?
    – все бизнесмены
    – этот предприниматель
    – российские банкиры
    – Россия
    – новый заёмщик

2. Кому нельзя критиковать правительство в этой стране?
    – пресса
    – правительственное телевидение
    – любая неформальная организация

3. Кому будет неудобно перед нами?
    – наши конкуренты
    – поставщики, обещавшие сырьё
    – аналитики, предсказавшие бум

4. Кому удалось подписать ряд соглашений?
    – участники делегации, проводившие переговоры всю ночь.
    – лидеры "восьмёрки"
    – крупные покупатели и поставщики
    – поручители и бизнесмены

5. К кому обратился директор Цетрального банка РФ?
    – все, желающие получить кредит
    – Всемирный банк
    – российские олигархи

6. Чему способствуют экономические реформы?
    – технический прогресс
    – увеличение контактов с Западом
    – научный прогресс
    – экономическое развитие
    – дальнейшая реконструкция

7. Чему угрожает договор?
    – кредитование
    – малый и средний бизнес
    – расширение торговых связей
    – сотрудничество с МСБ

8. Кому принадлежат эти акции?
    – частные компании
    – государство
    – западногерманская фирма

9. К чему приводит протекционизм?
    – низкое качество продукции
    – искусственное поощрение экспорта
    – выравнивание торгового баланса

10. Кому это известно?
    – все банкиры, живущие в Москве
    – американские учёные
    – лидеры всех стран

В. Обороты со словами «должен» и «надо». Change the following должен expressions to надо expressions. Study Table 2 at the end of Unit 4. Pay close attention to tense.

> *Образец:* Мы должны были приготовить лекцию.
>
> **Нам надо было приготовить лекцию.**

1. Сотрудники данных предприятий должны повышать качество обслуживания.
2. Лица, проживающие за границей, всё равно должны платить налоги.
3. Представитель ЕС должен был выступить на заседании МВФ.
4. Эти корреспонденты должны будут изучать новый иностранный язык.
5. Председатель комиссии должен был признаться (acknowledge) в некоторых ошибках.

Г. Переведите на русский язык.

1. Russian small and medium-size business needs working capital.
2. We will have to find a way to track (проследить) the revenue streams to terrorists.
3. Bankers have to allow the borrowers to get ready for "high season."
4. Third World leaders had to turn to Russia.
5. Our people need an effective financial system.
6. Bankers and borrowers need mutal trust.

Д. Слова мочь, должен, нужно, нельзя, можно. Review the use of these words. Translate the sentences below expressing various nuances of "permitted/possible" and "forbidden/impossible." Leave out the dative object where it is not absolutely necessary.

1. Bankers mustn't pay too much attention to the stamp of a tax inspection.
2. We can give preference to medium size business.
3. Loaners must not do without an application from the borrower.
4. Oil must not be exported to that country.
5. Buyers and suppliers were not allowed to meet with bank representatives.
6. Our guarantors were allowed to talk to representatives of their financial report.

E. Переведите на русский язык.

1. Who is interested in it?
2. The analysts will be bored.
3. It was clear to all.
4. I feel embarrassed.
5. We all feel bad.
6. All were aware (that...)

 Ж. Раскройте скобки.

1. [We would like] _____ заключить договор с вами, если только [we can manage] _____ договориться о некоторых оставшихся деталях. Лично [it seems to me] _____, что это не должно быть трудно.

2. В своём обращении к [to the people of the RF] _____ Президент [called for trust] _____.

3. [In our opinion] _____ правительство данной страны может [order the terrorists] _____ прекратить свою деятельность [what prevents them] в любой момент. _____ это сделать?

4. Пока [it isn't clear to us] _____, [to whom belong] _____ эти акции.

5. Россияне сейчас [are preparing for changes] _____ в жизни своей страны.

3. Употребление безличных выражений. Translate the impersonal phrases, avoiding a dative object where the statement is general rather than specific. (see Dative case, Impersonal constructions.)

1. It appears that articles of incorporation are needed for credit application.
2. It was interesting to note that it was impossible to do without a credit application.
3. We would like to look at your financial report by the beginning of next month.
4. The members of our delegation were not allowed to speak at the conference.
5. The company will have to give preference to medium size business.
6. I'm interested in finding out what information can be received on the situation with small and medium-size businesses in Poland.
7. As everyone is aware, banks and borrowers should have more trust.

И. Составьте предложения. Write ten sentences to illustrate the uses of impersonal constructions you have seen in this unit.

К. Как сказать по-руски? Render the following sentences. Do not translate word for word. Rather give the idea expressed. But be on the lookout for tricky verbs for *inquiring, requesting and answering:*

просить / попросить	*кого (асс.) сделать что*	to request that someone do something
	чего	to ask for something
спрашивать / спросить	*кого-то (асс.) о чём*	to inquire (ask) someone about something
задавать / задать вопрос	*кому о чём*	to ask someone a question about something
отвечать / ответить	*(кому) на вопрос*	to answer (someone's) question

1. If you're *asking* about credit applications, I can't *answer your question* right now. However, banks are ready to give all the credit borrowers *have asked for.*
2. I *will ask* you one more time: why *haven't* you *inquired* about the way out?
3. Reporters usually *ask* the Finance Ministry spokesman *many questions* about small and medium-size businesses, *which* he sometimes *answers.* But when they *ask* him to talk about economic reforms, he doesn't always *answer.*
4. "*Ask* the reporter *to ask* about the situation with tax collection."
    "No, he *won't ask* such *a question.* He's afraid."
5. Bankers *are asking* businessmen to provide (предоставить) a list of their main assets.

Л. Переводите на русский язык.

1. If Russia won't sell Europe gas, it will turn to Turkmenistan.
2. Artificial (искусственные) prices lead to inflation.
3. This program promotes mutual trust.
4. The new president's addressed the American people.
5. In the 70s, Cuba was aiding Angola.
6. You must prepare for the conference.
7. The Danish proposal led to trade negotiations.
8. What's preventing you from working?
9. It seems to us that Iran is threatening the West.
10. This territory once (раньше) belonged to Germany. It now belongs to Poland.
11. The general ordered the troop (войска) to offer aid to the refugees (беженцы).
12. The UN calls on all nations to observe the conditions of its Charter (устав).
13. This agreement will allow the borrowers to get ready for "high season".
14. Banks can order small businesses to show their financial reports.

ГРАММАТИКА: СТРАДАТЕЛЬНЫЕ ПРИЧАСТИЯ ПРОШЕДШЕГО ВРЕМЕНИ – КРАТКАЯ ФОРМА (PAST PASSIVE PARTICIPLES – SHORT FORMS)

Now look at these sentences and their translations.

В хо́де перегово́ров **бы́ли обсуждены́** вопро́сы двусторо́нних отноше́ний.
Issues of bilateral relations *were discussed* in the course of negotiations.

В тече́ние десяти лет **бу́дет ликвиди́ровано** всё я́дерное ору́жие.
All nuclear weapons *will be liquidated* over ten years.

Бо́мба **спря́тана** в чемода́не.
The bomb *is hidden* in the suitcase.

These are short-forms of past passive participles. Like short adjectives, they can be used only as predicate components after the verb "to be".

Note that short form past passive participle constructions have active voice equivalents with the verb in the third person plural, where the passive subject becomes the direct object.

В хо́де перегово́ров **обсуди́ли** вопро́сы двусторо́нних отноше́ний.
В тече́ние 10 лет **ликвиди́руют** всё ядерное ору́жие.
Бомбу **спря́тали** в чемода́не.

Past passive participles are formed from <u>perfective transitive verbs</u> only:
from **обсуди́ть**, *not* **обсужда́ть**, *from* **спря́тать**, *not* **пря́тать**, *from* **сказа́ть**, *not* **говори́ть**, *etc.*

ГРАММАТИКА: СТРАДАТЕЛЬНЫЕ ПРИЧАСТИЯ ПРОШЕДШЕГО ВРЕМЕНИ – ДЛИННАЯ ФОРМА (PAST PASSIVE PARTICIPLES – LONG FORMS)

Look at these sentences and their translations. Compare the long-form past passive participles used here with the short forms above.

Вопро́сы, **обсуждённые** в хо́де перегово́ров, включа́ют пробле́му «прове́рки на ме́сте».
or
Вопро́сы, **кото́рые бы́ли обсуждены́** (*or* **кото́рые обсуди́ли**) в хо́де перегово́ров, включа́ют пробле́му «прове́рки на ме́сте».

Issues *discussed* in the course of negotiations include the problem of "on site inspection".
or
Issues *which were discussed* in the course of negotiations include the problem of "on site inspection".

Отку́да вы зна́ете о бо́мбе, **спря́танной** в чемода́не?
or
Отку́да вы зна́ете о бомбе, **кото́рая спря́тана** (or **кото́рую спря́тали**) в чемода́не?

How do you know about the bomb *hidden* in the suitcase?
or
How do you know about the bomb, *which is hidden* in the suitcase?

Long-form participles function like long-form adjectives. They agree with the noun they modify in gender, number, and case.

Like their short-form counterparts, long-form participles are derived only from perfective verbs and formed only from transitive verbs. No **-ся** verbs are transitive.

You can identify past passive participle by the -H- suffix: обсужде**на́**

Formation of the past passive participle depends on the kind of verb involved.

Group 1: First conjugation verbs with regular past tenses formed from the infinitive such as **сказа́ть – сказа́л.**

Start with:	*Replace –ть with -н-*	Apply stress from **ты**	Add an ending if required (–а, –о, –ы)
↓	↓	↓	↓
сказа́ть ⟶	сказан ⟶	*(ска́жешь)*▶ска́зан ⟶	ска́зана, ска́зано, ска́заны

Group 2: All second conjugation verbs, as well as first conjugation verbs with irregular past tenses (**принести́ – принёс, привезти́ – привёз, привести́ – привёл, прийти́ - пришёл**). Exceptions: **купи́ть** and **заме́тить.**

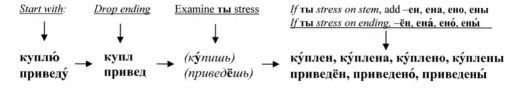

Start with:	*Drop ending*	Examine **ты** stress	*If* **ты** *stress on stem*, add –ен, ена, ено, ены / *If* **ты** *stress on ending,* –ён, ена́, ено́, ены́
↓	↓	↓	↓
куплю́ ⟶	купл ⟶	*(ку́пишь)* ⟶	ку́плен, ку́плена, ку́плено, ку́плены
приведу́	привед	*(приведёшь)*	приведён, приведено́, приведены́

Group 3: Verbs consisting of a prefix and one syllable root (от**кры́ть**, вз**ять**, на**ча́ть**).

Start with:	*Drop* –ь	Add an ending if required (–а, –о, –ы)
↓	↓	↓
откры́ть ⟶	откры́т ⟶	откры́та, откры́то, откры́ты

Stress follows the past tense:

вз_ять	взят,	взята́,	взя́то,	взя́ты
на_ча́ть	на́чат,	начата́,	на́чато,	на́чаты

Group 4: Words ending with the root **дать** "give."
The past passive participleof дать is **дан, дана́, дано́, даны́**.

Prefixed verbs ending in дать usually place stress on the prefix in all forms:
про́дан, про́дана, про́дано, про́даны

Here is a list of some verbs from chapters 1-4 and their forms as past passive participles.
Note that only perfective transitive verbs can be used.

Infinitive	Long participle	Short participle
встре́тить	встре́ченный	встре́чен, встре́чена, встре́чено, встре́чены
взять	взя́тый	взят, взята́, взя́то, взя́ты
заверши́ть	завершённый	завершён, завершена́, завершено́, завершены́
заключи́ть	заключённый	заключён, заключена́, заключено́,заключены́
купи́ть	ку́пленный	ку́плен, ку́плена, ку́плено, ку́плены
обсуди́ть	обсуждённый	обсуждён, обсуждена́ обсуждено́, обсуждены́
подписа́ть	подпи́санный	подпи́сан, подпи́сана, подпи́сано, подпи́саны
получи́ть	полу́ченный	полу́чен, полу́чена, полу́чено, полу́чены
провести́	проведённый	проведён, проведена́, проведено́, проведены́
предсказа́ть	предска́занный	предска́зан, предска́зана, предска́зано, -ы
прода́ть	про́данный	про́дан, про́дана, про́дано, про́даны
созда́ть	со́зданный	со́здан, со́здана, со́здано, со́зданы
устро́ить	устро́енный	устро́ен, устро́ена, устро́ено, устро́ены
удели́ть	уделённый	уделён, уделена́, уделено́, уделены́
экспорти́ровать	экспорти́рованный	экспорти́рован, –а, –о, –ы*

*–овать verbs made of foreign words usually have only an imperfective form

СТРАДАТЕЛЬНЫЕ ПРИЧАСТИЯ НАСТОЯЩЕГО ВРЕМЕНИ (PRESENT PASSIVE PARTICIPLES)

Look at the following sentences and their translations.

> Чем отличается нефть, **экспортируемая** с Ближнего Востока, от нефти из Северного моря?
> *or*
> Чем отличается нефть, **которую экспортируют** с Ближнего Востока, от нефти из Северного моря?
> What is the difference between the oil *exported* from the Middle East and the oil from the North Sea?
> *or*
> What is the difference between the oil, *which is being exported* from the Middle East and the oil from the North Sea?

Present passive participles are rare outside scientific or technical writing. However, because they are formed only from imperfective verbs, they are used to convey the idea of repeated action in the passive voice, whereas past passive participles, which are always perfective, give the idea of a one-time action.

> Меры, **использованные** здесь, неуместны.
> Measures *used* here (at this time) are out of place.

> Меры, **используемые** здесь, неуместны.
> Measures *used* here (all the time) are out of place.
> Measures *which are being used* here (process) are out of place.

Present passive participles are formed only from transitive verbs. No –**ся** verbs are transitive.

You can identify present passive participles by the -M- suffix: экспортиру*ем*ая.

ТАБЛИЦА 1: СТРАДАТЕЛЬНЫЕ ПРИЧАСТИЯ (PASSIVE PARTICIPLES)

	Imperfective	*Perfective*
Infinitive	обсужда́ть to discuss	обсуди́ть to discuss to have discussed
Present participle	обсужда́ | ем | ый being discussed	NO PRESENT PARTICIPLE
Past participle	NO PAST PARTICIPLE	обсужд | ённ | ый discussed

ТАБЛИЦА 2: СТРАДАТЕЛЬНЫЕ КОНСТРУКЦИИ

		Aspect	
		Imperfective Ongoing, repeated *Use a reflexive verb.*	**Perfective** Not repeated *Use a past passive participle.*
Tense	**Future**	Кни́ги (ча́сто) бу́дут чита́ться здесь. *Books will (often) be read here.*	Кни́ги бу́дут прочи́таны. *The books will get read.*
	Present	Кни́ги (ча́сто) чита́ются здесь. *Books are (often) read here.*	Кни́ги уже́ прочи́таны. *The books are already read* (or) *The books **have** already been read.*
	Past	Кни́ги (ча́сто) чита́лись здесь. *Books were (often) read here.*	Кни́ги уже бы́ли прочи́таны. *The books were already read.*

ГРАММАТИЧЕСКИЕ УПРАЖНЕНИЯ НА СТРАДАТЕЛЬНЫЕ ПРИЧАСТИЯ НАСТОЯЩЕГО И ПРОШЕДШЕГО ВРЕМЕНИ (PAST PASSIVE AND PRESENT PASSIVE PARTICIPLES)

A.   Употребление страдательного залога. Read all the grammar on passive participles. Review their formation. Study the tables above. Find passive participles in the text. State their aspect and the tense as well as their gender, number, and in the case of long forms, their case.

 Б.   Образование причастий страдательного залога. Make passive participles out of the verbs below.

встреча́ть/встре́тить
дава́ть/дать
заверша́ть/заверши́ть
экспорти́ровать
обсужда́ть/обсуди́ть
подпи́сывать/подписа́ть
покупа́ть/купи́ть
получа́ть/получи́ть
проводи́ть/провести́
разраба́тывать/разрабо́тать

 B.   Работа с причастиями страдательного залога. Find the participle in the sentences below. Determine the original form of the verb. Change the following sentences with short past passive participles as a predicate into their equivalent form: **они**-omitted + verb in third person plural.

Образец: Бомба **найдена**. ⟶ Бо́мбу **нашли**.
      The bomb *was found.* *They found* the bomb.

1.   Этот закон **был встречен** с энтузиазмом.
2.   **Был подписан** договор о торговле.
3.   Программа реформ **будет** наконец **проведена**.
4.   Особое внимание **уделено** проблеме кредитования.
5.   В законопроект **была внесена** ещё одна поправка (amendment).
6.   **Предсказана** такая ситуация или нет?
7.   Большая часть товаров **была продана** в прошлом месяце.
8.   Документы **были взяты** из рук в руки.
9.   **Были отмечены** традиционные связи между Россией и Болгарией.

Г. Употребление причастий страдательного залога. Explain the difference
between the participles in each pair of sentences below. Determine the original form
of the verb. Be able to translate both variants into English.

1. Вот ряд вопросов, **обсуждённых** на сессии ЕС.
    Вот ряд вопросов, **обсуждаемых** на сессии ЕС.
2. Помощь, **полученная** от развитых стран, недостаточна.
    Помощь, **получаемая** от развитых стран, недостаточна.
3. Они встретились на **проводимых** сейчас переговорах.
    Они встретились на только что **проведённых** переговорах.
4. **Подписанный** меморандум намечает направление (direction) совместных
    российско-американских программ в разработке космоса.
    Подписываемый меморандум намечает направление совместных
    российско-американских программ в разработке космоса.

Д. Раскройте скрбки. Complete the sentences below with the noun and the participle
in the proper case. Be able to translate these sentences into English.

1. Они не думают о [возможности, полученные ими] _____.
2. Мы подошли к [вопрос, обсуждённый на вчерашней сессии] _____.
3. Рассмотрим [программа, описанная (described) президентом в его
    выступлении 15 января] _____.
4. Это произошло при [руководство, созданное в 90-х годах] _____.
5. Вот [заявления, обсуждаемые банкирами] _____.

Е. Замена полной формы причастий. Replace participial constructions in the
sentences below with relative clauses.

Образец: Мы подошли к больнице, **открытой** вчера.
            Мы подошли к больнице, которая **была открыта** вчера.

1. Кредитное решение, **полученное** предпринимателями, действует в течение
    60 дней.
2. Без документов, **собранных** предпринимателем, он не может получить
    кредитное решение вовремя.
3. Деньги, **взятые** в кредит, надо отдавать под процент.
4. Благодаря налогам, **собранным** государством, строятся новые дороги.

Ж. Переведите на русский язык. Translate the following sentences into Russian. Note the difference in English between participial constructions and passive predicates. Check the list of past passive participles.

1. At the negotiations, a number of important agreements were signed yesterday.

2. This plan of acquiring easy working capital for small business was developed (разаботать) last month.

3. The decision of the committee will be discussed at the meeting in June.

4. Which raw materials, except for oil, currently exported from Russia do we really need?

5. Is the interest expressed at the conference in London truly genuine?

6. The delegation will be met at the airport.

7. The facts which are being stated (констатировать) right now are quite remarkable.

УПРАЖНЕНИЯ НА УСТНУЮ РЕЧЬ

А. Процитируйте следующие предложения, используя:

по ра́дио сообща́лось, что...
по мне́нию а́втора э́той статьи́...

1. Кредитова́ние МСБ для мно́гих банки́ров — это дово́льно риско́вое де́ло. 2. Не удаётся обойти́сь без фина́нсовой отчётности за два после́дних кварта́ла теку́щего го́да с отме́ткой инспе́кции.

3. За после́дние три-четы́ре го́да объём кредитова́ния ма́лого и сре́днего би́знеса вы́рос на 80%.

4. Одни́м из основны́х препя́тствий, меша́ющих кредитова́нию, явля́ется нежела́ние заёмщиков предоставля́ть ба́нку информа́цию о своём би́знесе.

5. Банк отдаёт предпочте́ние заёмщикам, кото́рые плани́руют свои́ фина́нсовые пото́ки и зара́нее прихо́дят за креди́том.

Б. Ваше мнение. Вырази́те своё мнение, используя следующие предложения:

я ду́маю, что...
ведь ...
мне ду́мается, что...
де́ло в том, что, ...

1. Для мно́гих банки́ров кредитова́ние МСБ — э́то и дово́льно риско́вое де́ло.

2. Так, не удаётся обойти́сь без фина́нсовой отчётности за два после́дних кварта́ла теку́щего го́да с отме́ткой инспе́кции.

3. Предпринима́тели жа́луются, что им про́ще заня́ть на «чёрном» ры́нке, не́жели получи́ть креди́т в ба́нке.

4. Одни́м из основны́х препя́тствий кредитова́нию явля́ется нежела́ние заёмщиков предоставля́ть ба́нку информа́цию о своём бизнесе.

5. Ча́сто заёмщикам невозмо́жно получи́ть де́ньги «пря́мо сейча́с».

6. Банк и клие́нт должны́ выступа́ть как делов́ые партнёры.

В. Вопросы. Ответьте на следующие вопросы по тексту урока, цитируя текст статьи и выражая своё мнение.

1. Кто занима́ется кредитова́нием ма́лого и сре́днего би́знеса?

2. Почему́ ба́нкам нужны́ столь внуши́тельные паке́ты докуме́нтов?

3. Что должны́ предоста́вить ба́нку предпринима́тели для предоставле́ния креди́та?

4. Банки́ры и предпринима́тели не согла́сны в оце́нке состоя́ния кредитова́ния МСБ. Что говори́т ка́ждая сторона́?

5. Что явля́ется одни́м из основны́х препя́тствий, меша́ющих кредитова́нию МСБ?

6. Кака́я втора́я причи́на тру́дностей кредити́рования?

7. Каки́м заёмщикам банк отдаёт предпочте́ние?

8. Что позволяют заёмщикам сде́лать 60 дней де́йствия креди́та?

9. Како́й вы́ход из ситуа́ции предлага́ется в э́той статье́?

10. Как должны́ выступа́ть банк и клие́нт?

Г. Пересказ текста. Расскажите текст Урока 4, цитируя текст статьи и выражая своё мнение. Не забывайте цитировать источники и выражать своё мнение!

Д. Маленькая история. Расскажите маленькую историю о получении кредита для МСБ в другой стране, используя следующие выражения. Не забывайте цитировать источники и выражать своё мнение!

according to the radio reports ...
it is impossible to do without ...
to allow the borrower to get ready for "high season"
a way out
non-transparent structures
a list of main assets

Е. Пресс-конференция. На пресс-конференции выступает министр финансов о состоянии российского МСБ. Приготовьте вопросы, которые можно было бы ему задать.

@ **Ж. Прослушайте разговор двух друзей и разыграйте его с другим студентом.**

Антон: Давно́ не ви́дел Кири́лла. Как у него́ дела́?

Вероника: Нева́жно! Он сейча́с пыта́ется запусти́ть свой би́знес.

Антон: Он ведь хоро́ший программи́ст. Я думал, всё, что свя́зано с компью́терами, - ве́рное де́ло.

Вероника: Ан нет! Что́бы нача́ть свой би́знес, нужны́ де́ньги.

Антон: Мне ка́жется, что сейча́с получи́ть креди́т — не проблéма. Да́же для ма́лого и сре́днего би́знеса. Ведь э́то гла́вное, на чём зараба́тывают ба́нки. Так в чём же де́ло?

Вероника: Не всё так про́сто. Кредитова́ние – это риск, осо́бенно, е́сли речь идёт о неда́вно со́зданных компа́ниях. У старта́пов нет креди́тной исто́рии. Ба́нки боя́тся понести́ убы́тки и стара́ются подстрахова́ться. Для того́ что́бы получи́ть ссу́ду, на́до собра́ть у́йму докуме́нтов. И найти́ поручи́телей.

Антон: Поручи́телей?

Вероника: Это те, кто в слу́чае твоего́ банкро́тства вернет де́ньги ба́нку.

Антон: Ну, в слу́чае с Кири́ллом э́то, наве́рное, бу́дут роди́тели жены́. Там воро́чают больши́ми ба́бками.

Вероника: Допу́стим, поручи́телей Кири́лл найдёт. Но как он мо́жет предста́вить в инспе́кцию фина́нсовую отчётность за два после́дних кварта́ла, е́сли компа́ния то́лько начина́ет свой би́знес? Для меня́ это зага́дка.

Антон: Да, действи́тельно, ерунда́ кака́я-то! А э́то кака́я инспе́кция? Нало́говая?

Вероника: Нало́говая, коне́чно. Но всё э́то ме́ркнет ря́дом с тре́бованием предста́вить ко́пии догово́ров с кру́пными покупа́телями и поставщика́ми. И ежу́ я́сно, что у начина́ющего бизнесме́на нет ещё ни покупа́телей, ни поставщико́в. Он да́же ещё учреди́тельных докуме́нтов не офо́рмил.

Антон: И все это потому́, что банки боя́тся невозвра́тов?

Вероника: Не то́лько. Ба́нкам про́сто вы́годнее рабо́тать с кру́пными клие́нтами. А с ма́ленькими фи́рмами возни́ мно́го, а при́были ма́ло.

Антон: Этак про́ще заня́ть де́нег у друзе́й и знако́мых.

Вероника: Так мно́гие ме́лкие предпринима́тели и де́лают.

Полезные слова

ве́рное де́ло – a sure thing
возни́ мно́го, а при́были ма́ло – a lot of fuss and little profit
воро́чать больши́ми ба́бками – to have big money
вы́годнее – more profitable
ерунда́ кака́я-то – some kind of nonsense
зага́дка – mystery
запусти́ть свой би́знес – to launch one's business
ме́ркнуть – to fade
невозвра́ты – loans which were not returned
подстрахова́ться (*colloquial*) – to take extra measures
получи́ть ссу́ду – to get a loan
понести́ убы́тки – to suffer losses
старта́п – startup
у́йма – lots

УПРАЖНЕНИЯ НА ЧТЕНИЕ

SPECIAL SECTION. *Students of business learn the trade by using case studies and simulations. In this section of the book, we will follow this procedure in a section called КЕЙС.*

КЕЙС ЧАСТЬ 1. КИТАЙСКИЕ СТРАСТИ

ПРЕДТЕКСТОВОЕ УПРАЖНЕНИЕ

Обзор кейса. This is a business case about manufacturing and outsourcing as well as expanding markets overseas. At one time, economists thought that Russia might provide labor for Western outsourcing in manufacturing. But, by the end of the first decade of this century, that had not happened.

After you have read and understood the case, you will be asked to weigh in on the issues presented at the end. You will then be presented with a role play in which you and the other class members play the part of a representative of a Western NGO responsible for a small-business seed grant to the company in question.

Кто есть кто? Business cases require decisions, but the "plot" of the case revolves around personalities as much as facts and figures. Judging from the positions of the cast of characters which statements seem likely to be true? Who stands to gain and who stands to lose if the company opts for outsourcing?

Николай Сходняк – генеральный директор
Алексей Козырев – коммерческий директор
Степан Залесов – директор по производству
Равшан Нигматуллин – партнёр, соучредитель (co-founder *of an organization*)
Юлия Белоусова – маркетолог

ТЕКСТ

A. **Dialogue glimpse.** In this dialogue, you'll get an initial glimpse of the office politics surrounding the impending crisis.

Залесов:	Коллеги! А как нам быть с производством? Рабочие хотят ещё 30 тысяч в месяц. Я больше не могу привозить людей из маленьких городов, там никого не осталось. Откуда я возьму рабочую силу?
Козырев:	Правда, у нас людей нет. Мы переживаем реальный демографический кризис. А в Китае…
Залесов:	Ты что, предлагаешь производство «Селетонов» в Китай отдать?

Козырев:	Ну, об этом стоит подумать. Китайцы готовы работать за копейки. И работают куда лучше, чем наши.
Залесов:	Но перевести всю производственную базу...?
Козырев:	Понимаешь, Степан, даже с учётом доставки из Китая в Благовещенск всё выходит дешевле на 40 процентов, чем у нас…
Сходняк:	Ну, что ж, Алексей, идея интересная. Это всё?
Козырев:	Нет, не всё. Вот если говорить о рынках, почему мы ограничиваемся рынками Тюмени и Челябинска? Темпы роста продаж «Селетонов» в крупных городах Индии и Бангладеш в три раза выше, чем у нас!
Белоусова:	А я вот согласна с Алексеем! В России мы копейки ловим, когда весь мир миллионами ворочает!
Нигматуллин:	А почему нет? Кто может отказаться от лейбла «Сделано в России»? Ха-ха!
Сходняк:	Ты шутишь, Равшан, но я тебе серьёзно скажу, будущее за китайцами. И рынки тоже... Китай, Индия, Пакистан… Не в Тюмени, Равшан...

Now that you have an initial inkling of what's happening, look at the case in full.

Б. О какой фирме идёт речь? Here is a summary of the company involved

«Сисматроника» — компания численностью 100 человек на стадии бурного роста. Недавно открыла свое производство, сбыт включает оптовый отдел и розницу (два собственных магазина). У предприятия есть сервисный центр, обслуживающий основной продукт — электронное устройство «Селетон».

ста́дия – stage   бу́рный – rapid
произво́дство – manufacturing   сбыт – sales
о́птовый – wholesale   ро́зница – retail
предприя́тие – enterprise

устро́йство – device

В. Над чем нужно подумать? Before reading the article, consider these issues:

1. Does Russia have a viable manufacturing base?
2. What is the extent of manufacturing outside European Russia?

3. Given China's geographical location, does outsourcing to China make sense?

4. To what extent are Russian politics characterized by political forces that (a) defend a domestic labor market and (b) oppose outsourcing to China on political grounds (issues of human rights, mistreatment of workers in an age of globalization, etc.)?

5. Based on your conclusions above, is the outsourcing of manufacturing from Russia to China a viable course of action?

6. Does Russia export a large amount of manufactured goods? Is the "Made in Russia" label found in countries outside the former Soviet Union?

7. How might a Western NGO who has supported a company with seed grants view such outsourcing?

Когда коммерческий директор «Сисматроники» Алексей Козырев вернулся с презентации, голова у него была полна новых идей: активный маркетинг, разукрупнение бизнеса и т.д. На тренинге «Сисматронику» представлял не только он, приехали все топ-менеджеры фирмы — от гендиректора Николая Сходняка до маркетолога Юлии Белоусовой. Правда, не все были в восторге от того, что услышали.

— А как нам быть с производством? Дефицит кадров на рынке жесточайший, — горячился Степан Залесов. — Рабочие хотят 30 тысяч в месяц и детсад. Я больше не могу привозить людей из маленьких городов, там никого не осталось.

Алексей Козырев слушал жалобы Залесова и мысленно представлял карту мира. На следующий день коммерческий директор сел на свое место в конференц-зале, открыл ноутбук и, быстро посмотрев на экран, объявил:

— В континентальном Китае живёт 800 миллионов крестьян, согласных работать за сто пятьдесят долларов в месяц по 14 часов в сутки. У многих из них нет документов — они вторые или третьи дети в семье, а по закону о контроле рождаемости у них нет никаких прав ни на пенсию, ни на пособие. В Южном Китае построены промышленные зоны — гораздо современнее, чем в США и Западной Европе…

— Ты что, предлагаешь производство «Селетонов» в Китай отдать? — с тревогой спросил Залесов.

— Понимаешь, Степан, себестоимость «Селетонов», изготовленных в промзоне Гуанчжоу, с доставкой в Благовещенск, на 65 процентов ниже, чем изготовленных в нашем цехе. Даже с учетом логистики выходит дешевле на 40 процентов, чем у нас…

— Что-нибудь еще? — неожиданно спросил Николай Сходняк. До этого момента гендиректор, казалось, спал, но теперь, услышав слова Козырева, проснулся.

— Почему мы ограничиваемся рынками Тюмени и Челябинска? Темпы роста продаж «Селетонов» в крупных городах Индии и Бангладеш в три раза выше, чем у нас! – продолжал Козырев. — Или возьмите Пакистан и Малайзию. Это тоже перспективные рынки!

— А что в Пакистане с нашими «Селетонами» будут делать моджахеды? — пошутил Равшан Нигматуллин, соучредитель фирмы.

— А я вот согласна с Алексеем! — подала голос маркетолог Юлия Белоусова. - В России мы копейки ловим, когда весь мир миллионами ворочает!

— А почему нет? — проговорил Равшан с сарказмом. — Кто может отказаться от лейбла «Сделано в России»?

— Я, Равшан, тебе так скажу, — вмешался в разговор Сходняк. — Я и сам постоянно про контрактное производство думаю. Не знаю, как там со спросом на «Селетоны» в крупных городах Индии, но вот проблемы с производством реальны, и их нужно решать. Нам с Алексеем про аутсорсинг на семинаре хорошо все объяснили. Будущее за китайцами. И рынки тоже... Китай, Сингапур — где-то в том районе наше будущее. Не в Тюмени, Равшан...

Сходняк внимательно посмотрел на Нигматуллина.

— А где ты деньги на Китай возьмешь? Уж не у меня ли попросишь? — поинтересовался Нигматуллин.

— Современные концепции управления финансами предполагают уменьшение доли инвестиций в основной капитал, — ответил Сходняк. — Сейчас компании занимаются лишь маркетингом и брендингом. Это бизнес-модель XXI века. Ведь само производство требует огромных затрат. Зачем нам это нужно?

На слове «бизнес-модель» Равшан Нигматуллин встал и направился к выходу. Следом за ним пошёл и Залесов.

В понедельник Степан Залесов положил на стол заявление об увольнении, а Равшан Нигматуллин стал искать покупателя на свою долю в «Сисматронике». Об этом сотрудники фирмы говорили шёпотом, в офисе царила напряженная атмосфера. А гендиректору Сходняку предстояло ответить теперь на множество вопросов. Готова ли «Сисматроника» к контрактному производству? Как убедить коллег в эффективности новой стратегии развития компании? Как разрешить противоречия между партнерами?

Послетекстовые упражнения

А. Кто что думал? Pick from the cast of characters who thinks what. (You might be able to argue for more than one answer.)

Николай Сходняк – генеральный директор
Алексей Козырев – коммерческий директор
Степан Залесов – директор по производству
Равшан Нигматуллин – партнёр, соучредитель (co-founder *of an organization*)
Юлия Белоусова – маркетолог
Никто из руководства фирмы

1. Если отдадим производство нашей продукции китайцам, то сможем вкладывать больше ресурсов на брендинг и маркетирование.

2. Аутсорсинг производства также поможет найти рынок и в самом Китае, и в прилегающих странах Юго-Восточной Азии.

3. Переход на аутсорсинг может вызвать отрицательную реакцию со стороны некоторых национально настроенных элементов в Госдуме.

4. Китайская промышленность сильнее не только нашей; она перегнала США и Европу.

5. Залесов напрасно жалуется. Его отдел всё равно закроем.

6. Производство требует огромных расходов. Будущее таких фирм, как наша, принадлежит маркетингу: брендинг и сбыт.

7. Козырев готов уничтожить добрую половину фирмы из-за личных амбиций.

Б. Решение вопроса с точки зрения гендиректора. Reread the questions at the end of the case. Taking the side of the CEO and head of the commercial division, what would be your course of action?

Сначала напишите ваши соображения в краткой форме. Затем будьте готовы объяснить ваши идеи в формате краткого доклада перед группой.

КЕЙС: ЧАСТЬ 2. КИТАЙСКИЕ СТРАСТИ

УПРАЖНЕНИЯ С ТЕКСТОМ

А. Dialogue glimpse. In the dialogue below, we introduce another member of the cast of characters. Laura Crosby knows Ravshan Nigmatullin from graduate school. Ravshan did his MBA in the U.S. Ravshan returned to Russia, and Laura went to work for a Western NGO called SmartGrowth. As it turns out, some of Sismatronika's capital comes from a seed money grant from SmartGrowth. But one of the conditions of the grant was that the recipient undertake measures to employ local talent. Laura meets Ravshan at a café. He fills her in on the goings on in his (former) company.

Лора: Да этого быть не может, Равшан! Закрывают завод? Отпускают всех? Это грубое нарушение нашего договора!

Равшан: Потому я и ушёл оттуда.

Лора: Но Козырев прекрасно понимает, что он получил стартап-грант от нас при условии, что все товары должны изготавливаться на территории России гражданами этой страны.

Равшан: А по-моему, Алексею абсолютно всё равно.

Лора: Но я была уверена, что с договорённостью не будет никаких проблем. Ведь была лично знакома с учредителями фирмы.

Равшан: Понимаешь, Лора, ты знаешь меня давно. Мы познакомились, ещё когда я учился на МВА в США. Но с Алексеем ты менее знакома.

Лора: И нет никаких шансов его переубедить?

Равшан: Никаких. Теперь после моего ухода он получил полную свободу действий. Он, видимо, давно уже решил предпринять такой шаг и просто ждал подходящего момента.

Б. Над чем нужно подумать?

1. What are some of the purposes of start-up grants to businesses in developing markets?
2. What is the state of judicial enforcement of contractual agreements in Russia?

Лора Кросби, сотрудник негосударственной организации «SmartGrowth», не могла поверить своим ушам. Напротив неё, за столиком в «Кофе Хаузе», сидел старый знакомый Равшан Нигматуллин, бывший партнёр фирмы «Сисматроника». Равшан рассказал Лоре, что фирма собирается закрыть благовещенский завод и перевести производство в Гуанчжоу.

— Да этого быть не может! — воскликнула Лора. — Это грубое нарушение нашего договора! Будут большие неприятности.

Лора познакомилась с Равшаном ещё в университете в США. Она заканчивала аспирантуру и устраивалась на работу в «SmartGrowth», а Равшан получил грант от Фонда Сороса и учился в школе бизнеса.

«SmartGrowth» — американская НГО, финансирующая малый бизнес в России. Средства российским компаниям предоставляются в форме грантов или краткосрочных и среднесрочных кредитов по доступным ставкам. «SmartGrowth» получает заявления от фирм и оценивает компании по ряду параметров, в том числе финансовых (предполагаемая рентабельность, качество бизнес-плана, кредитоспособность, возможности привлечь капитал из других источников и т.д.). Учитываются и благоприятные социальные последствия, которые может иметь деятельность фирмы.

Три года назад Равшан вернулся в Россию со степенью МВА и познакомился с Алексеем Козыревым, молодым энергичным предпринимателем, который убедил его заняться производством несложного электронного оборудования для российского рынка, в том числе потребительского.

Равшан тогда вспомнил свою знакомую Лору Кросби и её организацию. Он послал Лоре письмо по электронной почте, в котором поинтересовался возможностями получить грант. Лора ответила, что сама она не решает таких вопросов и что Равшан должен подать официальное заявление, но добавила, что шансы получить грант у него неплохие. Ведь идея Нигматуллина и Козырева лежала в русле политики «SmartGrowth», направленной на стимулирование производства потребительских товаров в России. Равшан заполнил довольно сложную анкету и прошёл вместе с Козыревым ряд интервью. И через шесть месяцев фирма получила 450 тысяч долларов. Но выделение фирме средств было обставлено множеством условий, одно из них - товары должны изготавливаться на территории России гражданами этой страны.

И вот теперь Равшан ушёл из фирмы, а его бывший партнёр решил нарушить условия контракта с «SmartGrowth». Лора не знала, как быть.

— И нет никаких шансов переубедить Козырева? — спросила Лора.

— Никаких, — вздохнул Равшан. - Я надеялся, что если буду уходить, он постарается меня удержать. Но потом понял, что мой уход ему на руку — ведь теперь он получил полную свободу действий. Он, видимо, давно уже решил предпринять такой шаг и просто ждал подходящего момента.

Старые друзья допили кофе, и Лора вернулась к себе, не зная, что делать дальше.

Послетекстовые упражнения

А. Ваша очередь: диалог. You and your colleagues (other students in the group) are SmartGrowth representatives. You have the following informal conversation with the firm's commercial director, Aleksei Kozyrev. Fill in the blanks with things that you might have to say.

Вы: Алексей, я недавно разговаривал с вашим бывшим партнёром Равшаном Нигматуллиным. Он сказал мне, что вы собираетесь…

Козырев: Знаете, слухи о закрытии нашего производства в России несколько преувеличены. Мы действительно думаем о том, как нам сократить затраты. Но говорить о переводе производства в Китай и сокращении штата пока рано.

Вы: Это хорошо. Ведь, как вам известно, главная цель грантов «SmartGrowth» — помогать развитию местной экономики и создавать …

Козырев: Да, но есть факторы, которые серьезно беспокоят руководство фирмы. И, откровенно говоря, производство продукции в России, в том числе и устройств серии «Селетон», может оказаться под угрозой.

Вы: …?

Козырев: Ну, прежде всего, у нас в регионе полная занятость. Рабочей силы сейчас просто не найти.

Вы: …

Козырев: Но это правда! Я уже не могу привозить людей из маленьких городов. Там просто никого не осталось!

Вы: Но последние статистические отчёты говорят о растущей безработице! …

Козырев: Статистическим отчётам не всегда можно верить. Но мы не забыли об условиях вашего гранта и сокращать штат до истечения срока договора не собираемся.

Вы: Рад это слышать.

Б. Письменная коммуникация. You and your colleagues follow up on that conversation with a short note to CEO Nikolai Skhodnyak. Using the partial list at the right, complete the blank spots of the message. (The list has more phrases than you will actually use.)

Уважаемый Николай Петрович!

Вчера у меня была возможность

_____

_____. Некоторые аспекты планов, предложенных (кем? когда? где?)

_____, представляют огромный интерес. Но следует отметить, что в них входят определенные меры, которые _____ со стороны нашего _____ и наших

_____

Как Вам _____, главная

_____ нашей организации заключается в том, чтобы _____

_____

_____

_____. Для наших доноров повышение _____ в России

_____

_____. Любые меры,

_____

_____

будут _____.

Мы безусловно понимаем необходимость сократить _____

_____,

но экономию, реализованную на основе _____

_____ было бы трудно оправдать (кому)

_____ нашей организации.

Я хочу подчеркнуть, что мы никоим образом не желаем _____ в рутинную

_____

«Сисматроника». Тем не менее мы обязаны констатировать, что фирмы, _____

_____, о предоставлении фондов и ссуд, _____ все

_____ данной договорённости и не предпринимают меры, идущие вразрез с целями «SmartGrowth».

аутсорсинг
безработица
в этой связи
Ваши коллеги
вмешиваться
встретиться (с кем)
вызывать тревогу (озабоченность)
граждане
долгосрочная задолженность
заключившие
заключивший договор
занятость
известно
коммерческий директор Вашей фирмы
мешать (кому делать что)
ненужные затраты
отрицательно
планы
побеседовать с ...
познакомиться с Вашим/Вашей (чем)
положительно
помогать (кому делать что)
правительство
приятно
проблема
радовать
рассматриваться
руководство
соблюдать
сокращение штата
спонсоры
ставящий под угрозу (что)
управленченская политика
условия
цель

В. Как поступить НГО «SmartGrowth»? Shortly after your memo to CEO Nikolai Skhodnyak, you happen to run into Stepan Zalesov, the now ex-head of Sismatronika's manufacturing division. He confirms your worst fears. In fact, he plays a recording he secretly made of the entire session at the Vishnevsky Growth Seminar in Moscow, outlined in the case above.

1. You return to your NGO's Moscow office. Write a short memo to the director of the Moscow office detailing exactly what Zalesov told you. Then orally report to the Moscow office what the company's real plans are, both in manufacturing and marketing.

2. With the others in your class (they are the other members of SmartGrowth's Moscow Office) discuss what measures your organization should take vis-a-vis Sismatronika.

УПРАЖНЕНИЯ НА АУДИРОВАНИЕ

A. Интервью. An expert on small business is interviewed for a talk show. Listen to the first third of the interview to find out

1. What is the guest's name?
2. What *was* his job?
3. Currently the guest works for the liberal SPS Party. What party committee does he chair?

Б. Нужные слова

валово́й проду́кт – gross product
Всеми́рный банк < все + мир
де́йствие – action
до́ля – portion (e.g. *of the economy*); slice
кредитова́ние = предоставле́ние креди́та
подде́ржка *чего* – support *for something*
предпринима́тельство – entrepreneurship; enterprise < **предпринима́ть** – to undertake
председа́тель – chairperson < **пред** 'in front' + **-сед-** 'sit', *the one who sits in front*
преодоле́ть – to eliminate
препя́тствие – obstacle
ста́лкиваться *с чем* – to run into (*a problem*); to be forced to deal with
чино́вник – bureaucrat; official

В. О чём говорили? In this segment the guest starts talking about one thing and then goes off on a tangent. Which of the following things was discussed?

- ❑ Bureaucratic roadblocks for small business
- ❑ Small and medium business tax burdens
- ❑ World Bank estimates of Russian per capita income
- ❑ Small business and the growth of the middle class

Г. Подробности. Now listen to the interview one more time. Find out:

1. Registering a business costs $1000 because...

   a. The new business registration fee was recently raised.
   b. That's how much one ends up paying in fees and bribes.
   c. Big businesses insist on large fees to discourage competitors.
   d. It takes a month if you try to go the official "cheap" route.

2. Compare the role of Russian small business to the national economy with that of other countries.

   a. It's about the same as elsewhere — well over half of the economy.
   b. It's about half as elsewhere — around a third of the economy.
   c. It's a fraction of what it is elsewhere, about a sixth of the economy.
   d. Russian small business is less than 2 percent of the national economy.

Д. Как сказали...? Listen to the interview once again to find out how to say:

1. Administrative barriers are actions by bureaucrats which create obstacles to business.
2. In order to register a business, you need $1000 and a month.
3. The World Bank is actively involved in the study of entrepreneurship.
4. Small business is a strange part of the economy.

ТАБЛИЦА 3. ВРЕМЯ В БЕЗЛИЧНЫХ КОНСТРУКЦИЯХ
(TENSE IN IMPERSONAL CONSTRUCTIONS)

НУЖНО

Tense				
	Future	Кому Мне Тебе	ну́жен бу́дет нужна́ бу́дет ну́жно бу́дет нужны́ бу́дут ну́жно бу́дет	план схе́ма вре́мя де́ньги рабо́тать
	Present	Ему Ей Нам Вам Им Всем Этим людям Стране etc.	ну́жен нужна́ ну́жно нужны́ ну́жно	план схе́ма вре́мя де́ньги рабо́тать
	Past		ну́жен был нужна́ была́ ну́жно было́ нужны́ бы́ли ну́жно бу́дет	план схе́ма вре́мя де́ньги рабо́тать

НАДО, МОЖНО, НЕЛЬЗЯ

Tense				
	Future	Кому Мне Тебе Ему	на́до бу́дет мо́жно бу́дет нельзя́ бу́дет	
	Present	Ей Нам Вам Им Всем Этим людям Стране etc.	на́до мо́жно нельзя́	рабо́тать
	Past		на́до бы́ло мо́жно бы́ло нельзя́ бы́ло	

УРОК ПЯТЬ
НЕРАСПРОСТРАНЕНИЕ
ЯДЕРНОГО ОРУЖИЯ

@ **ТЕКСТ. Прослушайте текст, затем прочитайте и переведите его на английский язык в письменной форме.**

НОВЫЙ ВЕК – НОВЫЕ ОПАСНОСТИ
Чем грозит распространение оружия массового поражения

Пробле́ма контро́ля над ору́жием ма́ссового пораже́ния (ОМП) вновь приобрела́ актуа́льность в связи́ с неда́вними собы́тиями в Азии. Не́которые стра́ны, в ча́стности Ира́н и Се́верная Коре́я, я́вно стремя́сь к облада́нию я́дерным ору́жием, не заявля́ют откры́то о свои́х наме́рениях. Пробле́ма нераспростране́ния ОМП, похо́же, вновь стано́вится на пове́стку дня.

Не́которые развива́ющиеся стра́ны счита́ют облада́ние ору́жием ма́ссового пораже́ния гара́нтией свое́й национа́льной безопа́сности и территориа́льной це́лостности. Одна́ко опа́сность заключа́ется в том, что мно́гие из э́тих стран явля́ются уча́стниками застаре́лых полити́ческих, этни́ческих и религио́зных конфли́ктов. Так, наприме́р, Индия и Пакиста́н, вооружа́сь я́дерными бо́мбами, в про́шлом не́сколько раз воева́ли и до сих пор име́ют серьёзные прете́нзии друг к дру́гу.

Пожа́луй, ещё бо́льшую опа́сность представля́ют попы́тки Ира́на заполучи́ть ору́жие ма́ссового пораже́ния. Не так давно́ ира́нский президе́нт вы́ступил с призы́вом стере́ть с лица́ Земли́ госуда́рство Изра́иль. Подо́бные заявле́ния свиде́тельствуют о том, что мир ещё не ско́ро изба́вится от экстреми́зма и нетерпи́мости. Очеви́дно, что расшире́ние я́дерного клу́ба за счёт таки́х стран, как Иран, чрева́то больши́ми опа́сностями. Религио́зные фана́тики мо́гут поста́вить под сомне́ние не то́лько иде́ю нераспростране́ния, но и иде́ю неприменне́ния я́дерного ору́жия, что серьёзно подорвёт безопа́сность в ми́ре. Ме́жду тем, как отмеча́ют экспе́рты, у отве́тственных прави́тельств недоста́точно средств, для того́ что́бы помеша́ть агресси́вным си́лам развива́ть свою́ я́дерную мощь.

«На́ша пове́стка дня должна́ вобра́ть в себя́ все аспе́кты нераспростране́ния (*ору́жия ма́ссового пораже́ния.* – Ред.), — счита́ет высокопоста́вленный росси́йский диплома́т. – Лу́чше всего́, е́сли отка́з от (подо́бного) ору́жия бу́дет сопровожда́ться сня́тием торго́вых ограниче́ний для тех, кто встал на путь исправле́ния, и серьёзными экономи́ческими са́нкциями для тех, кто упо́рствует».

@ КОГНАТЫ

агресси́вный	гара́нтия	контро́ль	пробле́ма	фана́тики
актуа́льность	диплома́т	конфли́кт	религио́зный	экстреми́зм
аспе́кт	иде́я	ма́ссовый	са́нкции	этни́ческий
бо́мба	клуб	национа́льный	территориа́льный	

СЛОВА И ВЫРАЖЕНИЯ

встава́ть (встаю́т) / встать (вста́нут) на путь исправле́ния – to step on the path of improvement

высокопоста́вленный – high ranking

выступа́ть/ вы́ступить (вы́сутпят) с призы́вом стере́ть с лица́ Земли́ госуда́рство Израиль – to call for the erasure of Israel from the face of the Earth

избавля́ться/ изба́вится (изба́вятся) *от чего* – to get rid *of something*
 экстреми́зма – of extremism…
 нетерпи́мости – of intolerance

име́ть серьёзные прете́нзии друг к дру́гу – to have serious claims on each other

контро́ль над ору́жием ма́ссового пораже́ния (ОМП) – control of weapons of mass destruction

ору́жие (no plural) – weapons

отка́з от подо́бного ору́жия – refusal to use such weapons

пове́стка дня должна́ вобра́ть в себя́ – the agenda must include

подры́в – undermining

подрыва́ть/ подорва́ть безопа́сность – to undermine security

приобрета́ть/ приобрести́ (приобрету́т) актуа́льность – to acquire urgency

развива́ть/ разви́ть (разовью́т) – to develop
    свою́ я́дерную мощь – ...one's nuclear power
    ору́жие ма́ссового пораже́ния – ...WMD

развива́ющиеся стра́ны – developing countries

ра́звитые стра́ны – developed countries

расшире́ние я́дерного клу́ба *за счёт чего* expansion of nuclear club *through something*
    Ира́на – ...Iran
    но́вых чле́нов – ...new members

свиде́тельствовать (свиде́тельствуют) *о чём* – to bear witness *to something*

сопровожда́ться *чем* – to be accompanied *by something*
    сня́тием торго́вых ограниче́ний – ...lifting trade restrictions
    серьёзными экономи́ческими са́нкциями – ...serious economic sanctions

ста́вить (ста́вят) / поста́вить под сомне́ние иде́ю – to question the idea
    нераспростране́ния – of non-proliferation
    непримене́ния я́дерного ору́жия – of non-use of nuclear weapons

станови́ться (стано́вятся) / встать (вста́нут) на пове́стку дня – to be placed on the agenda

стреми́ться (*imperfective only:* **стремя́тся**) **к облада́нию я́дерным ору́жием** – to seek to possess nuclear weapons

стремле́ние – desire

счита́ть (*imperf. only*) **облада́ние ОМП** *чем* – to consider the possession of WMD to be ...
    гара́нтией свое́й национа́льной безопа́сности – a guarantee of its national sovereignty
    гара́нтией территориа́льной це́лостности – a guarantee of its territorial sovereignty

упо́рствовать (упо́рствую) *чему* – to resist
    исправле́нию – ...improvement
    са́нкциям – ...sanctions
    торго́вым ограниче́ниям – ...trade restrictions

уча́стники застаре́лых ____ых конфли́ктов – participants in old _____ conflicts
    этни́ческих конфли́ктов – …ethnic conflicts
    религио́зных конфли́ктов – … religious conflicts

чрева́т, -а, -о, – ы *чем* – fraught *with*
    больши́ми опа́сностями – serious consequences.

Бли́жний Восто́к, ближневосто́чный

Еги́пет, еги́петский, египтя́не, Каи́р, говори́ть по-ара́бски

Изра́иль, изра́ильский, израильтя́не, Иерусали́м, говори́ть на иври́те

Ита́лия, италья́нский, италья́нцы, Рим, говори́ть по-италья́нски

Treaties – догово́ры:

ABM (Anti-Ballistic Missile) – **ПРО**

INF (Intermediate and Medium Range Nuclear Forces Treaty) – **РСД (Раке́ты средней да́льности) – РМД (Раке́ты ма́лой да́льности)**

NPT (Non-Proliferation Treaty) – **Догово́р о нераспростране́нии**

SALT – **ОСВ**

START (Strategic Arms Reduction Treaty) – **СНВ**

TBT (Thermo-Test Banning Treaty) – **Догово́р о запреще́нии испыта́ний ядерного ору́жия**

ЛЕКСИЧЕСКИЕ УПРАЖНЕНИЯ

Просмотрите слова и выражения к тексту «Новый век — новые опасности» и сделайте следующие упражнения.

А. Заполните пропуски правильными предлогами.

1. ___ повестку дня становится контроль ___ вооружениями.
2. Индия и Пакистан имеют серьёзные претензии друг ___ другу.
3. Действия Ирана ставят ___ сомнение их намерения (intentions).
4. Встреча ___ высшем уровне свидетельствует ___ улучшении международной обстановки.
5. Ливия долго упорствовала ___ отказу ___ ядерной программы.
6. США стремятся ___ контролю ___ постсоветским пространством (space).

Б. Дайте русские эквиваленты следующим английским фразам.

- fraught with serious consequences
- to be placed on the agenda
- to pay attention to conventional weapons
- to have serious claims on each other
- arms control
- to acquire urgency
- refusal to adhere to non-proliferation
- to resist sanctions
- to question non-use of nuclear weapons

В. РАБОТА ПО МОДЕЛЯМ

1. Заполните пропуски словами по смыслу.

а.   Вопрос } *чего* ___ ___ ___ { становится на повестку дня.

б.   Развивающиеся страны стремятся к } *чему* ___ ___ ___

в.   Мир стреми́тся изба́виться от

чего

_____
_____
_____

г.   Отка́з от

чего
_____
_____
_____

сопровожда́ется са́нкциями.

2.   Зако́нчите предложе́ния. Испо́льзуйте логи́чески пра́вильные фра́зы.

а.   Пробле́ма нераспростране́ния ОМП вновь стано́вится на пове́стку дня. Де́ло в том, что _____.

б.   Не́которые стра́ны я́вно стремя́тся к _____.

в.   Ча́сто развива́ющиеся стра́ны счита́ют облада́ние ору́жием ма́ссового пораже́ния _____.

г.   Опа́сность заключа́ется в том, что _____.

д.   Наприме́р, призы́в стере́ть с лица́ Земли́ госуда́рство Изра́иль свиде́тельствует о том, что _____.

е.   Расшире́ние я́дерного клу́ба за счёт таки́х стран, как Ира́н, чрева́то _____.

ж.   Лу́чше всего́, е́сли отка́з страны́ от ОМП бу́дет сопровожда́ться _____, а для тех, кто упо́рствует _____.

Г.   Отве́тьте на сле́дующие вопро́сы.

1.   Что тако́е ОМП?

2.   Каки́е ви́ды ОМП вы зна́ете?

3.   Когда́ вопро́с контро́ля над вооруже́ниями всегда́ стоя́л на пове́стке дня?

4.   Почему́ э́тот вопро́с ушёл с пове́стки дня?

5.   Почему́ он опя́ть верну́лся?

6. Что такóе «я́дерный клуб»?

7. Каки́е стрáны вхóдят в негó?

8. Почемý развивáющиеся стрáны считáют облáдáние орýжием мáссового поражéния гарáнтией своéй национáльной безопáсности и территориáльной цéлостности?

9. В чём опáсность расширéния «Ядерного клýба»?

10. Как мóгут отвéтственные прави́тельства помешáть стрáнам развивáть свою́ я́дерную мощь?

11. Объясни́те рáзницу мéжду «нераспространéнием» и «непримéнéнием»?

12. Что такóе территориáльная цéлостность?

13. Что такóе «Вестфáльский договóр»?

14. Чем занимáется междунарóдное прáво?

15. Каки́е договóры по контрóлю над вооружéниями вы знáете?

16. Где нахóдится Еги́пет?

17. Кто живёт там?

18. На какóм языкé они́ говоря́т?

ГРАММАТИКА: РОДИТЕЛЬНЫЙ ПАДЕЖ (GENITIVE CASE)

The genitive is used as follows:

1. **Possession ("of").**
Угро́за я́дерной войны́ – threat *of* nuclear war
прое́кт президе́нта – the president*'s* project
группиро́вка сепарати́стов – factions *of* separatists.

2. **"Have" constructions with the preposition У.** У учёных уже есть нау́чные
данные – The scientists already have the necessary data. *Lit: At the researchers
already is the necessary data.* In other words those who "have" are in *genitive*; the
object "had" is *in nominative.*

3. **Absence: НЕТ constructions for "doesn't have" and "isn't there."** Note these
sentences:

Нет (не́ было) догово́ра.
There is/was no treaty.

У нас нет (не бу́дет) средств.
We don't/won't have the means. (*Lit.:* At us aren't/won't be the means.)

4. **After prepositions.**

   a. **"From" (ОТКУДА): ИЗ, С, ОТ.** These words are not interchangeable. Use из
   with **"в"** nouns. Use с with **"на"** nouns. Use от with **"к"** nouns (usually people)
   following the chart below:

Куда	Откуда
в библоте́ку	из библоте́ки
на рабо́ту	с рабо́ты
к дру́гу	от дру́га

   б. **Other prepositions.**

без	without: **без по́мощи**
вдоль	along, down (a river): **вдоль реки́**
вне	outside: **вне Росси́и**.
внутри́	inside **внутри́ Росси́и.**

вокру́г	around (in a circle): **вокру́г Земли́** – around the Earth.
для	for (the benefit of): **для всех и ка́ждого** – for each and every person
до	up to, as far as: **Дое́хали до Ми́нска** – They rode as far as Minsk.
из-за	because of: **из-за Гру́зии** from behind: **из-за две́ри**
кро́ме	besides; in addition to: **кро́ме того́** – besides that
ми́мо	past: **Мы е́хали ми́мо Бе́лого до́ма** – We were driving by the White House.
о́коло	near; apporoximately: **о́коло Москвы́** – near Moscow **о́коло ста челове́к** – around (approximately) 100 people.
поми́мо	in addition to: **поми́мо того́** – in addition to that
посреди́	in the middle of: **посреди́ двора́** – in middle of the yard
про́тив	against: **Проте́сты про́тив торго́вых ограниче́ний** – protests against trade limitations
среди́	among: **среди́ специали́стов**
у	next to; by: **Они́ стоя́ли у окна́.**

в. Time.

во вре́мя	during: **во вре́мя перегово́ров**
до	before; up till; as far as: **до войны́** – before the war, up until the war
по́сле	after: **по́сле войны́**
с	from; since: **с девяти́ до пяти́** – from nine to five (o'clock) **с про́шлого го́да** – since last year
от + date	from (a date, e.g. "In a March 6 article..."): **в статье́ от шесто́го ма́рта**

5. **Dates, months, years.** Note where genitive is used (and just as importantl where it is *not* used) in dates, months, and years.

Use genitive:

a. **"On a date"**: Это случи́лось **пе́рвого** ма́я. – This happened *on* May 1. *(NO preposition in Russian!)*

б. **"On a date of a month"**: Это случи́лось пе́рвого **ма́я** – This happened on *May 1*.

в. **"On a date (or in a month) of a year"**: Это случи́лось в ма́е **две ты́сячи пе́рвого го́да.** – This happened in May of *2001*.

Do NOT use genitive:

а. **To "announce" a date:** "Yesterday was ..." Вчера́ было **первое** мая. *(Note that all dates are neuter adjectival "ordinal" numbers.)*

б. **"In a** *(certain)* **month" (without a date):** Это случи́лось **в августе** (in August) девяно́сто седьмо́го года. **(В** + *prepositional).*

в. **In a** *(certain)* **year" (without a preceding month or date):** Это случи́лось **в восемьдесят седьмо́м году́**. – It happened in 1987. **(В** + *prepositional.)*

г. **"On a day" (as opposed to a date):** Это случи́лось **в среду**, восьмо́го апре́ля. **(В** + *accusative.)*

ГРАММАТИКА: КОНСТРУКЦИИ –*ТО, –НИБУДЬ И НИ –* ... *НЕ*

Look at the following sentences and their translations:

Она́ **что́-нибудь** пи́шет?
Is she writing *something*?

Да, она́ **что́-то** пи́шет.
Yes, she's writing *something*.

Нет, она **ничего́ не** пи́шет.
No, she's *not* writing *anything*.

As you can see, there is *no direct correspondence* between -**то, -нибу́дь,** and **ни...не** on the one hand, and *some-, any-,* and *no-* on the other. Follow the rules below:

1. **Use ни...не(т)** in all negative constructions:

    У нас **нет ничего́.**
    We don't have anything.

    Она **никуда́ не** идёт.
    She's going nowhere.

2. **Use –нибу́дь:**

    a. **Questions:**
        Они **кого́-нибу́дь** знают?

    б. **Future tense:**
        Мы **что-нибу́дь** сде́лаем.

    в. **Imperatives:**
        Сде́лайте **что-нибу́дь!**

    г. **Sentences with adverbs of repetition (всегда́, всё вре́мя, каждый день**, etc.):
        Они всегда́ **что-нибу́дь** чита́ли.
        They were always reading *something (or another)*.

3. **Use –то in all other present and past tense sentences:**

    Он **как-то** вы́шел из положе́ния.
    He got out of that situation *somehow*.

    Мы **где-то** встреча́лись.
    We've met *somewhere*.

ТАБЛИЦА 1. ИМЕТЬ И ПРИСУТСТВОВАТЬ (POSSESSION AND PRESENCE)

	"POSSESSION"	"PRESENCE"
Positive	*genitive* *nominative* У Кана́ды **éсть** догово́р **был** **бу́дет** Canada *has* a treaty. Canada *had* a treaty. Canada *will have* a treaty.	*prep.* *nominative* В По́льше **éсть** свобо́да **была́** **бу́дет** There *is* freedom in Poland. There *was* freedom in Poland. There *will be* freedom in Poland.
Negative	*genitive* *genitive* У Кана́ды **нет** догово́ра **не было** **не бу́дет** Canada *has no* treaty. Canada *had no* treaty. Canada *will not have* a treaty.	*prep.* *nominative* В По́льше **нет** свобо́ды. **не было** **не бу́дет** There *is no* freedom in Poland. There *was no* freedom in Poland. There *will be no* freedom in Poland.

SYNONYMS FOR *ИМЕТЬ* 'POSSESS' AND *СУЩЕСТВОВАТЬ* 'EXIST'

SYNONYM *ИМЕТЬ*	SYNONYM *СУЩЕСТВОВАТЬ*
nominative *accusative* Кана́да **име́ет** догово́р.	*prep.* *nominative* В По́льше **существу́ет** свобо́да.
nominative *genitive* Кана́да **не име́ет** догово́ра.	*prep.* *genitive* В По́льше **не существу́ет** свобо́ды.

ТАБЛИЦА 2. КУДА? ГДЕ? ОТКУДА?

КУДА?	ГДЕ?	ОТКУДА?
accusative **в Евро́пу** (accusative) to europe	*prepositional* **в Евро́пу** (prepositional) in europe	*genitive* **из Евро́пы** (genitive) from europe
accusative **на конфере́нцию** to the conference	*prepositional* **на конфере́нции** at the conference	*genitive* **с конфере́нции** from the conference
dative **к грани́це** towards the border	*genitive* **у грани́цы** at the border	*genitive* **от грани́цы** away from the border
dative **к сове́тнику** to the adviser	*genitive* **у сове́тника** at the adviser's	*genitive* **от сове́тника** from the adviser

ГРАММАТИЧЕСКИЕ УПРАЖНЕНИЯ НА РОДИТЕЛЬНЫЙ ПАДЕЖ (GENITIVE CASE)

А. Употребление родительного падежа. Read over the grammar on genitive case for Unit 5. Study Tables 1 and 2 above, as well as the chart and Table 3 at the end of Unit 5. Then review the reading text. Find all the places where genitive is used, and determine the reason for each occurence.

Б. Translate the following "of" and "__'s" phrases.

1. the American President's position
2. the head of your delegation
3. the face of the Earth
4. weapons of mass destruction
5. the issue of peace in the Middle East
6. the danger of nuclear proliferation
7. guarantee of sovereignty

8. position of strength
9. participants of old conflicts
10. problem of control

В. Декомпрессия английских оборотов с помощью родительного падежа.
Russian often uses genitive "of" constructions in place of compressed English *noun–noun* constructions (e.g. "peace issue" → "issue of peace" **вопрос мира**). How would you expand the following phrases in Russian?

1. third-world countries
2. medium-range weapons
3. the Reagan Doctrine
4. NATO Pact meeting
5. White House policy statement
6. congressional approval
7. delegation members
8. security issues
9. information exchange
10. deputy defense minister
11. export expansion
12. conventional weapons reduction

@ Г. Употребление новых слов в родительном падеже. Review the genitive tables at the end of the unit . Answer the questions using the words in the right-hand column.

1. Чего явно не было на переговорах?
   - нетерпимость и экстремизм
   - стремление к взаимопониманию
   - повестка дня
   - настоящее понимание вопроса
   - серьёзные дискуссии

2. Откуда этот текст? (из, с, от)
   - ваша конференция
   - американские газеты
   - программа «Эхо Москвы»
   - высокопоставленный деятель
   - сегодняшнее выступление

3. Кроме чего?
   - американские предложения
   - российийские инициативы
   - актуальные вопросы
   - оружие массового поражения
   - ядерное оружие

4. Без чего?

– развива́ющиеся стра́ны
– территориа́льная це́лостность
– серьёзные прете́нзии
– гара́нтии безопа́сности

5. Про́тив чего?

– этни́ческие конфли́кты
– расшире́ние я́дерного клу́ба
– нераспростране́ние я́дерного ору́жия
– непримене́ния ОМП

Д. **Вставьте нужные слова.** Combine the prepositions given below with each of the noun phrases in the blanks to complete the sentences. Use as many prepositions with each noun phrase as make sense.

до, после, у, около, мимо, вокруг, среди, вдоль, в, вне, для, против, кроме, помимо

1. Спутник «Венера-2» вышел на орбиту _____ [планета] _____.

2. Такое мнение сейчас распространяется _____ [молодёжь] _____.

3. Ничего не сказав, заведующий отделом прошел _____ [лаборатория] _____.

4. Средний советский гражданин зарабатывал _____ [двести пятьдесят] _____ рублей в месяц.

5. Демонстранты выступили _____ [ядерные испытания] _____.

6. Что входит в договоренность _____ [большие компьютеры] _____ _____.

7. Такую технику можно увидеть лишь в США. _____ [России] _____ вы ее не увидите.

8. Все это случилось еще _____ [война] _____.

9. Ошибка была обнаружена только _____ [запуск] _____ [ракета] _____.

10. _____ [такая маленькая страна] _____ военный бюджет в миллиард долларов в год нереален.

(Quia) **E. Выражения времени.** Review time-expressions from previous units and from the genitive case chart at the end of Unit 5. Translate these time expressions. (Write out all numbers.)

1. on Wednesday, April 3, 2000
2. yesterday was October 23, 2008
3. yesterday was Saturday
4. in March 2005
5. in 2001
6. by the beginning of next year
7. by the end of the month
8. tomorrow will be January 22, 2009
9. this happened June 22, 1941
10. in June and July of this year
11. from November 12 until December 29, 1900
12. from two until four o'clock
13. since 1974
14. from 1961 to 1983
15. since last week
16. from 11 until 12
17. from fall until spring
18. since the October Revolution
19. this month
20. next week
21. during the war
22. next year
23. on Sunday at 2:00 pm
24. until 2010
25. before September 11, 2001

(Quia) **Ж. Раскройте скобки.** Fill in the blanks. Watch for absence or presence. Study Table 1.

1. — Где вы нашли эти [documents] _____? Ведь [they] _____ [weren't]
    _____ в библиотеке.

    — Нет, [they] _____ [were] _____ там, только не в том отделе.

2. Где [was] _____ [the deputy minister] _____? Почему
    [he] _____ [wasn't] _____ на выступлении министра?

3. У США [had] _____ [diplomatic relations] _____ с Кубой до
    1961 года.

4. В России не принято, чтобы первая леди страны всегда сопровождала своего мужа в поездках за границу. Соответственно [she] _____ [will not be present] _____ на предстоящей встрече.

5. В 50-х годах прошлого столетия американцы были уверены, что Советский Союз имел [a complete (полный) nuclear arsenal] _____. Только через несколько десятилетий стало ясно, что [such an arsenal] _____ [did not exist] _____.

6. У России [has no] _____ [anti-missile defense] _____.

3. **Быть или не быть (вот в чём вопрос!).** Translate the sentences. Then give their opposites ("There was" → "There wasn't" and vice-versa. This exercise may involve engaging in some wishful thinking.)

1. The minister's statement was in the newspaper.
2. There was an exchange of information until 2009.
3. This question is on the agenda.
4. There can be a summit meeting under those conditions.
5. Many believe that there was parity (паритет) between the US and Russia.
6. There was an article in the paper about the expansion of nuclear club.
7. There will be no nonproliferation.
8. There was no conference on the Central African issue.
9. There are no citizens of Egypt in the U.S.
10. There is no serious trade between the EU and Middle Eastern countries.
11. There can be no agreement on the situation in the Middle East.
12. There was no improvement in the American economy.

И. **Having: у + кого versus в + чем.** So far "having" has been expressed only with an **у кого** construction. That works nicely for people and for countries, which are often personified. But *things* often "have" with a **в чём** construction.

У москвичей есть метро. *Moscovites have* a metro.	*BUT*	В Москве есть метро. *Moscow has* a metro.

With this in mind translate the sentences below.

1. The delegates have a new agreement.
2. The agreement had conditions for information exchange.
3. The embassy has no hidden (скрытые) microphones.
4. China has a big army.
5. The Library of Congress has publications (публикации) on U.S. weapons.
6. The deputy minister had a new proposal.
7. Japan has no natural resources (природные ресурсы).
8. The paper had an article on national security.
9. The president had an interesting statement.
10. The magazine has an interesting editorial.

К. **To have and to have not.** Study Table 1 above and Table 3 at the end of Unit 5. Translate the sentences. Then restate them in the affirmative (engaging in occasional wishful thinking or unbridled pessimism).

1. We have no diplomatic relations with North Korea.
2. These developing countries do not have claims on each other.
3. We do not have time to negotiate a settlement (урегулирование).
4. Venezuela does not have good relations with the U.S.
5. Our army does not have chemical weapons.
6. George Bush did not have good ideas about the stock exchange.
7. Your group will not have the opportunity to visit NATO headquarters (штаб-квартира НАТО).
8. Moscow did not have an air defense (противовоздушная оборона) system.
9. The laboratory does not have modern equipment (оборудование).
10. The developed countries do not have such weapons.

Л. **Числительные.** Put the numbers and nouns into the correct form. Consult the appendix.

1. На конференцию приехали делегаты из более, чем [35 countries] _____.

2. Средний рабочий работает с [nine o'clock] _____ утра до [five o'clock] _____.

3. Годовая экономическая эффективность проекта может дойти до[600,500 rubles] _____.

4. В демонстрации приняло участие около[54,000 people] _____ из _____ [twenty-nine countries] _____.

5. От решений всего лишь [two people] _____ зависят судьбы [of millions of Africans] _____.

6. Около[80 percent] _____ земли данной страны находится в руках[of 41 families] _____.

7. На острове Диксон завершена работа группы [52 geologists] из [12 countries] _____. Ученые перезимовали на острове, где температура ночью доходит до[65 degrees] _____ мороза.

8. Согласно данным США, «ограниченный» советский военный контингент, размещенный в Афганистане в 80-х годах, состоял из [95,000 troops] _____.

9. В ядерных арсеналах обеих стран находится около [100,000 warheads] _____.

10. ГлавУпДК (Главное Управление по обслуживанию дипломатического корпуса при МИД Росси) обслуживает сотрудников [138 embassies] _____.

ГРАММАТИЧЕСКОЕ УПРАЖНЕНИЕ НА КОНСТРУКЦИИ «-ТО, -НИБУДЬ AND НИ- ... НЕ…»

Раскройте скобки. Fill in the blank with **-то, -нибудь,** or **-ни...не** constructions. Use the following words: **что-то, кто-то, как-то, почему-то, где-то, куда-то, когда-то** or their **-нибудь** or **ни-...** не equivalents. Remember that the **что-** and **кто-** parts of these words decline.

1. Корреспонденты спрашивали [someone] _____ об этом?
2. Блейк [never] _____ был в Кремле.
3. По-моему,[(to) someone] _____ сообщили об изменении в повестке дня, но [for some reason] _____ [no one] _____ из нашей группы не знал об этом.
4. Вы [ever] _____ видели такое выступление?
5. У нас [at one time] _____ были нерешённые вопросы.
6. Не волнуйтесь, мы [somehow] _____ решим этот вопрос.
7. В договоре есть [something] _____ об обменах студентами?
8. Вы ищете нашего партнёра? Он [anywhere] _____ не ушёл. Вот он сейчас идёт.
9. В договоре [nowhere (are there to be found)] _____ необходимых условий.
10. Напишите [something] _____ о нашем проекте!

ГРАММАТИКА: ДЕЕПРИЧАСТИЕ — ВВЕДЕНИЕ (VERBAL ADVERBS)

Verbal adverbs are a cross between a verb and an adverb. Therefore, they have some characteristics of both verbs (transitive/intransitive, case government, reflexive **–ся** ending, aspect), and adverbs (no change for gender, number, and case; they modifie the predicate verb).

Look at the phrases below:

Слу́шая ле́кцию, они́ де́лали поме́тки.
Listening to the lecture, they took notes.

Интересу́**ясь** поли́тикой, он регуля́рно чита́ет газе́ты.
Taking interest in politics, he regularly reads newspapers.

Подписа́**в** догово́р, сто́роны откро́ют но́вую э́ру в росси́йско-кита́йских отноше́ниях.
(By) signing the treaty, both sides will open a new stage in Russo-Chinese relations.

Verbal adverbs do not express tense. They indicate the *circumstances of action of the predicate*: when – **когда́**, why – **почему́**, under what circumstances – **при како́м усло́вии**.

Слу́шая ле́кцию, они́ де́лали поме́тки.
Когда́ они́ де́лали поме́тки? Когда́ они́ **слу́шали** ле́кцию.

Интересу́ясь поли́тикой, он регуля́рно чита́ет газе́ты.
Почему́ он регуля́рно чита́ет газе́ты? Потому́ что он **интересу́ется** поли́тикой.

Подписа́в догово́р, сто́роны откро́ют но́вую э́ру в росси́йско-кита́йских отноше́ниях.
При како́м усло́вии сто́роны откро́ют но́вую э́ру в росси́йско-кита́йских отноше́ниях? Если они́ **подпи́шут** догово́р.

ДЕЕПРИЧАСТИЕ НЕСОВЕРШЕННОГО ВИДА (IMPERFECTIVE VERBAL ADVERBS)

Now look at the following sentences and their translations:

Отвеча́я на многочи́сленные вопро́сы, росси́йский представи́тель рассказа́л о существу́ющих ме́рах по охра́не окружа́ющей среды́.	*While answering* numerous questions, the Russian spokesman recounted existing measures for environmental protection.
Рассчи́тывая на пост в но́вой администра́ции, он зайгрывает с демокра́тами.	*Hoping to get* a position in the new administration, he flirts with Democrats.
Не понима́я су́ти рефо́рм, невозмо́жно их провести́ в жизнь.	It is impossible to implement reforms *without understanding* their meaning.

Note that "without doing something" is always rendered with a verbal adverb as above.

These are **imperfective verbal adverbs**. They are made of imperfective verbs and denote *an action simultaneous with the action of the predicate.*

You can replace verbal adverbs by clauses of time: **когда́, в то вре́мя как**..., cause: **потому́ что, так как**..., and condition: **е́сли**, etc.

В то вре́мя, как (когда́) росси́йский представи́тель отвеча́л на многочи́сленные вопро́сы, он рассказа́л о существу́ющих ме́рах по охра́не окружа́ющей среды́.

Е́сли не понима́ть су́ти рефо́рм, их невозмо́жно провести́ в жизнь.

Он зайгрывает с демокра́тами, **так как (потому́ что)** он рассчи́тывает на пост в но́вой администра́ции.

As you can see, both active participles (discussed in Unit 3) and imperfective verbal adverbs usually correspond to the *–ing* participles in English.

You can identify imperfective verbal adverbs by the **–а, –я** ending: **сокраща́я, добива́ясь, слы́ш**а.

There are a few exceptions:

1. All **-а́вать** verbs (**дава́ть, узнава́ть, признава́ться**) end in **–авая: дава́я, узнава́я, признава́ясь**.

2. Verbs of lying, sitting, and standing: **лежа́ть — лёжа; сиде́ть — си́дя; стоя́ть — стоя́**.

ДЕЕПРИЧАСТИЕ СОВЕРШЕННОГО ВИДА (PERFECTIVE VERBAL ADVERBS)

Now look at the following sentences and their translations.

В «торго́вой войне́» пе́рвыми откры́ли огонь США, **потре́бовав** от ЕС значи́тельных усту́пок.	In the trade war, the US was the first to open fire, *(by) requesting/having requested* considerable concessions from the EU.
Размести́в необходи́мые си́лы вдоль грани́цы, партиза́ны смо́гут контроли́ровать ситуа́цию.	*Once* necessary forces *are deployed* along the border, guerrillas will be able to control the situation.

These are **perfective verbal adverbs**. They are made of perfective verbs and denote *an action prior to the action of the predicate*. They frequently correspond to "having done," "after...," "upon...," "once..." constructions in English.

However, Russian is usually more exact than English. Hence perfective verbal adverbs are more frequent in Russian than in such English constructions as "having done." English often uses an *–ing* form even when the action described precedes the action of the predicate.

Отказа́вшись от морато́рия на испыта́ния я́дерного ору́жия, США по́лностью разоблачи́ли себя́.	The US has shown its true nature *by turning down* the moratorium on nuclear testing.

You can replace verbal adverbs by clauses of time: **когда́, по́сле того́, как** ..., cause **потому́ что** ..., **так как** ... , and condition: **е́сли**, etc.

В «торго́вой войне́» пе́рвыми откры́ли ого́нь США, **по́сле того́ как** они́ **потре́бовали** от ЕС значи́тельных усту́пок.

США по́лностью разоблачи́ли себя́, **когда́** они́ **отказа́лись** от морато́рия на испыта́ния я́дерного ору́жия.

or (depending on the context)

США по́лностью разоблачи́ли себя́, **так как** они́ **отказа́лись** от морато́рия на испыта́ния я́дерного ору́жия.

Партиза́ны смо́гут контроли́ровать грани́цу, **е́сли** они́ **размести́т** вдоль неё необходи́мые си́лы.

You can identify perfective verbal adverbs by the **–в(ши)** ending: **сыгра́в**, **заинтересова́вшись**.

If the infinitive ends in **–ти,** replace the future tense ending (**–ут, –ют, –ят**) with **–я** as if forming an imperfective verbal adverb:

прийти́	→	**приду́т**	→	**придя́**
принести́	→	**принесу́т**	→	**принеся́**

ТАБЛИЦА 3. ДЕЕПРИЧАСТИЕ

	IMPERFECTIVE	**PERFECTIVE**
Infinitive, они-form past (where useful)	**чита́ть (чита́ют)** **по́льзоваться (по́льзуются)** **да́вать** **приходи́ть (прихо́дят)**	**прочита́ть (прочита́л)** **воспо́льзоваться (воспо́льзовался)** **да́ть (дал)** **прийти́**
Simultaneous with main verb (while doing)	**чита́я** – while reading **по́льзуясь** – while using **дава́я** – while giving	NO SUCH FORM
Previous to main verb (after doing)	NO SUCH FORM	**прочита́в** – after reading **воспо́льзовавшись** – after using **дав** – after giving **придя́** – after arriving

ГРАММАТИЧЕСКИЕ УПРАЖНЕНИЯ НА ДЕЕПРИЧАСТИЯ (VERBAL ADVERBS)

А. Употребление деепричастий. Read all the grammar on verbal adverbs. Review their formation. Find verbal adverbs in the text and determine the reason for their occurrence.

Б. Образование причастий. Make verbal adverbs from the verbs below.
стремиться
становиться/ стать
считать
выступать / выступить
избавляться / избавиться
подрывать / подорвать
развивать / развить
сопровождаться
вставать / встать
упорствовать

В. Перепешите предложения. Make one sentence out of two by forming a verbal adverb out of the italicized verb; make necessary changes. Be able to translate your sentence.

Образец: Великобритания **начала** сокращать свои стратегические силы. Тем самым она поставила под угрозу безопасность своей территории.

> **Начав** сокращать свои стратегические силы, Великобритания поставила под угрозу безопасность своей территории.

1. В «торговой войне» первыми открыли огонь Соединённые Штаты. Они **потребовали** от ЕС значительных уступок (concessions).
2. За последнее время США усилили нажим (pressure) на партнёров по ВТО. Они **стремятся** заставить их добровольно оплачивать свой огромный торговый дефицит.
3. Япония уже выкрутила руки (twisted the arm to) Сингапуру. Она **добилась** «добровольного» (voluntary) сокращения текстильного экспорта.
4. Госсекретарь **рассказывал** о последнейвстрече. Он сказал, что обе стороны искренне стремились к успешному завершению (completion) её.
5. Т. Трентон **говорил** об отношении Англии к вопросам обороны. Он отметил, что позиция Англии к ним не изменилась.
6. Сначала ОПЕК **отказалась** (reject) от фиксированных цен на нефть. Вскоре же она была должна снизить цены до 75 долларов за баррель.

Г. Перепишите предложения. Replace adverbial clauses in the sentences below with verbal adverbial constructions. Be able to translate the latter into English.

Образец: **В то время, как** нефтедобывающие страны **пытаются** найти выход из создавшегося положения (way out), они переходят к займам (loans) на ещё более жестких условиях (rigid conditions).

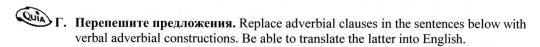

Пытаясь найти выход из создавшегося положения, нефтедобывающие страны переходят к займам на ещё более жёстких условиях.

1. Переговоры он ведёт «спустя рукава», т.е плохо, **так как** он не **собирается** заключать соглашения.
2. **После того как** администрация **сослалась** (refer) на этот факт, она решила компенсировать свои неудачи нажимом на штаб-квартиру ЕС.
3. **В то время как** президент **подчёркивал** мирное назначение (purpose) этих противоракетных космических станций, он сказал, что он готов поделиться (share) новой техникой с русскими.
4. **Когда** военные-учёные **возражали** (object) президенту, они говорили о наступательном (offensive) потенциале нового оружия.
5. **Так как** мы **предполагаем**, что это заявление верно отражает (reflect) позицию президента, мы хотели бы задать три вопроса.
6. **В то время как** президент США **оценивал** общие результаты встречи, он сказал, что в Женеве был достигнут (was reached) значительный прогресс.

Д. Раскройте скобки. Be able to translate these sentences into English.

1. [putting] _____ на повестку дня вопрос о контроле над вооружениями, РФ продемонстрировала свою решимость бороться за мир.

2. [by not having included] _____ РФ в переговоры, США исключили возможность решения ближневосточной проблемы.

3. Во время обмена мнениями стороны, [having announced] _____ о своей заинтересованности подписать соглашение, назначили дату следующей встречи.

4. [giving a speech] _____ с приветственной речью, президент отметил недавний прогресс в американо-российских отношениях.

5. Мы ставим под угрозу нашу национальную безопасность, постоянно [importing] _____ высокосовременную технику из Японии.

E. Перевод.

1. Addressing a session of the European Parliament, the French representative paid special attention to the new EC agricultural policy.
2. By not having paid attention to the energy problem in the 1970s, we have to buy much foreign oil now.
3. Having questioned the idea of non-proliferation, Iran threatens the idea of non-use of nuclear weapons.
4. Will old neighbors get rid of its claims against each other having developed its own nuclear weapons?
5. This high-ranking official can testify to the improvement of the political climate in his country only by placing the issue sanctions on the agenda.

ЦИТИРОВАНИЕ ИСТОЧНИКОВ (QUOTING SOURCES)

In English "sources" can speak: *Well informed sources said yesterday that...*

In Russian «исто́чники» cannot «говори́ть»:

ИЗ	Adjective	источников (*gen.*)	Further qualification (*gen.*)	formula
Из	журнали́стских вое́нных секре́тных америка́нских достове́рных	исто́чников	Пентаго́на Бе́лого до́ма ЦРУ ФСБ	стало изве́стно,что... о...

Из достоверных источников ФСБ стало известно, что предпринимаются новые меры по борьбе с организованной преступностью.

Reliable sources inside the FSB say that new measures against organized crime are being undertaken.

УПРАЖНЕНИЯ НА УСТНУЮ РЕЧЬ

А. Цитирование источников. *Процитируйте следующие предложения, используя:*

из вое́нных исто́чников ста́ло изве́стно, что ...
из исто́чников Пентаго́на ста́ло изве́стно о ...
по мне́нию специали́стов, ...

1. Междунаро́дное сообщество вы́нуждено вновь обрати́ться к гла́вной пробле́ме мину́вшего столе́тия – контро́лю над ору́жием ма́ссового пораже́ния.
2. Хотя́ Тегера́н не заявля́ет откры́то о свои́х наме́рениях разраба́тывать я́дерное ору́жие, существу́ет информа́ция в по́льзу этого.
3. Лу́чше всего́, е́сли отка́з от (подо́бного) ору́жия бу́дет сопровожда́ться сня́тием торго́вых ограниче́ний для тех, кто встал на путь исправле́ния.

Б. Если вы согласны... Если вы хотите выразить своё согласие или несогласие с автором, вы можете сказать:

я (не) согла́сен с тем, что ...
я (не) согла́сна с тем, что...

Чтобы объяснить, почему вы согласны или не согласны, вы можете начать словами:

де́ло в том, что ...

Образец: **Я не согла́сна с тем, что** са́нкции провали́лись. **Дело в том, что** прошло́ сли́шком ма́ло времени, что́бы уви́деть их результа́т.

Выразите своё согласие или несогласие, используя следующие предложения:

1. Круше́ние коммуни́зма в Восто́чной Евро́пе и распа́д СССР привели́ к разря́дке междунаро́дной напряжённости.
2. Сего́дня контро́ль над ору́жием ма́ссового пораже́ния не явля́ется гла́вным пу́нктом пове́стки дня на междунаро́дных конфере́нциях.
3. Не́которые стра́ны, в ча́стности, Ира́н и Се́верная Коре́я, отка́зываются прояви́ть реали́зм и до́брую во́лю и я́вно стремя́тся к облада́нию я́дерным ору́жием.
4. Поли́тика, проводи́мая Ира́ном и Се́верной Коре́ей, не спосо́бствует превраще́нию азиа́тского контине́нта в зо́ну ми́ра и стаби́льности.

В. Ваше мнение? Выразите своё мнение о следующих предложениях, используя:

я ли́чно ду́маю, что ...   дело в том, что ...
мне ка́жется, что, ..   ведь ...

1. Ядерное ору́жие сего́дня не игра́ет загла́вной ро́ли для безопа́сности в ми́ре.
2. Ира́ну и Се́верной Коре́е сле́дует прояви́ть реали́зм и до́брую во́лю.
3. Но́вые стратеги́ческие партнёры, Росси́я и Соединённые Шта́ты, уже́ не испы́тывают ста́рого стра́ха пе́ред ору́жием, спосо́бным в одно́ мгнове́ние уничто́жить миллио́ны челове́ческих жи́зней.

Г. Вопросы. Отве́тьте на следующие вопро́сы по тексту уро́ка, цити́руя текст статьи́, соглаша́ясь или не соглаша́ясь с автором и выража́я своё мнение.

1. К како́й пробле́ме вы́нуждено обрати́ться мирово́е сообщество?
2. К чему́ привело́ круше́ние коммуни́зма и распа́д СССР?
3. Почему́ ли́деры я́дерных держа́в подтвержда́ют свою́ гото́вность исключи́ть саму возмо́жность примене́ния ору́жия ма́ссового пораже́ния?
4. Каки́е существу́ют ви́ды ору́жия ма́ссового пораже́ния?
5. Как должна́ испо́льзоваться поли́тика кнута́ и пря́ника в борьбе́ с распростране́нием ОМП?
6. Что отка́зываются де́лать Ира́н и Се́верная Коре́я?

Д. Пересказ. Расскажите Урок 5, цитируя текст статьи, соглашаясь или не соглашаясь с её автором и выражая своё мнение. Не забывайте цитировать источники, (не) соглашаться и выражать своё мнение!

Е. Маленькая история. Расскажите маленькую историю на тему статьи, используя следующие выражения. Не забывайте цитировать источники, (не) соглашаться и выражать своё мнение!

... sources said that ...; to put the question of .... ; on the agenda; to achieve ... in forthcoming negotiations; prevention of a threat of a new war; to contribute to ... in international relations; to state one's readiness to ...

Ж. Пресс-конференция 1. Опишите пресс-конференцию российского президента по вопросу нераспространения ядерного оружия и об ограничении военных конфликтов в мире. Не забывайте цитировать источники, (не) соглашаться и выражать своё мнение!

3. **Пресс-конференция 2.** Опишите пресс-конференцию российского президента по вопросу национальной противоракетной обороны (НПРО) и размещения этого оружия в Польше и Чехии.

@ **И. Разговор.** Прослушайте разговор двух журналистов до пресс-конференции в МИД РФ после очередного круга переговоров по нераспространению ядерного оружия и разыграйте его с другим студентом.

Вероника:	Честно говоря, идти даже не хочется. Пустая болтовня!
Антон:	Ты чего сегодня такая негативная?
Вероника:	Вся идея контроля над нераспространением безнадёжная. Уже после ударов НАТО по Белграду во время войны в Косово все затряслись от страха. А уж когда Буш начал войну против Ирака, стало ясно, что без ядерной бомбочки - ну хоть масенькой — нет никакой гарантии, как там бишь на официальном языке, ни «национальной безопасности, ни территориальной целостности».
Антон:	Наконец-то ты прозрела! Я говорил с Алексеем — ты помнишь, физик такой лохматый, который ударился в политологию - и он сказал, что распространение ОМП — это реальность и что к середине 20-х годов будет много «неофициальных членов ядерного клуба». Этот процесс невозможно контролировать.
Вероника:	Страшненько, но если разобраться, из так-называемой «оси зла» остались Северная Корея и Иран. Северная Корея хочет просто очередную «взятку»: кушать-то надо! Так она и будет доить развитые страны. Зачем ей начинать войну! Конечно, при желании можно изобрести ещё какую-нибудь «империю зла» и дразнить её, но с ресурсами напряг!
Антон:	Ну а Иран не начинал войн 500 лет, только отвечал на нападения. Я лично не верю, что он хочет ядерное оружие для наступательных целей. Но, конечно, остаются террористы. Что будет, если ядерные материалы попадут в «плохие руки»?
Вероника:	Я интервьюировала такого Леонида Большого, из НИИ по развитию технологий для безопасного использования ядерной энергии. Он мне сказал, что без помощи государства сделать настоящую ядерную бомбу очень трудно. А «грязная бомба» создаёт больше паники, чем вреда. Если её взорвать, то можно загрязнить максимум квартал, т.е. дать облучения немножко больше, чем мы получаем от земли, свой 2.5 – 3 миллирэма, просто живя на ней, и это не считая рентгена!

Антон: Да, я зна́ю. Наш генети́ческий тип приспосо́блен к определённому у́ровню радиа́ции. Если его́ отня́ть, мы про́сто ру́хнем! Предста́вь себе́, что в не́которых райо́нах Финля́ндии радиа́ция от Земли́ в 8 раз вы́ше но́рмы, а во Фра́нции в 20! И ничего́: живу́т себе́ припева́ючи!

Вероника: И ты собира́ешься излага́ть таки́е криминальные взгля́ды на пресс-конфере́нции?

Антон: Бо́же упаси! Это то́лько для закры́того кру́га.

Вероника: Похо́же, я в него́ вхожу́.

Антон: Без сомне́ния, вхо́дишь!

Полезные слова

гря́зная бо́мба – dirty bomb

до́ить – to milk (for bribes)

дразни́ть – to tease

загрязни́ть кварта́л – to pollute a block

затрясти́сь от стра́ха – to shake with fear

лохма́тый – shaggy

ма́сенькая – ма́ленькая

миллирэ́м – milliram

напря́г – too much

облуче́ние – radiation

очередна́я «взя́тка» – another bribe

попа́сть в «плохи́е ру́ки» – to fall into bad hands

припева́ючи: жить себе́ припева́ючи – to live nicely

приспосо́блен, приспосо́блена, -о, -ы к – suited for

пуста́я болтовня́ – empty talk

разобра́ться: е́сли разобра́ться – if you think about it

ру́хнуть: мы про́сто ру́хнем – we will collapse

создава́ть бо́льше па́ники, чем вреда́ – to cause more panic than harm

уда́риться *во что* – to get excited *about something*

УПРАЖНЕНИЕ НА ЧТЕНИЕ 1

Предтекстовые упражнения

А. The main idea. Read the headline and first paragraph of the story for the main idea of the article.

Б. The main players. Who or what is each of the following:

ИТАР-ТАСС	МАГАТЭ
ОМУ	Гаагский кодекс
Сергей Кисляк	Совет Безопасности ООН
ДНЯО	МИД РФ
КНДР	

В. Kislyak's main point. Before give the rest of the article a close reading, predict which of the following statements best sums up Kislyak's sentiments.

    a. We must enforce the current Hague protocols.
    b. Non-proliferation rules will require more teeth.
    c. More sanctions are required against Iran and North Korea.
    d. Russia has been doing its fair share of policing non-proliferation.

As you read the article, find the key phrase or phrases that backs up your assumption.

Г. Experts say what? Put together phrases that match the information in the article.

100 countries	would have	chemical weapons	if not for current restrictions
80 countries	will have	WMDs	even with the Hague protocol
45 countries	are like to get	nuclear weapons	because of sanctions
	will give up	biological weapons	without tougher measures

Д. Контекст для слов. Find contexts for the following phrases:

    тупико́вая ситуа́ция – no-win situation
    внима́ние *к чему* **осла́бло** (< **осла́бнуть** = **стать слабе́е**)
    усло́вия *для чего* – conditions *for something*
    присоедине́ние < **при + соедин…** – joining
    нара́щивать уси́лия – to increase efforts
    до́ступ *к чему* – access *to something*
    режи́м – regimen; method; protocol. *Only rarely does it mean "regime."*
    обзавести́сь *чем* – to come into possession *of something*

ТЕРРОРИСТЫ МОГУТ ДОСТАТЬ ОРУЖИЕ МАССОВОГО ПОРАЖЕНИЯ

Дискуссия конференции по нераспространению.

19 сентября. *ИТАР-ТАСС*. Угроза попадания оружия массового уничтожения (ОМУ) или его компонентов в руки террористов сохраняется. Об этом говорится в докладе заместителя министра иностранных дел РФ Сергея Кисляка на Второй международной конференции по нераспространению ОМУ, открывшейся сегодня в Москве. В работе этого форума принимает участие свыше 300 политиков, дипломатов и экспертов из 38 стран и 3 международных организаций.

По словам С. Кисляка, положение дел осложняется и тем, что «из Договора о нераспространении оружия массового уничтожения (ДНЯО) вышла КНДР, у МАГАТЭ появились конкретные вопросы относительно ядерной программы Ирана». «Не способствует делу нераспространения и тупиковая на сегодняшний день ситуация со вступлением в силу Договора о всеобъемлющем запрещении ядерных испытаний. После принятия Гаагского кодекса о нераспространении ракетного оружия международное внимание к этой проблеме ослабло. Мы убеждены, что требуется развитие и совершенствование этого соглашения с тем, чтобы вырабатывать не декларативные, а юридически обязывающие нормы ракетного нераспространения и создать условия для присоединения к кодексу тех государств, ради которых он, собственно, и задумывался. Безусловно, требуется стимулировать многостороннее и двустороннее сотрудничество по вопросам нераспространения, усиливать центральную и координирующую роль ООН и Совета Безопасности, наращивать глобальные усилия для противодействия доступу террористов к ОМУ или его компонентам, ускорить работу над соответствующими контртеррористическими конвенциями», — указал высокопоставленный представитель МИД РФ.

Вместе с тем, по оценкам специалистов, если бы не действующая международно-правовая база, накладывающая запреты или ограничения на распространение всех видов ОМУ, а также многосторонние и национальные режимы экспортного контроля, сегодня 40-45 государств смогли бы обзавестись ядерным оружием, около 100 государств имело бы возможность развернуть промышленное производство химического оружия, более 80 стран - наладить массовое производство биологического оружия.

по материалам Андрея Нарышкина

Послетекстовые упражнения (Using sentence structure)

Reference words: Sometimes a sentence contains words, often pronouns or conjunctions, which point to things or events from the previous sentence or paragraph. These words signal that you should look back to find out what is being *referred* to.

1. In the first sentence of the first paragraph, circle the word to which **его** refers.

2. In the second sentence of the same paragraph, find the words to which **об этом** refers.

3. In the third sentence of the same paragraph, find the words to which **этого форума** refers.

4. In the last sentence of the same paragraph, a comma after **политиков** sets off…
    a. an ennumeration
    b. a noun phrase

5. In the first sentence of paragraph 2, a comma after **и тем** sets off…
    a. a subordinate clause
    b. an independent (main) clause

6. In the same sentence, a comma after **КНДР** sets off…
    a. the end of a subordinate clause
    b. the end of a phrase

7. In sentence three of the second paragraph, circle the word to which **к этой проблеме** refers.

8. In the fourth sentence of the same paragraph, a comma after **государств** sets off…
    a. a clause
    b. a phrase

7. In the same sentence, a comma after **собственно** sets off...
    a. detached words
    b. a transition marker

Translate paragraph 2.

Послетекстовые упражнения (Using context)

1. **Словообразование.** The noun **тупи́к** means *dead-end* in English. What would be an English equivalent to **тупико́вая ситуа́ция**?

2. Find Russian equivalents for

    to come into effect (about a law)
    legally committing norms
    exsisting international law fundamentals
    to impose bans and limitations

3. Make a list of words that you can use to talk about security.

УПРАЖНЕНИЕ НА ЧТЕНИЕ 2

Предтекстовые упражнения

A. Russian editorial structure. Editorials and op-ed articles in the American press by and large follow a standard formula:

   1. State the premise: *Russia and the U.S. must cooperate in thwarting terrorist attempts to get hold of nuclear weapons.*
   2. Support the premise: *The nuclear threat of a superpower stand-off disappeared with the end of the Cold war. And, while Iran and North Korea scare some, at least they are nation-states. But nuclear weapons in the hands of terrorists represent a threat to humanity that knows no national borders.*
   3. Draw a conclusion. *However bad U.S. the Russian relations may be, this is a threat we can agree about.*

To American readers Russian editorial style appears to meander more. Articles often begin with generalities and miscellaneous background information. The article's premise is often buried further in amid a forest of qualifying phrases.

Glance over the article briefly and determine which paragraph contains the premise stated above in A–1.

Б. Нужные слова и нужные абзацы

   Lead paragraph
   о́чередь – queue; turn: **в пе́рвую о́чередь** – to begin with
   очередно́й – regularly scheduled (*one of a series of things in a queue*)
   пе́речень – list

   Read the lead paragraph. Does it contain material that directly relates to the premise?

Body Paragraph 1
суть – essence
гибнуть / погибнуть – to perish
затрагивать – to treat; to analyze
недальновидность – не + даль – far + вид – sight
оружие массового поражения = оружие массового уничтожения
сбой техники – technical failure
сознательный – premeditated
угол – angle: **под разными углами** – from various angles
халатность – negligence

Now, before reading in greater detail, determine which phrases logically match the two consequences given:

Phrases	Consequences
недальновидность	*nuclear war between superpowers*
сбой техники	
сознательное применение ОМП	
халатность	*terrorist involvement with WMDs*

To what extent does this paragraph state the main premise in full?

Body Paragraph 2
равновесие < **равно-** 'equi' + **-вес-** 'weight' (Latin *-libr-*)
вычеркнуть из списка – to cross off (something) on a list

Does this paragraph directly concern the main premise?

Body Paragraph 3
ажиотаж – uproar (*cf.* agitation)
ведущий – leading
дать о себе знать – *lit.* to let oneself be known, *i.e.* to rear its [ugly] head
держава = государство; страна
наличие *чего* – presence *of something*
при всём при том – given all that; all things considered
самоуспокоенность < **само-** 'self' + **-успокой-** 'calm', i.e. letting one's guard
   down

Which best summarizes the message of this paragraph:
a.   Rogue states are basically terrorist-states.
b.   North Korea and Iran are easier to deal with than terrorists.
c.   Terrorists can count on support from North Korea and Iran.

Body Paragraph 4

обладáть *чем* – to have possession of; to have control over *something*
при *чем* – accompanied by; in the presence of *something*
приобрестú – to aquire
разумéется = ясно; конечно
стремлéние – striving
целенапрáвленный < **цель** 'goal' + **направ-** 'direction'

To what extent does this paragraph summarize the article's main point?

Body Paragraph 5

безуслóвно < **без** + **услов-** 'condition' – absolutely
дéскать – so to speak; as they say
подразумевáть < **под–** 'sub' + **разум** 'understanding' – to assume
подтвердúть < **под–** 'from under' + **твёрд-** 'hard'; 'firm' – to confirm
причём – moreover
сéтовать на *что* – to argue for; to rally for *something*
сущéственно < **суть** 'essence'; **существó** 'being' – substantively

Does this paragraph state the thesis, support it, or give additional background information?

Body Paragraphs 6 and 7

допустúть – to allow
речь идёт *о чём* – what we're talking about is *something*
столь – such a (*when talking about size*)

Does this paragraph state, support, or summarize the thesis? Or does it give additional background information?

Ядерный клуб для чужих

Во время очередного саммита «Россия — США» комментаторы, как обычно, в первую очередь вспоминают длинный перечень проблем и разногласий в двусторонних отношениях. Их немало.

Одна из таких проблем объективно затрагивает не только базовые стратегические интересы России и Соединенных Штатов, но и права и интересы всех людей на Земле. Суть этой проблемы в том, что человечество по-прежнему, рискуя погибнуть от чьей-то недальновидности, халатности или сбоя техники, сталкивается с новой угрозой — угрозой сознательного применения ОМП в террористических целях.

Было время, когда ядерное оружие считалось гарантией стабильности и равновесия в мире. После конца Холодной войны многим показалось, что проблемы ядерного оружия можно вычеркнуть из списка задач мировой повестки дня.

Результаты самоуспокоенности ведущих мировых держав дали о себе знать в 90-е годы. Сейчас у всех на слуху разговоры о наличии у Северной Кореи ядерного оружия, а также военно-дипломатический ажиотаж вокруг характера ядерной программы в Иране. При всем при том эти случаи имеют одну важную особенность: и КНДР, и Иран — суверенные государства, а не разбросанные по миру бандитские формирования с неясной структурой.

Иное дело — современный терроризм. Уже не осталось сомнений в целенаправленном стремлении террористических организаций приобрести оружие массового поражения, в т.ч.

ядерное. А кто возглавит новый этап борьбы за нераспространение ОМП? Разумеется, те, кто обладает самыми обширными политическими, военными и техническими возможностями — Россия и США, — при активном участии и других трех членов «ядерного клуба».

Причем России активное участие в борьбе с распространением ОМП дает прекрасную возможность подтвердить свою заявку на активное участие в мировых делах. Безусловно, в последние годы Россия существенно активизировала свою внешнюю политику на многих направлениях. Почему же в таком случае многие в России продолжают сетовать на то, что та же Америка, дескать, не желает разговаривать с нами «на равных»? Разговор на равных подразумевает не только равенство «веса» партнеров, но и одинаковую степень готовности и способности к практическим действиям.

Попадание оружия массового поражения в руки террористов станет фатальной угрозой для всего человечества. Чтобы не допустить столь драматического сценария, необходимо сделать вопрос нераспространения ОМП и борьбы с терроризмом главными пунктами повестки дня российско-американских переговоров.

Речь идет не более и не менее как о праве каждого человека и всего человечества на жизнь.

Послетекстовые упражнения (Using sentence structure and context)

1. In the lead paragraph, circle the word to which **их** refers.

2. Circle the words to which **таких проблем** in the first sentence of the first paragraph refer.

3. In the second sentence of the first paragraph, four commas are used. What do they set off?

    Translate this sentence into English.

4. In the third sentence of paragraph 3, the construction **и ..., и** ... is used for ...
    a. emphasis
    b. enumeration

5. In the fouth sentence of paragraph 4, circle the word to which **те** refers.

6. To which words in paragraph 5 does **в таком случае** refer?

7. **Словообразование**

    *   **Халат** means *bathrobe,* i.e. something you wear before or after a shower, explain how the word **халатность** could have acquired its meaning.

    *   One of the meanings of **слух** is *hearing*. What is the English for **быть у всех на слуху?** What other words of the same root do you know?

УПРАЖНЕНИЕ НА ЧТЕНИЕ 3

Предтекстовые упражнения

A. Background. The next article hews closely to the source from which it was taken. Find the source of the material. On that basis decide what the style of the article is likely to be:

   a. Straight news reportage: just the facts, no additional commentary
   b. Tirade – vicious attack on certain countries and/or political personalities
   c. Analysis – Analytical piece following the style of Reading Exercise 2
   d. Dip-speak – carefully worded phrases found in the language of public diplomacy

Б. Нужные слова

всеобъемлющее < **все** + **объём** '(geometrical) volume' – all encompassing
выступа́ть *за что* – to come out for; to lend support to
доста́вка – delivery
коренно́й < **ко́рень** – root
на протяже́нии *чего* – over the course of + *time period*
надлежа́щим о́бразом – properly
наме́рен – intent on
поощря́ть *чему* – to approve of; encourage *something*
после́довательный – consistent
предотвраще́ние – prevention
приве́рженность *чему* – loyalty *to something*
соверше́нствовать < **совершен-** 'perfect'; 'successful finishing'
соде́йствие *чему* – assistance *to*; encouragement *of something*

Китай категорически отказывается от распространения различных видов оружия массового поражения и средств его доставки

В Белой книге "Политика и меры Китая по нераспространению оружия массового поражения (ОМП)", опубликованной Пресс-канцелярией Госсовета КНР 3 декабря, подтверждается приверженность КНР позиции категорического отказа от распространения различных видов ОМП и средств его доставки. Китай не намерен поддерживать, поощрять и оказывать помощь ни одной стране в разработке ОМП и средств его доставки.

В книге отмечается, что Китай неизменно со всей серьезностью относится к международным делам, выступая за всеобъемлющее запрещение и окончательное уничтожение всех видов ОМП, включая ядерное, биологическое и химическое оружие. Китай считает коренной целью нераспространения ОМП обеспечение и содействие глобальному и региональному миру и стабильности. Все меры по нераспространению ОМП должны способствовать достижению этой цели.

В книге подчеркивается, что Китай выступает за достижение цели нераспространения ОМП мирным путем. С одной стороны, необходимо совершенствовать международный механизм нераспространения ОМП, совершенствовать и усиливать контроль над экспортом ОМП в разных странах; с другой стороны, проблемы распространения ОМП должны решаться путем диалога и международного сотрудничества. Для предотвращения распространения ОМП необходимо участие международного сообщества, понимание и поддержка со стороны самого большинства членов международного сообщества, а также необходимо обеспечивать справедливость, рациональность и равенство механизма нераспространения ОМП.

Кроме того, Китай считает необходимым надлежащим образом подходить к отношениям между нераспространением ОМП и международным сотрудничеством в области мирного использования высоких технологий. Необходимо обеспечивать право разных стран, особенно развивающихся, на мирное использование научно-технической продукции двойного назначения и категорически отказаться от распространения любой страной ОМП под предлогом его мирного использования.

Как отмечается в книге, на протяжении многих лет Китай шаг за шагом разрабатывал последовательную политику по нераспространению ОМП, создал законодательную систему о контроле над экспортом ОМП и предпринял действенные и конструктивные меры по строгому обеспечению контроля над экспортом ОМП, и тем самым внес важный вклад в обеспечение и содействие международному и региональному миру и безопасности.

ПОСЛЕТЕКСТОВЫЕ УПРАЖНЕНИЯ (USING SENTENCE STRUCTURE AND CONTEXT)

1. In the first paragraph, find the words to which **его доставки** refers.
2. Analyze the use of commas in the first sentence of paragraph 2.
3. In the same paragraph, find the words to which **этой цели** refers.
4. In the same paragraph, find several uses of commas for enumeration. Translate this paragraph into English.
5. Find the Russian equivalents for: *on the one hand, …on the other hand; step by step*

УПРАЖНЕНИЕ НА ЧТЕНИЕ 3

ПРЕДТЕКСТОВЫЕ УПРАЖНЕНИЯ

A. Using prediction strategies. Complete the following ideas with what you think the article will say. Then check to see if you were correct.

1. Recently Islamic Jihadists have called for using WMDs...

2. To get hold of WMDs, radicals must find... and befriend... and prepare the groundwork to...

3. Al Qaeda is calling on... to use their skills in creating WMDs.

4. Al Qaeda believes that the weapon that would kill the most Americans is...

5. A terrorist attack using WMDs would have the following consequences:...

Б. Нужные слова

вероя́тность – probability
вещество́ – (chemical) substance
заражённый – infected
испыта́ние – test
подводи́ть / подвести́ ба́зу – to prepare the groundwork
подразделе́ние – unit (in an organization)
примени́ть – to use
теоре́тик – theoretician. *Remember, the "doers" are masculine; things they do are feminine:* **матема́тик – матема́тика; поли́тик – поли́тика; полито́лог – политоло́гия;**
толпа́ – crowd
тща́тельно – carefully

Оружие массового поражения (ОМП) и радикальный исламизм

В последние годы идеологи всемирного движения джихада все чаще призывают к использованию ОМП против стран Запада. «Аль-Каида» неоднократно угрожала применить оружие массового поражения против США и их союзников. На различных радикальных исламистских сайтах можно встретить соответствующую пропагандистскую литературу. Теоретики современного радикального исламизма акцентируют внимание на нескольких аспектах данной проблемы.

Во-первых, получение доступа к ОМП. Рекомендуется искать вещества, необходимые для производства ОМП на территории бывшего СССР. Сотрудничать с режимами, которые обладают ОМП. Во-вторых, готовить специальные подразделения, способные выбрать цель и применить ОМП. В-третьих, подвести идеологическую базу для применения ОМП.

Лидер «Аль-Каиды» в Ираке Абу Хамза аль-Мухаджир призвал технических специалистов, химиков, физиков присоединиться к джихаду в Ираке: «Вы сможете применить свои научные знания в бою». Он предлагает испытать биологическое оружие и так называемую грязную бомбу против американских военных баз США в Ираке. «Американские военные базы — идеальное место для испытания биологических и грязных бомб».

Абу Шихаб аль-Кандагари, руководитель одного из радикальных исламистских форумов, опубликовал статью «Ядерная война — это решение по уничтожению США». Несмотря на то, что в ней не подведена идеологическая база, ее можно считать призывом к новому этапу противостояния «Всемирного фронта джихада» и Запада. В частности, в ней говорится: «Да, ты правильно прочитал название. Это единственный способ уничтожить максимальное количество американцев. Это ядерный террор, которого американцы никогда не боялись. У

«Аль-Каиды» есть «грязная бомба», которая накроет американские города, сделает эту нацию толпой зараженных и больных людей. США будут уничтожены, и это будет результат злоупотребления ядерной энергией против слабых».

Получение доступа к оружию массового поражения будет новым этапом в противостоянии «Всемирного фронта джихада» и стран Запада. Теракты с применением ОМП приведут к непредсказуемым последствиям, счет жертв будет идти на сотни тысяч. Использование ОМП приведет к гибели представителей различных религий, в том числе мусульман. Хотя теракты смертников также ведут к гибели мирных жителей, тем не менее разрушения и психологический эффект акций с использованием ОМП будут на несколько порядков выше. Поэтому авторы различных статей и книг, в которых они призывают к использованию ОМП, стараются тщательно подвести под это соответствующую идеологическую базу, оправдывающую массовую гибель мирных жителей. Расширение клуба стран — обладателей ОМП, ликвидация отдельных лиц с помощью радиоактивных веществ добавляют остроты проблеме, повышая вероятность попадания ОМП или составных компонентов для его производства в руки международных террористических структур.

По материалам Д.А. Нечитайло

ПОСЛЕТЕКСТОВЫЕ УПРАЖНЕНИЯ (USING SENTENCE STRUCTURE AND CONTEXT)

1. In the lead paragraph, find the words to which **данной проблемы** refers.

2. In the first sentence of paragraph ы3, a comma after **Абу Шихаб альКандагари** sets off…
    a.   a noun phrase
    b.   an adjectival phrase

3. Find a synonymous phrase for **в несколько раз больше.**

4. Make a list of words which you can use talking about terrorism.

(@) УПРАЖНЕНИЕ НА АУДИРОВАНИЕ

ДО ПРОСЛУШИВАНИЯ

А. О чём идёт речь. A Russian expert on nuclear non-proliferation is interviewed. He is asked about nuclear weapons in the hands of the leadership of Iran and North Korea. Before you listen, decide whether or not the guest is likely to make the following statements.

- ❏ Iran's quest for nuclear weapons has brought about a regional arms race.
- ❏ Iran is sure to use any nuclear weapon it develops against Israel.
- ❏ World powers should have direct talks with Iran.
- ❏ The solutions sought to limit North Korean development of nuclear weapons serves as a model for how to deal with Iran.
- ❏ Iran's will eventually turn away from developing nuclear weapons.

Now listen to the interview and determine if you were correct.

Б. Нужные слова и выражения

являться ключевым государством – to be a key country
большой Ближний Восток – the greater Middle East
либо ... либо – either ... or
пойти лавинообразно – to snowball
в лице *кого* – as embodied *by someone*
за исключением *чего* – with the exception *of something*
взрываться – to be exploded
использовать противостояние – to use opposition
разводить (развожу, разводят) – to divide
вносить/внести раскол – to sow dissension

В. Какие государства? The speaker listed a number of nations to make his point about proliferation in the Middle East. Which were mentioned and in what connection?

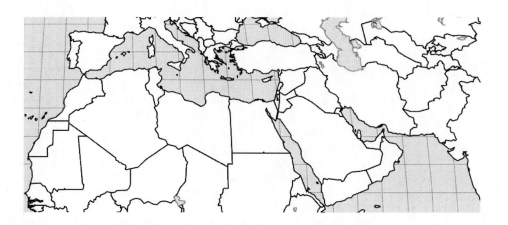

После прослушивания

Как сказать...? This interview provided many typical turns of phrase. Listen again and fill in the blanks based on what you heard.

1. Почти все проблемы имеют [significant connection] _____ с Ираном.

2. К чему привела деятельность [of the current leadership] _____ в лице Ахмадинежада?

3. [A whole number of countries] _____ на большом Ближнем Востоке выступил с инициативой.

4. Пока атомные бомбы нигде [with the exception of Japan] _____ в 1945 году не взрывались, слава богу.

5. [What is there to be afraid of] _____?

6. Надо [to seat Iran] _____ за один стол переговоров.

ТАБЛИЦА 4. POSSESSION CONSTRUCTIONS

Affirmative

Present

у	меня нас них	есть	план ка́рта вре́мя де́ньги
	possessor in genitive		**possession in nominative**

Past

у	меня́ нас них	**был** **была́** **бы́ло** **бы́ли**	план (masc.) ка́рта (fem.) вре́мя (neut.) де́ньги (plur.)

the VERB is in the gender of the possession

Future

у	меня́ нас них	бу́дет бу́дут	вре́мя (sing.) план (sing.) ка́рта (sing.) де́ньги (pl.)

the VERB is in the number of the possession

Negative

Present

у	тебя́ вас неё	**нет**	пла́на ка́рты вре́мени де́нег
	possessor in genitive		**possession in genitive**

Past

у	тебя́ вас него	**не́ бы́ло**	пла́на ка́рты вре́мени де́нег

the VERB is always neuter

Future

у	тебя́ вас них	**не бу́дет**	пла́на ка́рты вре́мени де́нег

the VERB is always singular

ТАБЛИЦА 5. РОДИТЕЛЬНЫЙ ПАДЕЖ (GENITIVE CASE)

Uses	Preposition	Question:
Ownership	none (*English "of", " 's "*)	*кого?* *чего?* *чей, чья, чьё, чьи?*
"have"	**у**	*у кого?* *у чего?*
Absence	**у**	*у кого нет?* *у чего нет?* *кого нет?* *чего нет?*
From a place	**из** **с** **от**	*откуда?*
Other prepositions:	**во вре́мя** – during **до** – till; as far as **после** – after **у** – at; around; near **о́коло** – near; approximately **ми́мо** – past **вокру́г** – around **среди́** – among **вдоль** – along **внутри́** – inside **вне** – outside **без** – without **кро́ме** – besides; except **для** – for the benefit of **про́тив** – against **посреди́** – in the middle of **поми́мо** – in addition to **вме́сто** – instead of **и́з-за** – because of	*во время чего?* *и т.д.* *после чего?* *и т.д.* *без кого?* *и т.д.*

Time Expressions	Useful Idioms
вторóе мая вторóго мая с середи́ны года до концá квартáла статья́ от первого декабря́	**1.** *after numerals:* 2, 3, 4 крылáтые ракéты 5 – 20 крылáтых ракéт *(cruise missiles)* **2.** *after simple comparatives:* бóльше нашей армии меньше ваших расхóдов **3.** *genitive plural after:* скóлько, мнóго, мáло, стóлько, достáточно, большинствó, меньшинствó, ряд *(a number of)*, однá из, оди́н из, однó из, одни́ из **4.** *after:* достигáть – to achieve боя́ться – to fear трéбовать – to demand ждать (with inanimate) ожидáть (with animate) избегáть – to avoid касáться – to touch upon

@ **ТЕКСТ: Прослушайте текст, затем прочитайте его и переведите на английский язык в письменной форме.**

Война в Осетии: день четвертый

Четвёртый день продолжа́ются вое́нные де́йствия в Ю́жной Осе́тии. Эскала́ция конфли́кта унесла́ жи́зни уже́ бо́лее 2 тыс. ми́рных жи́телей и 15 миротво́рцев. Число́ ра́неных дости́гло 70 челове́к, среди́ них росси́йские журнали́сты и кома́ндующий 58-й а́рмией генера́л-лейтена́нт Анато́лий Хру́лев. Цхинва́ли почти́ по́лностью разру́шен. Под зава́лами остаю́тся ты́сячи ми́рных жи́телей. Бо́лее 150 челове́к оказа́лось под разва́линами городско́й больни́цы, разру́шенной 8 а́вгуста 2008 г. Грузи́нская сторона́ о свои́х поте́рях не сообща́ет.

Обстре́лы столи́цы Ю́жной Осе́тии с небольши́ми переры́вами продолжа́лись в тече́ние трёх дней. Лишь к ве́черу 9 а́вгуста росси́йским войска́м удало́сь подави́ть огневы́е то́чки и отби́ть грузи́нские подразделе́ния от го́рода. Сейча́с наибо́лее безопа́сным ме́стом в респу́блике явля́ется селе́ние Джа́ва. Отту́да большинство́ ра́неных доставля́ется в Се́верную Осе́тию, где развёрнут аэромоби́льный го́спиталь Всеросси́йского це́нтра медици́ны катастро́ф «Защи́та».

В о́бщей сло́жности из Ю́жной Осе́тии эвакуи́ровано бо́лее 23 ты́сяч люде́й, в том числе́ не́сколько ты́сяч дете́й. Во Владикавка́зе рабо́тает операти́вный штаб по оказа́нию по́мощи пострада́вшим в зо́не грузи́но-осети́нского конфли́кта. Откры́та «горя́чая ли́ния», но́мер телефо́на: (8672) 25-06-43.

К ве́черу 9 а́вгуста грузи́нская сторона́ заяви́ла о прекраще́нии огня́ и отво́де свои́х подразделе́ний за преде́лы Южной Осе́тии. Одна́ко в действи́тельности стрельба́ не прекрати́лась. Всего́, по име́ющимся да́нным, в райо́не Цхинва́ли днём 9 а́вгуста де́йствовали 7400 грузи́нских вое́нных, 100 та́нков и артиллери́йские ору́дия.

Росси́йское прави́тельство называ́ет опера́цию в Южной Осе́тии «принужде́нием к ми́ру» и тре́бует, что́бы Тбили́си не то́лько прекрати́л ого́нь и отвёл свои́ войска́, но и подписа́л докуме́нт о неприменении си́лы не то́лько в Осе́тии, но и в Абха́зии. Днём парла́мент Гру́зии одо́брил законопрое́кт президе́нта страны́ о введе́нии вое́нного положе́ния на 15 дней. По зако́ну страны́, вое́нное положе́ние разреша́ет мобилиза́цию резерви́стов, а та́кже круглосу́точную рабо́ту прави́тельственных организа́ций.

Не оста́лась в стороне́ от происходя́щих собы́тий и Абха́зия, кото́рая о́коло 16:00 мск 9 а́вгуста нанесла́ авиауда́р по Кодо́рскому ущелью, где дислоци́рованы грузи́нские подразделе́ния. Непри́знанная респу́блика факти́чески откры́ла второ́й фронт, вы́двинув свои́ подразделе́ния на ре́ку Ингу́ри на госграни́цу с Гру́зией. Абха́зские вла́сти убеждены́, что э́то заста́вит Гру́зию оттяну́ть часть войск из Южной Осе́тии.

Пе́рвая э́кстренная се́ссия Совбе́за ООН, со́званная по про́сьбе Росси́и, заверши́лась ниче́м. Втора́я се́ссия та́кже зако́нчилась безрезульта́тно. Стра́ны За́пада отказа́лись осуди́ть грузи́нскую агре́ссию, ограни́чившись призы́вами к РФ отказа́ться от вступле́ния ее войск в Южную Осе́тию. В хо́де тре́тьей се́ссии, та́кже заверши́вшейся безрезульта́тно, США и Гру́зия попыта́лись обвини́ть Росси́ю в агре́ссии, одна́ко получи́ли отпо́р со стороны́ постоя́нного представи́теля Вита́лия Чу́ркина.

 ## КОГНАТЫ

а́виа	зо́на	организа́ции
агре́ссия	катастро́фа	танк
а́рмия	кома́ндующий	фронт
артиллери́йский	ли́ния	центр медици́ны
аэромоби́льный го́спиталь	мобилиза́ция резерви́стов	эвакуи́рован
генера́л-лейтена́нт	но́мер телефо́на	э́кстренная се́ссия
докуме́нт	операти́вный штаб	эскала́ция конфли́кта

СЛОВА И ВЫРАЖЕНИЯ

вое́нные де́йствия – hostilities

вы́двинуть подразделе́ния на госграни́цу – to move units to the state border

де́йствовали 7400 грузи́нских вое́нных и артиллери́йские ору́дия – 7,400 Georgian military personnel and artillery took part

дислоци́ровать – to place; to locate (troops)

доставля́ть/ доста́вить *кого-что куда* – to transport *someone somewhere*
   ра́неных (пострада́вших) в аэромоби́льный го́спиталь – wounded (victims) to a mobile hospital

заверши́ться ниче́м *or* **зако́нчиться безрезульта́тно** – to end in nothing; to be a wash

заста́вить *кого-что* **оттяну́ть часть войск** *откуда* – to force *someone* to withdraw from somewhere

заяви́ть о чём – to declare *something*
   о прекраще́нии огня́ на 7 дней – a 7-day cease-fire
   об отво́де свои́х подразделе́ний за преде́лы *чего* – the withdrawal of one's units from *somewhere*

кома́ндующий *чем* – commander *of something*
   а́рмией – of an army
   подразделе́нием – of a unit
   войска́ми – of troops

ми́рные жи́тели – гражда́нское населе́ние – гражда́нские – civilians

миротво́рцы – peace-keepers

наноси́ть/ нанести́ (нанесу́т) авиауда́р по уще́лью – to deliver an airstrike on the gorge

непри́знанная респу́блика – break-away (unrecognized) republic

обстре́л – fire; bombardment

одобря́ть/ одо́брить законопрое́кт о введе́нии вое́нного положе́ния – to pass a bill introducing an emergency situation

отбива́ть/ отби́ть (отобью́т) подразделе́ния *от чего* – to force units to retreat *from something*
   отби́ть наступле́ние – to repel an offensive

отводи́ть/ отвести́ (отведу́т) *or* **выводи́ть /вы́вести (вы́ведут) войска́** *откуда* – to withdraw forces *from somewhere*
   из го́рода
   с террито́рии

отказа́ться сде́лать *что* or *от чего* – to refuse *to do something*; to turn *something down*

    осуди́ть агре́ссию – to condemn the aggression

    от вступле́ния войск *куда* – against bringing the troops *to somewhere*

по име́ющимся да́нным

под зава́лами; под разва́линами – under the rubble

подави́ть *что* – to suppress *something*

    огневы́е то́чки – firing points

    агре́ссию

получи́ть отпо́р со стороны́ постоя́нного представи́теля Росси́и – to be rebuffed by Russia's permanent representative

прекраща́ть/ прекрати́ть ого́нь (*no plural*)

пыта́ться / попыта́ться обвини́ть Росси́ю в агре́ссии – to try to accuse Russia of an aggression

разверну́ть *что* – to deploy *something*

    го́спиталь

    операти́вный штаб по оказа́нию по́мощи пострада́вшим в зо́не конфли́кта – operational headquarters to assist victims in the conflict zone

разреша́ть/ разреши́ть *что*

    мобилиза́цию резерви́стов

    круглосу́точную рабо́ту прави́тельственных организа́ций – 24-hour government operations

разру́шен, -а, -о, -ы – destroyed

ра́неные – the wounded

сообща́ть/ сообщи́ть *о чём* – to report *something*

    о свои́х поте́рях – one's losses

    ра́неных – wounded

    уби́тых – dead

стрельба́ не прекрати́лась – the shooting did not stop

эвакуи́ровать

э́кстренная се́ссия Совбе́за ООН, со́званная по про́сьбе Росси́и – an emergency UN Security Council meeting convened at the request of Russia

Гру́зия, грузи́нский, грузи́ны, говори́ть по-грузи́нски, Тбили́си

Се́верная Осе́тия, осети́нский, осети́ны, говори́ть по-осети́нски, Цхинва́ли

Абха́зия, абха́зский, абха́зы, говори́ть по-абха́зски, Суху́ми

Кавка́з (на Кавка́зе), кавка́зский

Се́верный Кавка́з

ЛЕКСИЧЕСКИЕ УПРАЖНЕНИЯ

Просмотрите слова и выражения к тексту «Война в Осетии: день четвёртый» и сделайте следующие упражнения.

 А. Заполните пропуски правильными предлогами.

1. Ра́неные доставля́ются ___ аэромоби́льный го́спиталь.
2. Ты́сячи ми́рных жи́телей оказа́лись ___ развалинами зда́ний.
3. Парла́мент одо́брил законопрое́кт ___ введе́нии вое́нного положе́ния ___ 15 дней.
4. ___ име́ющимся да́нным, артилле́рия нанесла́ авиауда́р ___ го́роду.
5. Пострада́вших доставля́ют ___ аэромоби́льный го́спиталь.
6. ___ ве́черу вою́ющие сто́роны заяви́ли ___ прекраще́нии огня́.
7. Росси́йская сторона́ отво́дит свои́ подразделе́ния ___ террито́рии Южной Осе́тии.

Б. Дайте русские эквиваленты следующим английским фразам.

- to deliver an airstrike on the hospital
- army commander
- to accuse a break-away republic of an aggression
- to announce a 14-day cease-fire
- to end in nothing
- to force troops to withdraw from the territory
- to deploy units on the river bank
- to convene Security Council meeting at the request of Russia
- to report dead and wounded

B. РАБОТА ПО МОДЕЛЯМ

1. **Заполните пропуски словами по смыслу.**

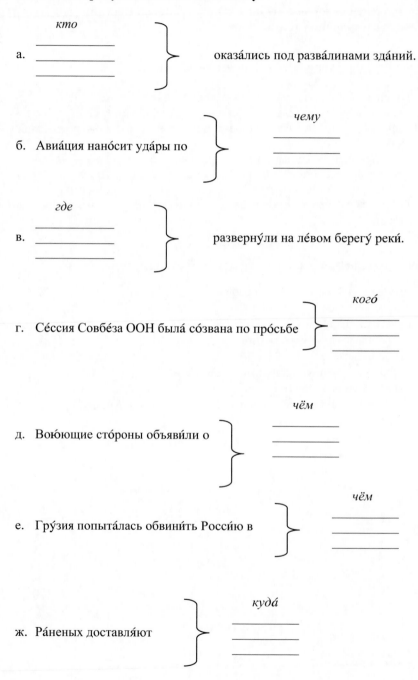

кто

а. _____   оказа́лись под разва́линами зда́ний.
   _____

б. Авиа́ция нано́сит уда́ры по

чему

_____
_____

где

в. _____   разверну́ли на ле́вом берегу́ реки́.
   _____

г. Се́ссия Совбе́за ООН была́ со́звана по про́сьбе

кого́

_____
_____

д. Вою́ющие сто́роны объяви́ли о

чём

_____
_____

е. Гру́зия попыта́лась обвини́ть Росси́ю в

чём

_____
_____

ж. Ра́неных доставля́ют

куда́

_____
_____

2. Закончите предложения, используя логически правильные фразы.

В результа́те эскала́ции вое́нных де́йствий в Южной Осе́тии
_____ бо́лее 2 тыс. ми́рных жи́телей и 15 миротво́рцев. Среди́
_____ бы́ли росси́йские журнали́сты и кома́ндующий 58-й
а́рмией. Цхинва́ли почти́ по́лностью разру́шен. Бо́лее 150 челове́к
оказа́лись _____ городско́й больни́цы.

Сейча́с большинство́ ра́неных доставля́ется в Се́верную Осе́тию, где
_____ аэромоби́льный го́спиталь Во Владикавка́зе рабо́тает
операти́вный штаб по оказа́нию по́мощи _____ в зо́не грузи́но-
осети́нского конфли́кта. По име́ющимся да́нным, в райо́не Цхинва́ли днём
9 а́вгуста _____ 7400 грузи́нских вое́нных, 100 та́нков и
артиллери́йские ору́дия.

Росси́йское прави́тельство тре́бует, чтобы Тбили́си не то́лько
_____, но и _____. Парла́мент Гру́зии одо́брил
законопрое́кт президе́нта страны́ о _____ на 15 дней. Не
оста́лась в стороне́ от происходя́щих собы́тий и непри́знанная респу́блика
Абха́зия, кото́рая факти́чески _____.

Пе́рвая э́кстренная се́ссия Совбе́за ООН, со́званная по про́сьбе Росси́и,
как и втора́я се́ссия _____ ниче́м. Стра́ны За́пада отказа́лись
_____ грузи́нскую агре́ссию.

@ **Д. Ответьте на следующие вопросы.**

1. Кто прово́дит вое́нные де́йствия?
2. Кто не принима́ет уча́стия в вое́нных де́йствиях?
3. В результа́те вое́нных де́йствий воюю́щие сто́роны несу́т поте́ри. Объясни́те, что э́то зна́чит.
4. Каку́ю роль игра́ют миротво́рцы?
5. Что тако́е обстре́л?
6. Как мо́жет Совбе́з ООН заста́вить воюю́щие сто́роны прекрати́ть вое́нные де́йствия?
7. Объясни́те выраже́ние «прекраще́ние огня́».
8. Что зна́чит выраже́ние «вое́нное положе́ние»?
9. Кто таки́е резерви́сты?
10. Что ожида́ется от воюю́щих сторо́н по́сле прекраще́ния огня́?
11. Каку́ю роль игра́ет постоя́нный представи́тель страны́ в ООН?
12. Где нахо́дятся Южная Осе́тия и Абха́зия?
13. Где нахо́дится Се́верная Осе́тия?
14. Кто живёт в Гру́зии?
15. На како́м языке́ они говоря́т?
16. Как называ́ется столи́ца Абха́зии?
17. Где живу́т осети́ны?

ГРАММАТИКА: СРАВНИТЕЛЬНАЯ И ПРЕВОСХОДНАЯ СТЕПЕНЬ ПРИЛАГАТЕЛЬНЫХ (COMPARATIVES AND SUPERLATIVES)

Note: Only *qualitative* adjectives (descriptive words) have degrees of comparison.

Look at the sentences below and their translations:

Ваш вопро́с тру́дный.	Your question is hard.

Comparative:

Её вопро́с трудн**ее**.	Her question is hard*er*.

Superlative:

Их вопро́с **са́мый тру́дный.**	Their question is the hard*est*.

Comparisons are made by using **чем** separated by a comma:

Этот план эконо́мн**ее, чем** тот план.
This plan is more economical *than* that plan.

Она́ говори́т быстр**ее, чем** он.
She speaks faster *than* he does.

Some adjectives have irregular comparative forms. Here are four such adjectives:

хоро́ший – лу́чше	**большо́й – бо́льше**
плохо́й – хуже	**ма́ленький – ме́ньше**

Use a simple comparative after **гора́здо** and **ещё**

Гора́здо быстр**ее**	*Much* fast*er*
Ещё быстр**ее**	*Even* fast*er*

Do comparatives decline?: The *short-form* comparatives you have seen so far do not decline. For that reason, they occur only after the verb "to be." In other words they must be predicate adjectives. We can also use these short-form comparatives as adverbs.

Predicate adjective:

Её отве́т **про́ще.**	Her answer *is* simpler.
Её отве́т был **про́ще.**	Her answer *was* simpler.
Её отве́т будет **про́ще.**	Her answer *will be* simpler.

Adverb:

Волков писа́л ме́дленн**ее**.   Volkov wrote more slowly.

But what if you want to say "She gave a simpler answer"? Look at the sentences below:

Она́ дала́ **бо́лее просто́й** отве́т.
Мы говори́ли о **бо́лее ва́жных** дела́х.
Вопро́с был решён **бо́лее жёсткими** ме́тодами.
Это **бо́лее серьёзный** вопро́с.

In other words, when a comparative is placed in a *declinable position* (that is, anywhere *not* immediately after a "to be" verb), you must use the *long-form* construction **бо́лее + regular adjective + correct ending for gender, number, and case.**

Now check yourself to see that you have understood the difference between *short-form* and *long- form* comparatives. Look at the English sentences below and determine which in Russian would require long-form comparatives (**бо́лее**):

1. These terms are *more difficult* than the ones we had hoped for.
2. We have to take a *more positive* attitude in the future.

If you said that #1 takes a short form, while #2 requires the long-form **бо́лее** construction, you were right.

Replacement of ЧЕМ + nominative with genitive case:

Look at the two synonymous sentences below:

Сего́дняшние обстоя́тельства
сложне́е, чем вчера́шние.

Сего́дняшние обстоя́тельства **сложне́е вчера́шних.**

Today's circumstances are more complicated *than yesterday's.*

As you can see, the comparative **чем** + nominative can be replaced by a genitive without **чем.**

Comparisons with numbers:

Look at the sentences below and their translations:

Эта доро́га **на пять киломе́тров длинне́е** той.   This road is longer than that one *by five kilometers.*

Он **на два го́да моло́же** её.	He's *two years younger* than she is.
Этот план **в пять раз лу́чше**.	This plan is *five times better*.

Note that in comparisons the numerical expressions are expressed by **на** + numerical expression. The exception is *x number of times (better, cheaper, taller, etc.)*: **в два раза (в пять раз) лу́чше, деше́вле, вы́ше**, etc.

Formation of the superlative:

Superlative adjectives ("the most...") are formed by the construction **са́мый** + an adjective. Both **са́мый** and the adjective decline in gender, number, and case:

> Это **са́м*ая* сканда́льн*ая*** програ́мм*а*.
> Одна́ из **са́м*ых* сканда́льн*ых*** програ́мм.
> О **са́мой** сканда́льной програ́мме.

Superlative adverbs (e.g. "She works the fastest") are formed by means of the comparative plus **всех**:

Она́ рабо́тает **быстре́е всех**.	She worked the fastest.
Мы говори́ли **ме́дленнее всех**.	We talked the slowest.

ГРАММАТИКА: РОДИТЕЛЬНЫЙ ПАДЕЖ (ПРОДОЛЖЕНИЕ)

1. QUANTITIES

After **мно́го, ма́ло, не́сколько, ско́лько, сто́лько, доста́точно, большинство́, оди́н (одна́, одно́, одни́) из..., ряд**.

ско́лько догово́ров, большинство́ вое́нных сою́зов, доста́точно я́дерного ору́жия.

BUT!

мно́гие (немно́гие) ду́мают (счита́ют, говоря́т, пи́шут, etc.)	Many (a few) believe (think, say, write, etc.)
Не́которые ду́мают...	Some believe..., etc.

2. NUMBERS, ADJECTIVES, AND GENITIVE

A. Look at the model:

три́дцать **два** интере́сн**ых** сообще́н**ия**

The formula is:

| Masc., Neut. | два, | | | gen. pl. . **-ЫХ** | | **-А** |
| Fem. | две, | три, четы́ре | adj. | nom. sg. **-ЫЕ** | noun gen. sg. | **-Ы** |

два	интере́сн**ых**
	вопро́с**а**
две	тру́дн**ые**
	пробле́м**ы**

Б. Look at the model:

три́дцать **пять** интере́сных сообще́ний

The formula is:

Numbers ending in **пять, шесть, семь, во́семь, де́вять**, as well as zero-digit numbers (**два́дцать, три́дцать**, etc.) and teens (**оди́ннадцать, двена́дцать**) take both adjectives and nouns in genitive plural.

В. *BUT!*

If the number itself is not in nominative (or a form of accusative which looks like nominative), then the thing being counted reverts to the plural form of whatever case would be expected in that particular construction. Compare:

Приду́т в **два** часа́.

> The accusative case of **два** looks like nominative.
> The noun is in the genitive.

Приду́т **к двум** часа́м.

> The preposition к requires the dative **двум**. That
> in turn requires a dative plural noun.

Г. Numbers ending in "one" are more like adjectives. They always take *singular* adjective-noun combinations:

В делега́ции два́дцать **оди́н** челове́к.
Была́ одна́ пробле́ма.   Без одно́й пробле́мы...
Бы́ло одно́ сообще́ние.   В одно́м сообще́нии...

Д. Decimal fractions. Russian uses European punctuation for numbers.

North America	Europe
125,000	125 000 (125.000 in older texts)
.25	0,25
9.25	9,25

The chart below shows you how numbers are read. For lower numbers with decimals, Russian often inserts the word **це́лое** "whole" to represent the whole number on the left side of the comma. The fractional right side of the comma is measured in **деся́тые (одна́ деся́тая часть)** or **со́тые (одна́ со́тая часть)**.

Number	Read as
0,5	ноль (*це́лых*) и пять *деся́тых*
1,7	оди́н, одна́, одно́ и семь *деся́тых* *or* одно́ *це́лое* и семь деся́тых, especially if the number does not modify a specific noun.
2,9	два, две и де́вять *деся́тых* *or* два *це́лых* и де́вять *деся́тых*.
30,15	три́дцать и пятна́дцать *со́тых*
100,70	сто и се́мьдесят со́тых
485,96	четы́реста во́семьдесят пять и девяно́сто шесть *со́тых*

3. **Genitive replacement of чем + nominative.** Look at the model:

Москва́ бо́льше Санкт-Петербу́рга.   =   Москва́ бо́льше, **чем Санкт-Петербу́рг.**

4. **Use genitive after certain verbs: боя́ться** *to fear*, **достига́ть/дости́гнуть** *to achieve*, **добива́ться/доби́ться** *to strive for/to accomplish*, **тре́бовать/потре́бовать** *to demand*.

Ждать *to await* and **ожида́ть** *to expect* take masculine inanimate objects in genitive; feminine in accusative: **ждать отве́та** but **ожида́ть програ́мму.**

ГРАММАТИЧЕСКИЕ УПРАЖНЕНИЯ НА СРАВНИТЕЛЬНУЮ И ПРЕВОСХОДНУЮ СТЕПЕНЬ ПРИЛАГАТЕЛЬНЫХ (COMPARATIVES AND SUPERLATIVES)

A. Чем constructions. Read grammar on comparatives and superlatives. Change comparative genitive constructions into comparative **чем** + nominative constructions.

1. больше нас
2. ниже положенной суммы
3. выше нормы
4. громче других
5. хуже обычного результата
6. моложе нашего президента
7. старше его
8. лучше других
9. старее той церкви
10. легче того разговора

Б. Составьте предложения. Now use the phrases above in complete sentences.

В. Образование сравнительной степени. Make the following into comparatives and superlatives following the model.

Эти цены / низкие / объявленные цены

Эти цены ниже объявленных цен.

Эти цены самые низкие.

Я никогда не слышал о более низких ценах.

1. Москва / старая / Санкт Петербург
2. Наши цифры (numbers)/ точные (exact)/ эти
3. Связи с КНР / крепкие / обычные
4. Это решение / хорошее / ваше решение
5. Наша программа / плохая / ваша программа
6. ВВС (Air Force)/ сильные / пехота (infantry)
7. Этот обзор (review) / широкий / тот обзор
8. Ваш план / простой / данный проект.

Г. Употребление родительного падежа в сравнительных оборотах. Review genitive forms of numbers in the appendix. Then change the following **чем**-type comparisons into genitive constructions according to the model.

меньше, чем четыре человека ➔ меньше **четырёх человек**

1. Больше, чем 25 предприятий
2. Меньше, чем 4 солдата
3. Больше, чем 1200 рублей
4. Меньше, чем 12 сантиметров
5. Больше, чем 24000 километров
6. Больше, чем 125 видных деятелей
7. Чуть меньше, чем 2200 боеголовок (warheads)
8. Свыше, чем 362 рабочих дня
9. Больше, чем 45 лет
10. Меньше, чем 3 месяца

Д. Переведите.

1. This building is 25 meters taller than that one.
2. This plan is 200 pages longer than that one.
3. This factory is a million rubles more expensive than that one.
4. This formula is ten times stronger than that one.
5. Our plane flies three times faster than theirs.

ГРАММАТИЧЕСКИЕ УПРАЖНЕНИЯ НА РОДИТЕЛЬНЫЙ ПАДЕЖ (GENITIVE CASE)

Повторение употребления родительного падежа. Look over the genitive case chart at the end of Unit 5. Then complete the exercises below.

А. Формы родительного падежа. Put the words in parentheses into the correct form according to the model.

Образец: На собрании (был / много /москвич)

На собрании было много москвичей.

Remember the difference between countable nouns and uncountable nouns.

1. Такой план (поддерживал / большинство / пострадавшие).
2. На приёме в посольстве (находился / несколько / представитель /) вашей страны.
3. Уже (опубликован / немало / интересная статья) об этих двух непризнанных республиках.
4. К концу года (будет принят / много / необходимая мера) по укреплению резерва армии.
5. В статье говорится, что обе стороны проводили слишком (много... ненужный авиаудар.
6. Во время конфликта в Осетии было (много / убитые и раненые).
7. По закону этой страны, при военном положении разрешается (меньше / резервисты), чем необходимо.
8. В Москве (был подписан / несколько / многообещающая (promising) договорённость) об отводе войск.
9. В Варшавский договор (входило / меньшинство / страна..., находящаяся) в Центральной Европе.
10. Россия развернула (больше / аэромобильные госпитали), чем другая сторона конфликта.

Б. Раскройте скобки.

1. В Осетии [there were many peacekeepers] _____ из России.
2. С тех пор [there have been achieved few cease-fires] _____ _____ .
3. После провала (failure) на переговорах [there was little hope] _____ _____ .
4. [How many congressmen] _____ высказываются за эвакуацию?
5. Грузинский парламент принял [a number of bills] _____ .

B. Формы слова «весь». Unlike other quantities **весь, вся, всё** (*all of* + singular) and все (*all* plus plural) do *not* take genitive. Rather they function like adjectives. With that in mind, change the sentences below according to the models.

Образцы:

   Там было мало студентов.

   Там **были все студенты.**

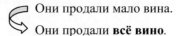   Они продали мало вина.

   Они продали **всё вино.**

1. В Румянцевской библиотеке было мало американских изданий (publications).
2. Мы заметили меньше перемен.
3. Мы осмотрели три огневые точки.
4. На сессии Совбеза присутствовало несколько её членов.
5. На сессии ООН было принято много важных решений.
6. СССР покупал у Кубы много сахара.
7. Большинство молодёжи поддерживает эту войну.
8. Договор запрещает использование ряда артиллерийских орудий.

 Г. Переведите. Translate the following phrases using **все, многие, немногие, некоторые,** as well as the grammatically singular forms **большинство, ряд** and **никто не,** as approrpriate.

1. Everyone thought that...
2. Many believe that...
3 No one would say that...
4. Few would say that...
5. A number of people consider...
6. Nearly all agree that...
7. Some continue to say that...
8. No one thinks that...
9. The majority says that...
10. Certain people might say that...
11. Most feel that...

 Д. Числительные. Write out the forms of the numbers along with the phrase that follows. Watch for the correct form of **два/две.**

Reminder: No number has more than one **ь.** *In teens the* **ь** *is at the end. In "-ties" it is in the middle:* **пятнадцать** *but* **пятьдесят.**

1. 2...   грузинский танк
2. 12...   огневая точка
3. 116...   известная фирма
4. 242...   российские миротворцы
5. 351...   подписанное соглашение

6. 490... артиллерийские орудия
7. 502... маленькое подразделение
8. 644... серьёзный ответ
9. 782... убитые
10. 821... американские раненые
11. 900... тяжёлый день

Е. Числительные. Put each of the phrases above into genitive, dative, and prepositional case. Consult the appendix.

Ж. Числительные. Write out the prices and percentages.

1. $2 530 000,00	6. R 52 000,00	11. 22%
2. R 110,82	7. € 454,00	12. 50%
3. € 2 200,00	8. R 1 229,45	13. 76%
4. R.2 534	9. $180 000	14. 91%
5. $0,22	10. R 119,90	15. 100%

З. Раскройте скобки.

1. В Австралии примерно [16 million inhabitants] _____.

2. Договорённость предусматривает (provides for) [2000 warheads] _____.

3. Выступление Генерального секретаря ООН продолжалось всего [22 minutes] _____.

4. В СССР было [7 general secretaries] _____.

И. Раскройте скобки. Decide whether the numbers and nouns below follow the "number plus genitive" pattern, or whether the entire expression declines. Fill in the blanks.

1. Мы знаем всего о [два/две] _____ [такие] _____ [случаи] _____.

2. На совещании было [32] ____ [видные] _____ [ученые] _____.

3. В конференции принимали участие представители [8] ____ [африканские] _____ [страны] _____.

4. У нас нет ни [1]_____ [солдат] _____ на чужой территории.

5. Выступление президента было передано по всем [4] _____ [программы] _____ телевидения.

6. Мы познакомились с делегатами из [35] _____ [крупные] _____ [города] _____.

7. На собрании было около [250] _____ [гости] _____ президента.

8. Наши успехи полностью зависят от [2] ____ пока [неизвестные] _____ [факторы] _____.

К. Составьте предложения. Make up sentences, each with one of the following verbs. Where both aspects are given, make up a sentence for each aspect.

бояться, достигать/достигнуть, добиваться/добиться, требовать/потребовать, ждать, ожидать

ГРАММАТИКА: СОСЛАГАТЕЛЬНОЕ НАКЛОНЕНИЕ И УСЛОВНЫЕ ПРЕДЛОЖЕНИЯ (SUBJUNCTIVE AND CONDITIONAL)

Subjunctive indicates that the action is viewed not as a real fact but as something possible or desirable.

Был бы я посло́м!
I wish I *were* an ambassador!

Ва́жно, **что́бы** он **пое́хал** на конфере́нцию.
It is important that he *go* to the conference.

Если **бы** мы **порабо́тали** как сле́дует, мы **бы могли́ разреши́ть** э́ти пробле́мы.
If we *had worked* hard, we *might have resolved* these problems

As you see, English subjunctive has many forms. Russian subjunctive has only one form: the verb in the past and either **бы** or **что́бы**, depending on context.

Subjunctive is used in ЧТОБЫ clauses:

1. **After the following impersonal phrases expressing desirability of action:**

на́до, ну́жно, что́бы	it is necessary that
ва́жно, что́бы	it is important that
необходи́мо, что́бы	it is vital that
жела́тельно , что́бы	it is desirable that
пора́ , что́бы	it is time that

Бы́ло **ва́жно, что́бы** сто́роны **подписа́ли** догово́р.	It was *important that* the sides *sign* the treaty.
	or
	It was *important for* the sides *to sign* the treaty.
Бу́дет **жела́тельно, что́бы** ли́деры стран За́пада регуля́рно **встреча́лись.**	It will be *desirable that* the leaders of Western countries *meet* on a regular basis.

Note that the tense in the main clause has no effect on subjunctive.

2. **After the following verbs expressing order, demand, or suggestion:**

хоте́ть, что́бы	to want *someone to do something*,
тре́бовать, что́бы	to demand that
рекомендова́ть, что́бы	to recommend that
предпочита́ть, что́бы	to prefer that
наста́ивать, что́бы	to insist that

Президе́нт **хо́чет, что́бы** Конгре́сс **ратифици́ровал** догово́р.
The president *wants* Congress *to ratify* the treaty.

Мы **хоти́м, что́бы** перегово́ры в Жене́ве **дости́гли** како́го-нибудь прогре́сса.
We *want* the negotiations in Geneva *to achieve* some progress.

хоте́ть + **что́бы.** Subjunctive is translated into English as *"to want somebody to do something"*

Мирова́я обще́ственность **тре́бовала, что́бы США вы́вели** войска́ из Ира́ка.
The world public *demanded* that the U.S. *withdraw* its troops from Iraq.

Note that subjunctive is necessary after these verbs only when the doer in the main clause is different from the doer in the **что́бы** clause. Otherwise, there is no need for a subordinate clause.

Мировáя общéственность **трéбовала вы́вода америкáнских войск** из Ирáка.
The world public *demanded the withdrawal of U.S. troops* from Iraq.

3. **In clauses of purpose when the doer of the main clause has the doer of the чтобы clause do something.**

Эту попрáвку введýт (для того́), **чтóбы** эмигрáция в США **прекрати́лась.**
This amendment will be introduced *so that* emigration to the US *stop.*

Note that if the doer in both clauses is the same, a **чтобы** + infinitive phrase is sufficient.

Мировáя общéственность **трéбовала вы́вода америкáнских войск** из Ирáка.
The world public *demanded U.S. troops' withdrawal* from Iraq.

Эту попрáвку введýт для того́, **чтóбы прекрати́ть** эмигрáцию в США.
This amendment will be introduced *to stop* emigration to the U.S.

Conditional indicates:

1. **An action which may take place under certain circumstances in ЕСЛИ clauses.**

Если бы X..., то Y бы....

Этот телесериáл **мог бы** нанести́ вред, **если бы** лю́ди **воспринимáли его** серьёзно.	This soap opera *could have* been harmful *if* people *had taken* it seriously.
А **если бы** прези́дент **подписáл** что-нибудь, как **бы** Амéрика **поступи́ла** с догово́ром?	And *if* the president *were to sign* something, how *would* America *treat* the agreement?

English clauses with indirect speech in the past ought not to be confused with unreal condition.

Indirect speech:

The White House spokesman *said that* if the Secretary of State *went* to Moscow, he *would talk* about the conflict in Ossetia as well.

Direct speech:

The White House spokesman said: "If the Secretary of State goes to Moscow, he will talk about the conflict in Ossetia."

Russian translation of "false subjunctive":

Представи́тель Бе́лого До́ма сказа́л, что е́сли Госсекрета́рь пое́дет в Москву́, то он бу́дет говори́ть о конфли́кте в Осе́тии.

Now look at the same sentence with "true subjunctive":

Представи́тель Бе́лого До́ма сказа́л, что если **бы** Госсекрета́рь **пое́хал** в Москву́, то он **говори́л бы** то́же о конфли́кте в Осе́тии.	The White House spokesman said that if the Secretary of State *were to go* to Moscow, he *would talk* about the conflict in Ossetia as well.

2. **An action which is desired or planned or to express request without ЕСЛИ.**

Бы́ло бы жела́тельно встре́титься в ближа́йшем бу́дущем. В програ́мме предлага́ется тако́й поря́док, при кото́ром **понижа́лся** бы у́ровень вое́нного противостоя́ния.	It *would be* desirable to get together in the very near future. Under the arrangements provided by the program, the level of military confrontation *would decrease*.

ГРАММАТИЧЕСКИЕ УПРАЖНЕНИЯ НА СОСЛАГАТЕЛЬНОЕ НАКЛОНЕНИЕ И УСЛОВНЫЕ ПРЕДЛОЖЕНИЯ (SUBJUNCTIVE AND CONDITIONAL)

A. Subjunctive review. Read over the grammar on subjunctive in this unit. Then review the text. Find all the places where subjunctive is used and determine the reason for each occurrence.

Subjunctive after impersonals:

Б. Раскро́йте ско́бки. Put the verbs in the infinitive into a proper form. Be able to translate these sentences into English.

1. Ва́жно, что́бы на́ши войска́ [подави́ть] _____ огневы́е то́чки проти́вника.

2. Бы́ло жела́тельно, что́бы вою́ющие сто́роны [прекрати́ть] _____ ого́нь.

3. На́до, что́бы США [импорти́ровать] _____ ме́ньше не́фти с Бли́жнего Восто́ка.

4. Бу́дет ну́жно, что́бы наш представи́тель [заяви́ть] _____ об опа́сности настоя́щей ситуа́ции на се́ссии Совбе́за ООН.

5. Пора́, что́бы перегово́ры [заверши́ться] _____ чем-то бо́лее констру́ктивным.

B. Раскройте скобки. Fill in the blanks using subjunctive.

1. Надо, [that the commander report] _____ о своих потерях.

2. Будет важно, [that the emergency meeting of the US Security council condemn] _____ агрессию России.

3. Было бы желательно, [that the US side be rebuffed] _____ постоянного представителя России в Совбезе ООН.

4. Пора, [that the evacuation of the wounded start] _____ как можно скорее.

ГРАММАТИЧЕСКИЕ УПРАЖНЕНИЯ НАСОСЛАГАТЕЛЬНОЕ НАКЛОНЕНИЕ ПОСЛЕ ГЛАГОЛОВ ПОБУЖДЕНИЯ (SUBJUNCTIVE AFTER VERBS EXPRESSING ORDER)

Г. Раскройте скобки. Fill in the blanks using subjunctive. Be able to translate these sentences into English.

1. Командующий не захочет, [his forces to retreat from] _____
   _____ со своих позиций.
   Командующий не захочет, [his units to stop shooting] _____
   _____ на госгранице.
   Командующий не захочет, [his operational headquarters to assist] _____
   _____ пострадавшим в зоне конфликта.

2. Совбез ООН требует, [that the fighting parties announce]

   _____ _____
   прекращение огня на 7 дней.
   Совбез ООН требует, [that representatives of both sides report dead and wounded] _____ как можно скорее.
   Совбез ООН требует, [that peace-keeperes deploy their headquaters] _____
   _____.

3. Доклад рекомендовал [that the Parliament pass a bill introducing],
    _____ военного положения на территории
    всей страны.
    Доклад рекомендовал [Congress allow mobilization of reserve], _____
    _____ по всей стране.
    Доклад рекомендовал [that wounded are evacuated], _____
    _____ по другую сторону границы.

СОСЛАГАТЕЛЬНОЕ НАКЛОНЕНИЕ В ПРИДАТОЧНЫХ ПРЕДЛОЖЕНИЯХ С СОЮЗОМ «ЧТОБЫ» (SUBJUNCTIVE IN «ЧТОБЫ» CLAUSES)

Д. Употребление сослагательного наклонения. Change the following sentences using subjunctive. Make necessary adjustments. Translate these sentences into English.

Образец: Министр обороны **сказал** своему помощнику **подготовить** доклад.

Министр обороны **сказал, чтобы** его помощник **подготовил** доклад.

1. Глава российской делегации попросил представителя Венесуэлы принять участие в переговорах.
2. Главнокомандующий приказал войскам вести огонь.
3. Президент обратился к Конгрессу ратифицировать договор.
4. Пресса оказала влияние на администрацию принять предложение России.

Е. Переведите на английский язык.

1. ООН нужно разрешить присутствие российских миротворцев, чтобы они могли сдерживать участников конфликта.
2. Важно, чтобы раненые были эвакуированы за линию фронта.
3. Мы хотели бы, чтобы на переговорах в Женеве стороны подписали мирный договор.
4. Необходимо, чтобы наши подразделения подавили огневые точки противника.
5. Важно, чтобы эти вопросы были на повестке дня (agenda) конференции.
6. Комитет настаивает на том, чтобы Госдепартамент немедленно отозвал (recall) наших дипломатов.
7. Надо, чтобы в зоне конфликта развернули аэромобильный госпиталь.

8. Министры иностранных дел кавказского региона встретились на конференции, чтобы мировая общественность признала важность урегулирования (settlement) в этой части мира.

9. Мы ожидаем прекращения огня в Осетии, чтобы миротворцы могли доставить медикаменты пострадавшим.

10. Они настаивали на том, чтобы воюющие стороны заявили о прекращении огня.

11. Договаривающиеся заявили о своей заинтересованности в том, чтобы обе стороны отвели войска из города.

12. На повестку дня поставили предложение Абхазии о том, чтобы на последнем этапе вывода войск прекратили мобилизацию резервистов.

13. Не существует ни одной проблемы в мире, которая стоила (deserve) бы того, чтобы из-за неё (over it) началась ядерная война.

СОСЛАГАТЕЛЬНОЕ НАКЛОНЕНИЕ В ПРИДАТОЧНЫХ ПРЕДЛОЖЕНИЯХ НЕРЕАЛЬНОГО УСЛОВИЯ И ДЛЯ ВЫРАЖЕНИЯ ЖЕЛАНИЯ И ВЕРОЯТНОСТИ (SUNJUNCTIVE WITH UNREAL CONDITION AND TO EXPRESS WISH AND PROBABILITY)

Ж. Перепешите в сосглагательном наклонении. Change the following sentences in the indicative into subjunctive. Be able to translate both.

1. Если обе стороны прекратят огонь, можно будет эвакуировать раненых.

2. В целях ускорения мирного процесса можно использовать любые формы переговоров.

3. Если зарплаты у нас будут расти быстрее, чем производительность труда, то мы встанем перед лицом инфляции.

4. Нам давно пора научиться собирать налоги.

5. Если предприятия платят полностью 18 процентов НДС и 26 процентов ЕСН, то это уведёт их в «минус».

6. Ответственные правительства рекомендуют странам, стремящимся к обладанию ядерным оружием, отказаться от этой политики.

7. Если страны-члены Совбеза ООН не осудят агрессию России, то экстренная сессия завершится ничем.

3. Составьте предложения. Write ten sentences to illustrate the use of subjunctive.

И. Переведите на русский язык.

1. It is important that the Georgian government pass a bill introducing state of emergency.

2. Many Western governments want the UN Security Council to condemn the aggression of Russia.

3. Were the world economic crisis to hit the Russian economy, it would mean (bring) imminent ruin for many enterprises.

4. It is necessary for the peace-keepers to render assistance first of all to the people

   buried under the rubble of destroyed buildings.

5. We should place non-proliferation on the agenda of most international conferences, so that countries developing nuclear programs realize the importance of the issue to the world.

6. The Central Bank prefers that the big Russian banks borrow credits in the Western banks.

7. It would be essential that our negotiating team achieve success at the forthcoming arms control talks.

8. Would the Russian army be ready to deploy a mobile hospital for the victims in the conflict zone before the end of the conflict?

9. Would the US government take a stand on the issue of torture (**пытка**)?

10. In the 80s, the Soviets demanded that the US drop the development of space weapons.

11. President Truman supported the Marshall Plan so that postwar Europe could rebuild (**восстановить**) its economy.

12. It is desirable that the current crisis contribute to the improvement of our financial system.

13. The Secretary of Commerce demanded that our trading partners open their markets to US goods so that we can increase American exports.

14. Several members of Congress addressed the president so that he would put Russia's aggression in Georgia on the agenda.

УПРАЖНЕНИЯ НА УСТНУЮ РЕЧЬ

А. Цитаты из текста. Процитируйте следующие предложения, используя фразы:

из воённых исто́чников ста́ло изве́стно, что...
из исто́чников Пентаго́на стало изве́стно о...
по мне́нию специали́стов,...

1. Эскала́ция конфли́кта унесла́ жи́зни уже́ бо́лее 2 тыс. ми́рных жи́телей и 15 миротво́рцев.
2. Бо́лее 150 челове́к оказа́лось под разва́линами городско́й больни́цы, разру́шенной 8 а́вгуста 2008 г.
3. Сейча́с наибо́лее безопа́сным местом в респу́блике явля́ется селе́ние Джава.

Б. Вы согласны? Выразите своё согласие или несогласие, используя следующие предложения:

я (не) согла́сен с тем, что...   **де́ло в том, что...**
я (не) согла́сна с тем, что...   **ведь...**

1. Росси́йское прави́тельство называ́ет опера́цию в Ю́жной Осе́тии «принужде́нием к ми́ру».
2. Абха́зские власти убеждены́, что второ́й фронт заста́вит Гру́зию оттяну́ть часть войск из Ю́жной Осе́тии.
3. Стра́ны За́пада отказа́лись осуди́ть грузи́нскую агре́ссию.
4. Пе́рвая экстренная се́ссия Совбе́за ООН, со́званная по про́сьбе Росси́и, заверши́лась ниче́м.

В. Ваше мнение? Выразите своё мнение в следующих предложениях, используя:

я ли́чно ду́маю, что...   **де́ло в том, что...**
мне ка́жется, что...   **ведь ...**

1. К ве́черу 9 а́вгуста грузи́нская сторона́ заяви́ла о прекраще́нии огня́ и отво́де свои́х подразделе́ний за преде́лы Ю́жной Осе́тии.
2. Не оста́лась в стороне́ от происходя́щих собы́тий и Абха́зия.
3. Непри́знанная респу́блика Абхазия факти́чески откры́ла второ́й фронт.
4. США и Грузия попыта́лись обвини́ть Росси́ю в агре́ссии.

Г. Вопросы. *Ответьте на следующие вопросы по тексту урока, цитируя текст статьи, соглашаясь или не соглашаясь с автором и выражая своё мнение.*

1. Какого числа начались военные действия в Южной Осетии?
2. Какие потери принесла эскалация конфликта за четыре дня в убитых, раненых и в материальном ущербе?
3. Что мы знаем о грузинских потерях?
4. Сколько времени продолжались обстрелы столицы Южной Осетии?
5. Как российским войскам удалось остановить обстрел города?
6. Почему большинство раненых доставляется в Северную Осетию?
7. Сколько людей в общей сложности эвакуировано из Южной Осетии?
8. Что значило заявление грузинской стороны о прекращении огня и отводе своих подразделений за пределы Южной Осетии?
9. Чего требует российское правительство?
10. Что значит законопроект, одобренный президентом Грузии?
11. Почему Абхазия открыла второй фронт?
12. Какая страна обратилась к ООН с просьбой созвать экстренную сессию Совбеза ООН?
13. Чем закончились две сессии Совбеза ООН?
14. Что произошло в ходе третьей сессии?

Д. Рассказ о конфликте в этом уроке. Расскажите урок 6, цитируя текст статьи, соглашаясь или не соглашаясь с её автором и выражая своё мнение. Не забывайте цитировать источники, (не) соглашаться и выражать своё мнение!

Е. Рассказ о конфликте в другой стране. Расскажите маленькую историю военного конфликта в другой стране и при других обстоятельствах, используя следующие выражения. Не забывайте цитировать источники, (не) соглашаться и выражать своё мнение!

... sources said that...; peace-keepers; army commander; to deploy; to suppress firing points; to report losses in dead and wounded; to deliver air strikes; to announce a cease-fire; to withdraw troops, to condemn; I personally think that ...: the thing is ...

Ж. Описание пресс-конференции I. Опишите пресс-конференцию российского президента по вопросу конфликта в Южной Осетии. Не забывайте цитировать источники, (не) соглашаться и выражать своё мнение!

З. Описание пресс-конференции II. Опишите пресс-конференцию российского президента по вопросу возможности вступления Грузии в НАТО и о расширении НАТО к российским границам.

@ И. Разговор. Прослушайте разговор двух журналистов после пресс-конференции в МИД РФ по вопросу конфликта в Южной Осетии и разыграйте его с другим студентом.

Вероника: Ну, и какое у тебя ощущение от этого представления?

Антон: Как обычно: мура!

Вероника: А у меня вот мёрзостное. Как сказал кто-то из знаменитых, забыла только кто, мёрзостное по всем азимутам!

Антон: Вообще-то это был де Голль, но это неважно. Ты у нас, Вероничка, правдоискатель. Чего ты хочешь?

Вероника: Я хочу понять, что произошло, и не могу. Обычно бывает достаточно посмотреть наше телевидение и иностранное, чтобы получить более или менее ясное представление о том, что случилось. А тут, как ни складываешь кусочки, общей картины не получается.

Антон: Неужели даже твоё любимое Би-би-си не открыло тебе глаза?

Вероника: Нет, не открыло. Кстати, Би-би-си, может, на «троечку», но тянет. А вот твоё американское ТВ - это просто полное враньё! Там вообще не говорили о том, что произошло в Цхинвали. У рядового американца должно сложиться впечатление, что Россия вторглась в Грузию! Почему? Потому что русские такие. А про то, что такое Южная Осетия, что такое Абхазия, вообще ни гу-гу!

Антон: Во-первых, почему это американское ТВ стало моим? Да, мы жили в Штатах, когда я был маленьким. Тогда в Америке было хорошее телевидение. Я не отвечаю за то, во что оно превратилось! Во-вторых, ты смотрела наше ТВ?

Вероника: По нашему телевидению были бесконечные плачущие лица и несчастные дети. В общем, чистая пропаганда! Единственное преимущество – мы сообщили, что было нападение Грузии на Цхинвали.

Антон: Но ты же знаешь, что наши сидели на границе и ждали, когда этот чокнутый грузинский президент сорвётся и начнёт военные действия. Ну, а потом можно показывать детей под развалинами!

Вероника: Ты очень циничен. Ведь погибли сотни мирных жителей. А сколько ещё остаётся под завалами?

Антон: Не мы первыми нанесли удар! И как только мы подавили грузинские огневые точки и отбросили противника от города, война практически закончилась.

Вероника: Нет, прости меня, но война не закончилась даже после того, как грузинская сторона заявила о прекращении огня и отводе своих войск. Российская армия вторглась во внутренние районы Грузии, и это даёт теперь Западу полное право обвинять Москву в агрессии. России этого никогда не простят!

Антон: Не переживай: простят!

Вероника: И ты напишешь это?

Антон: А ты опишешь свои переживания?

Вероника: Не напечатают.

Антон: Тогда давай расстанемся друзьями!

Полезные слова

бесконечные плачущие лица – endless crying faces

впечатление: у рядового американца должно сложиться впечатление – an average American is likely to get the impression that …

гу-гу: ни гу-гу! – not a word!

мёрзостное по всем азимутам – disgusting in every aspect

мура – nonsense

ощущение – feeling

переживать: не переживай! – don't lose sleep over it!

полное враньё – total lies

правдоискатель – truth seeker

превратиться в – to turn into

представление: *у кого* сложилось такое представление, что … – *someone* got the impression that ..

расстаться друзьями – to part as friends

русские такие – Russians are like that

складывать кусочки – to put pieces together

тянуть *на что* – to be headed for (*a grade in school*): *кто* **тянет на «троечку»** – *someone* is headed for a "C"

чокнутый – looney: **когда этот чокнутый президент сорвётся и** …- when this loony president will lose it and …

УПРАЖНЕНИЯ НА ЧТЕНИЕ 1

ПРЕДТЕКСТОВЫЕ УПРАЖНЕНИЯ

А. О Кавказском конфликте. This article analyzes the Russian-Georgian conflict of 2008. You follow the article better if you first review the main facts of the conflict. Using any outside source (but not the article), answer these questions to your own satisfaction:

1. What were the roles of the following actors: Russia, Georgia, South Ossetia, Abkhazia, United States, NATO?
2. What was the reaction of the Russian media / Russian public opinion to the events?
3. How did the Georgian government present its case?
   What was the view of the U.S. press and government?

Б. Кто есть кто? Где есть что? Scan the text and identify the proper nouns below. They are presented in the order of their initial appearance.

Цхинвали

Михаил Саакашвили

Республиканской партии

Давит Усупашвили

Национального совета

Леван Гачечиладзе

Каха Кукава

Нино Бурджанадзе

Зураб Жвания

Паата Закарейшвили

В. Нужные слова

веща́ть – to broadcast

искаже́ние – distorting

наступле́ние – attack

обвиня́ть *в чём* – to accuse *of something* < **вина́** – fault; blame

ощуще́ние – feeling

пиа́р – *This is the phonetic spelling out of an English abbreviation. What then is*
   чёрный пиа́р*?*

подверга́ться *чему* – to be subjected to *something*

полага́ть – to assume

порва́ть *с кем* – to break *with somebody*

пресле́довать цель – to pursue a goal

храни́ть / сохрани́ть – to preserve; to retain

целесообра́зность – desirability; advisability

Г. Подробно. Now reread the text to find the following information.

1. This is a report about media coverage. Whose?

2. According to the lead paragraph, what changes in the coverage have occurred?

3. How did Kavkasiya-TV's coverage differ from that of other TV channels?

Д. Что соответствует чему? Match the statement with the *cited source*.

1. Georgia underestimated the Russian military.	a. Georgian newspaper
2. Georgia was stupid to invade South Ossetia	b. Kavkasiya-TV
3. Georgian army commanders were incompetent.	c. Author of this article
4. Georgian TV exaggerated the strength of Western reaction to the events.	d. Not mentioned in the article
5. The Georgia action was at best an egregious error and possibly criminal.	e. Nino Burdzhanadze
6. The Georgian authorities are waging a smear campaign against the ex-leader of Parliament.	f. Levan Gachechiladze
7. The U.S. is planning to replace Saakashvili with a more moderate leader.	g. Kakha Kukava

g. Kakha Kukava
h. Mikhail Saakashvili
i. Davit Ucupashvili
j. Paata Zakareishvili
k. Zurab Zhvania

Критика правительства нарастает среди оппозиции

Во время вооруженного конфликта с Россией в августе политическая элита Грузии и ведущие СМИ выражали единогласную поддержку правительству Михаила Саакашвили. Однако позже все громче зазвучала критика — от оппозиции, военных аналитиков и бывших сторонников нынешних властей.

Правда, общенациональные телестанции остаются на стороне правительства и даже сохранили оптимизм, надеясь, что дипломатические усилия властей и вмешательство международного сообщества помогут Грузии найти выход из создавшегося положения. Лишь один телеканал — "Кавкасия-ТВ", вещающий в Тбилиси, и некоторые печатные издания, в основном распространяемые в столице, не скрывают критики в адрес властей. Эта критика принимает в основном три формы: подвергается сомнению елесообразность решения о полномасштабном наступлении на Цхинвали после того, как в течение дня происходили столкновения в близлежащих грузинских и осетинских селах, а также поступали сообщения, что российские войска уже вторглись в регион;

- правительство обвиняется в неспособности оценить военную угрозу со стороны России и привести в соответствие с ней доктрину национальной безопасности;

- критикуется общее руководство армией в период войны как высшим командованием, так и Саакашвили как верховным главнокомандующим.

Ощущение неудовлетворенности суммировал лидер оппозиционной Республиканской партии Давит Усупашвили 15 сентября: "Развитие событий показало, что или было совершено преступление, или была допущена трагическая и непростительная политическая ошибка. В любом случае, ясно, что правительство, которое это допустило, неспособно вывести страну из этого кризиса".

19 сентября ведущие члены оппозиционного Национального совета Леван Гачечиладзе и Каха Кукава провели брифинг, на котором обвинили телеканалы в искажении международной реакции на конфликт, в попытке принизить широко распространенное среди союзников Грузии мнение, что решение Саакашвили о наступлении на Цхинвали было ошибочным.

Одним из самых ярких критиков грузинского правительства после войны стала бывший спикер парламента Нино Бурджанадзе. Когда-то она была политическим союзником Саакашвили и даже входила после "розовой революции" во властный "триумвират" вместе с самим Саакашвили и покойным премьер-министром Зурабом Жвания.

В апреле Бурджанадзе порвала с партией Саакашвили, объявив, что не хочет бороться за переизбрание в парламент, и приведя в качестве причины разногласия по партийному избирательному списку. В начале июля Бурджанадзе основала Фонд за демократию и развитие, неправительственную организацию, преследующую, по ее словам, цель — укрепление демократических институтов и свободу СМИ.

Бурджанадзе, по мнению многих, пользуется поддержкой на Западе из-за своих умеренных взглядов, некоторые местные аналитики (например, Паата Закарейшвили в российской "Независимой газете" от 26 августа) полагают, что США готовят Бурджанадзе в качестве замены Саакашвили.

23 сентября газета "Резонанси" опубликовала статью, в которой подчеркивалось, что правительство ведет кампанию "черного пиара" с целью дискредитации бывшего спикера парламента.

ПОСЛЕТЕКСТОВЫЕ УПРАЖНЕНИЯ (USING SENTENCE STRUCTURE AND CONTEXT)

Comment – Topic: You already have learned to analyze sentences grammatically in terms of subject and predicate. But sentences can also be looked at from a "thematic" point of view. Nearly all Russian sentences contain two parts: a **topic** and a **comment** on that topic (when, where, why, how, etc:)

topic	*comment*
Лететь самолётом	**всегда удобно**

In purely *neutral* style topic precedes comment. Topic usually represents **known information**, something that the reader either already knows about or has read about in a previous sentence:

topic	*comment*
В Тибет	**введена армия**

topic	*comment*
Армия	**будет работать, чтобы обеспечить...**

Nevertheless, word order is never a sure thing. Therefore, you should learn to find topic and comment to keep track of who is doing what to whom when, how, and why.

Упражнения

1. This article, although rather official, contains several examples of an *emphatic* style of journalism. That is, there are sentences with inverted word order. Find them in paragraphs 4 and 6 and underline in them the topic and the statement.

2. Rewrite these sentences following the pattern:
    subject-(modifiers)-predicate-(modifiers)-object(s)-(modifiers)

3. In the first sentence of paragraph 1, a comma after **правда** sets off ...
    a. a phrase
    b. a clause
    c. an enumeration
    d. a quotation
    e. a transition marker

4. In the same sentence, a comma after **оптимизм** sets off ...
    a. a phrase
    b. a clause
    c. an enumeration
    d. a quotation
    e. a transition marker

5. In the same sentence, a comma after **надеясь** sets off ...
    a. a phrase
    b. a clause
    c. an enumeration
    d. a quotation
    e. a transition marker

6. Analyze the use of commas in the next sentence, and translate the whole paragraph into English.

7. In the second sentence of the indented paragraph, **с ней** refers to something said before. Circle the words that it refers to.

8. In the last sentence of the indented paragraph, **высшим командованием** and **Саакашвили как верховным главнокомандующим** refers to ...
    a. the subject **общее руководство**
    b. the predicate **критикуется**

    Translate the indented paragraph.

9. In sentence two of paragraph 3, analyze the use of commas. The predicate of the main clause does not have a subject because it ...
    a. is "disguised" in genitive case.
    b. omits **они**.
    c. is an impersonal construction.

10. In the first sentence of paragraph 5, the predicate does not have a subject because it...
    a. is "disguised" in genitive case.
    b. omits **они**.
    c. is an impersonal construction.

11. In the same sentence, an object to the predicate is...
    a. direct.
    b. indirect.
    c. prepositional.
    d. "A=B" + instrumental case.

УПРАЖНЕНИЯ НА ЧТЕНИЕ 2

Предтекстовые упражнения

A. Background. The Russian press was almost unanimous in its approval of Russian actions in the Caucasian conflict of August 2008. But the Russian media often reports how the West covers Russia. Read the following article which reports on coverage from the Times of London. Quickly determine if any of the following statements appear in the report.

1. This conflict could spin out of control because other actors could get involved.
2. Cooler heads usually prevail in similar crises.
3. Georgan President Saakashvili has his faults.
4. Saakashvili's risk-taking lost him all Western support.
5. Part of Russia's behavior with Georgia stems from its fears about NATO expansion.
6. The Russians intervened in the Caucasus partly because they knew that the U.S. was helpless to respond meaningfully.
7. Russian intervention in Georgia is likely to be forgotten quickly.
8. Russia is unlikely to provoke a wider conflict through its actions.

Б. Нужные слова

...бы то ни было... – whatever sort of... might be

бо́льший – greater: **в бо́льшей сте́пени**

вовлечён, вовлечены́ *во что* – drawn into something

вы́зов – challenge (*to one's authority, honor, etc.*)

межплеменно́й < **пле́мя** – tribe

не́что = что то (*This is not a negative! Don't confuse it with* **ничто́** 'nothing'. *The* **ч** *of* **не́что** *is pronounced as* **ч**, *not* **ш**.)

одобре́ние – approval

озабо́ченность – worry

полага́ть – to assume

полево́й < **по́ле**

просчи́тывать / просчита́ть – to count on

раздо́р – dispute

разраста́ться – to balloon < **расти́** – > **расту́щий**

сво́йственный *чему* – characteristic *of something*

скла́дывается впечатле́ние – *lit.* the impression forms, *i.e.* one gets the impression

сле́довать *кому делать что* – to behoove *someone to do something*

тем са́мым – precisely because of that

ширя́щийся < **ши́риться** = **расширя́ться**

Локальные войны могут разрастаться в большие

Редакция британской газеты The Times опубликовала сегодня статью о том, что конфликт вокруг Южной Осетии разрастается в нечто большее, чем просто небольшая война в беспокойном регионе.

Небольшая война на Кавказе не должна была бы стать причиной растущей международной озабоченности. Этому региону слишком свойственны конфликты, и на этой стадии Запад был бы в большей степени вовлечен в обсуждение гуманитарной помощи невинным жертвам старых межплеменных раздоров.

Опасность какой бы то ни было войны на границе великой державы заключается в том, что начинают вмешиваться другие, и прежде чем кто-то найдет Цхинвали на карте, кризис превратится в полномасштабный. История полна, казалось бы, незначительных событий (Косово и Фолклендские острова — лишь два свежих примера), которые привели к международному противоборству.

Как и следовало ожидать в таком бурном регионе, Саакашвили столкнулся с вызовами со стороны ультранационалистов, региональных полевых командиров и сепаратистов — Россия использовала их всех. Хотя он развернул наступление, свернул гражданские свободы, его политика получила одобрение на Западе за то, что он сохранил ориентацию на свободный рынок и за то, что был верным союзником США, направив войска в Ирак, Косово и Афганистан. Вчера из-за кризиса 2 тыс. грузинских солдат получили приказ отправляться домой.

Все это происходит на фоне недовольства Москвы тем, что, на ее взгляд, является ширящимся западным окружением. После краха Советского Союза в 1991 году у России, как она полагала, была договоренность, что НАТО не будет расширяться до ее «заднего двора».

Россия настроена решительно и активно поддерживает сепаратистов в Южной Осетии и другом сепаратистском регионе, Абхазии. Складывается впечатление, что Москва просчитала, что может дестабилизировать Грузию с помощью такого конфликта, тогда как США не могут практически ничего поделать в этой ситуации.

Военная интервенция Москвы будет иметь двоякую цель, полагает она: с одной стороны, создание нестабильной Грузии, которая тем самым не сможет присоединиться к НАТО, и в то же время демонстрация Западу, что он зашел слишком далеко. Проблема этой стратегии заключается в том, что она может дестабилизировать другие регионы и выйти из-под контроля. Москва играет с огнем.

ПОСЛЕТЕКСТОВЫЕ УПРАЖНЕНИЯ (USING SENTENCE STRUCTURE AND CONTEXT)

1. **Словообразование**

    - The Russian verb **повернýть** means to turn. Observe how it changes its meaning with different prepositions. How do you say in English **развернýть наступлéние**? And what about **свернýть граждáнские свобóды**?

    - In **полномасштáбный, пóлный** means *full* and **масштáб** means *scale*. Now, put the two together!

    - **Межплеменнóй** also consists of two different roots. What are they? What is the English for it?

    - Verbs of motion with different prepositions form interesting idioms. In the last paragraph, find **зайти слишком далеко and выйти из-под контроля**. Find the English equivalents for them.

2. Find and rewrite sentences with inverted word order in paragraphs 2 and 7 following the pattern: *subject-(modifiers)-predicate-(modifiers)-object(s)-(modifiers)*

3. Give the Russian for:

    - *the danger of war*
    - *against the background of*
    - *to play with fire*

УПРАЖНЕНИЕ НА ЧТЕНИЕ 3

ПРЕДТЕКСТОВЫЕ УПРАЖНЕНИЯ

A. Background. As a Jewish holiday approaches, Israel has once again tightened security at its borders. Before reading the article, determine which statements are likely to be true.

1. Gaza will be sealed off, but the West Bank will be unaffected.
2. Exceptions will be made for medical emergencies.
3. Israelis are encouraged to take advantage of the extra security to visit Biblical sites in the Sinai.
4. The intensified security is a result of past holiday-time terrorist actions.
5. Israeli intelligence has been mostly unsuccessful in stopping terrorist acts on the high holidays.
6. Beit-Iba is a resort town that terrorists have previously attacked.

Now look through the word list below, read the text, and see if your guesses were correct.

Б. Нужные слова

бди́тельность – watchfulness; alertness

блужда́ние – wandering (due to being lost)

в связи́ *с чем* – due *to something*

взрыва́ться / взорва́ться – to blow oneself up > **взрывно́й**

КПП – контро́льно-пропускно́й пункт

посеще́ние – visiting

предотврати́ть – to prevent

пропуска́ть/пропусти́ть – to let through (*a barrier*) > **пропускно́й**

распоряже́ние: по распоряже́нию – as ordered by

сме́ртник – suicide attacker

удало́сь *кому что сделать* – *someone* managed *to do something*

учи́тывать – to consider; to take into account

Угрозы терактов на праздник Суккот.
Блокада и предупреждения

По распоряжению министра обороны Израиля, с 13 по 21 октября, на период праздника Суккот, введен режим полной блокады территории Палестинской автономии.

Блокада была установлена в полночь. Пресс-служба Армии обороны Израиля отмечает, что режим блокады введен «в связи с общей оценкой ситуации в сфере безопасности». При этом подчеркивается, что контрольно-пропускные пункты несмотря на блокаду будут работать для того, чтобы пропускать палестинцев, нуждающихся в медицинской помощи. Кроме того, будут учитываться так называемые «гуманитарные случаи».

Израильские власти также предупреждают граждан о нежелательности посещения в праздничные дни Синайского полуострова (хотя в этот праздник и принято вспоминать о блужданиях еврейского народа по Синаю).

В этой связи напомним, что во время празднования Суккота в 2004-м году на Синае была совершена серия терактов, жертвами которых стало более 30 человек (в основном – израильтяне). Тогда смертники атаковали отель Hilton в Табе, а также совершили теракты в поселках Рас ас-Сатан и Мухайамат ат-Тарабин.

За время «интифады Аль-Аксы» в период праздника Суккот палестинскими боевиками было совершено два теракта-самоубийства. 7 октября 2001 года боевик «Исламского джихада» взорвался в кибуце Шелухот – погиб один израильтянин; 26 октября 2005 года, на исходе Суккота, в день празднования Симхат Тора, в результате взрыва на рынке в Хадере погибли шестеро израильтян. При этом за восемь лет интифады в период празднования Суккота израильские спецслужбы получали сотни предупреждений о готовящихся терактах, большинство из которых удалось предотвратить.

Накануне праздника Суккот 5769-го года по еврейскому календарю спецслужбы Израиля получили около 15 предупреждений о готовящихся терактах.

Вчера на КПП «Бейт-Иба», к западу от Шхема, благодаря бдительности военнослужащей Нагасат Каса, удалось остановить троих палестинцев, которые пытались пронести взрывные устройства.

Послетекстовые упражнения (Using sentence structure and context):

1. In the second sentence of paragraph 2, analyze the use of commas. Translate the sentence into English.

2. In paragraph 4, sentence 1, circle the words to which *которых* refers.

3. In the last sentence of paragraph 5, the *который - clause* doesn't have a subject because it is…
   a. "disguised" in genitive case.
   b. an *они* omitted sentence.
   c. an impersonal construction

4. Find and rewrite sentences with inverted word order in paragraphs 2 and 4 following the pattern: *subject-(modifiers)-predicate-(modifiers)-object(s)-(modifiers)*

6. Give the Russian for:

   - *to wander in the desert*
   - *to receive a warning of a forthcoming terrorist attack*
   - *a check point*

УПРАЖНЕНИЕ НА ЧТЕНИЕ 4

Предтекстовые упражнения

A. **Background information.** Nagorno-Karabakh is an enclave within Azerbaijan with a large Armenian population. Azeri-Armenian ethnic conflicts flared in the late 1980s on the eve of the breakup of the Soviet Union. A tentative ceasefire put an end to major casualities in 1994. Read the article to match up the facts, figures, and places.

Armenian dead (all locations): _____
Civilian dead and missing in Nagorno-Karabakh: _____
Total dead in Azerbaijan, including Nagorno-Karabakh: _____
Total Azeri death toll: _____
Summary of ordinance used in Stanakert: _____
Total number of Armenian refugrees fleeing Azerbajani-controlled territory:

_____
Total number of refugees fleeing Armenia: _____
Total number of Azeri regions that came under Armenian control: _____
Number of refugees from those regions: _____

Б. Нужные слова.

ито́г – result
преиму́щество – advantage
превосхо́дство – superiority
потерпе́ть пораже́ние – to suffer a defeat
доброво́лец – volunteer
весть: пропа́сть бе́з вести – to be missing; to be MIA
вну́тренние войска́ – internal forces (e.g. national guard)
снаря́д – mortar shell
противопехо́тный < **пехо́та** – infantry
покида́ть / поки́нуть – to leave behind; to abandon
сле́довать *кому делать что* – to behoove *someone to do something*
учи́тывать / уче́сть – to consider; to take into account
вы́езд – exit
приобрета́ть / приобрести́ – to acquire

Карабахский конфликт: Итоги военного противостояния

Итогом военного противостояния в Нагорном Карабахе стала победа армянской стороны. Несмотря на численное преимущество, превосходство в боевой технике и живой силе, при несравнимо больших ресурсах Азербайджан потерпел поражение.

Боевые потери у армянской стороны составили 5856 человек убитыми, из них 3291 — граждане непризнанной НКР, остальные — граждане Республики Армения и немногочисленные добровольцы армянской диаспоры.

За время войны между Азербайджаном и непризнанной НКР в результате бомбёжек и обстрелов азербайджанской армией гражданского населения НК погибло 1264 мирных жителей (из них более 500 женщин и детей). Без вести пропало 596 человек (179 женщин и детей). Всего с 1988 по 1994 г. в Азербайджане и непризнанной НКР было убито более 2000 гражданских лиц армянской национальности.

Потери азербайджанской стороны составили более 25 000 человек убитыми, в том числе военнослужащих Национальной армии Азербайджана, внутренних войск, бойцов ОМОН, территориальных батальонов, боевиков из различных организаций, а также иностранных наёмников.

О жестокости и масштабе войны говорят также следующие цифры — с 21 ноября 1991 г. по май 1994 г. только на Степанакерт (население в 1989 г. — 54 тысчи) азербайджанской армией было выпущено свыше 21 000 снарядов РСЗО «Град», 2700 ракет «Алазань», более 2000 артснарядов, 180 шариковых бомб, 150 полутонных авиабомб (в том числе 8 вакуумных). На территории непризнанной НКР азербайджанской армией было установлено более 100 000 противотанковых, ещё большее количество противопехотных мин.

В итоге военного противостояния непризнанной НКР и Республики Азербайджан под контроль армянских формирований перешла территория 7 районов бывшей АзССР. Беженцами стали 390 000 армян (360 000 армян из Азербайджана и 30 тыс. из НКР). Кроме того, в результате блокады и войны Республику Армения покинуло более 635 тыс. человек. Вынужденными переселенцами стали жители 7 районов Респу-блики Азербайджан, занятых «Армией обороны НКР» — 375 тыс. (население этих районов в 1989 г. составляло 484 тыс., однако жители не занятых армянскими формированиями частей районов смогли вернуться в свои дома), 42 тыс. азербайджанцев из НКР и 175 тыс. беженцев-азербайджанцев из Армении. Всего вынужденных переселенцев и беженцев из зоны Карабахского конфликта в Азербайджане — 592 тыс. Следует учесть, что многие азербайджанцы из Армении смогли перед выездом продать свои дома или квартиры и приобрести жильё в Азербайджане. Часть из них произвела обмен жильём с покидающими Азербайджан армянами.

Послетекстовые упражнения (Using context and structure)

1. This article, although rather official, contains many examples of an *emphatic* style of journalism. Find them in Paragraphs 1, 3, 5 and 6 and underline in them the topic and the statement. Rewrite them using direct word order..

2. In the first sentence of Paragraph 1, an object to the predicate is...
   a. direct.
   b. indirect.
   c. prepositional.
   d. "A=B" + instrumental case.

3. This construction is used two more times in Paragraph 7. Find them and translate them into English.

4. In the first sentence of Paragraph 3, circle the word to which *из них* refers.

5. **Словообразование.** The Russian **бежáть** means to run. What does **бéженцы** mean?

6. Find the Russian for:

   • *involuntary migrants*
   • *to swap houses*

7. Make a list of words which you can use in talking about military conflicts.

@ УПРАЖНЕНИЯ НА АУДИРОВАНИЕ

А. Знакомая история. Listen to this report about the Gaza Strip. First predict to the extent possible who says what. (Not everyone listed below is actually in the report.)

1.	U.N. Security Council	a.	called for a cease fire
2.	U.N. Secretary General	b.	condemned Israeli violence
3.	Lybya	c.	condemned the violence on both sides
4.	Russian Mission to the U.N.	d.	failed to pass a resolution
5.	U.S. State Department	e.	killed dozens of militants
6.	Hamas	f.	killed invading soldiers
7.	Palestinian Authority	g.	met in extra session
8.	Al Jazeera	h.	was mum on casualties
9.	Israeli military spokesperson	i.	was not mentioned
10.	France	j.	was quoted

Now listen to the report to see if you were correct.

Б. Ключевые слова. In what context did you hear the following words and phrases?

в связи́ с но́вым обостре́нием
чрезвыча́йное заседа́ние Совбе́за
прое́кт резолю́ции с осужде́нием де́йствий ... в се́кторе Га́за
отрази́ть агре́ссию Изра́иля
бра́тская моги́ла
заплати́ть высо́кую це́ну
пе́рвые часы́ крупномасшта́бного наступле́ния
осуди́ть вторже́ние а́рмии
уча́стников четвёрки (= ООН, Росси́я, США, Евросою́з)
призыва́ть неме́дленно прекрати́ть ого́нь

КРУГ ПЕРВЫЙ
УРОК СЕМЬ
ВЫБОРЫ

@ **ТЕКСТ: Прослушайте текст, затем прочитайте его и переведите на английский язык в письменной форме.**

Будут ли россияне снова выбирать губернаторов?

В нача́ле 90-х руководи́тели субъе́ктов федера́ции в Росси́и назнача́лись президе́нтом. Зате́м, с 1994 года, их ста́ли выбира́ть всенаро́дным голосова́нием. Но в 2004 году́ по́сле траги́ческих собы́тий в Бесла́не вы́боры руководи́телей субъе́ктов федера́ции бы́ли отменены́. Но́вый поря́док предполага́ет назначе́ние глав регио́нов президе́нтом при согласова́нии кандидату́ры с законода́тельным собра́нием субъе́кта федера́ции. При э́том е́сли региона́льный парла́мент не утвержда́ет предло́женную президе́нтом кандидату́ру, он мо́жет быть распу́щен.

Ци́фры свиде́тельствуют о том, что но́вый поря́док назначе́ния глав субъе́ктов федера́ции не привёл к значи́тельному обновле́нию губерна́торского ко́рпуса. По мне́нию не́которых росси́йских полито́логов, рефо́рма 2004 го́да была́ вы́годна не то́лько Кремлю́, но и сами́м губерна́торам, мно́гие из кото́рых оста́лись у вла́сти благодаря́ э́той рефо́рме и факти́ческой отме́не ограниче́ний по сро́кам для губерна́торов.

Спустя́ четы́ре го́да в Росси́и практи́чески не оста́лось глав регио́нов, когда́-то получи́вших свои́ полномо́чия на прямы́х вы́борах, и губерна́торами всё ча́ще стано́вятся так называ́емые «варя́ги» – кандида́ты, не име́ющие к да́нным областя́м и респу́бликам никако́го отноше́ния. Таки́м о́бразом, проце́сс ослабле́ния полити́ческого влия́ния региона́льных эли́т на де́ятельность федера́льной вла́сти перешёл в заверша́ющую фа́зу. Мо́жно сказа́ть, что с по́мощью но́вой систе́мы Кремль доби́лся поста́вленных це́лей – усиле́ния централиза́ции и факти́ческого восстановле́ния унита́рного госуда́рства.

Однако в 2008 году после смены власти в Кремле стали раздаваться призывы к отказу от назначения глав регионов. Особое недовольство регионов вызывает возможность роспуска местных парламентов, если те не согласны с кандидатурой, навязанной Москвой. Эти выступления, очевидно, отражают настроения достаточно большой части региональной элиты, прежде всего руководителей богатых регионов и лидеров с высоким уровнем общественного доверия.

Как считают эксперты, влиятельные региональные политики готовы вернуться к выборности, чтобы снизить свою зависимость от Кремля. «Надо избираться,— сказал Президент Татарии Минтимер Шаймиев.- Это неправильно, у него (президента России) не должно быть права распускать законодательное собрание. Это же избранный народом орган, это местный орган власти».

Напомним, что в июне 2007 года тогдашний президент Владимир Путин подписал указ «Об оценке деятельности органов исполнительной власти субъектов РФ». Согласно этому указу главы регионов должны отчитываться перед администрацией президента о своей работе по семидесяти критериям. В окружении президента Медведева говорят, что тема выборности губернаторов не закрыта. Не исключено, что федеральный центр вернётся к обсуждению соответствующей процедуры, однако в ближайшее время этого скорее всего не случится. По мнению некоторых наблюдателей, Дмитрий Медведев не является жёстким противником выборов глав субъектов, но в работе с губернаторами намерен ориентироваться на те договорённости, которые были достигнуты между руководителями регионов и Путиным.

@ КОГНАТЫ

губернатор	политолог	система	фактический
кандидатура	процедура	субъект	федерация
корпус	процесс	трагический	централизация
критерий	регион	унитарный	эксперт
ориентироваться	региональный	фаза	элита
политик	реформа		

СЛОВА И ВЫРАЖЕНИЯ

«варя́ги» – Vikings – outsiders

возмо́жность ро́спуска
>вызыва́ет недово́льство у *кого*
>>регио́нов – of the regions (provinces)
>отража́ет настрое́ние *кого* – reflects discontent *of whom*
>>региона́льной эли́ты – the provincial elites
>>руководи́телей бога́тых регио́нов
>>ли́деров с высо́ким у́ровнем обще́ственного дове́рия

восстановле́ние
>унита́рного госуда́рства – centralized state

вы́боры *куда* – election *to what*
>в законода́тельное собра́ние – regional parliament

вы́годный *кому* – beneficial *to someone*
>Кремлю́
>Бе́лому до́му
>губерна́торам

гото́в, – а, -о, -ы *сделать что* – are prepared *to do something*
>верну́ться к вы́борности губерна́торов – to go back to electing governors
>сни́зить зави́симость от Кремля́ – decrease their dependence on the Kremlin
>повы́сить де́ятельности о́рганов исполни́тельной вла́сти – increase executive power
>сни́зить де́ятельности о́рганов законода́тельной вла́сти – decrease legislative power

добива́ться/доби́ться (добью́тся) *чего* – to achieve *something*
>поста́вленных це́лей – set goals
>сме́ны вла́сти – change of power
>усиле́ние централиза́ции – stronger centralization

жёсткий проти́вник

избира́ть/ избра́ть + nominative *plural*(!) – as *someone (president, congressmen, etc.)*
>в губерна́торы
>в президе́нты
>в конгрессме́ны

избира́ть/ избра́ть *на какую должность* – to elect *to a post*–
>в Ду́му
>в парла́мент
>в ме́стные о́рганы вла́сти – local government

избира́ться / быть и́збран *чем* – to be elected *by means of*
>та́йным голосова́нием

избира́ться / быть и́збран, и́збрана *кем* – to be elected + *post (president, governor, etc.)*
президе́нтом

наблюда́тель – observer

назнача́ть назна́чить – to appoint

назнача́ться *кем* – to be appointed by whom
руководи́телем субъе́кта федера́ции при согласова́нии с законода́тельным собра́нием – by the head of an administrative entity with the concent of local government

наме́рен, -а, -о, ы ориенти́роваться *на что* – intending to support *something*
договорённости, дости́гнутые Пу́тиным – the agreements reached by Putin
о́рганы исполни́тельной вла́сти – the executive branch of government
Кре́мль – the Kremlin

ослабле́ние – weakening
влия́ния регина́льных эли́т на де́ятельность федера́льной вла́сти – of the regional elites influence on the work of central government

оста́ться у (во) вла́сти благодаря́ – to stay in power due to
отме́не ограниче́ний по сро́кам – ...cancelation of term limits
рефо́рмам – ...reforms

отменя́ться/отмени́ться – to be cancelled

отчи́тываться/ отчита́ться пе́ред администра́цией президе́нта о свое́й рабо́те
по семи́десяти крите́риям – to report to the (presidential) administration on its work on 70 issues

получа́ть/ получи́ть полномо́чия – to receive authority
на прямы́х вы́борах – by direct election

предполага́ть – to assume: **но́вый поря́док предполага́ет** – the new order assumes…
назначе́ние глав реги́онов
вы́боры
отме́ну вы́боров губерна́торов – ancellation of elections of governers
наро́дное голосова́ние – popular vote
ро́спуск парла́мента – dissolution of parliament
утвержде́ние кандиату́ры президе́нтом – presidential confirmation of the candidacy
утвержде́ние кандиату́ры законода́тельным собра́нием – confirmation of the candidacy by local the parliament

приводи́ть (приво́дят)/ привести́ (приведу́т; привёл, привели́) *к чему* – to result *in something*
значи́тельному обновле́нию губерна́торского ко́рпуса – a considerable turnover of governers
отме́не ограниче́ния по сро́кам – term limits

распуска́ть / распусти́ть – to dissolve (*a political body such as parliament*)

утвержда́ть / утверди́ть – to claim

Афганиста́н, афга́нский, афга́нцы, Кабу́л

Казахста́н, каза́хский, каза́хи, говори́ть по-каза́хски, Астана́

Киргизста́н, кирги́зский, кирги́зы, говори́ть по-кирги́зски, Бишке́к

Таджикиста́н, таджи́кский, таджи́ки, говори́ть по-таджи́кски, Ашхаба́д

Татарста́н, тата́рский, тата́ры, говори́ть по-тата́рски, Каза́нь

Узбекиста́н, узбе́кский, узбе́ки, говори́ть по-узбе́кски, Ташке́нт

Центра́льная Азия, центральноазиа́тский

ЛЕКСИЧЕСКИЕ УПРАЖНЕНИЯ

Просмотрите слова и выражения к тексту «Будут ли россияне снова выбирать губернаторов?» и сделайте следующие упражнения.

A. Заполните пропуски правильными предлогами.

1. Вы́боры ___ президе́нты происхо́дят в США раз ___ четы́ре го́да.
2. Утвержде́ние кандидату́ры губерна́тора президе́нтом вы́годно ___ Кремлю́.
3. Назначе́ние глав регио́нов не приво́дит ___ значи́тельному обновле́нию губерна́торского ко́рпуса.
4. Благодаря́ э́той рефо́рме мно́гие из губерна́торов оста́лись ___ вла́сти.
5. Региона́льные эли́ты гото́вы верну́ться ___ вы́борности губерна́торов.
6. Гла́вы регио́нов должны́ отчи́тываться ___ президе́нтом ___ свое́й рабо́те.
7. Губерна́тор назнача́ется руководи́телем субъе́кта федера́ции ___ согласова́нии ___ законода́тельным собра́нием.

Б. Дайте русские эквиваленты следующим английским фразам.

- according to some observers
- to be appointed by the president
- owing to the reforms
- to be elected by popular vote
- by consent of local government
- to result in term limits
- to dissolve the regional government
- a return to a centralized state
- to report to the (presidential) administration on its work
- gubernatorial elections
- to support the previous agreements

В. РАБОТА ПО МОДЕЛЯМ

1. Заполните пропуски словами по смыслу.

кто

а. ————————
————————
} выбира́ется всенаро́дным голосова́нием.

куда
————
————
————
б. Ско́ро у нас состоя́тся вы́боры }
на пост кого
————
————

к чему
в. Вы́боры губерна́торов приведу́т к } ————————
————————

что
г. ————————
————————
} вызыва́ет недово́льство региона́льной эли́ты.

д.   Но́вая администра́ция наме́рена ориенти́роваться на } *кого – что*
_____
_____
_____

е.   Си́льные губерна́торы добью́тся } *чего*
_____
_____

2. Зако́нчите предложе́ния, испо́льзуя логи́чески пра́вильные фра́зы.

В ра́нний постперестро́ечный пери́од _____ назнача́л президе́нт. С 1994 по 2004 год они́ ста́ли выбира́ться _____. По́сле собы́тий в Бесла́не губерна́торы сно́ва _____ президе́нтом. Если предло́женная кандидату́ра главы́ регио́на не утвержда́ется региона́льным парла́ментом, то президе́нт мо́жет _____.

Поря́док назначе́ния глав субъе́ктов федера́ции был вы́годен не то́лько Кремлю́, но и сами́м губерна́торам, потому́ что _____. Сего́дня глава́ми регио́нов стано́вятся так называ́емые «варя́ги», т.е. _____. С по́мощью но́вой систе́мы Кремль доби́лся _____.

Одна́ко по́сле сме́ны вла́сти в Кремле́ региона́льные эли́ты ста́ли призыва́ть к _____. Осо́бенно они́ недово́льны _____.

Влия́тельные региона́льные поли́тики хоте́ли бы верну́ться к вы́борности губерна́торов, что́бы _____. Президе́нт Татарста́на говори́т: «Непра́вильно распуска́ть законода́тельное собра́ние. Ведь это же _____.

В окруже́нии президе́нта Медве́дева говоря́т, что он не явля́ется проти́вником вы́боров глав субъе́ктов, но в рабо́те с губерна́торами наме́рен _____.

@ **Д. Ответьте на следующие вопросы.**

1. Что такое субъект федерации?

2. Сколько субъектов федерации в РФ?

3. Объясните разницу между глаголами «выбираться» и «назначаться».

4. Что такое законодательное собрание?

5. Как называется глава региона?

6. На какой срок назначаются губернаторы?

7. На какой срок выбирается президент?

8. Что значит выражение «ограничение по срокам»?

9. В американской системе есть ограничение по срокам для президента?

10. Объясните значение слова «полномочия».

11. Какая разница между «законодательной», «исполнительной» и «судебной» властью?

12. Кто такие «варяги», и почему они так называются?

13. Что такое региональная элита?

14. Какое государство называется унитарным?

15. Каким образом лидеры могут обладать высоким уровнем общественного доверия?

16. Как выборность губернаторов может снизить зависимость от Кремля?

17. Что значит «отчитываться по семидесяти критериям»?

18. Назовите страны, названия которых оканчиваются на «стан»? Что это значит?

19. Какие из них были частью бывшего СССР?

20. Какая из них является частью РФ?

21. Как называется народ этой страны?

22. На каком языке они говорят?

23. К какой семье принадлежит этот язык?

ГРАММАТИКА: ТВОРИТЕЛЬНЫЙ ПАДЕЖ (INSTRUMENTAL CASE)

Instrumental case has the following uses:

1. To denote **a tool**, a means by or with which the action is performed. It answers the
    questions **кем?**, **чем?** and takes no preposition (English *by, with*).

    стреля́ть **снаря́дами**
    to shoot *with artillery shells*

2. After the preposition **с** "together with" to answer the questions **с кем? с чем?**

    сове́товаться **с судьёй**
    to consult *with a judge*

    Remember that when **с** means "since" or "from," it takes genitive: **с про́шлого го́да**
    – since last year.

3. After the prepositions **над** "above," **под** "under," **за** "behind", **пе́ред** "before,"
    ме́жду "between" to answer the question **где?**

    проводи́ть испыта́ния **под землёй**
    to conduct tests *underground*

    Note: **за** "behind; beyond" requires accusative case to answer the question **куда**:
    Самолёт лети́т за горизо́нт – *The plane is flying beyond the horizon.*

4. As a part of a predicate to answer the question **кем?**, **чем?** after "**быть**" in the past,
    future, or infinitive form, **стать, явля́ться, счита́ться, называ́ться**" and other
    verbs of equivalency.

    Одно́й из пробле́м **явля́ется** го́нка вооруже́ний.
    The arms race *is one* of the problems.

Note that word order is not the deciding factor in determining what goes ino instrumental. The less "permanent" noun is the real predicate to be placed in instrumental. Compare these statements bout whether the criminality of a country's president:

Президе́нт **был престу́пиником**!	The president *was a criminal*. (We are commenting on the character of the president.)
Президе́нтом был э́тот престу́пник!	That criminal *was president*! (We are commenting on the temporary job status of this person, who by nature was a crook.)

5. After some verbs which indicate the object which "keeps the subject busy" (see the table).

руководи́ть вы́борами
to run the elections.

занима́ться эконо́микой
to study economics

6. To indicate the "doer" of the action in a passive-type construction.

Они́ вы́браны **гра́жданами** (past passive participle).
They have been elected by the citizens.

Они́ выбира́ются **гра́жданами**.
They are elected *by the citizens*. (–**ся** verb)

7. To express manner of action.

Эконо́мика развива́ется **бы́стрыми те́мпами**.
The economy develops *fast*.

Мы **по́лностью** согла́сны.
We agree *in full*.

УПРАЖНЕНИЯ НА ГРАММАТИКУ: ТВОРИТЕЛЬНЫЙ ПАДЕЖ (INSTRUMENTAL CASE)

Повторение употребления творительного падежа. Read through the materials on instrumental case. Look through the reference chart at the end of Unit 7 and the Appendix.

А. Употребление творительного падежа. Find the forms of the instrumental case in the text. Explain their use.

@ **Б. Творительный падеж в ответах.** Answer the following questions using the words given below each question.

1. С кем говорит губернатор?

   – тот республиканский лидер
   – все, желающие перемирия
   – некоторые официальные лица
   – главы регионов
   – эти общественные деятели

2. Чем обстреляли этот город?

   – артиллерийские орудия
   – ракеты
   – авиация

3. Перед кем выступил представитель комитета?

   – новые граждане
   – журналисты из разных агентств
   – татарский народ
   – те английские либералы

4. Кем был избран губернатор?

   – татары
   – законодательное собрание
   – вся республика
   – подавляющее большинство

5. Какой становится эта партия?

   – менее либеральная партия
   – партия независимости от Кремля
   – партия региональной элиты
   – более консервативная партия
   – ведущий представитель народа
   – партия предпринимателей

6. Чем определится исход голосования?

   – влияние прессы
   – количество избирателей
   – время и деньги
   – нажим, оказываемый Кремлём

7. Над чем летит снаряд?

    – огромная толпа
    – афганская территория
    – Казань
    – фрегат, идущий в Персидский залив

8. С кем советуется президент?

    – Дума
    – свои советники
    – олигархи
    – силовики
    – министр обороны

9. Чем торгует Португалия?

    – сельскохозяйственные продукты
    – красная рыба
    – оливковое масло

10. С какими странами она торгует?

    – Таджикистан
    – Мексика
    – Германия
    – среднеазиатсткие страны

В. Местоимения в творительном падеже. Substitute the italicized words with the appropriate question word.

1. Партия «Яблоко» стала **крайне левой**.
2. Саммит состоится **осенью**.
3. Выборы в той стране контролируются **партией труда**.
4. ЮАР считалась **самой расистской страной на африканском континенте**.
5. Этот план поддержан **национальной элитой**.
6. Такие перемены ещё недавно казались **невозможными**.
7. Встретившись **с дипломатами**, премьер-министр ушел на приём.
8. Переговоры продолжались **неделями**.
9. Партнёры по переговорам сидели **за столом**.
10. Клинтон сам стал **объектом критики**.
11. Будучи вице-президентом, Чейни обладал **почти неограниченной властью**.

Г. Вставьте нужные слова. Fill in the blanks with the correct prepositions. Write 0 if no preposition is needed.

1. Буш встречал _____ высокопоставленных гостей в аэропорту.
2. Клинтон встречался _____ Путиным в Белом доме.
3. Деревня обстреливалась _____ катюшами.

4. _____ сторонами состоялась двухчасовая встреча.
5. Делегация во главе _____ замминистра прибыла в Афины на переговоры.
6. Отношения _____ этими странами обострились.
7. Нацисты остались ответственными _____ народом.
8. Прогрессивная общественность _____ рубежом также отрицательно оценила эти акции со стороны США.
9. Сообщение было встречено _____ негодованием.

Д. Раскройте скобки. Instrumental case versus genitive after **с**.

1. Сколько времени прошло с [the summit] _____ в Вашингтоне?

2. Журналисты познакомились с [candidates] _____ от партии Ликуд.

3. С [its first days] _____ правительство начало репрессии.

4. Город был окружён с [all sides] _____.

5. Он поздравил их с [the new phase] _____ в экономике страны.

6. Именно с [Empire (империя)] _____ националисты связывали престиж России.

7. Страны третьего мира никак не могут согласиться с [such a position] _____.

8. Конституцию надо было перевести с [Russian] _____ на языки этих народов.

9. Новая программа реформ осуществляется с [the end] _____ года.

Е. Раскройте скобки. Instrumental case versus accusative after **под** and **за**.

1. В конце концов ключи были найдены под [snow] _____ около двери.

2. Самолет с официальными лицами на борту упал под [ice] _____.

3. Вся армия находится под [influence] _____ иностранных советников.

4. Мать послала его стоять в очереди за [groceries] _____.

5. В печати открылась кампания за [attention] _____ к требованиям трудящихся.

6. Самолет полетел за [Panama Canal] _____.

7. Партизаны стояли за [the truck (грузовик)] _____.

8. Этим заявлением канцлер поставил весь народ под [threat] _____.

 Ж. Составьте предложения. Write your own sentences to illustrate the use of instrumental versus genitive and accusative.

З. Употребление творительного падеже с глаголами-связками. Change each sentence below following the pattern.

Образец:  *Он представитель* татарского народа.

Он был *представителем* татарского народа.
Он будет *представителем* татарского народа.
Он должен быть *представителем* татарского народа.
Он является *представителем* татарского народа.

1. В. Путин — российский президент.
2. М. Тэтчер — премьер-министр Великобритании.
3. Р. Хазбулатов — глава оппозиции.
4. Этот человек — гость МИД.
5. Члены делегации — американские сенаторы.

И. Творительный падеж в стадательном залоге. Review the use of Russian passive construction. Consult Table 2 in Unit 4. Change each sentence below following the pattern.

Образцы: *Народ переизбирает* президента.
Президент переизбирается *народом.*

 Исход дискуссии *определит* результаты встречи.
Результаты встречи *будут определены исходом* дискуссии.

1. Представители демократической партии готовят этот законопроект.
2. Министр торговли затратит большие средства на покупку новейшей техники.
3. Американские учёные разрабатывают программу НПРО.
4. Французский дипломат выразил позицию всех стран-членов ЕС.
5. Лейбористская партия поддерживает такую экономическую политику.
6. Зимбабвийские танки открыли огонь по столице.

К. Review cardinal numerals in the instrumental case. Consult the appendix. Form phrases according to the model. Write out all numerals.

Образец: перед/ 5/ английский парламентарий

перед пятью английскими парламентариями

1. руководить/ 3/ сенатский комитет
2. встречаться/ с/ 254/ региональные кандидаты
3. быть довольным/ 2/ поставленная цель
4. видеться с/ 16/ политический деятель
5. интересоваться/ 1/ новая кандидатура

Л. Выражения времени. Review idomatic uses and time expressions in the instrumental case chart at the end of Unit 7. Give Russian equivalents for the following expressions.

- from time to time
- to work on set goals
- to be rich in natural resources
- in that way
- to confer with the regional elite
- to direct the further development of the new order of appointment of the head of administrative entity
- at night
- in the winter
- to be involved with the term limits cancellation
- to be considered a high level of public trust

M. Переведите на русский язык.

1. Gubernatorial elections by the Russian citizens might lead to more independence of the regions.
2. Publication of all materials was controlled by a government body appointed by the president.
3. The Minister of Defense was dissatisfied that the issue of the NABM (НПРО) deployments in Poland had not even been placed on the agenda of the meeting.
4. Although that region is not rich in oil, the situation with natural gas is quite different.
5. At first it seemed that the new president was against gubernatorial appointments, but in spring it became clear that he will support the previous agreements between the regions and Putin.
6. The Party of Regions tried to restore its authority in Parliament by means of reforms.
7. The term in office was reduced by the Congress to a period of 5-1/2 years.

8. According to some observers, the Parliament will be dissolved by the dictator this winter.

9. By consent of local government, new agricultural policies will have (обладать *чем*) their full support.

ГРАММАТИКА: ПРИДАТОЧНЫЕ ПРЕДЛОЖЕНИЯ (SUBORDINATE CLAUSES)

A note on clauses:

Much of the grammar of this chapter has to do with the concept of clauses. Before going on, make sure you know the difference between a clause and a phrase:

A *phrase* is *any* group of words: *flying high…beyond the pale… greeting all… after dinner…*

A *clause* is any group of words with both a subject and predicate:

```
        ┌──── Clause 1 ────┐        ┌──── Clause 2 ────┐
  subj.   predicate                  subj.    predicate
  They  went back to the apartment  after they killed him.
```

In English prepositions may introduce entire *clauses*. For example:

They told me **about** } *how the doctors cured her.*

We cannot agree **with** } *what you said.*

However, in Russian prepositions may NOT precede entire clauses! *Therein lies the problem!*

"BEFORE," "AFTER," AND "SINCE" + CLAUSE: «ДО ТОГО, КАК», «ПЕРЕД ТЕМ, КАК», «ПОСЛЕ ТОГО, КАК», «С ТЕХ ПОР, КАК»

Note what happens to **до, пе́ред,** and **по́сле** when they combine with clauses:

NO CLAUSE BOUNDARY	CLAUSE BOUNDARY
До войны́ всё бы́ло споко́йно. *Before the war* everything was calm.	**До того́, как** начала́сь война́, всё бы́ло споко́йно. *Before the war began,* everything was calm.
Пе́ред войно́й всё бы́ло споко́йно. *Right before the war* everything was calm.	**Пе́ред тем, как** начала́сь война́, всё бы́ло споко́йно. *Right before the war began,* everything was calm.
По́сле войны́ всё бы́ло споко́йно. *After the war* everything was calm.	**По́сле того, как** начала́сь война́, всё бы́ло споко́йно. *After the war ended* everything was calm.
План де́йствует **с про́шлого го́да**. The plan has been in effect *since last year*.	План де́йствует **с тех пор, как** он был одо́брен. The plan has been in effect *ever since it was approved*.

In short, when *before*, *after*, and *since* precede clauses, use:

до того́, как	*before*
пе́ред тем, как	*immediately before*
по́сле того, как	*after*
с тех пор, как	*since*

Note the comma preceding **как**. In Russian, all clauses within sentences are set off by commas.

Note that **по́сле того, как** can usually be replaced by **когда** plus perfective:

По́сле того́, как всё ста́нет я́сно, мы начнём принима́ть ме́ры.
After everything becomes clear, we'll start taking measures.

Когда́ всё ста́нет я́сно, мы начнём принима́ть ме́ры.
Once everything becomes clear, we'll start taking measures.

КОНСТРУКЦИЯ «ТО, ЧТО...» ("THAT WHICH")

Now look at this sentence:

We cannot agree *with what you said.*

Notice that *what* has two functions. It is the object of the preposition *with*, but it is also the direct object of *you said*. How does Russian hadle this conflict of interest in case?

By now you may have guessed that the *what* in this sentence is really a contract form for the formal *that which:*

We cannot agree *with that which* you said.

Now look at how Russian divides up these two clauses, using **то, что** to straddle the clause boundary.

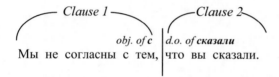

Now look at these Russian sentences and their English equivalents. See if the Russian now makes grammatical sense to you:

Вы уве́рены **в том, что** вы де́лаете?
Are you sure *of what* you're doing?

Мы не бои́мся **того́, чего** бои́тесь вы.
We don't fear *what* you fear.

Вы не дово́льны **тем, что** я вам показа́л?
Are you not satisfied *with what* I showed you?

Мы уважа́ем **то, к чему́** вы стреми́тесь.
We respect *what* you're striving for.

Все гото́вятся **к тому́, что** произойдёт за́втра.
Everyone is preparing for what will happen tomorrow.

КОНСТРУКЦИЯ «ТО, КАК...»

Look at the following sentence:

Избира́тели ничего́ не зна́ют **о том, как** фунциони́руют «перви́чные» вы́боры.
The voters know nothing *about how* the primaries work.

As you can see, when "how" straddles a clause, Russian uses **то, как**. Just as in **то, что** clause-straddlers the **то** declines according to its position in its own clause. **Как** of course is undeclinable.

ПРИДАТОЧНЫЕ ПРЕДЛОЖЕНИЯ И ВРЕМЯ (SUBORDINATE CLAUSES and TENSE)

Look at the following sentences. Pay attention to the tense used in the subordinate clause (**Когда...** or **Если...**).

Если республика́нцы **победя́т** в обе́их пала́тах, на́ша фина́нсовая поли́тика ре́зко **изме́нится**.
If the Republicans *win* in both houses, our budgetary policy *will change* drastically.

Что **произойдёт** в РФ, **когда́** Пу́тин **уйдёт** в отста́вку?
What *will happen* in Russia *when* Putin *leaves* office?

Notice that English uses *present* tense in subordinate clauses, even when future events are referred to ("What *will* happen when Yeltsin *leaves*..."). In Russian, if the main clause is in the future, then the subordinate clause is also nearly always in the future tense.

УПРАЖНЕНИЯ НА ПОДЧИНЁННЫЕ ПРЕДЛОЖЕНИЯ (SUBORDINATE CLAUSES)

Read through the material on subordinate clauses. Then do the exercises below.

А. Переведите на русский язык. Translate the clauses below using **до того, как; перед тем, как; после того, как;** and **с тех пор, как.**

1. Right before Obama spoke (выступил)...,
2. Ever since we helped to restore our economy...,
3. Before the president dissolved the regional governments...,
4. After parliament increased expenses for...,
5. Before the Republicans won (победить в...) the Senate...,

Б. Replace после того, как clauses with когда clauses.

1. Дума будет решать этот вопрос после того, как начнётся новый срок президента.
2. Американцы смогут ездить в Северную Корею только после того, как Конгресс одобрит соответствующий законопроект (bill).
3. Мы узнаем результаты выборов только после того, как об этом сообщат средства массовой информации(СМИ).
4. Избиратели решат, за кого голосовать, после того, как выступят все кандидаты.

B. Fill in the blanks with the verbs below. Pay attention to tense.

1. Если [улучшаться / улучшиться] _____ отношения между США и РФ, то следует ожидать победу республиканцев в ноябре.

2. Если Конгресс США [одобрять / одобрить] _____ законопроект о торговле с Россией, тогда увеличатся возможности для совместных российско-американских предприятий.

3. Когда средства массовой информации [переставать/ перестать] _____ публиковать результаты опросов общественного мнения (polls), у нас резко изменится стиль предвыборных кампаний (election campaigns).

4. Женщина будет избрана президентом США, только если [изменяться / измениться] _____ отношение к роли женщиы в обществе.

5. Если президент США открыто [высказывать/ высказать] _____, что он думает по этому вопросу, он вряд ли будет переизбран.

Г. Rewrite the sentences following the models below.

Образец:

Социалистическая партия провела много перемен. Консерваторы этим недовольны.

The Socialist Party made many changes. The conservatives are disturbed by that.

Консерваторы недовольны тем, что сделала социалистическая партия.

The conservatives are disturbed by what the Socialist Party did.

1. Наши лидеры обещают слишком много. Мы беспокоимся об этом.

2. Консерваторы утверждали, что налоги нанесут ущерб экономическому балансу страны. Либералы не согласны с этим.

3. Избиратели были против программы НПРО. Кандидат голосовал за неё.

4. Конгрессмен высказывал свою позицию. Он был в ней уверен.

5. Лектор обсуждал неприятные вопросы. Никто не хотел думать о них.

6. Стороны не достигли взаимопонимания. Договор не подписали из-за этого.

7. Он выступил за ратификацию. Потом его все обвинили в этом.

8. Как люди будут жить без войн? Он не мог этого понять.

9. Избирательная кампания будет трудной. Мы готовы к этому.

10. Срок администрации Буша закончился в 2008 году. США восстанавливают свои международные позиции с этих пор.

11. Расстановка политических сил (political balance) определится в ходе кампании. Шансы демократической партии вырастут после этого.

12. Кандидат в президенты получил необходимое большинство. Его друзья и соратники поздравляют его с этим.

ЦИТИРОВАНИЕ ИСТОЧНИКОВ (QUOTING SOURCES)

В соответствии с *кем – чем* often serves as an equivalent to "according to." Look at these typical set phrases:

В соответствии с	**Люди:** а́втором статьи́ представи́телем Бе́лого дома ли́дером республика́нского меньшинства́ главо́й делега́ции сове́тником по дела́м... госсекретарём
	Други́е исто́чники журнали́стскими исто́чниками переда́чей радиоста́нции «Эхо Москвы́» но́вой конститу́цией догово́ром о нераспростране́нии... зако́ном о вы́борах выступле́нием заммини́стра

УПРАЖНЕНИЯ НА УСТНУЮ РЕЧЬ

А. Цитирование источников. Процитируйте следующие предложения, используя:

в соответствии с конституцией...
из российских источников стало известно, что....
по словам...
по мнению...

1. В начале 90-х руководители субъектов федерации в России назначались президентом.

2. С 1994 года руководители субъектов федерации в России стали выбираться всенародным голосованием.

3. Реформа 2004 года была выгодна не только Кремлю, но и самим губернаторам.

4. «Надо избираться. Это неправильно, у него (президента России) не должно быть права распускать законодательное собрание».

5. Медведев не является жёстким противником выборов глав субъектов.

Б. Вы согласны? Выразите своё согласие или несогласие в предложениях ниже, используя:

я (не) согласен с тем, что...   **дело в том, что...**
я (не) согласна с тем, что...   **ведь...**

1. Новый порядок назначения глав субъектов федерации не привёл к значительному обновлению губернаторского корпуса.

2. Реформа выборов была выгодна не только Кремлю, но и самим губернаторам.

3. Многие губернаторы остались у власти благодаря этой реформе и фактической отмене ограничений по срокам для губернаторов.

4. Сейчас кандидаты, не имеющие к данным областям и республикам никакого отношения, могут стать губернаторами.

5. Влиятельные региональные политики готовы вернуться к выборности губернаторов.

6. Тема выборности губернаторов не закрыта.

В. Ваше мнение? *Выразите своё мнение в следующих предложениях, используя:*

я ли́чно ду́маю, что...   де́ло в том, что...

мне ка́жется, что...   ведь...

1. В Росси́и практи́чески не оста́лось глав регио́нов, когда́-то получи́вших свои́ полномо́чия на прямы́х вы́борах.
2. Губерна́торами всё ча́ще стано́вятся так называ́емые «варя́ги».
3. Ослабле́ние полити́ческого влия́ния региона́льных эли́т на де́ятельность федера́льной вла́сти перешло́ в заверша́ющую ста́дию.
4. Осо́бое недово́льство у регио́нов вызыва́ет возмо́жность ро́спуска ме́стных парла́ментов.
5. Призы́вы к отка́зу от назначе́ния глав регио́нов отража́ют настрое́ния большо́й ча́сти региона́льных эли́т.
6. У президе́нта не должно́ быть пра́ва распуска́ть законода́тельное собра́ние.

Г. Вопросы. *Ответьте на следующие вопросы по тексту урока, цитируя текст статьи, соглашаясь или не соглашаясь с автором и выражая своё мнение.*

1. Как выбира́лись главы субъе́ктов федера́ции в ра́нний е́льцинский пери́од?
2. Что измени́лось в систе́ме вы́боров с 1994 года?
3. Каки́е собы́тия привели́ к отме́не вы́борности губернаторов?
4. Что предполага́ет новый поря́док вы́боров?
5. Кому́ была́ выгодна рефо́рма 2004 года?
6. Кто таки́е «варя́ги»?
7. Како́й цели добива́лся Кремль, введя́ но́вую избира́тельную систе́му?
8. Чьи интере́сы отража́ют призы́вы к отка́зу от назначе́ния глав регио́нов?
9. Говоря́т, что существу́ет ра́зница ме́жду Медве́девым и Пу́тиным по вопро́су вы́борности губерна́торов. В чём она заключа́ется?
10. На что пока́ ориенти́руется президе́нт Медве́дев в свое́й рабо́те с губерна́торами?

Д. Пересказ. Расскажите Урок 7, цитируя текст статьи, соглашаясь или не соглашаясь с её автором и выражая своё мнение.

Е. Маленькая история. Расскажите маленькую историю, используя следующие выражения. Не забывайте цитировать источники, (не) соглашаться и выражать своё мнение.

...the Duma sources said that...; cancellation of elections of governers; the new order assumes that...; to stay in power owing to...; weakening of regional elites; to report to the executive branch for its work; according to some observers,...; I personally think that... : the thing is...

Ж. Выборы в РФ. Расскажите о системе выборов глав субъектов РФ. Сравните эту систему с американской. Не забывайте цитировать источники, соглашаться или не соглашаться друг с другом и выражать своё мнение.

3. Дискуссия. Обсудите плюсы и минусы американской системы выборщиков (electoral college). Не забывайте цитировать источники, (не) соглашаться и выражать своё мнение!

@ **И. Разговор.** Прослушайте разговор двух журналистов до пресс-конференции Президента РФ по вопросу региональных выборов и разыграйте его с другим студентом.

Антон:	Послу́шай, почему́ опя́ть возни́кла те́ма региона́льных вы́боров? Мне каза́лось, что э́тот вопро́с закры́т.
Вероника:	А и́мя Шайми́ев тебе́ что-нибу́дь говори́т?
Антон:	Он всё ещё президе́нт Татарста́на, е́сли не ошиба́юсь.
Вероника:	То́чно. Так вот, он предложи́л верну́ться к вы́борам губерна́торов.
Антон:	Очень резо́нно! Руководи́тель субъе́кта федера́ции до́лжен избира́ться, а не назнача́ться све́рху. Он же глава́ ме́стной исполни́тельной вла́сти. Вот все сейча́с Ельцина руга́ют, а при нём губерна́торов выбира́ли!
Вероника:	Ты, ви́димо, подзабы́л, при каки́х обстоя́тельствах эти вы́боры ввели́. Я тебе́ напо́мню. В 1993 году́ твой люби́мый либера́л Ельцин расстреля́л из пу́шек парла́мент и, чтобы заручи́ться подде́ржкой региона́льных прави́телей, дал им вы́боры. Бери́те сто́лько суверените́та, ско́лько унесёте!
Антон:	Зато́ тво́й люби́мый Пу́тин по́сле Бесла́на взял всё и отмени́л. Прекра́сно! Под предло́гом борьбы́ с террори́змом укрепи́л «вертика́ль вла́сти», а по су́ти- авторита́рный режи́м. Вот с тех пор и назнача́ет!
Вероника:	Но не забыва́й, кандида́та президе́нта утвержда́ет законода́тельное собра́ние регио́на!
Антон:	Ха! Пусть то́лько попро́бует не утверди́ть, его тут же распу́стят!..
Вероника:	Ты что, не понима́ешь, почему́ это бы́ло ну́жно? Президе́нт хоте́л осла́бить региона́льные эли́ты, ведь тогда́ шла война́ в Чечне́.
Антон:	Брось! Он хоте́л восстанови́ть унита́рное госуда́рство и восстанови́л его. Война́ уже давно́ зако́нчилась, а «глас наро́да»

где? Вы́боры в регио́нах са́мые ва́жные, потому́ что и́менно там реша́ются пробле́мы гра́ждан. Без вы́боров нет демокра́тии.

Вероника: С э́тим тру́дно не согласи́ться. Коне́чно, на́до что́бы «варя́гов», присыла́емых Кремлём, замени́ли ме́стные кандида́ты. Хо́дят слу́хи, что но́вый президе́нт не явля́ется жёстким проти́вником вы́боров губерна́торов.

Антон: Не ве́рю, что при на́шей с тобо́й жи́зни произойдёт усиле́ние полити́ческого влия́ния региона́льных эли́т. Этак вся Росси́я разбежи́тся!

Вероника: Ла́дно, пошли́! Пресс-конфере́нция начина́ется. Кто знает? Мо́жет, мы сейча́с услы́шим что-нибудь неожи́данное.

Полезные слова

возни́кла те́ма – the subject came up
руга́ть – to curse
расстреля́ть из пу́шек – to shell
заручи́ться подде́ржкой – guarantee support
Бери́те сто́лько суверените́та, ско́лько унесёте! – Take as much sovereignty as you can handle (Yelstin's well-known phrase)
под предло́гом – under the pretext of ..
укрепи́ть «вертика́ль вла́сти» – to strengthen vertical power structure
«глас наро́да» – the voice of the people
разбежа́ться – to scatter

УПРАЖНЕНИЕ НА ЧТЕНИЕ 1

ПРЕДТЕКСТОВЫЕ УПРАЖНЕНИЯ

A. Выборы в США глазами русских. American presidential elections attract huge attention the world over, but the presidential election of 2008 was considered to be of unprecedented importance for any number of reasons. In this passage Boris Makarenko, director of a Russian think tank, discusses then-candidate Obama's chances of defeating John McCain against the background of the oncoming world economic crisis.

Б. Нужные слова

преиму́щество – advantage
совпада́ть/совпа́сть – **со** *co* + **-пад** – *fall* (*cf.* incidence, *something that befalls* you): coincide
исхо́д – result < **ис-** *ex* + **ход** *go*
го́нки (often pluralized) – race
предрешён < **предреши́ть** < **пред** – *pre* + **реши́ть** – *decide*
ра́совый < **ра́са** – race

B. Topic familiarity. If you participated in or actively observed the U.S. election of 2008, you have a strong advantage over a Russian reader who is not a U.S. resident: topic familiarity. Reading this article becomes an exercise in checking whether the author got the points you think were important.

Expected topic: Campaign poll numbers
What you expected to be said:_____
What the author said (if anything): _____

Expected topic: Obama as first African American to run on a major party ticket
What you expected to be said:_____
What the author said (if anything): _____

Expected topic: The state of the economy
What you expected to be said:_____
What the author said (if anything): _____

Expected topic: The war in Iraq
What you expected to be said:_____
What the author said (if anything): _____

Expected topic: The Sarah Palin effect
What you expected to be said:_____
What the author said (if anything): _____

Борис Макаренко: «Вероятно, будущим президентом США станет Барак Обама, на руку которому сыграло беспокойство населения по поводу экономического и финансового кризиса»

Если у американцев не изменится отношение к финансовому и экономическому кризису, то Обама, безусловно, выиграет. Он ведет примерно с отрывом в 8% в общем рейтинге, он выиграл, по оценкам зрителей, все три раунда дебатов. Все за него.

Американцев сейчас больше всего волнует экономика — по экономике Обаме доверяют гораздо больше, чем Маккейну. В этот же ряд встраиваются преимущества в оценках программы Обамы по налогообложению, по реформе здравоохранения. Данные темы являются очень высокими приоритетами американского общественного мнения. Естественные преимущества Маккейна в области внешней политики и даже поддержка, которой пользуются его высказывания по Ираку, в данной ситуации оказываются малозначительными.

Не было бы экономического кризиса, так совпавшего с началом активной фазы избирательной кампании, борьба бы шла нос в нос. Сейчас ветер дует в паруса Обаме, а Маккейну ничего не помогает. Если страх у американцев не пройдет, то исход гонки фактически предрешен.

Я думаю, что отрыв в реальном голосовании у Обамы будет не столь значительным, как в рейтингах. Во-первых, никто не знает, как сработает расовый фактор. Во-вторых, всегда, когда в Белом Доме республиканцы, а фаворит президентской кампании демократ, он лидирует с гораздо большим отрывом, чем потом побеждает.

ПОСЛЕТЕКСТОВЫЕ УПРАЖНЕНИЯ (USING SENTENCE STRUCTURE AND CONTEXT)

1. Analyze the use of commas in the first paragraph. Choose from:
   a. an independent clause
   b. a subordinate clause
   c   enumeration
   d. a phrase
   e. a quote
   f. a transition marker

2. Circle the words in paragraph 2 which refer to **в этот же ряд**.

3. **Словообразование**
   - The verb **значить** means *to signify, to mean*. What is **малозна́чимый**?
   - **Охранять** is *to guard*. Do you recognize **здраво** in **здравствуйте**? It is a command which means *be healthy!* What is **здравоохранение**?
   - **Отрываться** is *to break away*. What is **отрыв**?
   - **Дуть** – *to blow*: **ве́тер ду́ет в паруса́**: English also has a weather metaphor for good fortune, but it does involve wind blowing into someone's sails. What is the closest English equivalent?

4. Give the Russian equivalents for:
   - *the outcome of the race is determined*
   - *the race goes neck and neck*
   - *difference in the popular votes*

5. Make a list of words that you can use to talk about elections.

УПРАЖНЕНИЕ НА ЧТЕНИЕ 2

ПРЕДТЕКСТОВЫЕ УПРАЖНЕНИЯ

A. **Background and predictions.** Ilham Aliev became president of Azerbaijan in 2003, following the death of his father Heydar (1923–2003). The elder Aliev dominated Azerbaijan's political stage from the late 1960s until his death. Before reading the article, decide which of the following is most likely to be true:

❑ Heydar Aliev was expected to pass the presidency to his son Ilham.
❑ Ilham Aliev has no taste for dictatorial power.
❑ Central Asian republics are little more than sham democracies.
❑ The West is willing to look the other way if Azerbaijan's rulers are less than democratic.
❑ Russia doesn't care if Azeri elections are real.

Now skim the article to check your suspicions.

Б. **Нужные слова**

сомне́ние – doubt
насле́дство – inheritance
име́ющийся – available
продлева́ть / продли́ть – to lengthen
воспроизводи́ть – to replay (*here: on an audio or video player*)
предъявля́ть / предъяви́ть прете́нзии – to lodge complaints
реализа́ция вла́сти – the use of authority; the use of power
рыча́г – lever; switch

«На президентских выборах в Азербайджане победил Алиев. И это не удивительно».

В том, что Алиев победит, никаких сомнений не было: совершенно ясно, что власть в Азербайджане передается по наследству. Покойный Гейдар Алиев фактически передал свою власть Ильхаму, и теперь тот всеми имеющимися у него средствами продлевает свое нахождение у власти. В общем и целом в Азербайджане воспроизводится примерно такая же ситуация, которая имеет место и в Центральной Азии, где под шапкой демократических процедур возродились такие относительно архаические и более присущие этим странам формы существования.

Поэтому здесь удивляться не приходится: так оно, видимо, будет и дальше. Единственная проблема Азербайджана в том, что он пытается усидеть на двух стульях – иметь хорошие отношения и с Россией, и с Западом. Если Россия смотрит на эти штучки сквозь пальцы: «избираешься – избирайся, какое хочешь себе устройство, такое и создавай, это нас не волнует, лишь бы ты нормальные отношения с Россией поддерживал»- то, что касается Запада, он, безусловно, будет предъявлять претензии по формам реализации власти, потому что для него это рычаг влияния на внутреннюю ситуацию в Азербайджане.

Россия же в своем отношении более честна. Хотя в Баку должны понимать, что и Россия может использовать эти рычаги в будущем, если Азербайджан будет предпринимать не вполне дружественные действия в отношении России.

По материалам Сергея Михеева

ПОСЛЕТЕКСТОВЫЕ УПРАЖНЕНИЯ (USING SENTENCE STRUCTURE AND CONTEXT)

1. In the first paragraph, circle the words that **которая** refers to.

2. In paragraph 2, circle the words to which **эти штучки** refers.

3. If you cover your face with both hands but keep the fingers spread, can you see what is happening in front of you? What would be a good English equivalent to **смотреть на что-то сквозь пальцы?**

4. There is one sentence with inverted word order. Find it in paragraph 1, and underline in it the topic and the statement. Rewrite it following the pattern: *subject-(modifiers)-predicate-(modifiers)-object(s)-(modifiers)*

5. What is the Russian for:
   - *power is hereditary*
   - *by all the means at his disposal*
   - *characteristic of...*
   - *to challenge the structure of power*

6. Make a list of words that you can use to talk about elections.

УПРАЖНЕНИЕ НА ЧТЕНИЕ 3

Предтекстовые упражнения

A. Basic information. Fill in the required background:

1. Country where elections are taking place: _____

2. Incumbent: _____

3. Percentage points for incumbent: _____

4. Challenger: _____

5. Percentage points for challenger: _____

6. Occupation of challenger: _____

7. Number of registered voters: _____

8. Figures are based on (pick one):
   a. Pre-election polls (one-fifth of likely voters)
   b. Exit polls after the run-off race
   c. Votes counted so far (about 20%)
   d. Certified results of first round

Б. Нужные слова

предвари́тельный – preliminary
подсчи́тывать/подсчита́ть – to tabulate < **счита́ть** – to count
отставно́й – retired < **отста́вка** – resignation; retirement
ны́нешний – current < **ны́не**
хозя́йка – feminine of хозяин – master; owner > хозяин Белого дома = U.S. President
бюллете́нь (избира́тельный) – ballot. *The masculine noun* **бюллете́нь** *refers to any of a number of certificates, but it never means bulletin.*
восстановле́ние – reestablishment
процвета́ть – to flourish; to flower < **цвести́** – to bloom < **цвет** – flower
проро́чить < **проро́к** – prophet

На выборах в Индонезии лидирует отставной генерал

В Индонезии завершился второй тур президентских выборов, сообщило агентство Reuters. По предварительным данным, лидирует бывший министр-координатор по вопросам политики и безопасности Сусило Бамбанг Юдхойоно (Susilo Bambang Yudhoyono).

На настоящий момент подсчитано около одной пятой поданных голосов. 55-летний отставной генерал набрал 60 процентов голосов избирателей. Нынешняя хозяйка президентского дворца Мегавати Сукарнопутри (Megawati Sukarnoputri) — 40 процентов. Победителя определит простое большинство поданных бюллетеней.

За ходом выборов следили местные и международные наблюдатели. Это первые прямые президентские выборы в Индонезии, самой крупной мусульманской стране планеты, чей электорат насчитывает 155 миллионов человек. Ранее главу государства избирала победившая на выборах политическая партия.

Официальные итоги выборов будут объявлены в период с 5 по 11 октября, а инаугурация состоится 20 октября. Будущему президенту предстоит решать немало сложных задач — на фоне вяло развивающейся экономики в Индонезии процветает коррупция, а 40 процентов трудоспособного населения не имеет работы. Острым вопросом остается и борьба с терроризмом. Избирательная кампания Юдхойоно прошла как раз под лозунгами восстановления экономики и войны с терроризмом. Большинство аналитиков, основываясь на проведенных ранее опросах и предварительных результатах второго тура голосования, пророчат победу на выборах отставному генералу.

ПОСЛЕТЕКСТОВЫЕ УПРАЖНЕНИЯ (USING SENTENCE STRUCTURE AND CONTEXT)

1. In the second sentence of paragraph 3, a comma after **в Индонезии** sets off...
   a. a noun-phrase
   b. an adjectival phrase

2. In the same sentence, a comma after **планеты** sets off...
   a. a subordinate clause
   b. an independent clause (the main clause)

3. This article has one sentence with inverted word order. Find it in the last paragraph and underline in it the topic and the statement. Rewrite it following the pattern: *subject-(modifiers)-predicate-(modifiers)-object(s)-(modifiers)*

4. **Избирать** here means *to choose* rather then *to elect.*

5. **Бурно** развивающаяся экономика is a rapidly developing economy. In the fourth paragraph, find an antonym to the adverb.

6　Find the Russian for:
second round of elections
preliminary results

УПРАЖНЕНИЕ НА ЧТЕНИЕ 4

ПРЕДТЕКСТОВЫЕ УПРАЖНЕНИЯ

A. Кто есть кто в украинской политике. This article came out at a time when the country's president and prime minister, once allies, had begun feuding bitterly. The president was looking for a way to force the prime minister and her government out of power. Without reading the article, try to predict who did what.

1. автор статьи
2. БЮТ – Юлии Тимошéнко
3. Вы́сший администрати́вный суд
4. Вы́сший совéт юсти́ции
5. Па́ртия регио́нов
6. Председа́тель Вы́сшего администрати́вного суда́
7. Президéнт
8. Премьéр-мини́стр
9. Центра́льная избира́тельная коми́ссия

a. wanted to hold early elections
b. ordered elections take place as scheduled
c. had the election board chair removed
d. seen as opposing the president but wanting elections
e. should be supporting the prime minister but aren't
f. would want to avoid elections
g. said the administrative court overstepped its authority
h. can appoint members of the administrative court

Б.　Нужные слова

затра́гивать / затро́нуть – to touch upon; to have to do with
затя́гивать / затяну́ть – to draw out
изыма́ть / изъя́ть – to remove
настро́ен – inclined (to be for or against something)
отменя́ть / отмени́ть – to cancel > **отмéна**
подвéсить – to ditch
постановля́ть / постанови́ть – to order
сдéлка – deal; agreement
срыв – disruption
судья́ – *pl.* **су́дьи, судéй, о судья́х** – judge
счёт: по большо́му счёту – in point of fact; in reality
ЦИК – Центра́льная избира́тельная коми́ссия

Досрочным выборам быть!

На прошлой неделе президент Украины Виктор Ющенко подписал указ о досрочных выборах Верховной Рады. Однако Высший административный суд отменил его и постановил Центральной избирательной комиссии не заседать по вопросу подготовки к досрочным выборам. Члены БЮТ находятся в здании ЦИКа, чтобы следить за выполнением этого решения. Ющенко сделал ответный ход: при помощи спецподразделений «изъял» председателя суда. Смогут ли, тем не менее, оспорить в суде указ Ющенко о досрочных выборах парламента или они все же состоятся?

Украинские эксперты считают, что возможен перенос даты выборов, но сами выборы, конечно, состоятся, потому что есть консенсус некоторых политических элит и политических сил, которые представлены в парламенте, о том, что выборы должны состояться. Возможна отсрочка самой даты выборов до 10-х чисел декабря. Возможно, это будет 12-е или 14-е, 15-е число. Но в любом случае выборы все-таки состоятся, потому что в этом заинтересован не только президент, но и его главные оппоненты из числа Партии регионов и других финансово-политических групп, которые находились к нему в оппозиции. Кроме того, что в ближайшее время будет принято решение Высшего административного суда о введении ограничений на опротестование указа президента. Будет поставлена последняя точка над «i». Естественно, что выборы состоятся в декабре этого года.

Тимошенко в перевыборах не заинтересована, а заинтересована в срыве самого процесса, причем таким образом, чтобы он не мог возобновиться. Она не заинтересована в выборах вообще! Поэтому она будет пытаться всеми силами или затянуть, или «подвесить» эти выборы, или опротестовать их результаты и т.п. То есть она настроена против выборов и боится их, поэтому здесь вопрос в том, насколько сделка затрагивает суды, а на данный момент именно президент назначает и увольняет судей, при том, что для этого, конечно, необходимо решение Высшего совета юстиции Украины. Решение об отмене действия указа о досрочных выборах является юридическим нонсенсом, то есть, по большому счету, сам суд не имел права принимать подобные решения.

ПОСЛЕТЕКСТОВЫЕ УПРАЖНЕНИЯ (USING SENTENCE STRUCTURE AND CONTEXT)

1. In sentence 3, paragraph 1, circle the words to which **этого решения** refers.

2. In the first sentence of paragraph 2, analyze the use of commas. Choose from:
   a. an independent clause
   b. a subordinate clause
   c enumeration
   d. a phrase
   e. a quote
   f. a transition marker

   Translate this sentence into English.

3. In the fourth sentence of paragraph 3, analyze the use of commas. Choose from:
   a. an independent clause
   b. a subordinate clause
   c enumeration
   d. a phrase
   e. a quote
   f. a transition marker

   Translate this sentence into English.

4. **Словообразование**

   - **Срок** means *term.* What is **досро́чный**?
   - The noun **спор** means *argument.* **Оспо́рить** is a legal term which means *to contest in court.*
   - **Оспо́рить** has a synonym **опротестова́ть**, which is a purely legal term from a noun **протéст.**
   - **Опротестова́ние** means *(court) appeal*

5. Find the Russian equivalents for:
   - *to cross the t's and dot the i's*
   - *special forces units*
   - *to suspend elections*

6. Make a list of words that you will need to talk about elections.

7. Make a list of cognates used in this text.

@ **УПРАЖНЕНИЕ НА АУДИРОВАНИЕ**

УПРАЖНЕНИЯ ДО И ПОСЛЕ ПРОСЛУШИВАНИЯ (PRE AND POST-LISTENING EXERCISES)

A. Background. Until a few years after Vladimir Putin ascended to the Russian presidency in 2000, he was not associated with a political party. That changed with the 2007 elections for the State Duma. At the time, many thought the Duma would change the Russian constitution to allow Putin to run for a third term. There was also talk that Putin would refuse to modify the constitution and instead would have himself appointed Prime Minister.

Б. Getting the gist. According to the report, which of these statements about Putin is true?

❑ He will head up the list of candidates on the United Russia ticket.

❑ He reluctantly agreed to join United Russia.

❑ He helped United Russia get started.

❑ He suggested changing the constitution so that he could run for a new term.

❑ He hinted at the type of person he would like to see elected president when he leaves office.

В. Нужные слова. You'll need these words to make sense of what you hear.

пе́рвая тро́йка – first three (names on the list of candidates)
отве́тить положи́тельно = сказать «да»
подавля́ющее большинство́ – vast majority
дееспосо́бный = эффекти́вный. *Note that the root* дее- means *action.*
рабо́тать в па́ре – to work as a pair; to work as a team

Г. Как сказали? Listen to Putin's remarks again, and fill in the blanks with what you heard. Some of the statements reproduced below have been edited for length.

1. Я являюсь _____, и этот статус я бы менять не хотел.

2. Изменение Конституции под конкретного человека считаю _____.

3. _____ — это вполне реалистичное предложение. Но об этом
   пока еще рано думать. *What is actually meant by the phrase that fills in this
   blank:*
   a. To become prime minister
   b. To remain president
   c. To take power
   d. To retain power

4. Нужно как минимум два _____: первое — «Единая Россия» должна
   _____ в Государственную Думу, и второе, президентом страны
   должен быть избран _____, дееспособный, _____, современный
   человек, с которым можно было бы работать в паре.

ТВОРИТЕЛЬНЫЙ ПАДЕЖ (INSTRUMENTAL CASE)

Uses	*Preposition*	*Question*	*Verbs*
Tool	none (*English by, with*)	кем? чем?	
Together with	с	с кем? с чем?	встреча́ться / встре́титься говори́ть / поговори́ть знако́миться / познако́миться ви́деться / уви́деться сове́товаться / посове́товаться догова́риваться / договори́ться
Location	над под за перед между	где? под чем? за кем?	
A Part of Predicate		кем? чем?	быть (*past, future infinitive*) явля́ться станови́ться / стать каза́ться / показа́ться счита́ться называ́ться по́льзоваться / воспо́льзоваться
Other Verbs		кем? чем?	торгова́ть занима́ться руководи́ть пра́вить интересова́ться облада́ть
«Doer" in a Passive Construction		кем? чем?	*E.g.* Кни́га была́ напи́сана на́ми.
Manner of Action		как?	*E.g.* Мы согласи́лись по́лностью

Time Expressions:	Useful Idioms:
летом	***After:***
зимой	поздравля́ть / поздра́вить с – to congratulate on
весной	рабо́тать над – to work on
осенью	посыла́ть / посла́ть за – to send for
днем	идти́ / пойти́ за – to follow
вечером	отве́тственность перед – responsibility before
ночью	ра́зница между – difference between
утром	отноше́ния между – relations between
порой	бога́тый не́фтью – rich in oil
часами	бе́дный ура́ном – poor in uranium
неделями	дово́льный пла́ном – satisfied with the plan
годами	дово́лен, дово́льна, о, ы
месяцами	согла́сный с – in agreement with
	согла́сен, –а, –о, –ы с
	каки́м о́бразом? – in what way?
	путём рефо́рм – by means of reforms нара́щивания вооруже́ний -… arms build-up
	пять с полови́ной
	пять с че́твертью

КРУГ ВТОРОЙ

КРУГ ВТОРОЙ

УРОК ОДИН
ПРАВИТЕЛЬСТВЕННЫЕ
КРИЗИСЫ

@ **ТЕКСТ. Прослушайте текст, затем прочитайте и переведите его на английский язык в письменной форме.**

Часть 1
ПАРЛАМЕНТСКИЙ КРИЗИС В УКРАИНЕ:
ДВИЖЕНИЕ К ОТВЕТСТВЕННОЙ ПОЛИТИКЕ

Два полити́ческих кри́зиса, потря́сших Украи́ну, поста́вили под сомне́ние эффекти́вность систе́мы парла́ментской коали́ции большинства́. Мно́гие сего́дня задаю́тся вопро́сом: а не сто́ит ли отказа́ться от тако́го при́нципа формирова́ния прави́тельства? Над э́тим на́до хороше́нько поду́мать. Мы утвержда́ем°, что причи́ной полити́ческих кри́зисов явля́ется отню́дь не коалицио́нный спо́соб формирова́ния прави́тельства. Поэ́тому речь должна́ идти́ не об отка́зе от коали́ций, а, скоре́е, о созда́нии дополни́тельных возмо́жностей для вы́хода из прави́тельственных и парла́ментских кри́зисов, кото́рые вполне́ мо́гут случа́ться вре́мя от вре́мени.

claim
отню́дь не – hardly

Да́же неспециали́сту я́сно, что коали́ция парла́ментского большинства́, как и любо́й друго́й спо́соб формирова́ния прави́тельства, име́ет свои́ преиму́щества° и недоста́тки°.

advantages   disadvantages

Что мо́жно отнести́ к преиму́ществам? Па́ртии, чьи представи́тели вхо́дят в прави́тельство, получа́ют реа́льные рычаги́° влия́ния° и возмо́жность защища́ть интере́сы тех групп, кото́рые составля́ют° их ба́зу (в украи́нских усло́виях речь идёт не сто́лько о социа́льных гру́ппах, ско́лько° о террито́риях). Прави́тельство, сформиро́ванное на осно́ве° парла́ментской коали́ции, явля́ется относи́тельно усто́йчивым° (мо́жно себе́ предста́вить, ско́лько вре́мени продержа́лось бы в Украи́не прави́тельство парла́ментского меньшинства́!).

levers   influence
constitute

не сто́лько … ско́лько – not so much … as
basis

stable, solid

Среди́ потенциа́льных ри́сков – отсу́тствие конституцио́нных процеду́р разреше́ния прави́тельственных кри́зисов, в ча́стности, процеду́ры рота́ции главы́ прави́тельства в слу́чае его́ неспосо́бности выполня́ть свои́ обя́занности или в слу́чае сме́ны парти́йного ли́дера. А, ме́жду тем°, Конститу́ция должна́ предусма́тривать спо́собы вы́хода из возмо́жных кри́зисных ситуа́ций. Наприме́р, заме́на То́ни Блэ́ра на посту́ премье́р-мини́стра Великобрита́нии Го́рдоном Бра́уном дала́ лейбори́стам возмо́жность продолжа́ть управля́ть страно́й без сме́ны прави́тельства. Тако́го ро́да процеду́ра могла́ бы пригоди́ться и украи́нской полити́ческой систе́ме. Вот то́лько нужна́ ли она ны́нешним полити́ческим па́ртиям, игра́ющим совсе́м по други́м пра́вилам?

ме́жду тем – moreover

Во второ́й полови́не 90-х в украи́нскую поли́тику вошли́ «кре́пкие бизнесме́ны», кото́рые не привы́кли рабо́тать «в бе́лых перча́тках». Они привнесли́° в полити́ческую жизнь страны́ привы́чные для них мане́ры поведе́ния°. Па́ртии ста́ли организо́вываться как «предприя́тия претенде́нтов»° с соотве́тствующей структу́рой и ме́неджментом. Жизнь таки́х па́ртий ста́ла зави́сеть не от полити́ческих платфо́рм и подде́ржки избира́телей, а от фина́нсовой

brought in
behavior

предприя́тие претенде́нтов – organization of contenders

состоя́тельности° владе́льца. Подхо́д к па́ртии как к | well-being   owner
собственности° означа́л, что и к госуда́рству ста́ли | property
относи́ться как к со́бственности, а приёмы°, кото́рые | tricks
испо́льзовались для приобрете́ния° со́бственности, | acquisition
стали испо́льзоваться для приобрете́ния власти. Тако́й
тип полити́ческого поведе́ния прису́щ°, как пра́вило, | characteristic of
ли́дерам авторита́рного толка°. И таки́е лидеры | way of thinking
нахо́дят подде́ржку у части украи́нских избира́телей,
падких° на попули́зм и ве́рящих в необходи́мость | susceptible
«си́льной руки́». И тогда́ у не́которых поли́тиков
возника́ет иллю́зия, что весь мир у них «в карма́не» и
что мо́жно отбро́сить вся́кую мора́ль и переступи́ть | переступи́ть через *что* – disregard
через пра́вила°. Но когда́ пра́вилами пренебрега́ют°, | flout
риску́ют всем.

@ КОГНАТЫ

авторита́рный	па́ртия
ба́за	платфо́рма
бизнесме́ны	поли́тика
коалицио́нный	потенциа́льные ри́ски
конституцио́нные процеду́ры	претенде́нт
кри́зисные ситуа́ции	структу́ра
конститу́ция	при́нцип формирова́ния
ме́неджмент	процеду́ра
лейбори́ст	реа́льный
ли́дер	рота́ция
мане́ры	социа́льные группы
мора́ль	специали́ст
организо́вываться	сформиро́ванный
парла́ментская коали́ция	террито́рия
парла́ментский кри́зис	фина́нсовый
парти́йный	эффекти́вность систе́мы

СЛОВА И ВЫРАЖЕНИЯ

в слу́чае *чего* – in case of
  неспосо́бности выполня́ть обя́занности – of inability to perform one's duties
  сме́ны парти́йного ли́дера – of change of the party leader

возника́ть: у не́которых поли́тиков возника́ет иллю́зия, что… – some politicians imagine that…

входи́ть/ войти́ в прави́тельство – to enter the cabinet

вы́ход из парла́ментских кри́зисов – resolution of a crisis

вы́ход из прави́тельства – resignation

зави́сеть (зави́сят) *от чего* – to depend *on something*
  от полити́ческих платфо́рм – political platforms
  от подде́ржки избира́телей – on the support of the electorate
  от со́бственности – on property

игра́ть по пра́вилам – to play according to the rules
  по други́м пра́вилам – …by different rules
  не по пра́вилам – …not to follow the rules

име́ть свои́ преиму́щества и недоста́тки – to have its advantages and disadvantages

ли́деры авторита́рного то́лка – leaders of an authoritarian tilt
  либера́льного то́лка – of a liberal tilt

отказа́ться *от чего* – to reject *something*
  от тако́го при́нципа – …such a principle
  от коалицио́нного спо́соба – …a method of forming a coalition

отсу́тствие процеду́р разреше́ния кри́зисов – absence of crisis resolution procedures
  процеду́ры рота́ции главы́ прави́тельства – of a way of rotating of the head of government

па́дкий *на что* – susceptible to *something*
  на попули́зм – to populism
  на иллю́зии – to illusions

парла́ментская коали́ция большинства́ – majority coalition
                    …меньшинства́ – minority…

переступа́ть / переступи́ть (переступлю́, пересту́пят) через пра́вила – to disregard rules

получа́ть/ получи́ть – to acquire
  реа́льные рычаги́ влия́ния – real influence
  возмо́жность защища́ть интере́сы свое́й гру́ппы – an opportunity to defend the interests of none's group

предусма́тривать спо́собы *чего* – to provide for *something*

вы́хода из кри́зисов – for crisis resolution
процеду́ры формирова́ть кабине́т – for a procedure to form the cabinet

привыка́ть/ привы́кнуть (привы́нут; привы́к, привы́кли) игра́ть не по пра́вилам – to get used to not playing by the rules. (See also **игра́ть**)

пригоди́ться *(perf.:* **пригодя́тся)** *кому* – to be of use *to someone*

приобрете́ние acquisition
    со́бственности – of property
    вла́сти – of power

речь идёт *о чём* – we are talking
    о социа́льных гру́ппах – about social groups
    о террито́риях – about territories

рискова́ть (риску́ют) всем – to risk everything

ста́вить (ста́вят) / поста́вить под сомне́ние – to doubt

сформиро́ванный *на какой основе – formed on what basis*
    на осно́ве парла́ментской коали́ции – on the basis of a parliamentary coalition…
    на региона́льной осно́ве – on a regional basis

управля́ть страно́й без сме́ны прави́тельства – to run the country without a change of government

ЛЕКСИЧЕСКИЕ УПРАЖНЕНИЯ

Просмотрите слова и выражения к тексту «Парламентский кризис в Украине: движение к ответственной политике» и сделайте следующие упражнения.

А. Заполните пропуски правильными предлогами.

1. Вы́боры целико́м зави́сят ____ подде́ржки избира́телей.
2. Наско́лько стаби́льно прави́тельство, ____ кото́рое вхо́дит пять па́ртий?
3. ____ не́которых поли́тиков возника́ют иллю́зии, что избира́тели ____ них ____ карма́не.
4. Не́которые поли́тики счита́ют, что мо́жно переступа́ть че́рез пра́вила.
5. Мно́гие сего́дня ста́вят ____ сомне́ние эффекти́вность систе́мы парла́ментской коали́ции большинства́.
6. Па́ртия президе́нта хо́чет отказа́ться ____ коалицио́нного правле́ния.
7. Но́вый зако́н предусма́тривает ____ но́вые процеду́ры голосова́ния.
8. Мо́жно ли управля́ть ____ страно́й без сме́ны прави́тельства?
9. «Кре́пкие бизнесме́ны», кото́рые вошли́ ____ украи́нское прави́тельство, па́дки ____ попули́зм.
10. ____ слу́чае неспосо́бности президе́нта выполня́ть свои́ обя́занности нужна́ его́ сме́на.

Б. Дайте русские эквиваленты следующим английским фразам.

- to doubt the system's effectiveness
- absence of crisis-resolution proceedures
- to reject the method of forming a coalition
- in case of an inability to perform one's duties
- to have its advantages and disadvantages
- we are talking about a rotation of head of state
- to disregard rules
- resignation
- to provide for a rotation procedure
- to get used to playing according to the rules
- susceptible to populism

В. РАБОТА ПО МОДЕЛЯМ

1. Заполните пропуски словами по смыслу.

что   *кому*

а. ——————— } могло, а, о, и бы пригодиться { ———————
———————   ———————

делать что

б. Американцы не привыкли } ———————
——————— ———————

что

в. Кризис поставил под сомнение } ———————
——————— ———————

сделать что

г. А не стоит ли { ———————
——————— ———————

д.   Речь идёт ⎱   *о чём*
_____
_____
_____

е.   Администра́ция, па́дкая на ⎱   *что*
_____
_____
_____

2.   Зако́нчите предложе́ния, испо́льзуя логи́чески пра́вильные фра́зы.

Причи́ной украи́нских полити́ческих кри́зисов явля́ется некоалицио́нный спо́соб формирова́ния прави́тельства. Поэ́тому речь должна́ идти́ не о _____, а, скоре́е, о _____.

Коали́ция парла́ментского большинства́, как и любо́й друго́й спо́соб формирова́ния прави́тельства, име́ет свои́ преиму́щества и _____. К преиму́ществам мо́жно отнести́ _____. Среди́ потенциа́льных недоста́тков - _____ люба́я конститу́ция должна́ предусма́тривать _____.

Во второ́й полови́не 90-х в украи́нскую поли́тику вошли́ «кре́пкие бизнесме́ны», кото́рые ста́ли организо́вывать па́ртии как _____. Существова́ние таки́х па́ртий ста́ло зави́сеть не от полити́ческих платфо́рм и подде́ржки избира́телей, а от _____.

Тако́й тип полити́ческого поведе́ния прису́щ°, как пра́вило, ли́дерам _____ и избира́телям , кото́рые па́дки на _____. Поли́тики э́того то́лка ду́мают, что _____.

Г. Ответьте на вопросы.

1. В демократических странах существуют две системы правления: парламентская и президентская. Объясните разницу между ними.

2. Как формируется правительство при парламентской системе?

3. Что вызывает политический кризис в парламентской системе?

4. Вы знаете, что такое «вотум недоверия»?

5. Что составляет базу партии?

6. Какое правительство считается устойчивым?

7. Как разрешаются правительственные кризисы?

8. Объясните слово «ротация» в контексте этой темы.

9. При каких обстоятельствах она нужна?

10. Почему автор статьи даёт пример замены Тони Блэра на посту премьер-министра Великобритании Гордоном Брауном?

11. Кто такие «крепкие бизнесмены», которые пришли в украинскую политику в 90-х?

12. Объясните выражение работать «в белых перчатках».

13. Сравните жизнь партии до и после прихода в политику «крепких бизнесменов».

14. Какое отношение «крепкие бизнесмены» имеют к партии?

15. Объясните выражение «лидеры авторитарного толка».

16. Что значит «падкий на популизм»?

17. Объясните выражение «сильная рука».

18. А что такое «быть в кармане у кого-то»?

19. Выражение «переступить через правила» имеет синоним в том же предложении. Найдите его.

20. Объясните последнее предложение первой части этой статьи.

ГРАММАТИКА: ВЫРАЖЕНИЯ ВРЕМЕНИ

At such-and-such a moment, minute, hour, day

В + *accusative*:

> в э́тот моме́нт, в э́ту мину́ту, в 2 часа́, в э́тот час, в э́тот день, в сре́ду
>
> *Note also:* **в э́то вре́мя** – at that time; meanwhile
>
> **в настоя́щее вре́мя** – at present

Such-and-such a week

на + *prepositional*:

> на э́той неде́ле, на про́шлой неде́ле, на сле́дующей неде́ле

Such-and-such a month

В+ *prepositional*:

> в э́том ме́сяце, в про́шлом ме́сяце, в сле́дующем ме́сяце, в а́вгусте
> семидеся́того го́да

Such-and-such a year, decade, century

В + *prepositional*:

> в э́том году́, в про́шлом году́, в бу́дущем году́, в девяно́сто второ́м году́, в
> про́шлом десятиле́тии, в двадца́том ве́ке

In such-and-such a decade (in the eighties)

В + *prepositional*:

> в восьмидеся́тых года́х – In the 80s
>
> в нача́ле / в конце́ восьмидеся́тых годо́в – in the early/late 80s

Calendar dates

Это случи́лось... – It happened...

> *Genitive alone:* **пя́того ма́я двадца́того го́да** – on May 5, 1920.
>
> **В** + *prep.* + *gen.:* **в ма́е двадца́того го́да** – in May (of) 1920.
>
> **В** + *prepositional:* **в двадца́том году́** – in 1920.

From ... to

> exclusive – **с** *какого числа* **до** *какого числа:* **с пя́того ма́я до пе́рвого ию́ня**
>
> inclusive – **с** *какого числа* **по** *какое число:* **с пя́того ма́я по пе́рвое ию́ня**

In the morning, in winter

*Instrumental with **no preposition**:*

> у́тром, днём, ве́чером, но́чью; зимо́й, весно́й, ле́том, о́сенью.

O'clock a.m. and p.m.

Genitive after "o'clock":

> де́вять часо́в утра́, час дня, шесть часо́в вечера, два часа́ но́чи (*not*
> ве́чера! *See the clock diagram below.*)

Note 1: Dividing up the night

In Russian, **ве́чер** runs from around 6:00 p. m. to around midnight. **Ночь** is in fact what we would call the "wee hours" of the morning. As a result, "eight at night" is **во́семь часо́в ве́чера**, "two in the morning" is **два часа́ но́чи**.

Clock division also affects the use of **сего́дня** and **вчера́**. **Сего́дня ве́чером** is "tonight," but **сего́дня но́чью** refers to "*last night*, after midnight."

Note 2: Де́вять часо́в ве́чера vs. Ве́чером, в де́вять часо́в vs. 21:00. While periods of the day appear in instrumental (**у́тром** = "in the morning," **ве́чером** = "in the evening," etc.), to say "at 8:00 in the evening" we can say one of three distinct things:

в во́семь часо́в **ве́чера**	Genitive *afterwards*. Very common
ве́чером, в восемь часов	Instrumental *before*, set off by a comma. Less common.
в два́дцать оди́н час	Used commonly in talking about schedules. Do not
в два́дцать оди́н - ноль - ноль	add redundant time of day modifiers like **ве́чера**.

In the mornings, on Wednesdays

по + *dative*: Memorize

> **по утра́м, по вечера́м, по ноча́м**, as well as **по** + *dative plural of days of the week*, e.g. **по сре́дам**. But note that "in the afternoons" is **днём**. There is no **по** equivalent.

Every (day, week, month, summer, etc.)

Ка́ждый + *accusative with no preposition*:

> **Ка́ждый день, ка́ждую неде́лю, ка́ждый ме́сяц, ка́ждое ле́то**.

A certain amount of time before or after an event

before: **за** + *accusative time expression* + **до** + *genitive*:

> **за два дня до конфере́нции** – two days before the conference

after: **через** + *accusative time expression* + **после** + *genitive*:

> **через два дня после конфере́нции**.

Note that while English uses no prepositions, Russian requires **за** ... **до** *and* **через** ... **после**.

By a certain time
К + *dative:*

К двум часáм – by two o'clock

In an amount of time (After... amount of time)
Через + *accusative* or **через** number + *genitive*:

через недéлю – after a week's time, **через две минýты** – in two minutes' time.

Note that **через** literally means "after a certain amount of time," but it is usually used for "in a certain amount of time." However, it cannot be used for "within" a certain time slot. See **за** below.

Within an amount of time, over a certain time
за + *accusative or* за + *number + genitive:*

За послéдние два мéсяца... – Over the last two months...
План бýдет одóбрен за недéлю. – The plan will be approved within a week.

За + *accusative* is used only when "within" is heavily emphasized and then almost always with perfective. In most situations, use **чéрез**.

Duration: For an amount of time
Accusative without a preposition or number plus genitive:

Кризис продолжáлся мéсяц. – The crisis lasted for a month.

в течéние + *genitive:*

Кризис продолжáлся в течéние двух недéль. The crisis lasted for two weeks.

Planned events: For an amount of time
на + *accusative* or на + *number* + *genitive, often with verbs of motion:*

Делегáция отбылá на недéлю. – The delegation left (now) for (a future period) of a week.

Note that English uses *for* in both durative (*worked for a week*) and planned-event (*will go for a week*) expressions. However durative time expressions can be replaced by constructions which omit the "for" (*worked for a week, spent a week working*). This is not true of expressions denoting planned events.

During
во врéмя + *genitive:*

во время войны́ – during the war

Under or during someone's rule
при + *prepositional:*

при Стáлине – under Stalin

Letter (media report) of such-and-such a date
от + *genitive:*

> газе́та от пя́того ма́я

ГРАММАТИЧЕСКИЕ УПРАЖНЕНИЯ НА ВЫРАЖЕНИЯ ВРЕМЕНИ

Read the review of time expressions and do the following exercises. Fill in the blanks. Be able to translate these sentences into English.

1. [At the present moment] _____ отношения между Алжиром и Марокко остаются напряжёнными.

2. Совет Безопасности принял эту резолюцию [on Sept. 7, 2007] _____.

3. Только [last spring] _____ возглавляемое им правительство установило дипломатические отношения с КНР.

4. Война между Ираном и Ираком продолжалась [for seven years] _____.

5. [By February] _____ Претория обещала перебросить в лагеря бандитов оружие и боеприпасы.

6. Ожидается, что конвой войдёт в Персидский залив [the next day] _____ [at noon] _____ по местному времени.

7. Уборка урожая начинается [next week] _____ и будет продолжаться [an entire fall] _____.

8. На совести ди Карло и его сообщников убийство [in 1999] _____ шефа палермской полиции.

9. [Several weeks prior to] _____ описанного инцидента Карачи стали ареной кровопролитных столкновений.

10. Встречи с матерями воинов, оказавшихся в плену, будут происходить [from May 30 through June 4] _____.

11. [Three months after] _____ переговоров с партизанами наши военнопленные станут возвращаться домой.

12. Террористы совершали налеты только [nights] _____ под прикрытием темноты.

13. Следствие под кодовым названием «Оперейшн диваши» закончится [in six to seven months] _____.

14. Два кувейтских танкера [for the first time] _____под американскими флагами пересекут Ормузский пролив.

15. [In the 20th century] _____ произошёл полный распад старых колониальных империй.

16. [Every Wednesday] _____ город сбрасывал в реку свыше 200 тысяч кубометров грязных вод.

17. Нации нашей планеты [in the 80s] _____ израсходуют более триллиона долларов на военные расходы.

18. В газетах сообщалось, что [during the Winter Games] _____ цены на билеты на городской железной дороге, в метро и автобусах будут повышены.

20. [On Monday] _____ [at five a.m.] _____ банда ворвалась в посёлок.

21. В сообщении [dated April 1] _____ говорилось о никогда не происходивших событиях.

22. [Within two hours] _____ арестовали всех священнослужителей.

23. [Under what president] _____ началась разработка новой конституции?

24. Кооператив [in the early 90s] «Нарын» _____ полностью перестал зависеть от госторговли.

ГРАММАТИКА: ВИДЫ ГЛАГОЛА

Imperfective infinitives are used after certain verbs:

1. **начина́ть(ся), стать, продолжа́ть(ся), конча́ть(ся), привыка́ть/привы́кнуть, учи́ться/научи́ться, люби́ть** or any other verb indicating beginning or ending.

   Утром **на́чали прибыва́ть** делега́ции.
   Delegations *began to arrive* in the morning.

   Они́ не **привы́кли соблюда́ть** зако́ны.
   They are not *used to observing* laws.

2. **нельзя́, when it means "mustn't" or "not allowed"**

   Нельзя́ называ́ть тему диску́ссии.
   The topic of discussion *is not to be announced*!

3. **Nearly all negated infinitives.**

   Кабине́т реши́л **не объявля́ть** комендáнтский час.
   The Cabinet decided *against declaring* a curfew.

Власти проси́ли населе́ние **не выходи́ть** из домо́в.
The authorities asked the population *not to leave* their homes.

Negative expressions equivalent to "can" in the sense of impossibility are an
exception: Мы **не мо́жем переубеди́ть** ли́деров оппози́ции. – We *can't get* the
opposition leader *to change their minds*.

4. **Не на́до, не сто́ит, доста́точно, хва́тит, вре́дно, заче́м and избега́ть** to express
    needlessness of action.

    Не сто́ит обы́скивать всех прибыва́ющих пассажи́ров.
    It is not worth it to search all arriving passengers.

    Румы́ния **избега́ет вводи́ть** войска́ в Молдо́ву.
    Romania *is avoiding bringing* its troops into Moldova.

Perfective infinitives are used after:

1. **нельзя́,** when it means "impossible."

    Нельзя́ бу́дет **обсуди́ть** прое́кт.
    It will be *impossible to discuss* the project.

2. **забы́ть, уда́ться, успе́ть (to have enough time).**

    Войска́м **удало́сь** бы́стро **оцепи́ть** райо́н беспоря́дков.
    Troops succeeded quickly to cordon off the area of unrest.

 ГРАММАТИЧЕСКТЕ УПРАЖНЕНИЯ НА ВИДЫ ГЛАГОЛА

**Повтори́те виды глагола в Уро́ке 1, Круг 1 и новую грамматику по видам
глагола в да́нном уро́ке.** Вставьте нужную форму глагола.

1. К этому моменту стюарде́ссе удалось [обезвреживать/обезвредить] _____
    пирата.

2. Недавно закончили [строить/построить] _____ крупный посёлок
    добытчиков газа.

3. Пассажиры в панике [бросаться/броситься] _____ из самолёта
    по запасной лестнице, а потом [начинать/начать] _____
    [прыгать/прыгнуть] _____ прямо на асфальт.

4. Российским судам нельзя [заходить/зайти] _____ в эти порты для дозаправки горючим и продовольствием.

5. В настоящее время эсминец находится в британском порту, куда уже [прибывать/прибыть] _____ для его приёмки чилийский экипаж.

6. Хотя переговоры [*past tense:* проходить/пройти] _____ полтора месяца, они ни к чему не [*past tense:* приводить/привести] _____.

7. За последние 5 лет на вооружение чилийских ВВС [поступать/ поступить] _____ 40 английских самолётов.

8. 30 лет назад Советский Союз первым [одобрять/одобрить] _____ устав Международного агентства по атомной энергии (МАГАТЭ).

9. Без полной реконструкции [выполнять/выполнить] _____ план полностью просто нельзя.

10. В перестроечный период газеты писали, что на заводах каждый день [совершаться/совершиться] _____ техническая революция.

11. Во время космического полёта только за сутки им [удаваться/удасться] _____ увидеть 17 космических восходов и закатов.

12. Время от времени страны Латинской Америки [*past tense:* приобретать/ приобрести] _____ массу ненужных товаров.

13. Договорились, что стороны будут продолжать [искать/поискать] _____ новые подходы для оздоровления обстановки в регионе.

14. Каждый год станки [ремонтировать/отремонтировать] _____ по 10-15 раз.

15. М. Харрари успел [освобождать /освободить] _____ своего брата и двух арабов.

УПРАЖНЕНИЕ НА ПОВТОРЕНИЕ ВИДОВ ГЛАГОЛА И ВЫРАЖЕНИЙ ВРЕМЕНИ

Переведите на русский язык.

1. Central American foreign ministers avoided developing a new regional fiscal plan in two days of meetings.

2. The Greens began to lead the movement against chemical weapons testing.

3. For two days they participated in the hostilities.

4. It took the President two terms to give Americans a decent health care system.

5. On Wednesday the Duma approved a bill to stabilize oil prices.

6. The opposition leaders got used to not playing according to the rules.

7. According to a new law, religious organizations can now conduct charity (благотворительный) work.

8. They rejected the old method of forming a coalition and acquired an advantage over the opposition.

9. It will be impossible for them to run the country without strong assistance from the Democrats.

10. By the end of the next fiscal year, prices for food products will have increased.

11. We advise you not to make a decision on this matter at this time. In fact, we suggest that you learn to disregard your first impulses (импульс).

12. People succeeded in electing candidates whom they supported.

13. It is not worth disregarding rules in the midst of a crisis!

14. Leaders of authoritarian tilt had time to acquire a serious opportunity to defend the interests of their group.

15. The Prime Minister will go to Washington for three days. There he will hold talks with the President and meet with leading members of Congress.

УПРАЖНЕНИЯ НА УСТНУЮ РЕЧЬ

А. Цитирование источников. Процитируйте следующие предложения, используя:

**в э́той статье́ речь идёт о ...
из исто́чников, бли́зких к президе́нту, ста́ло изве́стно, что ...
по зако́ну э́той страны́ ...**

1. Два полити́ческих кри́зиса потрясли́ Украи́ну.
2. Мно́гие сего́дня задаю́тся вопро́сом: а не сто́ит ли отказа́ться от коалицио́нного спо́соба формирова́ния прави́тельства.
3. Прави́тельство формиру́ется на осно́ве парла́ментской коали́ции.

Б. Выразите своё согласие или несогласие в предложениях ниже, используя:

я должна́ (должен) согласи́ться с тем, что...; де́ло в том, что ...; я не могу́ согласи́ться с тем, что...; ведь...

1. Причи́ной полити́ческих кри́зисов явля́ется отню́дь не коалицио́нный спо́соб формирова́ния прави́тельства.
2. Коали́ция парла́ментского большинства́ име́ет свои́ преиму́щества и недоста́тки.
3. Прави́тельство, сформиро́ванное на осно́ве парла́ментской коали́ции, явля́ется относи́тельно усто́йчивым.
4. Рота́ция главы́ прави́тельств — ва́жная конституцио́нная процеду́ра разреше́ния прави́тельственных кри́зисов.
5. «Кре́пкие бизнесме́ны» привнесли́ в полити́ческую жизнь страны́ привы́чные для них мане́ры поведе́ния.
6. Тип полити́ческого поведе́ния «кре́пких бизнесме́нов» прису́щ, как пра́вило, ли́дерам авторита́рного то́лка.

В. Ваше мнение? Выразите своё мнение в следующих предложениях, используя:

я ли́чно ду́маю, что...; де́ло в том, что...; мне ка́жется, что...; ведь ...

1. Речь должна́ идти́ не об отка́зе от коали́ций, а, скоре́е, о созда́нии дополни́тельных возмо́жностей для вы́хода из прави́тельственных и парла́ментских кри́зисов.
2. Па́ртии, чьи представи́тели вхо́дят в прави́тельство, получа́ют реа́льные рычаги́ влия́ния.
3. Потенциа́льные ри́ски украи́нской парла́ментской систе́мы - отсу́тствие конституцио́нных процеду́р разреше́ния прави́тельственных кри́зисов.
4. В украи́нскую поли́тику вошли́ «кре́пкие бизнесме́ны», кото́рые не привы́кли рабо́тать «в бе́лых перча́тках».

5. Жизнь па́ртий «кре́пких бизнесме́нов» ста́ла зави́сеть не от полити́ческих платфо́рм и подде́ржки избира́телей.

6. Подхо́д «кре́пких бизнесме́нов» к па́ртии как к со́бственности означа́л, что и к госуда́рству ста́ли относи́ться как к со́бственности.

Г. Вопро́сы. Отве́тьте на вопро́сы по те́ксту уро́ка, цити́руя текст статьи́, соглаша́ясь и́ли не соглаша́ясь с а́втором и выража́я своё мне́ние.

1. Что поста́вило под сомне́ние эффекти́вность систе́мы парла́ментской коали́ции большинства́?

2. Что необходи́мо созда́ть для безболе́зненного вы́хода страны́ из прави́тельственных кри́зисов?

3. Что мо́жно счита́ть преиму́ществами коали́ции прави́тельственного большинства́?

4. Что мо́жно отнести́ к недоста́ткам тако́го прави́тельства?

5. Каку́ю роль должна́ игра́ть конститу́ция страны́ в слу́чае прави́тельственных кри́зисов?

6. Како́й тип поли́тиков вы́шел на украи́нскую сце́ну во второ́й полови́не 90-х годо́в?

7. Как они́ измени́ли полити́ческую жизнь страны́?

8. Каки́ми приёмами они́ ста́ли по́льзоваться для приобрете́ния вла́сти?

9. Каки́е украи́нские избира́тели подде́рживают подо́бных поли́тиков?

10. Како́й иллю́зией таки́е поли́тики страда́ют?

Д. 1. Переска́з. Расскажи́те пе́рвую часть уро́ка 1, цити́руя текст статьи́, соглаша́ясь и́ли не соглаша́ясь с её а́втором и выража́я своё мне́ние.

2. Докла́д о кри́зисе. Расскажи́те об э́том прави́тельственном кри́зисе с то́чки зре́ния «кре́пких бизнесме́нов», кото́рые вошли́ в украи́нскую поли́тику. Не забыва́йте цити́ровать исто́чники, (не) соглаша́ться и выража́ть своё мне́ние!

@ **ТЕКСТ: Прослушайте текст, затем прочитайте его и переведите на английский язык в письменной форме.**

Часть 2
ПАРЛАМЕНТСКИЙ КРИЗИС В УКРАИНЕ: ДВИЖЕНИЕ К ОТВЕТСТВЕННОЙ ПОЛИТИКЕ

Не секре́т, что причи́ной конфли́кта в украи́нском парла́менте явля́ется не сто́лько несоверше́нство процеду́ры формирова́ния прави́тельства, ско́лько стра́стное жела́ние не́которых "солда́т" побыстре́е стать "генера́лами". Для э́того, счита́ют они́, доста́точно про́сто-на́просто переписа́ть вме́сте с други́ми "деда́ми"° уста́в°. При э́том никаки́е обяза́тельства пе́ред партнёрами по коали́ции не принима́ются во внима́ние.

            here: good old boys   bylaws

Когда́ поли́тику начина́ют рассма́тривать как грандио́зный би́знес-план, кри́зис неизбе́жен. И спо́ры о юриди́ческом ста́тусе коалицио́нного соглаше́ния соверше́нно бесполе́зны, и́бо° о чём мо́жно спо́рить с людьми́, кото́рые отрица́ют° сам факт существова́ния договорённостей и выдвига́ют° при э́том «уби́йственный° те́зис»: нет коали́ции — нет и соглаше́ния. Если в полити́ческой борьбе́ допусти́мы таки́е "манёвры", как несоблюде́ние Конститу́ции, невыполне́ние зако́нов и игнори́рование ука́зов°, то бу́дет ли кто-то прислу́шиваться к како́му-то коалицио́нному соглаше́нию, да́же е́сли оно́ обретёт ста́тус зако́на или постановле́ния° парла́мента? В лу́чшем слу́чае поя́вится лишь по́вод° до́лго и бесперспекти́вно° суди́ться°.

         because
         deny
         promote
         killer

         decrees

         legislative act
         grounds
   futilely   to sue; to litigate

Поли́тика не то́лько побужда́ет° о́бщество к вы́бору°, но и сама́ создаёт ситуа́ции вы́бора, кото́рые, в коне́чном счёте°, устоя́вшиеся° пра́вила. Пра́вила э́ти мо́гут быть и непи́саными. Наприме́р, в брита́нском парла́менте есть неформа́льное пра́вило проводи́ть консульта́ции ме́жду представи́телями пра́вящей° па́ртии и парла́ментской оппози́ции по всем вопро́сам парла́ментской жи́зни, кото́рые

         incites
         choice
  в коне́чном счёте – in the end
         stabilized

         ruling

называ́ются "обы́чными путя́ми". На э́ти "пути́" никто́ никого́ не зата́скивает° си́лой, про́сто истори́чески сложи́лось так, что поли́тику там веду́т прили́чные лю́ди прили́чными ме́тодами.

drags

Украи́на то́же идёт по пути́ вы́работки но́вого поведе́ния в поли́тике. Последний парла́ментский кри́зис, кото́рый, в соотве́тствии с Конститу́цией Украи́ны, до́лжен быть разрешён путём внеочередны́х вы́боров, явля́ется на са́мом де́ле «боле́знью ро́ста» и бу́дет, по на́шему мне́нию, способствовать укрепле́нию полити́ческого здоро́вья страны́.

Ра́но или по́здно, но и на украи́нской полити́ческой по́чве утверди́тся ста́рое как мир пра́вило "ска́зано – завя́зано». Возмо́жно, э́то случи́тся ещё не ско́ро, но э́то обяза́тельно произойдёт. И тогда́ парла́ментских колли́зий, возника́ющих и́з-за того́, что не́которые "хозя́ева своего́ слова" легко́ беру́т его обра́тно, ста́нет намно́го ме́ньше.

@ КОГНАТЫ

бесперспекти́вно	истори́чески	партнёр
генера́л	консульта́ция	секре́т
грандио́зный би́знес-план	конфли́кт	солда́т
игнори́рование	манёвры	те́зис
	неформа́льный	юриди́ческий статус

СЛОВА И ВЫРАЖЕНИЯ

«деды́» – second-year enlisted men who abuse first-year recruits. Here, it implies someone who is unscrupulous

боле́знь ро́ста – "growing pains"

возника́ть/ возни́кнуть (past: возни́к, возни́кла, о, и) и́з-за несоблюде́ния зако́на – to emerge as a result of noncompliance with the law

выдвига́ть/ вы́двинуть «уби́йственный те́зис» – to put forward a "killer thesis"

вы́работка но́вого поведе́ния – development of new behavior

допусти́м, – а, -о, -ы – permissible

зата́скивать / затащи́ть (зата́щат) си́лой – to drag in by force

идти́ по пути́ – to follow the road of …

инфля́ция неизбе́жна – inflation …

истори́чески сложи́лось – to come about (to be formed) historically

кри́зис неизбе́жен – a crisis is inevitable

несоблюде́ние = невыполне́ние noncompliance with
  зако́нов – laws
  ука́зов – ukases; edicts
  соглаше́ний – agreements

обрета́ть/ обрести́ (обрету́т) ста́тус to acquire a status
  зако́на – of law
  постановле́ния – of a legislative act

обяза́тельства пе́ред партнёрами по коали́ции – obligations to coalition partners

отрица́ть сам факт существова́ния договорённостей – to reject the very existence of

перепи́сывать/ переписа́ть (перепи́шут) – to rewrite

побужда́ть/ побуди́ть о́бщество *к чему* – to encourage the society to(wards) *something*
  к вы́бору – towards a choice
  соблюде́нию зако́нов – … towards adherence to law

по́вод суди́ться – grounds to sue

поли́тику там веду́т прили́чные лю́ди прили́чными ме́тодами – politics are conducted by decent people using decent methods

пра́вила – rules
  устоя́вшиеся пра́вила – settled rules
  непи́саные пра́вила – unwritten rules

принима́ть/ приня́ть во внима́ние – to take into consideration

прислу́шиваться *к чему* – to heed
  к правилам – the rules
  к сове́там – advice

разрешён, -а́ , -о́, -ы́ путём внеочередны́х вы́боров – resolved by special elections

рассма́тривать как грандио́зный план – счита́ть грандио́зным планом

расхо́ды неизбе́жны – expenses …

соверше́нство (несоверше́нство) – (im)perfection

спо́ры бесполе́зны – arguments are useless

спосо́бствовать укрепле́нию полити́ческого здоро́вья страны́ – to contribute to the political health of the nation

ста́рое как мир пра́вило «ска́зано – завя́зано» – an old rule "once said never retracted"

стра́стное жела́ние сде́лать что-то – a passionate desire to do something

хозя́ин своего́ сло́ва – a man of his word

ЛЕКСИЧЕСКИЕ УПРАЖНЕНИЯ

А. Заполните пропуски правильными предлогами.

1. Прими́те ___ внима́ние тот факт, что ли́деры э́той па́ртии зата́скивали ___ неё свои́х чле́нов си́лой.
2. Е́сли бы вы прислу́шивались ___ сове́там адвока́та, вам не пришло́сь бы сейча́с суди́ться!
3. «Но́вые украи́нцы» не счита́ют, что ва́жно соблюда́ть свои́ обяза́тельства ___ партнёрами.
4. Прави́тельственные кри́зисы спосо́бствуют ___ укрепле́нию полити́ческого здоро́вья страны́.
5. Экономи́ческий кри́зис возни́к ___ фина́нсовой безотве́тственности банки́ров.
6. Поли́тика там ведётся ___ прили́чными людьми́ ___ прили́чными ме́тодами.
7. Пра́ктика демокра́тии побужда́ет гра́ждан ___ соблюде́нию зако́нов.

Б. Дайте русские эквиваленты следующим английским фразам.

- a passionate desire to rewrite settled rules
- to take into consideration regular noncompliance with laws
- crisis is inevitable
- to heed the advice
- arguments are useless
- to reject the very existence
- obligation to partners
- to put forward a thesis
- growing pains
- to emerge as a result of unwritten rules…
- resolved by special (extraordinary) elections
- grounds to sue
- to use decent methods
- the crisis is resolved

В. РАБОТА ПО МОДЕЛЯМ:

1. Заполните пропуски словами по смыслу.

чего

а.   Страна́ идёт по пути́

————————
————————
————————

чему

б.   Внеочередны́е вы́боры спосо́бствуют

————————
————————
————————

чему

в.   Поли́тика побужда́ет о́бщество к

————————
————————
————————

что

г.   ————————
     ————————   сложи́лась
     ————————   сложи́лся   истори́чески.
                   сложи́лись

что

д.   ————————
     ————————   неизбе́жно при демократи́ческой администра́ции.
     ————————

чего

е.   Напряжённость возни́кла и́з-за

————————
————————
————————

2. Закончите предложения, используя логически правильные фразы.

Причи́на прави́тельственного кри́зиса в том, что поли́тики но́вого ти́па стра́стно жела́ют прийти́ к вла́сти, счита́я, что для э́того доста́точно про́сто _____. Они́ не принима́ют во внима́ние _____.

Спо́рить с таки́ми людьми́ бесполе́зно, потому́ что они́ отрица́ют _____. В ста́рых демокра́тиях существу́ют истори́чески сложи́вшиеся пра́вила, кото́рые мо́гут быть да́же _____, и поли́тику там веду́т _____ лю́ди _____ ме́тодами.

После́дний парла́ментский кри́зис явля́ется на са́мом де́ле _____ и бу́дет спосо́бствовать _____.

Ра́но и́ли по́здно, но в Украи́не вы́работается ста́рое как мир пра́вило «_____».

Г. Отве́тьте на вопро́сы.

1. Объясни́те выраже́ние: стра́стное жела́ние не́которых "солда́т" побыстре́е стать "генера́лами".

2. О каки́х «деда́х» и о како́м «уста́ве» идёт речь?

3. Кто рассма́тривает поли́тику как грандио́зный би́знес-план?

4. Како́й те́зис а́втор называ́ет «уби́йственным»? Почему́?

5. Что тако́е «устоя́вшиеся» пра́вила?

6. Како́й приме́р «непи́саных пра́вил» приво́дит а́втор?

7. Как а́втор объясня́ет, что в брита́нском парла́менте «непи́саные пра́вила» соблюда́ются?

8. Объясни́те выраже́ние «боле́знь ро́ста».

9. Что зна́чит «ска́зано - завя́зано»?

10. Како́го челове́ка мо́жно назва́ть «хозя́ином своего́ сло́ва»?

ПОВТОРЕНИЕ: ЦИТИРОВАНИЕ ИСТОЧНИКОВ

Лю́ди	говоря́т
телекоммента́тор	говори́т, что…; говори́т *о чём*
представи́тель МИД Росси́и	подчёркивает, что
глава́ оппози́ции	объяви́л *о чём*…
ли́дер	заяви́л, что...
помо́щник мини́стра	сказа́л в интервью́
обозрева́тель	в переда́че по ра́дио
сове́тник по дела́м	по телеви́дению
заммини́стра	на своём вебсайте
госсекрета́рь	отмеча́ет, что...
etc.	счита́ет, что …
	по телеви́дению
	вы́ступил с... за (про́тив)...
	тре́бует *чего*
	что́бы + *past tense*
	недово́лен *чем*

PRINT MEDIA		
в телепрогра́мме «Но́вости»		
в телепереда́че		
в статье́	говори́тся	
в конститу́ции	говори́лось	
в докуме́нте		…, что…
в догово́ре	сообща́ется	*or*
в интервью́	сообща́лось	*о чём*
в ре́чи		
в передови́це	отмеча́ется	
в докла́де	отмеча́лось	
в зако́не		
в выступле́нии		
в прессе		

RADIO AND TV		
	сообща́ется	
по ра́дио	сообща́лось	…, что…
на радиоста́нции «Эхо Москвы́»		*or*
по телеви́дению	передаётся	*о чём*
по седьмо́й програ́мме	передава́лось	
на седьмо́м кана́ле		

INTERNET	говори́тся	
	говори́лось	..., что... *or* *о чём*
в Интерне́те на са́йте	сообща́ется сообща́лось	
	отмеча́ется отмеча́лось	..., что

Reading Internet URLs:

www = **вэ-вэ-вэ** or **три-дабл-ю, тройно́е дабл-ю** *or* **дабл-ю – дабл-ю – дабл-ю**

@ = **соба́чка**

dot = **то́чка** (but is often omitted)

ru = **ру**

Full words are read as in English but with a Russian accent. Non-word-forming letter patterns are read either as Russian or English letters, depending on the speaker:

Examples:

www.echo.msk.ru – **три дабл-ю – эхо – эм-эс-ка – ру**

www.microsoft.ru – **вэ-вэ-вэ – майкросо́фт – ру**

www.kremlin.ru – **тройно́е дабл-ю – кре́млин – ру**

According to	
по	слова́м а́втора кни́ги мне́нию а́втора статьи́ пра́вилам конститу́ции зако́ну
в соотве́тсвии с	зако́ном пра́вом ре́чью конститу́цией заявле́нием выступле́нием да́нными информа́цией со статьёй передови́цей интервью́ исто́чниками Бе́лого до́ма со слова́ми а́втора

*In English sources can **speak**.* In Russian ***источники*** cannot ***говорить***.

Из	журналистских военных секретных американских	источников	**стáло извéстно, что...** **стáло извéстно**, *о чём*

Из	источников	Пентагóна Белого дома ЦРУ	**стáло извéстно, что...** **стáло извéстно**, *о чём*

Из	прогрáммы «Врéмя» интервью́ заявлéния телепередáчи рáдиосообщéния	**стáло извéстно, что...** **стáло извéстно**, *о чём*

УПРАЖНЕНИЯ НА ЦИТИРОВАНИЕ ИСТОЧНИКОВ

А. Переведите следующие фразы.

1. according to a communiqué on the state of emergency
2. U.S. sources disclosed that...
3. the Summit agreements emphasized that...
4. a Channel 4 broadcast said that...
5. the CIA sources said that...
6. according to the strike leaders
7. the National Security Adviser remarked that...
8. the White House spokesman appeared on TV with a statement
9. according to some neo-cons (неоконсерваторы)
10. Defense Department sources said that...
11. yesterday's editorial remarks that...
12. according to the author of the Monroe Doctrine
13. he made a new statement which emphasized...
14. he appeared on TV with a proposal
15. she made a speech before Congress which stressed the necessity...
16. the TV program "Good Morning America" announced that...
17. According to the site Polit.Ru…

Б. Напишите ваши примеры с выражениями из этого упражнения.

ГРАММАТИЧЕСКОЕ УПРАЖНЕНИЕ: ПОВТОРЕНИЕ ВИДОВ ГЛАГОЛА
(продолжение)

(QuiA) **Раскройте скобки.**

1. За период проведения этой гуманной политики [возвращаться/возвратиться] _____ свыше 7600 обманутых пропагандой беженцев.

2. В задачу этих кораблей входит [обнаруживать/обнаружить] _____ и [обезвреживать/обезвредить] _____ мины.

3. Было объявлено, что сотрудникам американского посольства нельзя будет [посещать/ посетить] _____ конференцию.

4. Это один из лучше всего сохранившихся античных театров в мире. Его огромный амфитеатр [вмещать/вместить] _____ 15000 зрителей.

5. Вашингтон [продолжать/продолжить] _____ [осуществлять/осуществить] _____ стационарное размещение передового командного пункта центрального командования США (СЕТКОМ).

6. Если не [решать/решить] _____ эти вопросы к началу семестра, то завтра можно [оказываться/оказаться] _____ в сложном положении.

7. Нельзя было столько времени [уделять/уделить] _____ «советской угрозе».

8. Только за последнюю неделю террористы трижды [переходить/перейти] _____ российскую границу 3 раза.

9. Ежегодно предприятия не успевают [выполнять/выполнить] _____ заключаемые договоры на ремонт и поставку техники.

10. В восьмидесятых годах [Они, past: планировать/запланировать] _____ выпуск отечественных ЭВМ (mainframe computers) и [забывать/забыть] _____ [готовить/подготовить] _____ операторов для них.

11. Первый день конвой [past: идти/пойти] _____ без сопровождения.

12. Проект [*future:* основываться/основаться] _____ на известной концепции «обычной стабильности».

13. Сумма недостач, невозмещённых убытков и порчи за последние годы не [*present:* уменьшаться/уменьшиться] _____ (present).

ГРАММАТИЧЕСКОЕ УПРАЖНЕНИЕ: ПОВТОРЕНИЕ ПАДЕЖЕЙ

Раскройте скобки.

1. Закон США об иностранных миссиях даёт [неограниченная власть] _____ запретить [любая трансакция] _____ [иностранные миссии] _____ .

2. Премьер-министр маневрирует, идёт на [уступки] _____ , чтобы постепенно взять под [контроль] _____ [оппозиция] _____ .

3. Нынешнее панамское правительство похоже на [марионетка] _____ в [руки] _____ Вашингтона.

4. Много [палестинцы] _____ покинуло родные места.

5. [Самые обиженные] _____ в результате уравнения в правах оказались наиболее [бедные и тёмные слои] _____ белого населения.

6. Наши успехи при [социалисты] _____ свидетельствуют о [правильность] _____ нашего выбора.

7. Генеральная Ассамблея требует [безопасный проход] _____ гражданских судов через [Персидский залив] _____ .

8. Некоторые [беженцы] _____ возвращаются под конвоем в [лагеря] _____ .

9. [Развитие атомной энергии] _____ принадлежит будущее.

10. После испытаний, через [которые] _____ прошёл наш народ, нам не могут показаться [страшные] _____ пустые угрозы.

УПРАЖНЕНИЯ НА УСТНУЮ РЕЧЬ

А. Процитируйте следующие предложения, используя:

глава́ оппози́ции подчёркивает, что...
по телеви́дению передава́лось, что...
по пра́вилам...

1. Не секре́т, что причи́ной конфли́кта в украи́нском парла́менте явля́ется стра́стное жела́ние не́которых "солда́т" побыстре́е стать "генера́лами".

2. В брита́нском парла́менте прово́дятся консульта́ции ме́жду представи́телями пра́вящей па́ртии и парла́ментской оппози́ции.

3. В украи́нском парла́менте возни́кла колли́зия из-за несогла́сия по не́которым вопро́сам.

Б. Вырази́те своё согласие или несогласие в предложениях ниже, используя:

я должна́ (должен) согласи́ться с тем, что...
де́ло в том, что...
я не могу́ согласи́ться с тем, что...
ведь...

1. Причи́ной конфли́кта в украи́нском парла́менте явля́ется не сто́лько несоверше́нство проце́ду́ры формирова́ния прави́тельства, ско́лько стра́стное жела́ние не́которых "солда́т" побыстре́е стать "генера́лами".

2. Когда́ поли́тику начина́ют рассма́тривать как грандио́зный би́знес-план кри́зис неизбе́жен.

3. На За́паде про́сто истори́чески сложи́лось так, что поли́тику веду́т прили́чные лю́ди прили́чными ме́тодами.

4. Парла́ментские кри́зисы в Украи́не явля́ются на са́мом де́ле «боле́знью ро́ста».

В. Выразите своё мнение в следующих предложениях, используя:

мне ду́мается, что ...
де́ло в том, что ...
я счита́ю, что ...
ведь ...

1. В сего́дняшней украи́нской поли́тике никаки́е обяза́тельства пе́ред партнёрами по коали́ции не принима́ются во внима́ние.

2. Спо́ры о юриди́ческом ста́тусе коалицио́нного соглаше́ния соверше́нно бесполе́зны.

3. Украи́на тоже идёт по пути́ вы́работки но́вого поведе́ния в поли́тике.

4. Ра́но или по́здно, но и на украи́нской полити́ческой по́чве утверди́тся ста́рое как мир пра́вило «ска́зано – завя́зано».

Г. Вопросы. Отве́тьте на следующие вопросы по тексту урока, цитируя текст статьи, соглашаясь или не соглашаясь с автором и выражая своё мнение.

1. В чём причи́на конфли́кта в украи́нском парла́менте?

2. Почему́ кри́зис неизбе́жен, когда́ поли́тику начина́ют рассма́тривать как грандио́зный би́знес-план?

3. Как выраба́тываются устоя́вшиеся пра́вила полити́ческого поведе́ния?

4. Чему́ бу́дет спосо́бствовать после́дний парла́ментский кризис?

5. Когда́ на украи́нской по́чве утверди́тся пра́вило «сказано – завяза́но»?

6. Что э́то бу́дет означа́ть для украи́нской поли́тики?

Д. 1. Пересказ. Расскажите первую и вторую часть урока 1, цитируя текст статьи, соглашаясь или не соглашаясь с её автором и выражая своё мнение.

2. Суммируйте первую и вторую часть статьи.

3. Рассказ о кризисе. Расскажите о правительственном / политическом кризисе в другой стране, используя выражения из текста урока 1. Не забывайте цитировать источники, (не) соглашаться и выражать своё мнение!

E. Дополнительные вопросы (optional)

1. Опишите разницу между парламентарной и президентской системами правления. Какие преимущества и недостатки существуют в каждой из них?
2. Какие важные американские и европейские политические партии вы знаете?
3. Что включает в себя процесс демократизации?
4. Сколько времени исторически складывалась американская демократия?
5. Экспорт демократии.

Ж. Разговор. Прослушайте разговор двух журналистов до пресс-конференции с представителем украинского президента по вопросу недавнего правительственного кризиса в Украине и разыграйте его с другим студентом.

Антон:	Украина становится похожей на Италию!
Вероника:	Это как?
Антон:	Правительственные кризисы один за другим!
Вероника:	Не придирайся! Украинцам просто не хватает опыта. Несколько столетий они были под литовцами и поляками, в XVIII веке их подмяла под себя Россия … По-настоящему независимой Украина стала только в 1991 году.
Антон:	Да я шучу! Честно говоря, Москве стоит кое-чему поучиться у Киева. Парламентская система мне кажется более демократичной. Конечно, работает она пока плохо, но всё-таки работает.
Вероника:	А вот некоторые украинские коллеги с тобой не согласятся. Они уже ставят под сомнение эффективность парламента. Когда ни у одной из партий нет «контрольного пакета», приходится идти на компромиссы, заключать временные союзы. Поэтому коалиционные правительства неустойчивы, даже если речь идёт о коалиции большинства.
Антон:	А что они предлагают: коалицию меньшинства? Можно себе представить, сколько времени продержалось бы в Украине правительство парламентского меньшинства! Это смешно! А коалиция большинства всё же представляет интересы достаточно широких слоёв, различных социальных групп…
Вероника:	Ну, в украинском контексте речь идёт не столько о социальных группах, сколько о территориях!
Антон:	Согласен. И в этом главная сложность. Я не очень себе представляю прочную коалицию Восточной Украины и Западной.
Вероника:	А я думаю, что они сумеют жить вместе, если Россия перестанет мутить воду. Речь должна идти не об отказе от коалиций, а о том,

как научи́ться догова́риваться без дра́ки.

Анто́н: Для э́того нужны́ конституцио́нные процеду́ры. Ну, наприме́р, поря́док сме́ны главы́ прави́тельства в слу́чае его́ неспосо́бности выполня́ть свои́ обя́занности.

Верони́ка: Послу́шай, мо́жет тебе́ в поли́тику пода́ться? Так и ви́жу: Анто́н Чернышёв - депута́т росси́йской Ду́мы!

Анто́н: Н-е-е-т! Это не по мне. Поли́тика – де́ло гря́зное. И на́ша, и украи́нская. Ты посмотри́ то́лько на всех э́тих «кре́пких бизнесме́нов», кото́рые пришли́ в поли́тику в после́дние го́ды. Уж они́-то не привы́кли рабо́тать «в бе́лых перча́тках». Приёмы для приобрете́ния вла́сти те же, что и для приобрете́ния со́бственности. Но, кста́ти, и ру́сскому, и украи́нскому избира́телю таки́е ти́пы нра́вятся. Лю́бит наш брат «си́льную ру́ку».

Верони́ка: Так ведь я и говорю́, что учи́ться демокра́тии о́чень до́лго, но ну́жно. Ра́но или по́здно и Росси́я, и Украи́на ста́нут «норма́льными стра́нами». Возмо́жно, это случи́тся ещё не ско́ро, но э́то обяза́тельно произойдёт. И все на́ши ны́нешние тру́дности - э́то «боле́зни ро́ста».

Анто́н: Хоте́лось бы ве́рить!

Поле́зные слова́:

догова́риваться без дра́ки – to agree without a fight
мути́ть во́ду – to stir up trouble
не хвата́ть – to lack something
пода́ться в поли́тику – to go into politics
подмя́ть под себя́ – to crush
придира́ться – to pick on someone

УПРАЖНЕНИЯ НА ЧТЕНИЕ

Предтекстовые упражнения

А. Фоновая информация. In the latter part of the 2000s the Polish government was led by the Kaczyński twins. Lech was president and Jarosław was Prime Minister. Both were from the conservative Law and Justice Party. The brothers' co-rule was marked by coalition infighting, intrigues and scandals.

Б. Нужные слова и выражения

возвести́ – to elevate

дозре́ть < до + зреть – to mature

дурно́й = плохо́й

замя́ть – to sweep under the rug

запоро́ть – to bungle

ито́г: в ито́ге – in the final analysis; when all is said and done

курс: быть в ку́рсе де́ла – to be *au courrant*; to be in the loop

манда́т – electoral district; seat in a legislature

обольща́ться *о чём* – to let *something* go to one's head(?)

обороня́ться *от чего* ≅ **оборо́на**

одержи́мый *чем* – obsessed; possessed *by something*

основа́тельный – thorough

ощуще́ние = чу́вство

пала́та – chamber

перегиба́ть / перегну́ть па́лку – to bend the branch until it breaks

подде́ржка < под 'sub' + держ 'hold', 'port'

поды́грывать / подыгра́ть – to support

появля́ться / появи́ться – to appear

приспосо́бленный *к чему* – (well)-disposed *towards something*

проро́чить – *verb related to* **проро́к** – prophet; one who foresees

развяза́ться < раз – dis + вяз – connect

скло́ка – fight

-таки – *unstressed flavoring particle (ignore in reading)*

устра́ивать – to satisfy

фра́кция – faction (*not* fraction)

ши́бко – о́чень; намно́го

ядро́ > я́дерный

B. Расклáдка сил. Based on whatever information you have at hand, figure out who the main characters are in this article by matching these:

1. Andrzej Lepper	a. are 12% of the Sejm (parliament).
2. Author of the article	b. conservative, but took pro-Russian positions recently.
3. Donald Tuska	c. expressed a low opinion of the current government.
4. Kaczyński twins	d. ditched a coalition partner.
5. Leftist Democrats	e. Liberal politician in failed "Grand Coalition."
6. Polish majority	f. pretended to defect to the other side.
7. Renata Beger	g. Self Defense politician, resigned after sex scandal.
8. Stanisław Łyżwiński	h. was opposed to U.S. missile bases in Poland.

Г. Что, где, когда? Поставьте события в нужном порядке.

Lepper (and Self Defense) take pro-Russian positions on some issues.
Lepper opposes government initiatives.
The government creates a rightist coalition.
The Kaczyński brothers force Lepper out of his post.
The Kaczyńskis and fellow rightists try to form a grand coalition with the liberals.
The Kaczyńskis are seen as having brought run Polish foreign policy aground.
The Kaczyńskis leak an "undercover" video showing secret negotiations with Beger.
There aren't enough votes in the Sejm to force early elections.

Куда ж ты идёшь, Речь Посполита?
В Польше правительственный кризис

Во вторник в польский Сейм внесено предложение о досрочных парламентских выборах в связи с правительственным кризисом. Пока это инициатива оппозиции – партии «Союз левых демократов», контролирующей 55 из 460 мандатов нижней палаты парламента. О своей поддержке этого закона уже заявило еще несколько фракций, и всего он пока собирает 257 голосов – при необходимых 307. Вечером того же дня ситуация успела измениться – появились сообщения, что партия «Самооборона» все же останется в правительстве, просто без своего лидера Анджея Леппера. С одной стороны это можно считать победой братьев Качиньских и окончанием кризиса, но с другой стороны есть сильное ощущение, что это только временная мера: слишком уж глубок конфликт между Качиньскими и лидером «Самообороны».

В общем-то, ожидалось, что по итогам выборов 2005 года партия Качиньских «Право и справедливость», у которой 154 мандата, сблокируется с либеральной партией «Гражданская платформа» Дональда Туска. Но с Туском договориться не смогли, и тогда вместо «большой коалиции» была создана другая, поменьше, с ядром из «Права и справедливости», «Самообороны» и крайне правой «Лиги польских семей». На основании чего Леппер с Качиньскими считались союзниками, теперь уже понять трудно. Во всяком случае, вождь «Самообороны» последовательно выступал против президентско-премьерского братства по всем их главным инициативам.

Леппер призывал к референдуму по ПРО – у которого было не больше шансов на успех, чем у референдума по НАТО на Украине: ведь 60% поляков против размещения американских ракет-перехватчиков на своей территории. Леппер выступает против участия польских войск в операциях в Ираке и Афганистане. При этом он не поддержал и склоку с Россией из-за польского мяса, которую Качиньские возвели в ранг принципиального противостояния. Это, в общем, и не удивительно, если учесть, что перед выборами он сам организовывал протесты фермеров, страдающих от российского эмбарго на мясо. Нынешнюю отставку сам Леппер объясняет тем, что поддержал забастовку работников польских больниц, требовавших от правительства увеличения зарплаты.

«Самооборона» раз уже успела выйти из коалиции – 21 сентября Качиньские уже снимали Леппера со всех постов. В том скандале президент с премьером оборонялись от оппозиции после показа по общенациональному телеканалу TVN записи того, как люди Качиньских перекупают Ренату Бегер, члена «Самообороны». Позже выяснилось, что это была намеренная провокация. Дело в том, что Бегер была в курсе дела. В итоге коалицию все же воссоздали, но союзники уже явно стали конкурентами и тяготили друг друга неимоверно. В декабре имел место «сексуальный скандал», в котором был замешан сам Леппер и один из его депутатов, Станислав Лыжвиньский. Последний в итоге ушел из партии, а дело замяли.

Теперь Качиньские, видимо, решили-таки развязаться с Леппером окончательно. Во всяком случае, другие объяснения скандалу найти сложно, учитывая, что инициатива исходит именно от Леха с Ярославом. До того, как «Самооборона» объявила, что не хочет уходить, выборы пророчили на август-сентябрь. Теперь, возможно, страна получила еще месяц-другой стабильности, но долго нынешняя ситуация вряд ли продержится.

По сути, полякам пришло время разобраться, устраивает ли их курс Качиньских. И это не такой простой вопрос, как может показаться со стороны. Качиньские оказались, мягко говоря, далеки от идеала – ксенофобы, русофобы, гомофобы, популисты, одержимые имперским комплексом, плохо приспособленные к сотрудничеству и компромиссам. Они полностью запороли внешнюю политику и на европейском, и на российском направлении (только с Украиной у них все хорошо), да и о состоянии дел внутри страны красноречиво говорят протесты тех же фермеров и медсестер. Но многие их конкуренты не шибко лучше, и в целом есть большая вероятность, что оголтелость Леха и Ярослава отвечает потребностям польского избирателя – который за них уже один раз, кстати, проголосовал.

И тем не менее на данный момент наиболее вероятным кажется, что Качиньским все же осталось недолго. Слишком уж очевидно, что братья перегнули палку – разве Польша может позволить себе испорченные отношения и с ЕС, и с РФ? Это явно ненормально, да и внутренними проблемами заниматься нужно основательнее. Если какие-то авансы в нашу сторону будут делаться, России даже стоит им подыграть – сняв, наконец, дурацкое эмбарго на польское мясо. Но, честно говоря, вообще обольщаться пока нет причины. Следовательно, страна по-прежнему не дозрела до смены дурных имперских амбиций на реальную и адекватную политику. В таком случае даже перевыборы – если они будут – смогут скорректировать политический курс Польши, но общий вектор будет тем же: Варшава останется источником головной боли и для Брюсселя, и для Москвы.

по метериалам Алексея Ерёменко

ПОСЛЕТЕКСТОВЫЕ УПРАЖНЕНИЯ (SENTENCE STRUCTURE AND USING CONTEXT)

Transition markers are the words that link ideas together. They bridge sentences or paragraphs by marking the introduction of an idea, its development, different points of view, conclusions, etc. Here is a list of some frequently used transition words:

..., а...	именно	неужели
в итоге	итак	однако
ведь	как известно; общеизвестно	по сути
вероятно	кроме того	при этом
во всяком случае	кстати	причём ...?
во-первых, во-вторых	между тем	разве
вот почему	наоборот	с одной стороны, с
дело в том, что	например	другой стороны
и тем не менее	не только ..., но и ...	следовательно

Paragraph 1

1. Find a transition marker in this paragraph. It indicates...
   a. a statement followed by illustrations.
   b. a list of examples concluded by a statement.

2. Find English equivalents for:
   - **досрочные парламентские выборы**
   - **нижняя палата**

Paragraph 2

3. Mark the words which indicate:
   a. a clarification of the statement
   b. a conclusion

4. Find the English equivalent for **договориться.**

Paragraph 3

5. What is the Russian for *deployment of interceptor-missiles on one's territory*?
6. This paragraph contains two transition markers. Find them and determine their functions.
7. In sentence four, find the word to which a participle **страдающих** refers.
8. In the next sentence, determine to which word a participle **требовавших** refers.

Paragraph 4

9. Make a list of transition markers used in this paragraph. Mark the words which indicate:
    a. an illustration of the argument.
    b. additional information.
    c. an introduction of the argument.
    d. a conclusion.

10. What is the English for «*намеренная провокация*»?

Paragraph 5

11. In sentence two, find the word to which a verbal adverb «учитывая» refers.

Paragraph 6

12. Find transition markers in this paragraph and explain the function of each one. They express ... (true or false for each):
    a. a statement.
    b. a supposition.
    c. a shift to a new problem.
    d. support of the statement.

13. What is the Russian for *"to put it gently"*?

Paragraph 6

14. This paragraph is rich in transition markers. They express ... (true or false for each):
    a. a statement.
    b. a supposition.
    c. a shift to a new problem.
    d. an illustration of the argument.

    e. a conclusion.

15. Give the Russian for *to lift a stupid embargo on, source of a headache.*

@ УПРАЖНЕНИЯ НА АУДИРОВАНИЕ

РОЛЬ ДОНАЛЬДА ТУСКА В ПОЛЬСКОЙ ПОЛИТИКЕ

А. Что вы ужé знáете о Дóнальде Тýске? Ответьте на вопросы *на основе прочитанной статьи.*

1. Название партии, основанной Д. Туском: _____

2. Политическое направление этой партии:
   a. националистическое   b. либеральное
   c. консервативное   d. социалистиское

3. Вошла ли партия Д. Туска в коалицию с «Правом и справедливостью» после выборов 2005 года?

Б. Нýжные словá

провáливаться/провалúться – to fail; **провалúться с трéском** – to come crashing down; to suffer a crushing defeat.
лáгерь – camp: **лéвый лáгер** – leftist bloc
добровóлец – volunteer
призывáть / призвáть в áрмию – to call up (to military service); to draft

В. Нóвые свéдения о Тýске. Прослушайте запись и дайте нужную информацию.

1. Год и место рождения Д. Туска:

2. Название первой политической партии, основанной Туском:

3. В каком году эта партия вошла в Сейм?

4. Что случилось в 1993 году?

5. Укажите два фактора, которые сыграли в руки «Гражданской платформы» в начале XXI века.
   ❑ Банковский кризис в конце 1990-х годов
   ❑ Дискредитация левых из-за скандалов
   ❑ Экономические меры, предпринятые в 1990-х годах
   ❑ Коррупция в движении «Солидарность».
   ❑ Новые идеи, предложенные Д. Туском.

6. Кто прбедил на выборах 2005 года?

7. Какой из факторов, данных ниже, сыграл роль в результате выборов?
   a.   Секс-скандал в семье одного из кандидатов.
   b.   Сомнения о патриотизме семьи Дональда Туска.
   c.   Информация о военной службе Туска в молодости.
   d.   Вопросы о национальности семьи Дональда Туска.

8. Чем кончился эпизод, упомянутый в предыдущем вопросе?
   a.   История была полностью выдумана.
   b.   В этой версии была маленькая доля правды.
   c.   Авторы этой версии проиграли на выборах.
   d.   Туск сумел вовремя доказать обратное .

9. Чем закончился репортаж о политической карьере Туска?

Г.   Как сказа́ть…? Прослушайте запись ещё раз. Определите, как выразить следующие мысли.

1. Tusk formed a new political party.
   Туск _____.
2. His popularity grew quickly.
   Его популярность _____.
3. The party lost a significant portion of its supporters.
   Партия потеряла _____.
4. The politician was drafted into the army.
   _____ в армию.
5. He won an easy victory.
   Он _____ победу.

КРУГ ВТОРОЙ

УРОК ДВА
ЧРЕЗВЫЧАЙНОЕ ПОЛОЖЕНИЕ

@ ТЕКСТ. Прослушайте текст, затем прочитайте и переведите его на английский язык в письменной форме.

Часть 1
В ТБИЛИСИ В ХОД ПОШЛИ ДУБИНКИ И СЛЕЗОТОЧИВЫЙ ГАЗ

Ми́тинг проти́вников президе́нта Михаи́ла Саакашви́ли у зда́ния парла́мента Гру́зии зако́нчился столкнове́ниями° с поли́цией. В хо́де беспоря́дков бы́ли изби́ты° не́сколько депута́тов от оппози́ции. Ве́чером того́ же дня Михаи́л Саакашви́ли ввёл в столи́це чрезвыча́йное положе́ние. Уча́стники ми́тинга в Тбили́си тре́бовали упраздни́ть° институ́т президе́нтства и перейти́ к парла́ментской респу́блике. Одна́ко грузи́нские вла́сти отказа́лись вести́ перегово́ры с оппози́цией, поли́ция разогнала́° ми́тинг, примени́в дуби́нки°, водомёты° и слезоточи́вый° газ. Президе́нт Гру́зии Михаи́л Саакашви́ли вы́ступил с обраще́нием к на́ции, в кото́ром объясни́л столь жёсткие ме́ры угро́зой безопа́сности госуда́рства. Он утвержда́л, что за спино́й оппозиционе́ров стои́т Росси́я. Господи́н Саакашви́ли обвини́л росси́йские спецслу́жбы в подгото́вке госперево́рота в Гру́зии и объяви́л о вы́сылке не́скольких сотру́дников росси́йского посо́льства. Посо́л Гру́зии в Росси́и вре́менно ото́зван из Москвы́.

clashes

beat up

do away with

broke up
nightsticks   water cannon   tear gas

Представи́тель прави́тельства Гру́зии заяви́л, что в ближа́йшие две неде́ли жизнь страны́ бу́дет регули́роваться° двумя́ докуме́нтами: ука́зом о чрезвыча́йном положе́нии и декре́том, разъясня́ющим суть° ука́за. Согла́сно э́тому декре́ту «в Гру́зии вре́менно блоки́руется де́йствие стате́й конститу́ции "О свобо́де получе́ния и распростране́ния информа́ции" и "О свобо́де собра́ний, ми́тингов и манифеста́ций°"». «Сбор и распростране́ние информа́ции запреща́ется всем электро́нным и печа́тным СМИ, кро́ме обще́ственного телеви́дения»,— заяви́л представи́тель прави́тельства. В тече́ние 48 часо́в президе́нтский ука́з до́лжен быть утверждён° парла́ментом Гру́зии, но никто́ не сомнева́ется° в том, како́е реше́ние бу́дет при́нято, — парла́ментское большинство́ по́лностью° под-де́рживает реше́ния грузи́нского президе́нта.

В Гру́зии введён запре́т° на информацио́нное теле- и радиовеща́ние. В тече́ние двух неде́ль эфи́р° бу́дет запо́лнен мультфи́льмами и телесериа́лами. Как заяви́л журнали́ст одно́й из радиоста́нций, «запрети́ть информацио́нное веща́ние — э́то са́мое глу́пое, что мо́жно бы́ло сде́лать, всё, что сейча́с происхо́дит, о́чень напомина́ет° сове́тское вре́мя, когда́ происходи́ли ва́жные собы́тия, а по телеви́зору пока́зывали "Лебеди́ное о́зеро"». Прекрати́ли° веща́ние телекомпа́нии «Име́ди» и «Кавка́сия», кото́рые, по мне́нию власте́й, призыва́ли населе́ние к неповинове́нию°. Полице́йский спецна́з ворва́лся° в зда́ния телекомпа́ний, вы́вел° на у́лицу весь персона́л и опеча́тал° зда́ния. «Ситуа́ция была́ о́чень накалённой°,— рассказа́л представи́тель телекомпа́нии "Име́ди".— Бо́льшая часть спецна́зовцев вела́ себя́ норма́льно, но не́которые бы́ли настро́ены о́чень агресси́вно. Оди́н из них обеща́л продыря́вить° мне лоб. Мои́ сотру́дники находи́лись в шо́ковом состоя́нии. Сла́ва бо́гу, никто́ не пострада́л. Что бу́дет да́льше с на́шей телекомпа́нией, пока́ непоня́тно».

regulated	
essence	
demonstrations	
ratified	
doubts	
wholly	
Prohibition	
airwaves	
is reminiscent of	
put a stop to	
unruliness broke into	
brought out	
sealed off	
highly charged	
bust a hole in…	

@ КОГНАТЫ

агресси́вно	ми́тинг	регули́роваться
блоки́роваться	мультфи́льм	ситуа́ция
газ	на́ция	спец
декре́т	оппозиционе́ры	телеви́дение
докуме́нт	персона́л	телесериа́л
институ́т президе́нтства	поли́ция	шо́ковый
информа́ция	радиоста́нция	эфи́р
ме́ры		

СЛОВА И ВЫРАЖЕНИЯ

беспоря́дки: в хо́де беспоря́дков бы́ли изби́ты (уби́ты) – were beaten up (killed) during the unrest

вводи́ть (вво́дят) / вести́ (введу́т) – to introduce
    чрезвыча́йное положе́ние – martial law
    запре́т на информацио́нное те́ле- и радиовеща́ние – a ban on news broadcasting

врыва́ться / ворва́ться (ворву́тся) в зда́ния – to break into buildings

выводи́ть (выво́дят) / вы́вести (вы́ведут) на у́лицу весь персона́л – to order the staff out of the building

выступа́ть / вы́ступить (вы́ступят) с обраще́нием к на́ции – to address a nation

запреща́ть / запрети́ть: запреща́ется сбор информа́ции – collecting information is prohibited

напомина́ть – to be reminiscent of
    сове́тское вре́мя – Soviet times
    коменда́нтский час – a curfew

нача́ться (зако́нчиться) столкнове́ниями *с кем* – to begin (end) in clashes *with someone*
    с поли́цией – with the police
    с мили́цией – with the militia

обвиня́ть / обвини́ть (обвиня́т) росси́йские спецслу́жбы в подгото́вке госпереворо́та – to accuse Russian special services of preparing the coup
    обвиня́ть / обвини́ть посла́, спецна́з – to accuse the ambassador, special forces

объявля́ть / объяви́ть (объя́вят) о вы́сылке не́скольких сотру́дников – to announce the expulsion of several employees

объясня́ть/ объясни́ть (объясня́т) жёсткие ме́ры угро́зой безопа́сности

госуда́рства – to explain tough measures by a threat to state security

опеча́тать зда́ние – to seal off a building

отзыва́ть / отозва́ть (отзову́т) вре́менно посла́ – to recall temporarily the ambassador

отка́зываться / отказа́ться вести́ перегово́ры – to refuse to conduct negotiations

призыва́ть / призва́ть (призову́т) населе́ние к неповинове́нию – to urge the population to disobey

применя́ть / примени́ть – to use
    дуби́нки – nightsticks
    водомёты – water cannon
    слезоточи́вый газ – tear gas

разгоня́ть / разогна́ть (раго́нят) ми́тинг – to break up a meeting

распростране́ние информа́ции всем электро́нным и печа́тным СМИ – all news media are prohibited from disseminating information

свобо́да *чего* – freedom *of*
    получе́ния и распростране́ния информа́ции – of information
    собра́ний, ми́тингов и манифеста́ций – of assembly

спина́: за спино́й оппозиционе́ров стои́т – support for the opposition comes from
    Росси́я
    ЦРУ – the CIA

страда́ть: никто́ не пострада́л – nobody was hurt

тре́бовать – to demand
    упраздни́ть институ́т президе́нтства – doing away with the office of president
    перейти́ к парла́ментской респу́блике – shifting to a parliamentary system

утверди́ть – *(here)* **ратифици́ровать**

ЛЕКСИЧЕСКИЕ УРАЖНЕНИЯ

Просмотрите слова и выражения к тексту «В Тбилиси в ход пошли дубинки и слезоточивый газ" и сделайте следующие упражнения.

 A. Заполните пропуски правильными предлогами.

1. Отря́д спецна́за ворва́лся ____ здание радиоста́нции.
2. Печа́тные СМИ объяви́ли ____ высылке америка́нских диплома́тов.
3. Мирный марш оконча́лся крова́вым столкнове́нием ____ мили́цией.
4. Демонстра́нты требовали перехо́да ____ парла́ментской респу́блике.

5. Раз в год президе́нт выступа́ет ___ обраще́нием ___ наро́ду.
6. Гру́зия обвиня́ет Росси́ю ___ том, что она́ стоя́ла ___ спино́й оппози́ции.

Б. Да́йте ру́сские эквивале́нты сле́дующим англи́йским фра́зам.

- during the unrest
- to do away with the presidential office
- freedom of assembly
- to end in clashes with police
- a ban on news broadcasting
- to accuse Russia of preparing the coup
- reminiscent of Soviet times
- to use nightsticks and tear gas
- martial law
- nobody was hurt
- collecting and disseminating information

B. РАБОТА ПО МОДЕЛЯМ

1. Заполни́те про́пуски слова́ми по смы́слу.

чем

а. Ми́тинг зако́нчился ⎫ _____
                         _____
                         _____

в чём

б. За́падные газе́ты обвиня́ют росси́йские спецслу́жбы в ⎫ _____
                                                        _____
                                                        _____

что

в. Во вре́мя чрезвыча́йного положе́ния запреща́ется ⎫ _____
                                                    _____
                                                    _____

что

г. Отря́ды ОМОНА применя́ли ⎫ _____ ⎰ при подавле́нии беспоря́дков.
                             _____
                             _____

2. Закончите предложения, используя логически правильные фразы.

Ми́тинг проти́вников президе́нта Миха́ила Саакашви́ли у зда́ния парла́мента Гру́зии зако́нчился _____. Уча́стники ми́тинга в Тбили́си тре́бовали упраздни́ть _____ и перейти́ к _____. Ве́чером того́ же дня президе́нт ввёл в столи́це _____. Грузи́нские вла́сти отказа́лись _____ с оппози́цией, поли́ция разогнала́ ми́тинг, примени́в _____ и _____. Президе́нт Гру́зии вы́ступил с _____. Он объясни́л, что Росси́я стои́т за _____ оппозиционе́ров и угрожа́ет _____.

Согла́сно декре́ту о чрезвыча́йном положе́нии, «в Гру́зии вре́менно блоки́руется де́йствие стате́й конститу́ции о свобо́де _____ , а та́кже о свобо́де _____. Введён запре́т на информацио́нное те́ле- и радиовеща́ние. Как заяви́л журнали́ст одно́й из радиоста́нций, «запреще́ние информацио́нного веща́ния напомина́ет _____, когда́ происходи́ли ва́жные собы́тия, а по телеви́зору пока́зывали _____». Полице́йский спецна́з _____, _____ и _____.

Г. Отве́тьте на вопро́сы.

1. Кака́я ра́зница ме́жду слова́ми «беспоря́док» и «беспоря́дки»?
2. Что происхо́дит во вре́мя беспоря́дков?
3. Чего́ обы́чно тре́буют уча́стники подо́бных де́йствий?
4. Как на э́то отвеча́ют вла́сти в недемократи́ческих стра́нах?
5 Что включа́ет в себя́ чрезвыча́йное положе́ние?
6. Чем вла́сти обы́чно объясня́ют введе́ние жёстких мер?
7. Объясни́те ра́зницу ме́жду слова́ми «спецна́з» и «спецслу́жбы».
8. Чем отлича́ется поли́ция от мили́ции?
9. Что тако́е гос퍼еперево́рот?
10. Чем обы́чно сопровожда́ются обвине́ния иностра́нного госуда́рства в разжига́нии (instigation) неповинове́ния?
11. В э́той статье́ говори́тся о вре́менном блоки́ровании де́йствия двух гражда́нских свобо́д, гаранти́руемых конститу́цией любо́й демократи́ческой страны́. Объясни́те значе́ние э́тих свобо́д.

ГРАММАТИКА: ГЛАГОЛЫ ДВИЖЕНИЯ

Look at these sentences:

Ли́деры фра́кции **перешли́** на другу́ю сто́рону.
The faction leaders *switched* sides.

В 1997 г. столи́ца Казахста́на **перее́хала** из Алма-Аты́ в Астану́.
In 1997 Kazakhstan's capital *moved* from Almaty to Astana.

Both sentences use ***prefixed* verbs of motion**. The prefixes attach to verb roots to change the meaning of the word *go*.

In this chapter and past chapters, we have seen other prefixed verbs of motion.

Спецна́з **вы́вел** на у́лицу весь персона́л.
Special forces pulled (*lit.* led out) all the staff onto the street.

Президе́нт **прилети́т** в столи́цу за́втра.
The president will arrive (*lit.* come flying) to the capital tomorrow.

***Prefixed* verbs of motion** are sometimes used in their literal meaning (**перейти́ у́лицу** – *to cross the street*). But in discussions of abstract topics, prefixed verbs of motion are just as likely to be figurative, which makes them important to political Russian.

The tables below give you an initial guide to forming prefixed verbs of motion. However, the best way to learn them is in context.

Prefixed verbs of motion are easier than "plain" verbs of motion. They are aspectually "normal": they do not involve the notions of multi- and unidirectionality or habituality that characterize standard verbs of motion like **ходи́ть ~ идти́/пойти́, е́здить е́хать/пое́хать, лета́ть ~ лете́ть/полете́ть**, and so on. (We briefly review these non-prefixed verbs at the end of the next chapter.)

PREFIX	MEANING	EXAMPLE
с–, со–, съ–	off of; together	**сходи́ть/сойти́** – come down from **сходи́ться/сойти́сь** – come together **своди́ть/свести́** – to bring together
в– во–, въ–	Into	**въезжа́ть/въе́хать** *во что* – drive into
вы–	out of	**выходи́ть/вы́йти** *из чего* – exit; to come out of
до–	up to	**долета́ть/долете́ть** *до чего* – fly as far as
за–	drop in; start; too far	**заходи́ть/зайти́** *куда* – drop by; go too far **заводи́ть/завести́** – start up
от–, ото–, отъ–	away from	**отходи́ть/отойти́** *от чего* – step away from
пере–	over, across	**переходи́ть/перейти́** – cross, switch over
под–, подо–, подъ–	up to, towards	**подъезжа́ть/подъе́хать** *к чему* – drive up to
при–	Arrive	**приноси́ть/принести́** *куда* – bring (come bearing)
про–	through, pass, miss	**провози́ть/провезти́** – transport through
раз–, разо–, разъ–, рас–	apart, dis-	**разводи́ть/развести́** – divorce; break up
у–	Away	**убега́ть/убежа́ть** – run away

Prefixes attach to verb *roots* listed in the table below.

IMPERFECTIVE ROOT	PERFECTIVE ROOT	MEANING
–ходи́ть (хожу́, хо́дишь)	**–йти** (–йду, –йдёшь)	go on foot
–езжа́ть (–езжа́ю)	**–ехать** (–е́ду, е́дешь)	ride, travel
–лета́ть (–лета́ю)	**–лете́ть** (–лечу́, –лети́шь)	fly
–бега́ть (–бега́ю)	**–бежа́ть** (–бегу́, –бежи́шь, –бегу́т)	run
–плыва́ть (–плыва́ю)	**–плыть** (плыву́, плывёшь)	swim, sail
–води́ть (–вожу́, –во́дишь)	**–вести́** (–веду́, –ведёшь)	lead, conduct
–вози́ть (–вожу́, –во́зишь)	**–везёшь** (–везу́, –везёшь)	transport
–носи́ть (–ношу́, но́сишь)	**–нести́** (несу́, –несёшь)	carry

Roots are NOT verbs by themselves! Some like **–ходи́ть** have other lives as real verbs. Others like **–езжа́ть, –йти, –бега́ть,** and **–плава́ть** do *not exist as independent verbs!* They must be prefixed.

EXAMPLES OF PREFIXES WITH –**ходи́ть** / –**йти́** *travel on foot.* (Not every possible verb is listed.)

входи́ть (вхожу́, вхо́дишь) / **войти́ (войду́, войдёшь, войду́т, вошёл, вошла́)** *во (на) что* – to enter; *also* to be included: **В гру́ппу влия́тельных люде́й вхо́дят кру́пные бизнесме́ны.** Some influential people are a part of this group.

выходи́ть (вхожу́, вхо́дишь) / **вы́йти (вы́йду, вы́йдешь, вы́шел, вы́шла)** *из (с) чего* – to come out, step out, exit. *Note that in the perfective* **вы** *takes the stress and* **ё** *is absent.* **Мини́стр вы́шел из ко́мнаты.** The minister stepped out of the room.
Вы́шли но́вые ци́фры. New figures have come out. **В 2001 году́ США вы́шли из догово́ра ПРО.** In 2001, the U.S. got out of the ABM treaty. *Also:* **вы́ход** из тупика́ – solution to an impasse.

доходи́ть / **дойти́** *до чего* – to get as far as; to reach. **Информа́ция до нас во́время не дошла́.** The information did not reach us in time. *Also:* **дохо́д** – income.

заходи́ть/зайти́ в (к, за) *куда* – to drop in. **В хо́де встре́чи зашёл вице-президе́нт.** During the meeting, the vice president dropped in; to go too far *or* to go into a trap – **Администра́ция я́вно зашла́ в тупи́к** – The administration has clearly hit a dead-end.

отходи́ть / **отойти́ (отошёл, отошла́)** *от чего* – to step away. **Уча́стники диску́ссии ча́сто отходи́ли от гла́вной темы.** The discussants often went off topic.

переходи́ть/перейти́ *через что; с чего на что* – to cross (over); to switch from … to. **В 1990-х года́х Росси́я перешла́ с кома́ндно-администрати́вной систе́мы на ры́ночную эконо́мику.** In the 1990s, Russia switched from a command system to a market economy. *Also* – **перехо́д** на рыночную экономику.

подходи́ть / **подойти́ (подошёл, подошла́)** *к чему* – to approach. **К э́тому вопро́су мо́жно подойти́ со мно́гих то́чек зре́ния.** One can approach this issue from many points of view.

приходи́ть / **прийти́** в (на) *куда* – to arrive. **Мы пришли́ на собра́ние во́время.** We arrived at the meeting on time.

проходи́ть / **пройти́** *что; через что; мимо чего* – to pass *something, through something, by something.* **Прошли́ го́ды.** The years passed. **Законопрое́кт не прошёл** – The bill didn't get through. **На́до пройти́ через контро́льный пункт.** You have to go through the checkpoint.

расходи́ться/разойти́сь – to break apart; to separate – **Представи́тели расхо́дятся во мне́ниях** – The representatives disagree.

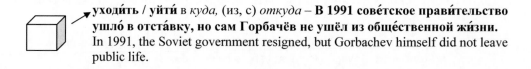

уходи́ть / уйти́ в *куда*, (из, с) *откуда* – **В 1991 сове́тское прави́тельство ушло́ в отста́вку, но сам Горбачёв не ушёл из обще́ственной жи́зни.** In 1991, the Soviet government resigned, but Gorbachev himself did not leave public life.

EXAMPLES OF PREFIXES WITH –езжа́ть / –éхать *ravel by vehicle; drive*

выезжа́ть / вы́ехать *из чего во что* – to go/come out
проезжа́ть / проéхать *что, через что, мимо чего* – to go/drive by
Москвичи́ смотре́ли, как президе́нтский корте́ж вы́ехал из Борови́цких ворот на Мане́жную пло́щадь и проéхал ми́мо оте́ля Националь.
Moscovites watched as the presidential procession drove out of Borovitsky Gates onto Manezh Square and then drove by the Hotel Nationale.

переезжа́ть / переéхать *через что, откуда куда* – to cross over; to move (to change residences). **В.В. Пу́тин переéхал из Санкт-Петербу́рга в Москву́.** Putin moved from St. Petersburg to Moscow.

VISUAL SUMMARY OF SOME PREFIXES

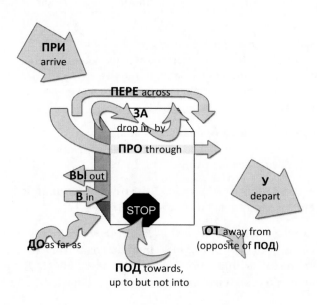

NON-PREFIXED VERBS OF MOTION

You are already familiar with non-prefixed verbs of going:

MULTIDIRECTIONAL IMPERFECTIVE	UNIDIRECTIONAL IMPERFECTIVE/PERFECTIVE
ходи́ть	идти́ / пойти́
е́здить Not ~~езжа́ть~~!	е́хать / пое́хать

These verbs involve notions of uni- and multidrectionality as well as aspect. The following chart summarizes the use of unprefixed "go" verbs based on their **они** forms. These verbs resemble the roots used in prefixed verbs of motion, but there are important differences — in stress, spelling, and overall usage.

Use this chart as a guide to non-prefixed verbs of motion.

	TENSE/MEANING	FOOT	VEHICLE
Future	will set out for once	пойду́т	пое́дут
Future	will make trips, be in the process of a trip	The forms **бу́дут ходи́ть/ бу́дут идти́** and **бу́дут е́здить/ бу́дут е́хать** require special contexts of process and habituality. You are unlikely to use them at this stage of your Russian.	
Present	are on their way	иду́т	е́дут
Present	make trips to	хо́дят	е́здят
Past	set out for once	пошли́	пое́хали
Past	made a round trip made trips	ходи́ли	е́здили
Past	was on one's way	шли	е́хали
Past		For now, limit **шли** and **е́хали** to "were on one's way when something happened…"	

ДРУГИЕ ГЛАГОЛЫ ДВИЖЕНИЯ

In the next chapter, we will examine other prefixed and non-prefixed verbs of motion.

УПРАЖНЕНИЯ НА ГРАММАТИКУ: ГЛАГОЛЫ ДВИЖЕНИЯ

А. Составьте список глаголов движения из части 1 и 2, урок 2.

Б. Составьте предложения. Образуйте 10 комбинаций по образцу: *приставка + глагол + предлог* в третьем лице единственного и множественного числа в настоящем, прошедшем и будущем времени. Переведите их на английский язык.

Образец:

Она выходит из здания.
She leaves the building.
Он пришёл на встречу.
He arrived at the meeting.
Они зайдут в министерство к министру.
They will stop by the ministry to see the minister.

В. О глаголах движении в этих упражнениях. Поскольку эта книга посвящена политическому русскому, данное упражнение включает только политическую лексику с глаголами движения.

Раскройте скобки.

1. В 90-х годах Польша, Чехия и Венгрия [entered] _____ НАТО.

2. Президент Грузии Саакашвили [made concessions] _____ в результате давления внутри страны и за её пределами.

3. При въезде в страну всем пассажирам необходимо [go through] _____ паспортный контроль.

4. При администрации Буша США [got out] _____ из договора о противоракетной обороне.

5. Пора американской администрации [come] _____ к выводу, что переговоры нужно вести даже с врагами.

6. После Октябрьской революции столица [moved] _____ из Санкт-Петербурга в Москву.

7. В «ручной» [tame] Думе парламентарии редко [split] _____ во мнениях в присутствии премьера Путина.

8. Администрация [reached] _____ в тупик по вопросу всеобщего медицинского обслуживания.

9. Когда в парламентской системе происходит вотум недоверия, правительство должно [resign] _____ в отставку.

10. 1971 США [shifted] _____ от золотого стандарта к системе плавающих валютных курсов.

11. Когда армия [crosses] _____ иностранную границу, это может означать начало войны.

12. Новому президенту придётся рано или поздно [approach] _____ к болезненному вопросу нелегальной иммиграции.

Г. Составьте предложения. Напишите 10 примеров, используя политическую терминологию с глаголами или существительными движения.

УПРАЖНЕНИЯ НА УСТНУЮ РЕЧЬ

А. Цитирование источников. Процитируйте следующие предложения, используя:

в этой статье́ речь идёт о...
из исто́чников, бли́зких к президе́нту, ста́ло изве́стно, что...
по декре́ту...

1. В хо́де ми́тинга проти́вников президе́нта Михаи́ла Саакашви́ли у зда́ния парла́мента Гру́зии бы́ли изби́ты не́сколько депута́тов от оппози́ции.

2. Грузи́нский президе́нт утвержда́л, что за спино́й оппозиционе́ров стои́т Росси́я .

3. В Гру́зии вре́менно блоки́руется де́йствие стате́й конститу́ции «О свобо́де получе́ния и распростране́ния информа́ции» и «О свобо́де собра́ний, ми́тингов и манифеста́ций».

4. В тече́ние 48 часо́в президе́нтский указ до́лжен быть утверждён парла́ментом Гру́зии.

Б. Вы согласны? Выразите своё согласие или несогласие в предложениях ниже, используя:

я должна́ (до́лжен) согласи́ться с тем, что...
де́ло в том, что...
я не могу́ согласи́ться с тем, что...
ведь...

1. Причи́ной вво́да в Гру́зии чрезвыча́йного положе́ния явля́ется угро́за безопа́сности госуда́рства.

2. Столь жёсткие ме́ры объясня́ются тем, что за спино́й оппозиционе́ров стои́т Росси́я.

3. Посо́л Гру́зии в Росси́и до́лжен быть ото́зван из Москвы́.

4. Никто́ не сомнева́ется в том, что парла́ментское большинство́ по́лностью подде́рживает реше́ния грузи́нского президе́нта.

5. Всё, что происхо́дит, си́льно напомина́ет сове́тское вре́мя.

6. Ситуа́ция в Тбили́си была́ о́чень накалённой.

В. Ваше мнение? *Выразите своё мнение в следующих предложениях, используя:*

я ли́чно ду́маю, что...
де́ло в том, что...
мне ка́жется, что, ..
ведь...

1. Росси́йские спецслу́жбы стоя́т за подгото́вкой госперево́рота.
2. Уча́стники ми́тинга в Тбили́си тре́бовали упраздни́ть институ́т президе́нтства и перейти́ к парла́ментской респу́блике.
3. На не́которое вре́мя жизнь страны́ бу́дет регули́роваться ука́зом о чрезвы́чайном положе́нии.
4. Запрети́ть информацио́нное веща́ние — это са́мое глу́пое, что мо́жно бы́ло сде́лать.
5. Две телекомпа́нии, по мне́нию власте́й, призыва́ли населе́ние к неповинове́нию.
6. Есте́ственно, что сотру́дники телекомпа́нии находи́лись в шо́ковом состоя́нии.

Г. Вопросы. *Ответьте на следующие вопросы по тексту урока, цитируя текст статьи, соглашаясь или не соглашаясь с автором и выражая своё мнение.*

1. Чем зако́нчился ми́тинг проти́вников президе́нта Саакашви́ли?
2. Чего́ тре́бовали уча́стники ми́тинга?
3. Как отреаги́ровал грузи́нский президе́нт на беспоря́дки?
4. Что сде́лала поли́ция с уча́стниками ми́тинга?
5. Как объясни́л Саакашви́ли необходи́мость введе́ния чрезвыча́йного положе́ния?
6. Что говори́тся в декре́те, кото́рый бу́дет регули́ровать жизнь страны́ в ближа́йшие две неде́ли?
7. Есть ли сомне́ния в том, что парла́мент Гру́зии утверди́т президе́нтский указ о введе́нии чрезвыча́йного положе́ния?
8. Чем запре́т на те́ле- и радиовеща́ние напомина́ет сове́тские времена́?
9. Почему́ вла́сти прекрати́ли веща́ние двух телекомпа́ний?
10. Чем бы́ло вы́звано шо́ковое состоя́ние сотру́дников одно́й из радиоста́нций?

Д. 1. Пересказ. Расскажите первую часть урока 2, цитируя текст статьи, соглашаясь или не соглашаясь с её автором и выражая своё мнение.

   2. С точки зрения президента. Расскажите первую часть урока с точки зрения сторонника президента, не забывая выражать своё мнение.

@ **ТЕКСТ: Прослушайте текст, затем прочитайте его и переведите на нглийский язык в письменной форме.**

Часть 2
В ТБИЛИСИ В ХОД ПОШЛИ ДУБИНКИ И СЛЕЗОТОЧИВЫЙ ГАЗ

Зако́ном о чрезвыча́йном положе́нии информа-
цио́нное веща́ние разрешено́ то́лько на про-
прави́тельственном Обще́ственном телеви́дении, где
весь день ка́ждые два часа́ передава́ли официа́льные
но́вости с вы́держками° из обраще́ния президе́нта   segments
Саакашви́ли. Де́йствия президе́нта страны́ опра́вды-
вал° и премье́р-мини́стр Зура́б Ногаиде́ли, заяви́вший,   defended; justified
что введе́ние чрезвыча́йного положе́ния бы́ло еди́н-
ственным спо́собом «защити́ть страну́ от госпере-
воро́та». По мне́нию премье́ра, господи́н Саакашви́ли
не нару́шил° конститу́цию Гру́зии, так как по зако́ну   violated
президе́нт име́ет пра́во вводи́ть режи́м ЧП°   to "bring in" a state of emergency
«во вре́мя
войны́ или ма́ссовых беспоря́дков, при
посяга́тельстве° на территориа́льную це́лостность   encroachment
страны́, в слу́чае вое́нного переворо́та или   uprising
вооружённого восста́ния°, экологи́ческой катастро́фы
и эпиде́мий или в ины́х слу́чаях, когда́ о́рганы
госвла́сти лишены́ возмо́жности норма́льно
осуществля́ть° свои́ полномо́чия».   to carry out

Чрезвыча́йные ме́ры, при́нятые властя́ми,
заста́вили° замолча́ть оппози́цию, лишённую°   forced   deprived
до́ступа° к сре́дствам ма́ссовой информа́ции. Ведь   access
поми́мо° те́ле- и радиоста́нций бы́ли закры́ты и   besides
информацио́нные интерне́т-са́йты. После́дним из
оппозиционе́ров, вы́ступивших по телеви́дению, стал
Дави́д Гамкрели́дзе — он обрати́лся к наро́ду с
про́сьбой «не ока́зывать° сопротивле́ния властя́м, не   *here:* to show
подверга́ть° угро́зе свои́ жи́зни и остава́ться до́ма».   to subject ... to
Очеви́дно, и́менно тако́го результа́та и добива́лся°   sought *something abstract*
грузи́нский президе́нт.

За́пад, судя́° по всему́, был шоки́рован столь   judging
жёсткими де́йствиями про́тив оппози́ции. С откры́тым
осужде́нием° репре́ссий вы́ступило руково́дство   condemnation
НАТО. «Введе́ние чрезвыча́йного положе́ния и

закры́тие СМИ в Гру́зии, кото́рая явля́ется на́шим
партнёром и с кото́рой алья́нс ведёт° интенси́вный | is conducting
диало́г, не соотве́тствует° евроатланти́ческим | *here:* not appropriate for
це́нностям и вызыва́ет осо́бую обеспоко́енность»,—
заяви́л генсе́к НАТО Яап де Хооп Схеффер. Он та́кже
призва́л руково́дство Гру́зии воздержа́ться° от наси́лия. | to refrain

Ви́димо, реа́кция За́пада и заста́вила президе́нта
Саакашви́ли пойти́ на не́которые усту́пки°. По́сле | retreats; compromises
встре́чи с парла́ментским большинство́м он заяви́л,
что сократи́т° свой президе́нтский срок. Он пообеща́л | will cut short
та́кже в тече́ние не́скольких дней отмени́ть° | to cancel
чрезвыча́йное положе́ние и провести́° референ́дум, в | conduct
хо́де кото́рого «наро́д сам реши́т, когда́ проводи́ть
парла́ментские вы́боры». Тем не ме́нее, после́дние
собы́тия в Гру́зии даю́т основа́ния говори́ть о том, что
страна́ пережива́ет° серьёзный полити́ческий кри́зис, и | is going through
до его́ оконча́тельного разреше́ния ещё далеко́.

@ КОГНАТЫ

алья́нс	партнёр	референ́дум
генсе́к = генера́льный	режи́м	территориа́льный
секрета́рь	результа́т	экологи́ческая катастро́фа
интерне́т-сайт	репре́ссия	эпиде́мия
кри́зис		

СЛОВА И ВЫРАЖЕНИЯ

разреша́ть / разреши́ть

разреше́ние – permission; resolution

разреша́ется информацио́нное веща́ние – newscasting is allowed
   на проправи́тельственном телеви́дении – on government TV stations
   обще́ственном ТВ – on public TV

опра́вдывать/ опра́вдать президе́нта – to justify the president's actions

жёсткие ме́ры – tough measures

защища́ть / защити́ть (защищу́, защитя́т) страну́ от гос퍼переворо́та – to defend
   the country from a coup

наруша́ть / нару́шить (нару́шат) to violate; to transgress

конститу́цию – the constitution
полномо́чия – one's authority

режи́м ЧП вво́дится – a state of emergency is introduced
при посяга́тельстве на территориа́льную це́лостность – in the event of a violation of national sovereignty
в слу́чае вое́нного переворо́та – in the event of a military coup
в слу́чае вооружённого восста́ния – … an armed uprising
в слу́чае экологи́ческой катастро́фы – …an ecological catastrophe

лишён, лишена́, -о́, -ы́ *чего* – deprived *of something*
возмо́жности осуществля́ть свои полномо́чия – of the capacity to carry out one's authority
до́ступа к СМИ – of access to the mass media
до́ступа к интерне́т-са́йтам – of access to internet sites

ока́зывать/ оказа́ть (ока́жут) сопротивле́ние *кому* – to resist *someone*
властя́м – to the authorities
спецна́зу – to the special forces

подверга́ть угро́зе свою́ жизнь – to threaten one's life

добива́ться / доби́ться (добью́тся) *чего* – to achieve *something*
тако́го результа́та – …a result like that
успе́ха – … success
прогре́сса – … progress

су́дя по всему́ – all things considered

су́дя по осо́бой обеспоко́енности – judging from the heightened concern

соотве́тствовать (соотве́тствуют) *чему* – to match; to fit *something*
це́нностям – the values of…
станда́ртам – the standards

возде́рживаться/ воздержа́ться *от чего* – to refrain *from something*
от наси́лия – from violence
от коммента́риев – from comment

пойти́ на усту́пки – to make concessions

отменя́ть / отмени́ть (отме́нят) – to lift; to cancel
ЧП – the state of emergency
цензу́ру – censorship

проводи́ть (прово́дят) / провести́ (проведу́т) референду́м – to conduct a referendum

пережива́ть / пережи́ть (переживу́т) – to go through
экономи́ческий кри́зис – an economic crisis
депре́ссию – a depression
тру́дности – hardships

ЛЕКСИЧЕСКИЕ УРАЖНЕНИЯ

 А. Заполните пропуски правильными предлогами.

1. Трудно серьёзно защитить страну ___ терроризма, не нарушая гражданские свободы.

2. Мир переживает ___ самый серьёзный кризис ___ времён Великой депрессии.

3. Нашей стороне пришлось пойти ___ уступки, чтобы заложники были освобождены.

4. Спецназу было приказано воздерживаться ___ излишних мер.

5. Судя ___ всему, нам удастся добиться ___ прогресса ___ переговорах.

6. Чтобы не подвергать ___ угрозе свою жизнь, население не оказало сопротивления властям.

7. Жители Тбилиси были лишены ___ доступа ___ интернет-сайтам.

8. Такие меры вводятся ___ случае военного переворота.

 Б. Дайте русские эквиваленты следующим английским фразам.

- to lift the state of emergency
- in the event of a military coup
- to refrain from violence
- deprived of access to …
- to threaten one's life
- to go beyond one's authority
- judging by everything
- to be going through an economic crisis
- to make concessions
- to achieve progress

B. РАБОТА ПО МОДЕЛЯМ

1. Заполните пропуски словами по смыслу.

a. Для защи́ты страны́ парла́мент опра́вдывал   } *что*

          _____
          _____
          _____

б. Жёсткие ме́ры вво́дятся вслу́чае   } *чего*

          _____
          _____
          _____

в. Войска́м бы́ло прика́зано возде́рживаться от   } *чего*

          _____
          _____
          _____

г. Населе́ние бы́ло лишено́ до́ступа к   } *чему*

          _____
          _____
          _____

д. Весь мир пережива́ет   } *что*

          _____
          _____
          _____

д. Администра́ции пришло́сь пойти́ на   } *что*

          _____
          _____
          _____

2. Закончите предложения, используя логически правильные фразы.

Декрет о чрезвычайном положении не разрешает информационное вещание на _____., на котором регулярно передавали _____. Премьер-министр оправдывает введение ЧП потому, что оно было _____.

Конституция даёт право президенту вводить этот режим при _____ и в случаях _____ и _____.

Оппозиция замолчала, так как её лишили _____ , но один из её лидеров успел обратиться к народу не _____ .

Руководство НАТО было шокировано _____ и заявило, что столь жёсткие действия не соответствуют _____.

Судя по всему, реакция Запада заставила президента Саакашвили _____. Он пообещал _____ и _____.

Тем не менее, есть основания сказать, что страна _____ и ещё далеко до _____.

Г. Ответьте на вопросы.

1. Объясните значение слова «оправдывать». Какой у него антоним?
2. Приставки (prefixes) **про-** и **анти-** имеют противоположное значение. Как сказать по-русски «anti-American» и «pro-Russian»?
3. Что значит выражение «посягательство на территориальную целостность страны»? Какой корень (root) слова «целостность»?
4. Слово «полномочия» состоит из двух корней. Из каких? Что оно значит?
5. Найдите корень слова «замолчать». Вы помните слова «**за**крыть», «**за**ключить»? Какое значение имеет приставка **за–**?
6. Каким ценностям не соответствуют действия грузинского президента?
7. Что такое «президентский срок»?
8. Чем «референдум» отличается от «выборов»?

ГРАММАТИКА: ГРАММАТИЧЕСКОЕ ЧИСЛО КОГНАТОВ

Many cognates have to do with professions and the people in them. As a rule, the professions themselves are feminine singular (never plural: **эконо́мика** = *economics*), while the people are masculine. Note the list below:

КТО	ЧТО	КАКОЙ
фи́зик	фи́зика	физи́ческий
матема́тик	матема́тика	математи́ческий
поли́тик	поли́тика	полити́ческий
полито́лог	политоло́гия	политологический
гене́тик	гене́тика	генети́ческий
хи́мик	хи́мия (!)	хими́ческий

-ologists (note stress)	**-ology**	**-ological**
социо́лог	социоло́гия	социологи́ческий
психо́лог	психоло́гия	психологи́ческий

And finally some exceptions:

экономи́ст	эконо́мика	экономи́ческий
юри́ст	пра́во	юриди́ческий
техно́лог *specialist*	техноло́гия technology, *often plural:* высо́кие технло́гии	технологи́ческий technological; enginnering
те́хник technician	те́хника technology; gadgetry	техни́ческий technical
милиционе́р полице́йский (*adj. decl.*)	мили́ция поли́ция	милице́йский полице́йский

There are other confusing cognates as well. The chart below indicates problems with gender and number:

Ending in –m:

English	Masculine, Neuter	Feminine	Plural allowed?
form		фóрма	
platform		платфóрма	
problem		проблéма (1 м)	
program		прогрáмма (мм)	
sum		сýмма (мм)	
system		систéма (м)	
telegram		телегрáмма (мм)	
blockade		блокáда	
gram (milligram, kilogram)	грамм		

Ending in -y or silent -e:

English	Masculine, Neuter	Feminine	Plural allowed?
alternative		альтернатúва	
catastrophe		катастрóфа	
critique, -s (criticism, -s)		крúтика	No
decade		декáда	
discipline		дисциплúна	
economy, -ies		эконóмика	No
initiative		инициатúва	
note		нóта	
phase		фáза	
phrase		фрáза	
perspective		перспектúва	
policy, -ies		полúтика	No
sphere		сфéра	
zone		зóна	
prerogative		прерогатúва	

Ending in -ic or -ics:

English	Masculine, Neuter	Feminine	Plural allowed?
economics		эконо́мика	No
mathematics		матема́тика	No
physics		фи́зика	No
polemic, polemics		поле́мика	No
politics, policy, -ies		поли́тика	No
republic		респу́блика	
rhetoric		рито́рика	No
narcotic	нарко́тик		

Consonant ending in English:

English	Masculine, Neuter	Feminine	Plural allowed?
attack		ата́ка	
group		гру́ппа	
missile, rocket		раке́та	
model		моде́ль	
press, media		пре́сса	No
control	контро́ль		No
sect	се́кта		
export, -s	э́кспорт		No
import, -s	и́мпорт		No
risk	риск		No
phenomenon	феноме́н		

Miscellaneous:

English	Masculine, Neuter	Feminine	Plural allowed?
embargo, -es	эмба́рго		No
militia, -s		мили́ция	No
myth	миф		
police		поли́ция	No
technology		те́хника	No
technology, -ies		техногло́гия, e.g. но́вые техноло́гии высо́кие техноло́гии	

Non-cognates with no plural:

English	Masculine, Neuter	Feminine	Plural allowed?
damage, -s	ущéрб		No
lie, -s		ложь	No
weapons	орýжие вооружéния (*Almost always plural*)		No Yes
shortage, -s		нехвáтка	

УПРАЖНЕНИЯ НА ГРАММАТИКУ: ГРАММАТИЧЕСКОЕ ЧИСЛО КОГНАТОВ

Повторите часто использующиеся когнаты и сделайте следующие упражнения.

А. Составьте предложения, следуя примеру внизу.

Образец: **physics**
A *physicist* does *physics* in the *physics* department.
Физик занимается **физикой** на **физическом** отделении.

1. mathematics
2. political science
3. economics (Careful: –**ист**!)
4. genetics
5. biophysics
6. sociology
7. psychology
8. biology
9. anthropology
10. law

Б. Поставьте все когнаты в именительном и родительном падеже множественного числа.

Quia В. Раскройте скобки.

1. Употребление [narcotics] _____ является характерной чертой некоторых [sects] _____.

2. [The rocket] _____ была запущена на орбиту в 11 часов [22 minutes, 32 seconds] _____ .

3. [The press] _____ подвергла предлагаемую [program] _____ поощрения [of initiative] _____ резкой [criticisms] _____ .

4. Несмотря на [attack] _____ справа, демократы не включили в свою [platform] _____ вопрос о развёртывании новых [systems] _____ вооружений.

5. Очевидно, что некоторые из [republics] _____ выходят из [sphere] _____ влияния Москвы. В этой связи многие считают, что Эстония стала [model] _____ для других [republics] _____ .

6. После [blockade] _____ началась новая [phase] _____ войны. Генералы приняли [tactic] _____ выжженной земли [scotched earth], но это только привело к [panic] _____ среди населения.

7. К сожалению, [these policies] _____ не гарантирует окончания [of shortages] _____ [of new technologies] _____, поскольку подготовка нового поколения [of mathematicians and physicists] _____ не предусмотрена. Одним словом, претворение в жизнь [of these programs] _____ непременно нанесёт [damage] _____ дальнейшему развитию [physics] _____ и [mathematics] _____ .

8. Дипломатическая [note] _____ содержала очень [strange phrase] _____ , написанную в довольно [old style] _____ .

9. К сожалению, у нас не существует [controls] _____ ни над [imports] _____ , ни над [exports] _____ .

10. [The militia arrested] _____ пять человек за хранение [of illegal weapons] _____ .

11. [This form of polemics] _____ не оставляет для нас [any alternatives] _____: если мы хотим избежать [panic and disaster] _____ _____ , надо будет вызвать дополнительные подразделения [of the police] _____ .

12. Войдя в [zone] _____ беспорядков, мы не могли не отметить высокий уровень [of discipline] _____ среди работников [of the militia] _____ .

ГРАММАТИЧЕСКОЕ УПРАЖНЕНИЕ: ПОВТОРЕНИЕ ПАДЕЖЕЙ

Повторите использование падежей в Первом круге. Сделайте следуюшее упражнение.

1. При [ядерный взрыв] _____ на [остров] _____ Новая Земля произошел радиоактивный выброс [discharge], зарегистрированный за [пределы российской территории] _____.

2. Хотя с [1939 год] _____ прошли без [малое] _____ три четверти века, вновь встаёт вопрос: неужели нельзя было избежать [война] _____?

3. [Какой свой шаг] _____ президент Эйзенхауэр впоследствии назвал [«самое неприятное дело»] _____ за [все 8 лет] _____ пребывания в Белом Доме»?

4. Администрация Буша видела [задача] _____ в том, чтобы показать [народ] _____ [историческое значение войны в Ираке] _____.

5. «Бриджтон» наскочил на (ran into) [мина] _____ и получил [пробоина] _____ в [нижняя часть корпуса] _____.

6. В центре внимания делегатов находилось [положение] _____ на [Ближний Восток] _____.

7. [Решение Верховного суда] _____ объявлялось [противоречащее] _____ конституции, [разрушающее] _____ «дружеские отношения» между [белые и черные расы] _____ и [играющее] _____ на руку недругам.

8. В те июньские дни [1941 год] _____ советская сторона была одна, и ждать ей [помощь] _____ было неоткуда.

9. Капризная практика [американские власти] _____ в отношении российских представителей противоречит [те отношения] _____ , которые устанавливаются в [настоящее время] _____ между США и Россией.

10. В [1944 год] _____ при [отступление фашистских войск] _____ _____ он бежал на [Запад] _____ и обосновался в [Великобритания] _____.

УПРАЖНЕНИЯ НА УСТНУЮ РЕЧЬ

А. Цитирование источников. Процитируйте следующие предложения, используя:

глава́ оппози́ции подчёркивает, что...
по телеви́дению передава́лось, что...
по пра́вилам...

1. Не сле́дует ока́зывать сопротивле́ния властя́м и подверга́ть угро́зе свою́ жи́знь.
2. Де́йствия президе́нта бы́ли еди́нственным спо́собом «защити́ть страну́ от госперево́рота.
3. Президе́нт Гру́зии име́ет пра́во вводи́ть режи́м ЧП во вре́мя войны́ или ма́ссовых беспоря́дков.

Б. Вы согласны? Выразите своё согласие или несогласие в предложениях ниже, используя:

я должна́ (должен) согласи́ться с тем, что...
дело в том, что...
я не могу́ согласи́ться с тем, что...
ведь...

1. Когда́ о́рганы госвла́сти лишены́ возмо́жности норма́льно осуществля́ть свои́ полномо́чия, президе́нт мо́жет ввести́ ЧП.
2. Не сле́дует ока́зывать сопротивле́ния властя́м при Чрезвыча́йном положе́нии.
3. За́пад был шоки́рован столь жёсткими де́йствиями про́тив оппози́ции.
4. Введе́ние ЧП в Гру́зии вызыва́ет осо́бую обеспоко́енность у чле́нов НАТО.

В. Ваше мнение? Выразите своё мнение в следующих предложениях, используя:

мне ду́мается, что...   **я счита́ю, что...**
де́ло в том, что...   **ведь...**

1. В слу́чае экологи́ческой катастро́фы или эпиде́мий президе́нт мо́жет ввести́ чрезвыча́йное положе́ние.
2. При ЧП нужно остава́ться до́ма, что́бы не подверга́ть угро́зе свою́ жизнь.
3. Столь жёсткие ме́ры про́тив оппози́ции не соотве́тствуют евроатланти́ческим, а и́менно, за́падным це́нностям.
4. Реа́кция За́пада заста́вила президе́нта Саакашви́ли пойти́ на не́которые усту́пки.

Г. Вопросы. Ответьте на следующие вопросы по тексту урока, цитируя текст статьи, соглашаясь или не соглашаясь с автором и выражая своё мнение.

1. Где законом о ЧП запрещается информационное вещание?
2. Что регулярно передавалось по проправительственному телевидению?
3. Как премьер-министр оправдывает действия президента?
4. При каких обстоятельствах президент имеет право вводить ЧП?
5. Почему оппозиция замолчала?
6. С чем последний оппозиционер, выступивший по ТВ, обратился к народу?
7. Почему руководство НАТО выступило с открытым осуждением действий грузинского президента?
8. Как повлияла реакция Запада на Саакашвили?
9. Что он пообещал сделать?
10. О чём последние события в Грузии дают основания говорить?

Д. 1. Пересказ. Расскажите первую и вторую часть урока 2, цитируя текст статьи, соглашаясь или не соглашаясь с её автором и выражая своё мнение.

2. Суммируйте первую и вторую часть статьи. Не забывайте цитировать источники, (не) соглашаясь и выражая своё мнение!

3. Чрезвычайное положение. Расскажите о введении чрезвычайного положения в другой стране мира, используя выражения из текста урока 2. Не забывайте цитировать источники, (не) соглашаться и выражать своё мнение!

Е. Дополнительные вопросы (optional)

1. Что такое чрезвычайное положение?
2. Какие вы знаете гражданские свободы. Опишите каждую.
3. Организованный протест рабочих, фермеров, студентов.
4. Подавление протеста в стране с демократическими традициями.

Ж. Разговор. Прослушайте разговор двух журналистов до пресс-конференции с представителем российского МИД по вопросу недавних беспорядков в Грузии и разыграйте его с другим студентом.

Антон: «Митинг противников президента»! Для меня это звучит как музыка! У нас вот никто не протестует. Зачем протестовать, если всё в порядке, правда? А ведь было время!..

Вероника: Да, было. Я помню, как шахтёры непрерывно митинговали у Белого дома: листовки, речи...

Антон: А чего они хотéли? Я ужé забы́л. Навéрное, трéбовали погасúть долгú по зарплáте.

Вероника: В óбщем, да. Я самá ужé плóхо пóмню, хотя́ и освещáла эти собы́тия на «Эхе». Да, долгú по зарплáте, пенсиóнное обеспéчение и так дáлее. Ничегó политúческого.

Антон: А мне вот запóмнились плакáты «Ельцин – козёл!» и «Долой Ельцина!» На мой взгляд, это – полúтика.

Вероника: И при э́том ни тебé чрезвычáйного положéния, ни дубúнок, ни слезоточúвого гáза.

Антон: Ну, милицéйское оцеплéние и металлúческие заграждéния бы́ли. Всё-таки ря́дом – резидéнция правúтельства…

Вероника: Но никогó не избивáли…

Антон: Это потомý, что мúтинг был разрешённый. А вот пóмнишь, несанкционúрованную демонстрáцию студéнтов прóтив отмéны отсрóчки от призы́ва в áрмию. Они тогдá собралúсь на Тверскóй у́лице, пострóились в колóнны и напрáвились мáршем в стóрону Кремля́. Так их мúгом разогнáли!

Вероника: Разогнáли! Скáжешь тоже. Задержáли трех орáторов с мегафóнами, отвезлú в отделéние, состáвили протокóл и к вéчеру отпустúли.

Антон: Да-а-а… Либерáльные временá.

Вероника: И что осóбенно прия́тно, тогдá влáсти не утверждáли, что «за спинóй оппозиционéров» кто-то стоúт. Сегóдня это былá бы Амéрика.

Антон: Да. И инострáнные спецслýжбы в подготóвке демонстрáций не обвиня́ли, и никогó из страны́ не высылáли! Может, тогдá у нас не бы́ло стóлько нефтедóлларов, затó былá свобóда слóва и собрáний. Сегóдня всё по-другóму.

Вероника: Ну, ты уж не преувелúчивай. И сейчáс мúтинги бывáют. Вот тот же «Марш несоглáсных»…

Антон: А ты не чýвствуешь рáзницы? Организáторы «Мáршей» подаю́т зая́вку на проведéние шéствия, а им не даю́т разрешéния…

Вероника: …Или выделя́ют мéсто где-нибудь у чёрта на рогáх.

Антон: Точно. Арестóвывают активúстов до мúтинга – в поря́дке профилáктики. И пóсле мúтинга тóже арестóвывают, чтоб непóвадно бы́ло. А во врéмя демонстрáции когó-нибудь обязáтельно избивáют. О, дúвный нóвый мир! Нет, Грýзия по сравнéнию с нáми – прóсто оплóт демокрáтии.

Вероника: Мо́жет, ты и прав. А мо́жет, это то́лько отсю́да так ка́жется. Ведь говоря́т англича́не: «У сосе́да трава́ зелене́е!»

Антон: Ну, с э́той му́дрой мы́слью пошли́ в зал. Пресс-конфере́нция начина́ется.

Полезные слова

в поря́дке профила́ктики – as a preventive measure

выделя́ть ме́сто где-нибудь у чёрта на рога́х – to grant a permit for a place in the middle of nowhere

доло́й... – down with ...

избива́ть – to beat up

их ми́гом разогна́ли – they were dispersed in a split second

козёл – goat

листо́вки – leaflets

металли́ческие загражде́ния – metal barriers

милице́йское оцепле́ние – a police cordon off

нефтедо́ллары – petrodollars

опло́т – stronghold

отвезти́ в отделе́ние – to take into custody

отсро́чки от призы́ва в а́рмию – draft deferrals

погаси́ть долги́ по зарпла́те – to give backpay

подава́ть зая́вку на проведе́ние ше́ствия... – to apply for a permit to hold a protest march

преувели́чивать – to exaggerate

ра́зница – difference

у сосе́да трава́ зелене́е – the grass is always greener on the other side of the fence

чтоб непова́дно было – to teach a lesson

УПРАЖНЕНИЯ НА ЧТЕНИЕ

ПРЕДТЕКСТОВЫЕ УПРАЖНЕНИЯ

А. Фоновая информация. This article has to do with student protests. Scan the article once quickly to find out the following:

1. When did the demonstration take place?
2. How many students demonstrated?
3. Were the demonstrators from Moscow?
4. Who was president of Russia when this happened?
5. What was the initial cause of the protests?
6. The article refers to "massive demonstrations." How massive? On the map on the next page, trace the route of the protest and find the main flashpoints. How big an area was affected?

Б. Нужные слова и выражения

буржу́й – bourgeois philistine: *a term of abuse common in the early Soviet period*
во главе́ *с кем* –led by *someone*
ГУМ – Госуда́рственный универса́льный магази́н – shopping mall bordering the northeast side of Red Square.
заводи́ть/завести́ *кого-что* – to wind up; to whip up *someone or something*
заде́рживать / задержа́ть = арестова́ть
зна́мя (*pl.* **знамёна**) – banners
избива́ть/изби́ть – beat up
козёл – goat: *term of abuse similar to* "s.o.b."
лева́к (*pl.* **леваки́**) **< ле́вый**
ми́тинг – rally (*not* "meeting")
мча́ться / промча́ться – to scurry
но́вый ру́сский – nouveau riche Russian
ныря́ть / нырну́ть – to dive
обозлённый < зли́ться – to get angry
объе́зд – detour
ОМОН [омо́н] = Отря́д мили́ции осо́бого назначе́ния – special forces police
отде́лыватья / отде́латься *чем* – to escape, to get off (*from an incident*) with…:
    отде́лался уши́бами – escaped with bruises.
переполо́х = ха́ос
проводи́ть – to lead to conduct
прорва́ть / прорыва́ть – to break through
разма́хивать – to wave

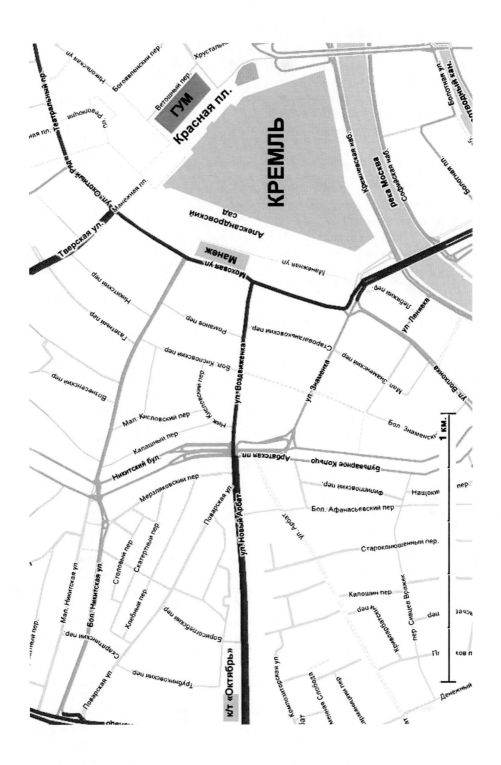

рассе́ивать/рассе́ять – to disperse

смени́ться *чем* – to be replaced *by something*

ста́лкиваться/столкну́ться *с чем* – to crash *into something*; to clash *with someone*

суд (*pl.* **суды́**) – trial; court

удаётся / уда́стся, удало́сь *кому* – *someone* manages/managed: **Им удало́сь пройти́** – They managed to get through

учреди́тельный < учрежда́ть / учреди́ть – to charter; to found

В. Подробнее. Перечитайте статью с тем, чтобы ответить на вопросы:

1. At what point did the demonstrations turn violent?
2. What incident involved a nouveau riche Russian?
3. What events transpired near Manezh Square?
4. What happen in GUM?
5. What was the ultimate result of the student protests?
6. How many students were put on trial?

БЕСПОРЯДКИ В МОСКВЕ: 12 АПРЕЛЯ 1994 ГОДА

Беспорядки выросли из пикета перед Домом правительства, который проводила Ассоциация профсоюзных объединений студентов (АПОС) в поддержку требований повышения стипендий и своевременной их выплаты. В пикете участвовало до 5 тысяч человек, в том числе студенты из Калуги, Твери, Пензы, Воронежа. Кроме того, на пикет явились и представители леваков, которые развернули среди студентов агитацию и торговали своей периодикой.

После двух часов бесполезного стояния терпение пикетчиков пришло к концу. Дело в том, что правительство игнорировало студентов. Вот почему пикет перерос в стихийный митинг. Инициативу быстро захватили лидеры леваков. Заведя массы революционными речами, они призвали перенести митинг на Красную площадь. Такой митинг власти не смогут проигнорировать.

Скандируя "Стипендию! Стипендию!", "Fuck off, буржуй!" и "Ельцин — козел!", толпа выплеснулась на Новый Арбат. В марше участвовало от 2,5 до 3 тысяч человек. Между тем демонстранты перекрыли движение на Новом Арбате. Милиция вынуждена была пустить автопоток в объезд. Какой-то "новый русский" на иномарке смело въехал в колонну и сбил одного из студентов (парень отделался ушибами). Обозленные студенты тут же выбили в иномарке ветровое стекло

Первое столкновение с милицией произошло у кинотеатра "Октябрь". Остановить колонну не удалось — студенты прорвали милицейский кордон, но 3 человека были арестованы (среди них — лидер Инициативы революционных анархистов – ИРЕАН). После этого настроения студентов радикализовались, и лозунги "Стипендию!" сменились уже исключительно антиправительственными, антипрезидентскими и вообще антикапиталистическими. Сломав еще несколько кордонов милиции, колонна вышла на Манежную площадь в районе Кутафьей башни, где столкнулась с ОМОНом.

Несмотря на сопротивление студентов, демонстрация была рассеяна. Но несколько сот человек прорвалось через Александровский сад к Историческому проезду. Причём основу этой группы составили комсомольцы, анархисты и активисты контркультурного Фиолетового Интернационала во главе с их лидером.

В Историческом проезде студенты были встречены силами ОМОНа. Большинство демонстрантов было здесь избито и остановлено. Однако до 150 студентов во главе с активистами ИРЕАН сначала прорвалось через цепи ОМОНа, а потом "нырнуло" в ГУМ. Там они, скандируя лозунги и размахивая красными и чёрными знамёнами, произвели переполох. Промчавшись через ГУМ, студенты выплеснулись на Красную площадь, где их уже ждал ОМОН. Здесь демонстранты были рассеяны окончательно.

Итак, в ходе беспорядков от 60 до 80 демонстрантов получило тяжелые побои или травмы, 9 человек было арестовано. Суд над задержанными состоялся на следующий день. Журналистов на суде не было.

Беспорядки 12 апреля 1994 г. послужили стимулом к созданию профсоюза "Студенческая защита". Ведь именно активные участники беспорядков провели 16 апреля 1994 г. в МГУ учредительную конференцию профсоюза. Многие из них вошли в Исполком профсоюза. Эти беспорядки были первыми массовыми уличными гражданскими беспорядками в Москве (и, кажется, вообще в России) с октября 1993 г.

Послетекстовые упражнения

Paragraph 1

1. In the third sentence of this paragraph, circle the word to which **которые** refers.

2. A transition marker **кроме того** indicates…
   a. additional information.
   b. a conclusion.

3. Find the Russian equivalent to *timely payment.*

Paragraph 2

4. This paragraph contains two transition markers. They indicate… (true or false for each):
   a. a statement followed by illustrations.
   b. a list of examples concluded by a statement.

5. In sentence 5, circle the word to which *«заведя»* refers.

6. Rewrite the last sentence of this paragraph using a direct word order.

Paragraph 3

7. In sentence 1, circle the word to which **скандируя** refers.

8. A transition marker **между тем** indicates... (true or false for each):
    a. a shift of narration.
    b. support of the statement.

9. Give an English equivalent to **перекрыть движение**.

Paragraph 4

10. Find a transition marker in this paragraph and decide whether it... (true or false):

    a. illustrates the statement.
    b. gives additional information.

11. Circle the word to which **сломав** refers.

Paragraph 5

12. A transition marker **причём** indicates... (true or false for each):
    a. additional information.
    b. a shift to a different problem.

Paragraph 6

13. Find two transition markers in this paragraph. They express:.. (true or false):
    a. a shift to a new problem.
    b. support of the statement.

14. There are two verbal adverbs in the third sentence of this paragraph. Find them and circle the word to which they refer.

15. In the fourth sentence of this paragraph, there is another verbal adverb. Circle the word to which it refers and explain the difference between these verbal adverbs.

Paragraphs 7–8

16. Find the remaining transition markers. They indicate... (true or false for each):
    a. parallel action.
    b. a conclusion.
    c. a shift to a new problem.
    d. support of the statement.

17. Make a list of vocabulary from this article you can use describing social unrest.

@ **УПРАЖНЕНИЯ НА АУДИРОВАНИЕ**

А. Угро́за беспря́дков в Тибе́те? Towards the end of the first decade of the 2000s, Chinese authorities were ever mindful of the threat of the Tibetan independence movement, especially after the disruption in Lhasa on the eve of the 2008 Olympics. Look at the word list below. Based on that and your general knowledge of events of the time mentally compose a report of a possible uprising threat as seen by Chinese authorities. Then listen to the report to see if your version matches what was broadcast on an independent Russian radio network.

Б. Поле́зные слова́

> **обвиня́ть** *кого-что* **в попы́тках** *делать что* – to accuse *someone/something* of attempts to *do something*
>
> **подрывна́я де́ятельность** – subversive activity
>
> **тще́тны < тще́тный = бесполе́зный**
>
> **вспы́хивать / вспы́хнуть** – to flare up
>
> **волне́ние** – disruption
>
> **уси́ливать / уси́лить охра́ну** – to strengthen the guard
>
> **восста́ние** – uprising
>
> **не исключа́ют** – do not rule out
>
> **арме́йские подразделе́ния** – army units
>
> **подавля́ть / подави́ть** – to suppress
>
> **опаса́ться** *чего* – to fear
>
> **Лха́са – столи́ца Тибе́та**
>
> **изгна́ние** – external exile: **быть (жить) в изгна́нии**
>
> **сты́чка** *с кем* – clash *with someone*
>
> **накаля́ться / накали́ться** – to heat up

В. Послу́шаем подро́бнее. Before listening to the broadcast again, predict whether the following things were likely to have been said. Then check to see if you were right.

❑ The Chinese premier directly accused the Dalai Lama of treason.

❑ The local government said any subversive activity on the part of the Dalai Lama was all for naught.

❑ Authorities said that the Dalai Lama was continuing a propaganda campaign that started the previous year.

❑ Chinese authorities are nervous about the fiftieth anniversary of a monastic uprising.

❑ The Tibetan border to the rest of China has been sealed for ordinary Tibetans.

❑ The Dalai Lama fled his homeland fifty years ago.

❑ The Chinese government says that Tibet has historically been a part of China.

❑ Recent outbreaks in Tibet mentioned here occurred on the eve of the 2008 Beijing Olympics.

❑ The official Chinese Sinhua news agency suppressed reports of a clash between authorities and Tibetans in a province on the Tibetan boder.

Г. Как это бы́ло ска́зано? Зако́нчите предложе́ния на осно́ве прослу́шанного фрагме́нта.

1. Официа́льные вла́сти Тибе́та обвиня́ют духо́вного ли́дера в...
2. Представи́тель сказа́л, что продолжа́ются попы́тки спровоци́ровать...
3. Вла́сти уси́лили охра́ну на...
4. Пеки́н опаса́ется проте́стов по слу́чаю...
5. Мно́гие жи́тели регио́на добива́ются...
6. Год наза́д произошли́ ма́ссовые беспоря́дки, кото́рые вла́сти жёстко...
7. В прови́нции, кото́рая грани́чит с э́тим регио́ном, произошли́ столкнове́ния ...

КРУГ ВТОРОЙ

УРОК ТРИ
РЕСЕССИЯ
ДЕПРЕССИЯ

@ **ТЕКСТ. Прослушайте текст, затем прочитайте и переведите его на английский язык в письменной форме.**

Часть 1
В ПРЕДДВЕРИИ ДЕПРЕССИИ

Фина́нсовые ры́нки вызыва́ют у росси́йского руково́дства недоуме́ние°. Как э́ти игру́шечные, эфеме́рные би́ржи, где спекуля́нты торгу́ют виртуа́льными бума́жками, умудри́лись° застопо́рить° мускули́стую росси́йскую эконо́мику? Как росси́йские «голубы́е фи́шки»° — компа́нии с осяза́емыми° акти́вами° и нема́лыми запа́сами° нали́чности могли́ потеря́ть 70-80% свое́й сто́имости за счи́танные° неде́ли? Нет! Тут ли́бо помутне́ние рассу́дка°, ли́бо тёмный за́говор°. Ну́жно про́сто дать ба́нкам и крупне́йшим предприя́тиям па́ру деся́тков миллиа́рдов госуда́рственных до́лларов и споко́йно ждать, когда́ па́ника уля́жется° и всё вернётся на свои́ места́°, в том числе́ и цена́ на нефть. В э́той карти́не,	puzzlement

managed to   to jam

"blue chips"   tangible
assets   reserves

in a matter of *(minutes, days)*
помутнение рассудка – madness
plot

subsides
to come back to normal |

однако, нару́шена причи́нно-сле́дственная° связь°. Не
ры́ночный и ба́нковский кри́зис затормози́ли°
реа́льную эконо́мику, а, наоборо́т, пробле́мы в
эконо́мике ру́шат° ры́нки и явля́ются причи́ной
креди́тного кри́зиса.

    Фо́ндовый ры́нок — чу́ткий° баро́метр, кото́рый
то́чно предска́зывает° экономи́ческую пого́ду.
Коне́чно, ры́нок ча́сто впада́ет в кра́йности°, но
коллекти́вное мне́ние его́ уча́стников всё равно́
лу́чший из существу́ющих прогно́зов. Инве́сторы
опаса́ются°, что по́сле сниже́ния цен на
недви́жимость, под кото́рую выдава́лись креди́ты,
америка́нцам придётся си́льно уре́зать° расхо́ды.
Ме́жду тем америка́нское потребле́ние° бы́ло
основны́м дви́гателем° мирово́й эконо́мики за
после́дние 10-15 лет. Да́же Кита́й уже́ ощути́л°
сниже́ние спро́са со стороны́ США. Ры́нки па́дают в
ожида́нии боле́зненной реце́ссии во всём ми́ре.
Поэ́тому распродаю́тся° а́кции любы́х компа́ний — и
энергети́ческих, и добыва́ющих, и тех, что за́няты
произво́дством потреби́тельских това́ров.

    Тот факт, что в Москве́ а́кции упа́ли быстре́е и
ни́же, чем где-ли́бо, настора́живает°. Необходи́мо
отдава́ть себе́ отчёт° в том, что крах росси́йского
ры́нка отража́ет° опасе́ния инве́сторов: а не ока́жется
ли Росси́я сла́бым звено́м° мирово́й эконо́мики?

    Мно́го говори́тся о зави́симости° росси́йской
эконо́мики от не́фти. Цена́ на нефть упа́ла ни́же $65 за
ба́ррель, но не ну́жно забыва́ть, что не́сколько лет
наза́д э́то каза́лось баснословным бога́тством. Росси́я
процвета́ла° уже́ в 2005 году́, хотя́ тогда́ нефть была́
деше́вле.

    Пробле́ма тут не в номина́льной цене́. В
совреме́нном би́знесе вся́кий° акти́в момента́льно
стано́вится зало́гом° для созда́ния но́вых акти́вов.
Цена́ на нефть была́ заоблачной° всего́ лишь два го́да,
но инве́сторы, компа́нии и потреби́тели бы́стро
созда́ли систе́му, осно́ванную на э́той цене́ — и на
ожида́нии её дальне́йшего ро́ста. В ми́ре, где
ощуща́ется° серьёзный недоста́ток спро́са, таки́х цен

Glossary:
- cause and effect; connection
- put the brakes on
- destroy
- sensitive
- predicts
- to go to extremes
- боятся
- cut back
- consumption
- engine
- felt
- sell out; sell off
- is alarming
- отдава́ть...отчёт – to realize
- reflects
- link
- dependence
- was in bloom
- any
- down payment
- astronomical
- is felt

не бу́дет, и ры́нки сего́дня прово́дят переучёт° акти́вов.

reassessment

То же са́мое произошло́ с америка́нской недви́жимостью. По́сле десяти́ лет бу́рного° ро́ста це́ны на дома́ упа́ли всего́ на 15-20%, но домовладе́льцы постоя́нно бра́ли всё но́вые креди́ты в расчёте на дальне́йшее повыше́ние цен и сего́дня оказа́лись в ситуа́ции, когда́ задо́лженность° превыша́ет ры́ночную сто́имость до́ма.

stormy

долг

@ КОГНАТЫ

акти́в	инве́сторы	реа́льная эконо́мика
а́кции	коллекти́вный	реце́ссия
баро́метр	компа́ния	ситуа́ция
ба́ррель	мускули́стый	спекуля́нт
виртуа́льный	номина́льной	фо́ндовый
депре́ссия	па́ника	энергети́ческий
засто́порить	прогно́з	эфеме́рный

СЛОВА И ВЫРАЖЕНИЯ

ба́нковский... – bank crisis

брать (беру́т) / взять (возьму́т) всё но́вые креди́ты в расчёте на дальне́йшее повыше́ние цен – to take new loans in hope of further price rises

возраща́ться / верну́ться (верну́тся) на своё ме́сто – to return to old ways

впада́ть в кра́йности – to go to extremes

выдава́ть / вы́дать креди́т под недви́жимость – to give credit with real estate as collateral

вызыва́ть / вы́звать (вы́зовут) недоуме́ние у руково́дства – to puzzle the leadership

зави́симость от не́фти – oil dependence

задо́лженность превыша́ет ры́ночную сто́имость – debt exceeds the market value

за́нят, -а, -о, -ы произво́дством потреби́тельских това́ров – to be engaged in producing consumer goods

запа́сы нали́чности – asset reserves

игру́шечные би́ржи – toy stock-exchange

крах ры́нка отража́ет опасе́ния инве́сторов – the market crash reflects investors' fears

> **опасе́ния инве́потреби́телей** – of consumers' fears
> **опасе́ния домовладе́льцев** – of home-owners' fears

креди́тный... – credit crisis

нару́шена причи́нно-сле́дственная связь – the cause-and-effect relationship is broken

недвижи́мость вы́росла – prices for real estate went up

недоста́ток спро́са – low demand

ока́зываться / оказа́ться (ока́жутся) сла́бым звено́м мирово́й эконо́мики – to prove to be a weak link in the world economy

осяза́емые акти́вы – tangible assets

предска́зывать / предсказа́ть экономи́ческую пого́ду – to predict the economic weather

причи́на – cause

проводи́ть (прво́дят) / провести́ (проведу́т) переучёт акти́вов – to conduct a recalculation of assets

распрода́жа добыва́ющих компа́ний – sales of mining companies

распродаю́тся а́кции любы́х компа́ний – shares of all companies are selling out
> **а́кции энергети́ческих компа́ний** – ...of energy producing companies

ры́ночный кри́зис – market crisis

сле́дствие – effect

сниже́ние спро́са со стороны́... – drop in demand on the part of...
> **потребле́ния** – ...in consumption...

станови́ться (стано́вятся) / стать (ста́нут) зало́гом для созда́ния но́вых акти́вов – to serve as a down payment for new assets

теря́ть / потрея́ть часть свое́й сто́имости – to lose some of its value

торгова́ть (торгу́ют) виртуа́льными бума́жками – to trade virtual papers

тормози́ть (термозя́т) / затормози́ть реа́льную эконо́мику – to slow the real economy

уреза́ть (уреза́ют) / уре́зать (уре́жут) расхо́ды на потребле́ние – to cut back on consumption

фо́ндовые ры́нки па́дают – stock markets are falling
> **...ру́шатся** – ...are crashing

фо́ндовый... – stock market crisis

цена́ на нефть упа́ла ни́же $65 за ба́ррель – oil prices went down to less than $65 a barrel

ЛЕКСИЧЕСКИЕ УПРАЖНЕНИЯ

Просмотрите слова и выражения к тексту «В преддверии депрессии» и сделайте следующие упражнения.

А. Заполните пропуски правильными предлогами.

1. Ещё недáвно домá чáсто покупáлись ___ расчёте на дальнéйшее повышéние цен ___ недвúжимость.
2. Огрóмные запáсы нéфти служúли залóгом ____ стабúльности россúйской эконóмики.
3. Падéние цен на нефть вызывáет недоумéние ____ нефтянúх компáний.
4. Тóлько нéсколько мéсяцев назáд ценá нéфти былá бóльше $100 ___ бáррель.
5. Не нáдо впадáть ___ крáйности. Всё вернётся ___ свой местá.
6. Нерéдко бáнки откáзываются давáть кредúт ___ недвúжимость.
7. Рост ___ потреблéния помóжет ___ оздоровлéнию эконóмики.

Б. Дайте русские эквиваленты следующим английским фразам.

- to give credit with real estate as collateral
- drop in consumption
- increase in demand
- to serve as a down payment
- asset reserves
- to prove to be a weak link
- stock market crash
- cause-and-effect relationship
- to cut back in consumption
- sales of shares of oil and mining companies
- to slow the real economy
- to trade oil and gas

В. РАБОТА ПО МОДЕЛЯМ

1. Заполните пропуски словами по смыслу.

a.   Крах фóндовых рынков вызывáет недоумéние у

кого

_____
_____

что

б.   _____

вернётся на своё мéсто.
вернýтся на свои местá.

кому

в.   _____
_____
_____

урéзать расхóды на потреблéние

кого

_____
_____
_____

чем

г.   На бирже торгýют

_____
_____
_____

чем

д.   Россия торгýет

_____
_____
_____

2. Закончите предложения, используя логически правильные фразы.

Россйское руковóдство недоумевáет, как эфемéрные биржи, где торгýют _____ смоглй застóпорить мускулистую россйскую эконóмику. Как россйские компáнии с осязáемыми актйвами и немáлыми запáсами налйчности моглй _____ за считанные недéли?

Оно́ предлага́ет про́сто дать ба́нкам и крупне́йшим предприя́тиям

_____ и ждать, когда́ _____.

Но в э́той карти́не нару́шена причи́нно-сле́дственная связь. Не ры́ночный и

ба́нковский кри́зис затормози́ли реа́льную эконо́мику, а, наоборо́т,

_____.

Фо́ндовый ры́нок — чу́ткий баро́метр, кото́рый то́чно предска́зывает

экономи́ческую пого́ду. Инве́сторы опаса́ются, что по́сле сниже́ния цен на

_____, под кото́рую выдава́лись креди́ты, потреби́телям придётся

си́льно сократи́ть _____.

Ме́жду тем америка́нское потребле́ние явля́ется

_____ мирово́й эконо́мики. Ры́нки па́дают в ожида́нии

_____ во всём ми́ре. Поэ́тому распродаю́тся а́кции и

_____, и компа́ний, кото́рые за́няты _____.

Крах росси́йского ры́нка пока́зывает, что инве́сторы боя́тся, что Росси́я

ока́жется _____ мирово́й эконо́мики и́з-за

_____. И пробле́ма тут не в номина́льной цене́. В

совреме́нном би́знесе вся́кий акти́в бы́стро стано́вится зало́гом

_____, но в ми́ре, где ощуща́ется серьёзный недоста́ток

_____, таки́х цен не бу́дет.

То же са́мое произошло́ с америка́нской недви́жимостью. По́сле десяти́ лет

бу́рного ро́ста це́ны на дома́ упа́ли всего́ на 15-20%, но домовладе́льцы

_____ в расчёте на _____. Сейча́с они́ оказа́лись в

ситуа́ции, когда́ их задо́лженность превыша́ет _____.

Г. Ответьте на следующие вопросы.

1. Слово «преддверие» в заглавии этой статьи состоит из приставки «пред (перед)» и корня «дверие». Как это сказать по-английски?

2. «Недоумение» – это «удивление». Из каких глаголов составлены эти два существительных? Перефразируйте первое предложение, используя один из этих глаголов.

3. Объясните, что значит «виртуальные бумажки».

4. Найдите синоним слову «удаваться». Используёте «удаваться» в этом предложении. Не забудьте, что этот глагол требует безличной конструкции (impersonal construction).

5. Какие компании называются «голубыми фишками»?

6. «Наличность» – это существительное. Что значит прилагательное «наличные»?

7. Что такое «причинно-следственная связь»?

8. «Тормоз» значит «brake». Как сказать по-английски «затормозить»?

9. Что показывает наш простой барометр? Как сказать по-другому «давать прогноз погоды»?

10. «Движение» значит "movement". Объясните значение слова «недвижимость».

11. Какую функцию имеет «двигатель»?

12. Чем заняты «энергетические и добывающие» компании?

13. Объясните разницу между «потребительскими товарами», «товарами первой необходимости» и «товарами роскоши»?

14. В этой статье используются слова «опасения» и «опасаться». Какие вы знаете синонимы к этим словам?

15. Что значит быть «слабым звеном мировой экономики»?

16. «Басня» значит «a fable». Объясните выражение «баснословное богатство».

17. В слове «заоблачный» «за» значит «beyond», а «облако» – «cloud». Как сказать по-английски «заоблачная цена»?

18. Объясните значение слова «домовладельцы», анализируя его структуру.

ГРАММАТИКА: ГЛАГОЛЫ ДВИЖЕНИЯ (ПРОДОЛЖЕНИЕ)

In the last chapter, you reviewed both prefixed and non-prefixed verbs of motion of going. In this chapter we will present some additional verbs of motion. As in the last chapter, we will cover the prefixed verbs first (prefix + verb formant). Remember that not all formants are independent verbs of motion.

Examples of prefixes with с –лета́ть / –лете́ть

прилета́ть / прилете́ть *откуда куда* – to arrive (*usually at an airport*). **Когда́ прилета́ет ваш рейс?** When does your flight arrive? *Also:* **прилёт** – arrival.

вылета́ть / вы́лететь *из чего* – to depart (*usually from an airport*) – **Самолёт вылета́ет из Москвы́ в 13:30.** The airplane departs at 1:30 p.m. *Also:* **вы́лет** – departure .

Examples of prefixes with с –бега́ть / –бежа́ть – *to run*

прибега́ть / прибежа́ть – to come running. **Росси́я не раз прибега́ла к полити́ческому давле́нию на стра́ны Бли́жнего зарубе́жья.** Russia has often resorted to political pressure on the countries of the Near Abroad.

убега́ть / убежа́ть – *to run away; to escape.* **Террори́сты убежа́ли из тюрьмы́.** The terrorists escaped from jail. **Also: полити́ческое убе́жище** – political asylum.

Examples of prefixes with –плава́ть / –плыть – *to swim, sail*

переплыва́ть / переплы́ть – to cross by swimming/sailing. **Кто пе́рвый переплы́л Ла-Манш?** Who first swam the English Channel?

Examples of prefixes with –води́ть / –вести́ – *to lead*

вводи́ть (ввожу́, вво́дишь) / ввести́ (введу́, введёшь, ввёл, ввели́) to bring in (a person); to introduce (a law, measure, etc); to enter (data). **В 1919 в США ввели́ сухо́й зако́н.** In 1919 dry laws were introduced in the U.S.

выводи́ть (вывожу́, выво́дишь) / вы́вести (вы́веду, вы́ведешь, вы́вел, вы́вела) *из чего* – to lead someone out *of something. Note that in the <u>perfective</u>* вы *takes the stress and* ё *is absent.* **США вы́вели войска́ из Ира́ка.** The US withdrew troops from Iraq. *Also (and more important):* **вы́вод** – conclusion: **сде́лать вы́вод** – to draw a conclusion; **прийти́ к вы́воду** – to reach a conclusion.

заводи́ть (завожу́, заво́дишь) / завести́ (заведу́, заведёшь, завёл, завели́) *во что* – *to lead in.* **Заключённого завели́ в ка́меру.** The prisoner was led into the cell. *But* *this verb has many other non-motion meanings:* to wind (a watch), to start up (a mechanical device or conversation). **Зачéм вы завелú разговóр на эту тéму?** Why did you start talking about that topic. *Also:* **завóд** – industrial plant *(something that involves starting up mechanical devices).*

переводúть (перевожý, перевóдишь) / перевестú (переведý, переведёшь, перевёл, перевелú) *откуда куда* – to transfer; to translate (*с одного языка на другой*). **Нéкоторые считáют, что нýжно перевестú столúцу из Москвы́ в Санкт-Петербýрг.** Some believe that the capital should be transferred from Moscow to St. Petersburg.

приводúть (привожý, привóдишь) / привестú (приведý, приведёшь, привёл, привелú) *откуда куда* – to bring (*a person on foot*); to lead. **Ны́нешний крúзис мóжет привестú к распáду страны́.** The current crisis could lead to the collapse of the country.

проводúть (провожý, провóдишь) / провестú (проведý, проведёшь, провёл, провелú) – to lead through. **Мы вас сначáла проведём через пáспортный контрóль, а потóм найдём ваш багáж.** First we'll take you through passport control. Then we'll find your luggage. *This verb is the most common verb for "conduct" — in many contexts:* **Провóдят переговóры. Провелú эксперимéнт.**

разводúть (развожý, развóдишь) / развестú (разведý, разведёшь, развёл, развелú) – to split *someone* apart. *The reflexivized verb* **разводúться / развестúсь** *is* to get divorced. *Also:* **развóд** – divorce.

EXAMPLES OF PREFIXES WITH –возúть / –везтú – *to carry by vehicle; haul*
Hint: Any verb of transport involving vehicles must have the letter з (**привезтú, привезý, привёз**) (not **с**, or **д**).

ввозúть (ввожý, ввóзишь) / ввезтú (ввезý, ввезёшь, ввёз, ввезлá, ввелú) to bring *something* by vehicle; to import. **В Китáй ввóзят древесúну из Россúи.** China imports timber from Russia. *Also:* **ввоз = úмпорт**.

вывозúть (вывожý, вывóзишь) / вы́везти (вы́везу, вы́везешь, вы́вез, вы́везла) *из чего* – to take *something* out; *to export Note that in the perfective* **вы** *takes the stress and* **ё** *is absent. Also:* **вы́воз = э́кспорт**.

отвозúть (отвожý, отвóзишь) / отвезтú (отвезý, отвезёшь, отвёз, отвезлú) *куда* – *to drive someone somewhere.* **Прошý отвезтú гостéй в гостúницу.** Please drive our guests to their hotel.

подвозúть (подвожý, подвóзишь) / подвезтú (подвезý, подвезёшь, подвёз, подвезлú) *куда* – to give a ride (lift) *to someone*. **Я вас подвезý домóй.** I'll give you a ride home.

привози́ть (привожу́, приво́зишь) / привезти́ (привезу́, привезёшь, привёз, привезли́) – *to bring by vehicle.* **Америка́нский консульта́нт привёз с собо́й моби́льник, забы́в, что он не рабо́тает на европе́йских часто́тах.** The American consultant brought along his cell phone because he forgot that it wouldn't work on European frequencies.

провози́ть (провожу́, прово́зишь) / провезти́ (провезу́, провезёшь, провёз, провезла́) – to get *something* through by vehicle. **Через э́ту грани́цу ежедне́вно прово́зят деся́тки конте́йнеров с контраба́ндой.** Dozens of containers with contraband are brought through this border daily.

EXAMPLES OF PREFIXES WITH –носи́ть / –нести́ – *to carry by hand*

вноси́ть (вношу́, вно́сишь) / внести́ (внесу́, внесёшь, внёс, внесла́, внесли́) – to introduce (add) something into (*usually a document*) **В конститу́цию внесли́ попра́вку.** An amendment was added to the constitution.

выноси́ть (выношу́, выно́сишь) / вы́нести (вы́несу, вы́несешь, вы́нес, вы́несли) *из чего* – to take (carry) *something* out *of some place.* **Спецна́з вы́вел на у́лицу весь персона́л и вы́нес всё обору́дование.** Special forces pulled all the staff onto the street and carried out all the equipment. *Also:* to be able to bear; to be able to tolerate. **Я не выношу́ всю э́ту кри́тику.** I can't tolerate all this criticism.

относи́ть (отношу́, отно́сишь) / отнести́ (отнесу́, отнесёшь, отнёс, отнесли́) – to take *something* away *but more important* to categorize *something as something* (*что к чему*). **Вла́сти сра́зу отнесли́ /бунтовщико́в к террористи́ческим группиро́вкам.** The authorities rushed to categorize the rebels as terrorists. *Also: reflexive* **относи́ться / отнести́сь** *к кому-чему* – to relate to; to feel about. **Как вы к э́тому отно́ситесь?** How do you feel about that?

переноси́ть/перенести́ – *to carry across, but more often* to postpone. **Конфере́нцию мо́жно перенести́ на сле́дующий ме́сяц.** The conference can be postponed until next month. *Also:* to bear up under; to suffer through. **Страна́ пло́хо перено́сит таки́е экономи́ческие перепа́ды** – The country does poorly with such rapid economic changes.

ГЛАГОЛЫ ДВИЖЕНИЯ БЕЗ ПРИСТАВОК

In the last chapter we reviewed non-prefixed verbs of going:

MULTIDIRECTIONAL IMPERFECTIVE	UNIDIRECTIONAL IMPERFECTIVE/PERFECTIVE
ходи́ть	идти́ / пойти́
е́здить Not ~~езжа́ть~~!	е́хать / пое́хать

These verbs involve notions of uni- and multidirectionality as well as aspect. The verb of motion chart in the last chapter serves as a guide for everyday use

Other non-prefixed verbs of motion follow the same patterns. The most common of these are:

MULTIDIRECTIONAL IMPERFECTIVE	UNIDIRECTIONAL IMPERFECTIVE/PERFECTIVE
пла́вать Stress differs from prefixed form.	плыть / поплы́ть
лета́ть	лете́ть / полете́ть
бе́гать Stress differs from prefixed form.	бежа́ть / побежа́ть
води́ть	вести́ / повести́
вози́ть	везти́ / повезти́
носи́ть	нести́ / понести́

Except for the "go" verbs, non-prefixed verbs of motion appear more rarely in Russian, especially political Russian, than the prefixed verbs. That's why we present the prefixed verbs first.

For this level of Russian, you can limit the non-prefixed verbs listed in the chart immediately above to some set phrases:

ПЛАВАТЬ – ПЛЫТЬ   SWIMMIMG
Мы *пла́ваем, пла́вали.* We swim, swam (as a sport).

ЛЕТАТЬ – ЛЕТЕТЬ   FLYING
Космона́вт давно́ уже́ не *лета́ет.* The cosmonaut hasn't flown for a long time.
Истреби́тели уже́ *летя́т.* The fighter planes are already in flight.

БЕГАТЬ – БЕЖАТЬ   RUNNING
Я *бе́гаю* **ка́ждый день.** I jog daily.
Ми́рное населе́ние *бежи́т.* The civilians are fleeing.
Бе́женцы *бегу́т* **в неизве́стность.** Refugees are fleeing to uncertainty.

ВОДИ́ТЬ – ВЕСТИ́   Leading

Вы *во́дите маши́ну*? Do you drive?

Кто *ведёт (вёл)* вне́шнюю поли́тику? Who is (was) in charge of foreign policy?

***Курс* по междунаро́дным отноше́ниям *ведёт* Оси́пова.** Osipova teaches the course on international affairs.

ВОЗИ́ТЬ – ВЕЗТИ́   Hauling

Заче́м *вози́ться с* э́тими вопро́сами? Why bother with these issues?

НОСИ́ТЬ – НЕСТИ́   carrying (on foot)

Вы *несёте отве́тственность* за все э́ти оши́бки. You bear the responsibility for all these errors.

План прави́тельства *но́сит* сомни́тельный *хара́ктер*. The government's plan looks dicey.

Президе́нт Росси́и ча́сто *но́сит* значо́к с фла́гом Росси́и на лацка́не. The president of Russia often wears a Russian flag pin on his lapel.

УПРАЖНЕ́НИЯ НА ГРАММА́ТИКУ: ГЛАГО́ЛЫ ДВИЖЕ́НИЯ

A. Составля́ем предложе́ния. Образу́йте 10 комбина́ций по образцу́: *приста́вка + глаго́л + предло́г* в тре́тьем лице́ еди́нственного и мно́жественного числа́ в настоя́щем, проше́дшем и бу́дущем вре́мени. Переведи́те их на англи́йский язы́к.

Образцы́:

Истреби́тель (**пере + летел + через**) ⟹ **перелетел** грани́цу.
The figher plane *crossed* the frontier.

Кора́бль (**при + плывёт + в**) ⟹ **приплывёт в** га́вань ве́чером.
The ship *will arrive at* the harbor in the evening.

Ги́ды (**до + водят**) тури́стов (**+ до**) ⟹ **доводят** тури́стов **до** паспортного контро́ля.
Tour guides *take* tourists *to* passport control.

Б. **Раскройте скобки.** Поскольку эта книга посвящена политическому русскому, данное упражнение включает только политическую лексику с глаголами движения.

1. Во время чрезвычайного положения власти [resort] _____ к жёстким мерам подавления беспорядков.

2. Страны, бедные природными ресурсами, должны [bring in] _____ всё необходимое для нормального существования.

3. Спецназ [brought out] _____ на улицу весь персонал радиостанции.

4. Во время избирательной кампании кандидат в президенты обещал [withdraw] _____ все американские войска из Ирака.

5. «Капитал» Карла Маркса [is translated] _____ на все языки мира.

6. Крах финансовых рынков [resulted] _____ к кризису мировой экономики.

7. Новый президент будет пытаться [conduct] _____ реформы в американском здравоохранении.

8. В результате беспорядков президент был вынужден [to introduce] _____ чрезвычайное положение.

9. Из-за войны в Ираке тысячи людей [fled] _____ из своей страны и стали [refugees] _____ .

10. Эта администрация [is responsible] _____ ответственность за эту демографическую катастрофу.

11. Неизбежно, что переговоры между воюющими сторонами [will have] _____ враждебный характер.

12. Наш самолёт [departed] _____ и должен [arrive] _____ по расписанию.

13. Тонны наркотиков регулярно [are transported] _____ через нашу границу.

14. Сколько поправок [was added] _____ в американскую конституцию с момента её существования?

15. Как население нашей страны [felt about] _____ идее превентивной войны?

16. Переговоры [were postponed] _____ уже не в первый раз!

В. **Напишите 10 примеров, используя политическую терминологию с глаголами или существительными движения.**

ГРАММАТИЧЕСКИЕ УПРАЖНЕНИЯ: ПОВТОРЕНИЕ ПАДЕЖЕЙ

Повторите использование падежей в Первом круге. Раскройте скобки.

1. Поправка к конституции была поддержана [конгрессмены-расисты] _____ в Арканзасе.

2. Президент Ельцин сказал, что перестройка не противоречит [интересы трудящихся] _____.

3. Испания с трудом пробилась в [Европейский союз] _____.

4. Начальник отдела по трудовым и социальным вопросам напомнил об [основной принцип, положенный] _____ в [основа] _____ правительственного постановления.

5. Территориальные претензии [сионисты] _____ на Палестину не имеют под собой [почва] _____.

6. Эта статья провозглашает иностранной миссией [любая организация, занятая] _____ в США правительственной деятельностью от имени [зарубежные правительства] _____.

7. Президент Буш воспользовался [своё право] _____ вето при принятии в конгрессе этого решения.

8. Перонисты взорвали [бомба] _____ за [дом] _____ судьи, который ведёт дела по [нарушения прав человека] _____.

9. Парламентская фракция СДПГ потребовала [созыв] _____ на [следующая неделя] _____ экстренного заседания Бундестага для [обсуждение] _____ позиции правительства ФРГ по вопросу о [72 ракеты] _____ в Афганистане.

10. В [последнее время] _____ они систематически подвергаются обстрелам из [реактивные ракетные установки] _____.

УПРАЖНЕНИЯ НА УСТНУЮ РЕЧЬ

А. Дискуссия. Когда вы хотите начать дискуссию, вы можете начать словами:

для нача́ла ну́жно определи́ть, что тако́е...

Если вам нужно объяснить, почему это важно, вы можете сказать:

Это помо́жет объясни́ть, почему́...

Образец: **Для нача́ла ну́жно определи́ть, что тако́е** дефици́т бюдже́та. **Это помо́жет объясни́ть, почему́** любо́е прави́тельство стреми́тся к его́ сниже́нию.

Начните дискуссию на тему, предложенную в следующих предложениях, используя:

для нача́ла ну́жно определи́ть, что тако́е...
э́то помо́жет объясни́ть,
почему́...

1. Фина́нсовые ры́нки вызыва́ют у росси́йского руково́дства недоуме́ние.
2. Росси́йские «голубы́е фи́шки» потеря́ли 70-80% свое́й сто́имости за счи́танные неде́ли.
3. В э́той карти́не, одна́ко, нару́шена причи́нно-сле́дственная связь.
4. Америка́нское потребле́ние бы́ло основны́м дви́гателем мирово́й эконо́мики за после́дние 10-15 лет.

Б. Цитирование источников. Процитируйте следующие предложения, используя:

по мне́нию...
сове́тник президе́нта по дела́м эконо́мики подчёркивает, что...
по ра́дио сообща́лось, что...

1. Спекуля́нты, кото́рые торгу́ют виртуа́льными бума́жками, умудри́лись засто́порить мускули́стую росси́йскую эконо́мику.
2. Не ры́ночный и ба́нковский кри́зис затормози́л реа́льную эконо́мику, а, наоборо́т, пробле́мы в эконо́мике ру́шат ры́нки и явля́ются причИно́й креди́тного крИзиса.
3. Ры́нки па́дают в ожида́нии боле́зненной реце́ссии во всём ми́ре.

В. Вы согласны? Выразите своё согласие или несогласие в предложениях ниже, используя:

тру́дно согласи́ться с тем, что...
де́ло в том, что...
тру́дно не согласи́ться с тем, что...
ведь...

1. Фо́ндовый ры́нок — чу́ткий баро́метр.

2. Тот факт, что в Москве́ а́кции упа́ли быстре́е и ни́же, чем где-либо, настора́живает.

3. Па́ника уля́жется, и всё вернётся на свои́ места́, когда́ прави́тельство даст крупне́йшим предприя́тиям па́ру деся́тков миллиа́рдов госуда́рственных до́лларов.

4. Распродаю́тся а́кции любы́х компа́ний — и энергети́ческих, и добыва́ющих, и тех, что за́няты произво́дством потреби́тельских това́ров.

5. В ми́ре, где ощуща́ется серьёзный недоста́ток спро́са, заоблачных цен на нефть не бу́дет.

6. Америка́нские домовладе́льцы постоя́нно бра́ли всё но́вые креди́ты в расчёте на дальне́йшее повыше́ние цен.

Г. Выразите своё мнение в следующих предложениях, используя:

я ли́чно ду́маю, что...
де́ло в том, что...
мне ду́мается, что...
ведь...

1. По́сле сниже́ния цен на недвижи́мость, под кото́рую выдава́лись креди́ты, америка́нцам придётся си́льно уре́зать свои́ расхо́ды.

2. Крах росси́йского ры́нка отража́ет опасе́ния инве́сторов.

3. Существу́ет реа́льная зави́симость росси́йской эконо́мики от не́фти.

4. Ры́нки па́дают в ожида́нии боле́зненной реце́ссии во всём ми́ре.

5. Пробле́ма росси́йской эконо́мики не в номина́льной цене́ на нефть.

6. Задо́лженность америка́нских домовладе́льцев превыша́ет ры́ночную сто́имость их до́ма.

Д. Цитирование источников. Ответьте на следующие вопросы по тексту урока, цитируя текст статьи, соглашаясь или не соглашаясь с автором и выражая своё мнение.

1. Почему финáнсовые рынки вызывáют у росси́йского руковóдства недоумéние?

2. Как, они считáют, мóжно легкó разреши́ть кри́зис в росси́йской эконóмике?

3. Как росси́йское руковóдство нарушáет причи́нно-слéдственную связь?

4. Почему инвéсторы опасáются, что пóсле снижéния цен на недви́жимость, под котóрую выдавáлись креди́ты, им придётся си́льно урéзать расхóды?

5. Какýю роль игрáло америкáнское потреблéние в мировóй эконóмике за послéдние 10 – 15 лет?

6. Как реаги́руют мировы́е рынки на снижéние спрóса со стороны́ США?

7. Почему инвéсторы опасáются, что Росси́я окáжется слáбым звенóм мировóй эконóмики?

8. В чём проблéма росси́йских цен на нефть?

9. С чем áвтор срáвнивает росси́йскую проблéму с цéнами на нефть?

Е. 1. Пересказ. Расскажите первую часть урока 3 с точки зрения российской экономики, цитируя текст статьи, соглашаясь или не соглашаясь с её автором и выражая своё мнение.

2. С другой точки зрения. Расскажите ту же историю с точки зрения американской экономики, цитируя источники, (не) соглашаясь и выражая своё мнение!

@ **ТЕКСТ. Прослушайте текст, затем прочитайте и переведите его на английский язык в письменной форме.**

Часть 2
В ПРЕДДВЕРИИ ДЕПРЕССИИ

Мировóй эконóмике грозúт спад, сравнúмый° с Велúкой депрéссией. Основнóй истóчник рóста спрóса в мúре — америкáнский потребúтель бóльше не смóжет получáть кредúты и трáтить их на китáйские товáры, япóнские машúны и прóчее. Другúе истóчники спрóса, несомнéнно, вознúкнут, но не срáзу. Это бýдет тяжёлое врéмя — причём° бóлее тяжёлое для другúх стран, чем для США. В начáле 1930-х гг. ВВП США упáл почтú наполовúну, но мировáя эконóмика рýхнула° на 65%. За свóй двенадцатилéтний срок президéнт Рýзвельт вы́вел° Амéрику из депрéссии, увелúчив расхóды госудáрства. Сегóдня это сдéлать труднéе. Национáльный долг США ужé превышáет $10 трлн. Возмóжно, нóвым истóчником° спрóса моглú бы стать страны́-кредитóры, т. е. Япóния, Китáй, Саýдовская Арáвия и Россúя.	comparable moreover crashed brought...... took source
Большúе потрясéния° чáсто срáвнивают с гúбелью «Титáника». Сегóдня это сравнéние как никогдá кстáти°. Россúя на этом лáйнере — разгнéванный° пассажúр, котóрый честúт° капитáна за ошúбки в навигáции и собирáется пережúть крушéние, законопáтив щéли в своéй каюте°. Врéмя для подóбных дéйствий прошлó. Тепéрь нýжно всем вмéсте взя́ться за° латáние° пробóины°.	apt enraged derides crash sealing up slits cabin take up patching holes
Сегóдня во мнóгих стрáнах идёт полéмика вокрýг госудáрственного вмешáтельства в эконóмику с цéлью смягчúть° послéдствия° общемировóго крúзиса. Президéнт Фрáнции Николя́ Саркозú, до сих пор не замéченный в симпáтиях к лéвым идéям, вы́ступил с протекционúстской инициатúвой создáния европéйского «фóнда благосостоя́ния°» для скýпки° áкций европéйских компáний и дáже заявúл, что «идеолóгия дúктатуры ры́нка... мертвá».	< мя́гкий consequences welfare buying up of

Кри́зис действи́тельно тре́бует госуда́рственного вмеша́тельства. Но за́падное о́бщество, несмотря́ на радика́льную кри́тику совреме́нной моде́ли капитали́зма, не ста́вит всё же под сомне́ние ба́зовые при́нципы и це́нности° ры́ночной эконо́мики и конкуре́нтной поли́тики, тем бо́лее не и́щет реце́птов° от сего́дняшних боля́чек° в про́шлом..

values
prescriptions
ills

Росси́йское о́бщество в э́том смы́сле всё ещё подве́ржено° значи́тельным ри́скам — в си́лу его́ кра́йней фрагмента́рности и вну́тренней конфли́ктности. Антикри́зисные ме́ры, незави́симо от их эффекти́вности, неизбе́жно затра́гивают° интере́сы разли́чных социа́льных слоёв°, кото́рые — ввиду́ невысо́кой полити́ческой культу́ры и неприя́тия° компроми́ссов — мо́гут нача́ть выясня́ть отноше́ния° ме́жду собо́й по при́нципу «А ты кто тако́й?».

subject to

touch on.... concern
layers
unwillingness
выяснять отношения..... to sort
out... hurt feelings

Здесь как раз и потре́буется действи́тельно си́льное госуда́рство, но си́льное не паке́тами а́кций и разме́рами со́бственности, а приве́рженностью° и соблюде́нием «пра́вил игры́» на всех поля́х — экономи́ческом, полити́ческом, социа́льном. Ны́нешний глоба́льный «ле́вый поворо́т» — попы́тка посмотре́ть вперёд, на бу́дущее мирово́й фина́нсовой-экономи́ческой систе́мы. Но всё-таки речь должна́ идти́ и́менно о госуда́рстве как инструме́нте антикри́зисных мер, но не как о стратеги́ческом направле́нии° разви́тия.

dedication

direction

@ КОГНАТЫ

антикри́зисные ме́ры
ба́зовые при́нципы
глоба́льный
диктату́ра
иде́и
идеоло́гия
инициати́ва
инструме́нт
капита́н
компроми́ссы

конкуре́нтная поли́тика
конфли́ктность
кредито́ры
культу́ра
ла́йнер
моде́ль капитали́зма
навига́ция
национа́льный
паке́т а́кций
пассажи́р
поле́мика

полити́ческий
протекциони́стский
радика́льная кри́тика
риск
симпа́тии
социа́льные
триллио́н
фонд
фрагмента́рность
эффекти́вность

СЛОВА И ВЫРАЖЕНИЯ

бра́ться / взя́ться *за что* – to undertake *something*
    ну́жно всем вме́сте взя́ться за сокраще́ние до́лга – it is necessary for everybody to undertake the reduction of the debt

возника́ть / возни́кнуть (возни́кнут; возни́к, возни́кли) – to arise; to emerge

вре́мя для подо́бных де́йствий прошло́ – the time for such actions has passed

выводи́ть (выво́дят) / вы́вести (вы́ведут; вы́вел, вы́вела) Аме́рику из депре́ссии – to lead America out of depression

затра́гивать интере́сы разли́чных социа́льных слоёв – to affect the interests of various layers of society

идеоло́гия диктату́ры ры́нка мертва́ – the ideology of market dictatorship is dead

исто́чник ро́ста спро́са – a source of the growth in demand
    предложе́ния – ...of the increase in supply

ле́вый поворо́т – a left turn

национа́льный долг – national debt

па́дать / упа́сть (упаду́т) *на сколько* – to fall *by a certain amount*
    ВВП (валово́й вну́тренний проду́кт) упа́л наполови́ну – the GDP fell by half
    ВНП (валово́й национа́льный проду́кт) упа́л на 65% – the GNP fell by 65%

пережива́ть / пережи́ть (пережину́т) круше́ние – to go through a crash

подве́ржен, -а, -о, -ы значи́тельным ри́скам – subject to considerable risk

поле́мика: идёт поле́мика вокру́г госуда́рственного вмеша́тельства в эконо́мику – polemics surround the concept of state interference in the economy

речь идёт *о чём* – we are talking about *something*; what we are talking about is...
    о госуда́рстве как инструме́нте антикри́зисных мер – about the state as an instrument of anticrisis measures
    о стратеги́ческом направле́нии разви́тия – about the strategic direction of development

си́ла: в си́лу *чего* – due *to something*
    его кра́йней фрагмента́рности – to its extreme fragmentation
    вну́тренней конфли́ктности – to internal conflicts
    невысо́кой полити́ческой культу́ры – to the low level of political culture
    неприя́тия компроми́ссов – to the unwillingness to accept compromises

си́льный, -ая. -ое, -ые не паке́тами а́кций – not strong due to its packets of shares
   ...разме́рами со́бственности – ...due to its amount of property
   соблюде́нием «пра́вил игры́» – ...due to its adherence to the rules of the game

симпа́тии к ле́вым иде́ям – sympathies for leftist ideas

ску́пка а́кций – buying up shares

смягча́ть / смягчи́ть (смягча́т) после́дствия общемирово́го кри́зиса – to soften the consequences of the world crisis

сравне́ние как никогда́ кста́ти – a timely comparison

сравни́мый, –ая, –ое, –ые с Вели́кой депре́ссией – comparable to the Great Depression

ста́вить (ста́вят) / поста́вить под сомне́ние ба́зовые при́нципы – to start doubting basic principles

тра́тить (тра́тят) / потра́тить креди́ты *на что* – to use credits *for something*
   на кита́йские това́ры – for Chinese goods
   расхо́ды госуда́рства – for expenses of the state

це́нности – values

ЛЕКСИЧЕСКИЕ УПРАЖНЕНИЯ

A. Заполните пропуски правильными предлогами.

1. В нашей стране́ валово́й вну́тренний проду́кт уже упа́л ___ 30%.

2. Росси́я подве́ржена значи́тельным ри́скам ___ си́лу свое́й невысо́кой полити́ческой культу́ры.

3. Сейча́с идёт поле́мика ___ стратеги́ческом направле́нии разви́тия.

4. Испа́нский госуда́рственный банк силён ___ разме́рами свое́й со́бственности.

5. Европе́йским прави́тельствам ну́жно всем вме́сте взя́ться ___ борьбу́ с фина́нсовым кри́зисом.

6. Америка́нцы наде́ются, что но́вый президе́нт вы́ведет Аме́рику ___ экономи́ческого кризиса.

7. Сего́дняшний рост спро́са и предложе́ния сравни́м ___ ситуа́цией ___ 30-х года́х.

8. ___ что тра́тятся креди́ты, полу́ченные ___ тако́й высо́кий проце́нт?

Б. Дайте русские эквиваленты следующим английским фразам.

- an increase in demand and supply
- to start doubting basic principles
- due to the unwillingness to accept compromises
- to lead the country out of depression
- the state as an instrument of anticrisis measures
- to go through a crash
- buying up shares
- the GDP
- subject to considerable risk
- to be going through an economic crisis
- adherence to the rules of the game
- to achieve progress
- a timely comparison
- the state interference in the economy
- various layers of society

В. РАБОТА ПО МОДЕЛЯМ

1. Заполните пропуски словами по смыслу.

a. Нужно всем вместе взяться за   *что*
_____
_____
_____

б. В этой статье речь идёт о   *чём*
_____
_____
_____

в. В прессе идёт полемика вокруг   *чего*
_____
_____
_____

г.   Росси́йское о́бщество всё ещё подве́ржено

чему

——————
——————
——————

д.   Антикри́зисные ме́ры затра́гивают интере́сы

кого

——————
——————
——————

е.   Настоя́щий кри́зис ста́вит под сомне́ние

что

——————
——————
——————

2. Зако́нчите предложе́ния, испо́льзуя логи́чески пра́вильные фра́зы.

В настоя́щей депре́ссии америка́нский потреби́тель бо́льше не смо́жет _____. Это бу́дет тяжёлое вре́мя для Аме́рики, но ещё бо́лее тяжёлое для _____. В 1930-х гг. ВВП США упа́л почти́ _____, но мирова́я эконо́мика ру́хнула на _____ 65%.

Президе́нт Ру́звельт вы́вел Аме́рику из депре́ссии, увели́чив _____. Сего́дня это сде́лать трудне́е, потому́ что национа́льный долг США _____. Росси́я в э́той ситуа́ции обвиня́ет _____ за _____, но не зна́ет, как _____ круше́ние.

Сего́дня во мно́гих стра́нах идёт поле́мика вокру́г вмеша́тельства _____ в эконо́мику, что́бы смягчи́ть _____. Не́которые госуда́рственные де́ятели да́же заявля́ют, что «идеоло́гия диктату́ры ры́нка _____.

Кри́зис действи́тельно тре́бует госуда́рственного вмеша́тельства, но за́падное о́бщество, хотя́ и критику́ет _____, не ста́вит всё же под сомне́ние _____ и _____.

Росси́йское о́бщество си́льно подве́ржено _____ в си́лу его́ _____ и _____. Антикри́зисные ме́ры, как в любо́й стране́, затра́гивают _____, кото́рые в Росси́и име́ют невысо́кую полити́ческую культу́ру и не уме́ют разреша́ть _____ ми́рным путём.

В э́той ситуа́ции и потре́буется си́льное госуда́рство, но си́льное _____ и _____ на всех поля́х — экономи́ческом, полити́ческом, социа́льном. Но всё-таки речь должна́ идти́ и́менно о госуда́рстве как инструме́нте антикри́зисных мер, но не как о _____.

Д. Ответьте на вопросы.

1. Мáнтра капитали́зма «demand and supply». Как э́то бýдет по-рýсски?

2. Какóй кóрень (root) слóва «расхóды»? Вы узнаёте глагóл движéния?

3. Что такóе ВВП и ВНП? Объясни́те рáзницу мéжду ни́ми.

4. Найди́те в тéксте выражéние, противополóжное фрáзе «привести́ странý к депрéссии».

5. В предыдýщем урóке мы познакóмились с несовершéнным (imperfective) глагóлом «пережива́ть» в значéнии «to experience». В э́том урóке вы встречáетесь с его́ совершéнной фóрмой «пережи́ть», котóрый перевóдтся на англи́йский как «to have gone through».

6. За что вам нýжно срóчно взя́ться? А нáшей странé?

7. Ещё оди́н глагóл движéния в полити́ческом контéксте: «полéмика идёт», как бýдто у неё есть нóги! Что ещё мóжет идти́?

8. Чýвства в рýсском языкé чáсто «к» комý-то или чемý-то. Как сказáть «love for» или «hatred for»?

9. Найди́те в тéксте «the ideology of... is dead». А как стазáть «to die»?

10. «Стáвить под сомнéние» значит "to start doubting". «Сомнéние» отвечáет на вопрóс «кудá». Но «быть под сомнéнием» отвечáет на вопрóс «где».

11. Назови́те рáзные «социáльные слои́».

12. Нéкоторые рýсские прилагáтельные (adjectives) трéбуют твори́тельного (instrumental) падежá. Напримéр, «си́льный» чем. А как скáзать "rich or poor in something"?

УПРАЖНЕНИЕ НА ГРАММАТИКУ: ПОВТОРЕНИЕ ПАССИВНЫХ ПРИЧАСТИЙ

 Причастия страдательного залога. Повторите пассивные причастия в Круге 1, Урок 4. Определите тип причастия в данных предложениях. Замените их относительными придаточными предложениями. Переведите их на английский язык.

Образец: Он выступил на *состоявшейся* сегодня в посольстве России в Италии пресс-конференции российских ученых.

Он выступил на пресс-конференции российских учёных, *которая состоялась* сегодня в посольстве России в Италии.

1. В обстановке открытости можно добиться положительных результатов, *способствующих* улучшению международной обстановки.

2. В экспозиции более 1600 экспонатов, *знакомящих* американцев с жизнью Китая.

3. Декларацию подписали ученые, *принявшие* участие в седьмом международном симпозиуме.

4. *Прошедшая* в Риме конференция представляет собой существенный шаг к созданию сектора науки, свободного от секретов.

5. Российские рыбаки, *рассчитывавшие* после нескольких месяцев промысла получить двухнедельный отдых, встретили недружественный приём.

6. К подобному курсу, не *отвечающему* принципам добрососедства, относится также плохое отношение к японским компаниям, *поддерживающим* взаимовыгодные отношения с Россией.

7. Эти совместные предприятия смогут избавиться от *отнимающих* время безрезультатных переговоров.

8. США используют аргументы, не *имеющие* никакого отношения к политике и *ведущие* к росту нестабильности.

9. Остановлено движение по важным железнодорожным магистралям, *связывающим* восточные и западные районы страны.

ГРАММАТИКА: "THE MEASURED" (ПРОДОЛЖЕНИЕ)

Введение. Повторите таблицу "The Measured" в Круге 1, Урок 2.

A. Regular compound numeric adjectives. Russian can easily form numberical adjectives as in the phrases:

пятиле́тний план – five-year plan
двадцатипятитикилометро́вая зо́на – twenty-five-kilometer zone

The basic formula for such compounds look like this:

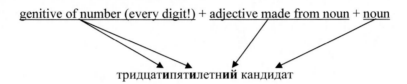

genitive of number (every digit!) + adjective made from noun + noun

тридцати**пяти**летний кандидат

Typical examples. *Important!* In this list we have spaced out the genitive numeric stem from the adjectival part of the compunt. But in printed Russian, compound numeric adjectives are written together as one long word.

Numeral stem in genitive	Adjective stem	Noun
forms one word		
пяти…	ты́сячный	жи́тель
девяти…	ме́сячное	чрезвыча́йное положе́ние
трёх…	миллио́нный	избира́тель
восьми…	миллиа́рдный	дефици́т
шести…	веково́й	гнёт
сорокадвух…	ле́тний	офице́р
одиннадцати…	дне́вный	переры́в
пятидесяти…	часова́я	програ́мма
четырнадцати…	метро́вое	расстоя́ние
двухсот…	сантиметро́вое	окно́
четырёхсотшестидесяти…	километро́вая	грани́ца
семисоттридцати…	то́нный	урожа́й
тридцатипяти…	килограммо́вый	снаря́д
семи…	гра́дусный	моро́з
восьми…	ле́тний	план

Б. Exceptions and notable quantities.

1. **Numerals 100 and 90.** Compound numeric adjectives with 90 and 100 use a nominative-case stem:

стопятидесятимиллиметро́**вая** га́убица
125-millimeter howitzer

девяносточетырёхле́**тний** стари́к
94-year old man

2. **Half.** Note these examples for formulas for adjectives with "half":

half- + adjective – **полу** + adjective:
получасова́я речь – half-hour speech

*n***-and a half** – number in genitive + **с полови́ной** + adjective:
шести́ с полови́ной ты́сячный стадио́н (separate words)

one-and-a-half – Russian has special words for *one and a half* – **полтора́** (*plus masculine or neuter*, e.g. **полтора́ миллио́на**) and **полторы́** (*plus feminine*: **полторы́ то́нны**). The genitive form used in compounds is **полу́тора**: **полуторачасова́я програ́мма**.

ГРАММАТИЧЕСКИЕ УПРАЖНЕНИЯ : "THE MEASURED"

А. Составьте фразы. Переведите следуюшие фразы на русский язык, следуя формуле **В + винительный падеж**. Используйте альтернативную форму «составное числительное-прилагательное», где это возможно.

Образец:

An eight-month marshal law

Восьмимесячное чрезвычайное положение
Чрезвычайное положение **в восемь** месяцев

1. a ten-item plan of retreat (отступление)
2. a four-ship convoy (конвой)
3. a 12-member group of analysts
4. a 46,000-ton supertanker (супертанкер)
5. a half-million-man army
6. a five-percent rate of growth
7. an 11-hour flight
8. a 203-millimeter howitzer (гаубица)

9. a 40,000 kilometer range missile
10. an $18 billion volume of trade
11. a $5 per barrel increase in the price of oil
12. an eight-week cease-fire
13. at a distance of 12 miles from the capital
14. a 26-million dollar credit
15. a 12-month state of emergency
16. a seven-vote majority
17. a two-day conference
18. a five-year plan
19. a half-hour break
20. a 3,000-year history
21. a 1,600-exhibit (экспонат) show
22. a nine-year "tanker" war
23. an hour-and-a-half intermission
24. a 30-minute speech

Б. Дайте ваши примеры на выражение "The Measured".

УПРАЖНЕНИЯ НА УСТНУЮ РЕЧЬ

А. Дискуссия. Начните дискуссию на тему, предложенную в следующих предложениях используя:

для нача́ла ну́жно определи́ть, что тако́е...
это помо́жет объясни́ть, почему́...

1. Мирово́й эконо́мике грози́т спад, сравни́мый с Вели́кой депре́ссией.
2. Други́е исто́чники спро́са, несомне́нно, возни́кнут, но не сра́зу.
3. Больши́е потрясе́ния ча́сто сра́внивают с ги́белью «Тита́ника».
4. Тепе́рь ну́жно всем вме́сте взя́ться за лата́ние пробо́ины.

Б. Цитирование источников. Процитируйте следующие предложения, используя:

в э́той статье́ говори́тся, что...
по слова́м а́втора,...
из журнали́стских исто́чников ста́ло изве́стно, что...

1. Национа́льный долг США уже превыша́ет $10 трлн.
2. Мирова́я эконо́мика ру́хнула на 65%.
3. Президе́нт Фра́нции, до сих пор не заме́ченный в симпа́тиях к ле́вым иде́ям, вы́ступил с протекциони́стской инициати́вой.
4. Но за́падное о́бщество, несмотря́ на радика́льную кри́тику совреме́нной моде́ли капитали́зма, не ста́вит всё же под сомне́ние ба́зовые при́нципы и це́нности ры́ночной эконо́мики.

В. Выразите своё согласие или несогласие в предложениях ниже, используя:

тру́дно согласи́ться с тем, что...
де́ло в том, что...
тру́дно не согласи́ться с тем, что...
ведь...

1. За свой двенадцатиле́тний срок президе́нт Ру́звельт вы́вел Аме́рику из депре́ссии, увели́чив расхо́ды госуда́рства.
2. «Идеоло́гия диктату́ры ры́нка мертва́».
3. За́пад не и́щет реце́птов от сего́дняшних боля́чек в про́шлом.
4. Росси́йское о́бщество си́льно ещё подве́ржено значи́тельным ри́скам и́з-за его́ кра́йней фрагмента́рности и вну́тренней конфли́ктности.
5. Сего́дня речь должна́ идти́ и́менно о госуда́рстве как инструме́нте антикри́зисных мер.

Г. Выразите своё мнение в следующих предложениях, используя:

я ли́чно ду́маю, что...
де́ло в том, что...
мне ду́мается, что, ...
ведь...

1. Возмо́жно, но́вым исто́чником спро́са могли́ бы стать стра́ны-кредито́ры, т. е. Япо́ния, Кита́й, Сау́довская Ара́вия и Росси́я..
2. Кри́зис действи́тельно тре́бует госуда́рственного вмеша́тельства.
3. В Росси́и разли́чные социа́льные слои́, кото́рые не мо́гут договори́ться и́з-за невысо́кой полити́ческой культу́ры и неприя́тия компроми́ссов.
4. Здесь как раз и потре́буется действи́тельно госуда́рство, си́льное приве́рженностью и соблюде́нием «пра́вил игры́» на всех поля́х — экономи́ческом, полити́ческом, социа́льном.
5. Сейча́с речь должна́ идти́ и́менно о госуда́рстве как инструме́нте но́вого стратеги́ческого направле́ния.

Д. Вы согла́сны? Отве́тьте на следующие вопросы по тексту урока, цитируя текст статьи, соглашаясь или не соглашаясь с автором и выражая своё мнение.

1. С чем мо́жно сравни́ть сего́дняшний мирово́й спад в эконо́мике?
2. Что произошло́ с основны́м исто́чником ро́ста спро́са в ми́ре?
3. Как президе́нт Ру́звельт за свой двенадцатиле́тний срок вы́вел Аме́рику из депре́ссии?
4. Почему́ сего́дня зада́ча, стоя́щая пе́ред америка́нским президе́нтом, сложне́е?
5. Почему́ сравне́ние с ги́белью «Тита́ника» сего́дня как никогда́ кста́ти?
6. Вокру́г чего́ сего́дня идёт поле́мика во мно́гих стра́нах?
7. Каково́ отноше́ние за́падного о́бщества к совреме́нной моде́ли капитали́зма?
8. Кака́я ситуа́ция в э́том смы́сле в росси́йском о́бществе?
9. Како́е госуда́рство потре́буется для реше́ния э́той пробле́мы?

Е. 1. Переска́з. Расскажите вторую часть урока 3, цитируя текст статьи, соглашаясь или не соглашаясь с её автором и выражая своё мнение.

2. Цити́рование исто́чников. Суммируйте первую и вторую части Урока 3. Не забывайте цитировать источники, (не) соглашаться и выражать своё мнение!

Ж. Дополнительные вопросы (optional)

1. Вели́кая депре́ссия 1929 года.
2. Причи́ны экономи́ческого кризиса 2008 года.
3. Сравни́те экономи́ческий кризис 1929 года с сего́дняшним кри́зисом.
4. Как сего́дняшний кри́зис измени́л америка́нский капитали́зм?
5. Каку́ю роль в эконо́мике должны́ игра́ть прави́тельство и ры́нок?

@ З. Разговор. Прослушайте разговор двух журналистов до пресс-конференции с представителем российского президента по вопросу мирового экономического кризиса и разыграйте его с другим студентом.

Антон: Ну, вот мы и ста́ли ча́стью за́падного ми́ра. За что боро́лись, на то и напоро́лись!

Вероника: Ты про кри́зис?

Антон: Про что же ещё? По́мнишь хро́нику 30-х годо́в: лю́ди с ми́сками стоя́т в длинных очередя́х за беспла́тным су́пом? Ско́ро и у нас бу́дут таки́е.

Вероника: Ме́жду про́чим, Сове́тский Сою́з был еди́нственной страно́й, кото́рую кошма́р Вели́кой депре́ссии не му́чил. Тогда́ весь мир смотре́л на нас с наде́ждой.

Антон: Ну, не увлека́йся! У нас бы́ли свои́ кошма́ры. И неизве́стно, каки́е страшне́е – коммунисти́ческие или капиталисти́ческие?

Вероника: Мне тру́дно суди́ть. Я никогда́ не стоя́ла в о́череди за су́пом, да и коммунисти́ческих кошма́ров не заста́ла. Но это всё уже́ дре́вняя исто́рия. А вот как на́ше прави́тельство бу́дет боро́ться с ны́нешним кри́зисом?

Антон: Ду́маю, что оно собира́ется копи́ровать то, что де́лают в Аме́рике, то́ есть про́сто даст ба́нкам и крупне́йшим предприя́тиям па́ру деся́тков миллиа́рдов до́лларов и бу́дет ждать, когда́ па́ника уля́жется и всё вернётся на свои́ места́, в том числе́ и цена́ на нефть.

Вероника: Да, цена́ на нефть была́ заобла́чной. Нефтяно́й бог до́лго благоволи́л Пу́тину. Но я ду́маю тепе́рь, когда́ во всём ми́ре спрос на то́пливо па́дает, таки́х цен не бу́дет. И я наде́юсь, что на́ше прави́тельство не ста́нет сиде́ть и ждать чу́да.

Антон: Не зна́ю. По-мо́ему, у прави́тельства всё, что происхо́дит, вызыва́ет и́скреннее недоуме́ние. На́ши руководи́тели всё ещё счита́ют, что кри́зис где-то далеко́ и нас не каса́ется. А фина́нсовые ры́нки ви́дятся им гру́ппой спекуля́нтов с больши́ми носа́ми, кото́рые торгу́ют чем-то эфеме́рным!

Вероника: Ты зна́ешь, я то́же здесь не всё понима́ю. Как спекуля́ции на фо́ндовом ры́нке мо́гут засто́порить на́шу мускули́стую эконо́мику?

Антон: Так почита́й кла́ссиков маркси́зма-ленини́зма. Зна́ешь, что прода́жа «Капита́ла» Ка́рла Ма́ркса сейча́с увели́чились в де́сять раз? Покупа́ет в основно́м молодёжь. «Бьёт час ча́стной со́бственности, экспроприа́торов экспроприи́руют… Гряде́т но́вая социалисти́ческая револю́ция….»

Вероника: Ну, я бы не ста́ла де́лать таки́е далеко́ иду́щие вы́воды. За́падное о́бщество хотя́ и критику́ет совреме́нную моде́ль капитали́зма, но не гото́во распроща́ться с ры́ночной эконо́микой.

Антон: Пока́ не гото́во! Но вспо́мни, как президе́нт Фра́нклин Ру́звельт вы́вел Аме́рику из депре́ссии? Он увели́чил расхо́ды госуда́рства. Как Ги́тлер реши́л вопро́с безрабо́тицы? Он на́чал стро́ить доро́ги и госуда́рственные предприя́тия! Да́же совсе́м не ле́вый президе́нт Фра́нции Николя́ Саркози́ вы́ступил за ску́пку госуда́рством а́кций компа́ний и да́же заяви́л, что «идеоло́гия диктату́ры ры́нка… мертва́»!

Вероника: Ну, не зна́ю, как насчёт «мертва́», но то, что для вы́хода из ны́нешнего кри́зиса потре́буется госуда́рственное вмеша́тельство, это то́чно.

Антон: Ты зна́ешь, мы с тобо́й, Верони́чка, на глаза́х леве́ем.

Вероника: Это, наве́рное, у нас в ге́нах! Пошли́ в зал! Нас зову́т.

Полезные слова:

«Бьёт час ча́стной со́бственности, экспроприа́торов экспроприи́руют…» – "the *hour of private property has passed, those who expropriate will be* expropriated..."

благоволи́ть – to favor

ви́деться чем – to appear as

грясти́ – приближа́ться – to be close (temporal)

далеко́ иду́щие вы́воды – far-fetched conclusions

за что боро́лись, на то и напоро́лись! – we got what we asked for!

кла́ссики маркси́зма-ленини́зма – classics of Marxism-Leninism

леве́ть – станови́ться «ле́вым» – to veer to the left

не заста́ть – not to have been touched by

сиде́ть и ждать чу́да – to sit and wait for a miracle

тру́дно суди́ть – it is hard to judge

этот кошма́р нас не му́чил – this was not a nightmare for *us*

УПРАЖНЕНИЕ НА ЧТЕНИЕ

ПРЕДТЕКСТОВЫЕ УПРАЖНЕНИЯ

А. Фоновáя информáция. This article was published at the beginning of the World Financial Crisis in fall 2008. George W. Bush was now a lame-duck president. In reading this article keep in mind that "liberal" in its original nineteenth meaning referred to the free and unfettered market. The term has retained that shade of meaning in modern Russian politics.

The article begins with a reference to the 1980 U. S. presidential campaign (Ronald Reagan vs. Jimmy Carter).

Б. Нýжные словá

безвозмéздно – gratis

вдавáться: не вдавáясь *во что* – while refraining *from something*

возрождéние – *lit.* renaissance; *here:* recovery

жáдность – greed

конъюнктýра – situation; state of affairs

нéчто = **чтó-то**

ограждённый = **защищённый**

отнюдь не – *high style*: not at all; hardly

отставáть (отстаю́т) /отстáть (отстáнут) *от чего* – to lag begind

переподчинéние – resubordination

перехвáт < **пере** 're' + **хват-** 'grab', 'take'

побуждáть/побудúть *кого-что делать что* – to encourage *or* inspire *someone to do something*

привéрженность *чему* – loyalty *to something*

присýщий *чему* – inherent *in something*

прописа́ть срок – to set a deadline

развора́чиваться/разверну́ться – to unfold

реализа́ция – turning into a reality; bringing into play: **для практи́ческой реализа́ции э́той идеоло́гии**... – in order to make this ideology a practicality

резо́нно *cognate of what English word?*

РСПП = Росси́йский сою́з промы́шленников и предпринима́телей

сле́довало бы = бы́ло бы лу́чше

спаса́ть/спасти́ (спасу́, спасёшь, спас; спасла́) – to rescue; *What then is a* **спаса́тельный круг** *and to whom does one throw it?*

сходи́ться/сойти́сь в чём – to be of one mind *about something:* **схо́дятся в двух посы́лах** – are in agreement about two issues

туши́ть пожа́р – to extinguish a fire

управля́ть *чем* – to run; to direct *something*

це́нности – values; principles

B. Кто есть кто? Read the article to find out what was said about the cast of characters.

U.S. Democratic Party, which always stood for...
Silvio Berlusconi, a center-right media magnate and on-and-off Prime Minister of Italy, a pragmatic who wants to...
George W. Bush, U.S. lame duck president, who on the eve of a G-20 summit called on participants to...
The U.S. government, which pumped almost a trillion dollars to save those who...
The British Labor Party, which is actually to the political right of...
Vladimir Mau, economist who says govrnments are duty bound to...
The Financial Times, which ran a headline saying...
Gordon Brown, British Laborite Prime Minister who is willing to sacrifice...
The two major American political parties, who don't care about..., but rather...
The left and right wings of Western politics, who both want to close the doors on...
Western democracies, which won't turn nationalistic because of historical lessons learned by...
Russia, which, according to Aleksandr Shokhin, should...

Государственное вмешательство
в преодоление общемирового кризиса

"Что такое рецессия экономики? Рецессия – это когда твой сосед потерял работу. Депрессия – это когда ты потерял работу, а возрождение – это когда Джимми Картер потеряет работу". Такими словами Рональд Рейган "пригвоздил" кандидата от демократической партии, которая в отличие от республиканцев всегда выступала за более активное участие государства в разрешении финансово-экономических проблем.

Сегодня о том высказывании Рейгана стоит вспомнить в связи с развернувшейся полемикой вокруг государственного вмешательства в преодоление общемирового кризиса. Дело в том, что, не вдаваясь в идеологические споры, прагматик Берлускони рассматривает нынешнюю кризисную конъюнктуру как возможность построить государственный капитализм, отделённый, даже ограженный от посторонних. Что для итальянского премьера, пришедшего в большую политику из бизнес-среды, означает в том числе еще более жесткий контроль над финансовыми потоками.

Ему вроде бы возражает американский президент, который в преддверии международного экономического саммита "двадцатки" в Вашингтоне призвал его участников "подтвердить свою приверженность принципам свободного предпринимательства и свободной торговли". При этом государство уже инвестировало в поддержку рынка на деньги налогоплательщиков почти триллион долларов, не обращая внимания ни на либеральные рассуждения Буша, ни на мнения экспертов, резонно считающих, что государство фактически спасает тех, кто из-за жадности и алчности вел слишком рискованную игру.

Впрочем, спасательный круг бросается терпящим крах банкам и компаниям отнюдь не безвозмездно, не из гуманных соображений. В обмен происходит фактическая национализация со всеми присущими ей рисками. Один из них – безусловное переподчинение национализированных предприятий: управлять ими будут в дальнейшем не правила свободного рынка, а так называемые государственные интересы. Это фактически физические лица, которые находятся во власти или около нее.

Так, Гордон Браун (он, конечно, лейборист, но британские "левые" всегда были большими либералами, чем континентальные "правые") уже заявил, что будет побуждать правительства банки вкладывать больше средств в малый бизнес. Дело, безусловно, хорошее, однако, как пишет известный российский экономист Владимир Мау, "последствия такого рода решений нетрудно спрогнозировать: если власти дают указания, куда вкладывать деньги, то они должны будут оказать поддержку своему банку, когда эти политически заданные инвестиции окажутся неэффективными".

Отчего же вдруг "все стали теперь социалистами", как гласит заголовок недавней статьи в "Файнэншл таймс"?

За "социалистической" и популистской фразеологией и практикой стоят вполне конкретные политические интересы. Тот же лейбористский лидер Гордон Браун, значительно отстающий сегодня по рейтингам от консерваторов, готов на любые меры, в том числе противоречащие рыночным ценностям, чтобы повысить собственную популярность. Да и в США, где предстоят выборы, оба кандидата в президенты выработали антикризисные программы, не столько эффективные, сколько привлекательные для избирателей.

Таким образом, западное общество в условиях кризиса, безусловно, в какой-то мере радикализируется, причем с одной стороны правый и левый края политической сцены сходятся в двух посылах: кризис нынешней модели капитализма (фактически – американской) действительно требует государственного вмешательства, а с другой стороны резко негативная экономическая конъюнктура требует избавления от иммигрантов, перед которыми следует немедленно закрыть все входные двери. Классический вариант внутреннего и внешнего "врага".

Получается нечто вроде "националсоциализма" в прямом значении этих слов: национализм плюс социализм. Для практической реализации такого рода идеологии в западных демократиях нет достаточной социальной базы. Там общество, несмотря на политический плюрализм, не ищет рецептов от сегодняшних социальных кризисов в жестоких опытах прошлого. Германия хорошо усвоила урок последствий такого рода, примитивных решений и агрессивной риторики.

Можно сказать, что нынешний глобальный "левый поворот" – попытка посмотреть вперед – на будущее мировой финансово-экономической системы. Глава РСПП Александр Шохин был прав, когда предупреждал, что трудности, которые переживает российская экономика, не должны привести к перехвату собственности и что следовало бы прописать конечный срок жизни госкорпораций и их преобразования в открытые акционерные общества.

По материалам Виталия Дымарского

ПОСЛЕТЕКСТВЫЕ УПРАЖНЕНИЯ

Literary **Redundancy** through use of synonymous phrases is one of the main stylistic devices of expository prose. Writers use redundancy to hold a paragraph or series of paragraphs together. This allows the reader to follow the direction of a writer's line of argument. Note the following example:

> Мы **поражались** происходящему **массовому** строительству бомбоубежищ. Нас **удивлял масштаб** этого строительства.

> Неслыханным образом война **ускорила социальное развитие**. Она **подтолкнула историю**.

The **use of opposites** is another important stylistic device which allows the writer to make a stronger point.

> Нужно не **отменять** курсы истории, а **вводить** новые.

In this lesson and the ones to follow you will often be asked to find instances of **stylistic redundancy** and of **use of opposites**.

1. The article proceeds from...
a. examples to statement.
b. statement to illustrations.

Paragraph 1

2. There is one use of literary redundancy and one use of opposites.

Paragraph 2

3. **Дело в том, что**,... marks...
    a. support of the previous statement.
    b. contradiction of the previous statement.

4. In the same sentence, circle the word to which a verbal adverb **не вдаваясь** refers.

5. In the same sentence, find the use of literary redundancy.

6. In the last sentence, circle the word to which a participle **пришедшего** refers.

Paragraph 3

7. In the first sentence of this paragraph, **свободного предпринимательства** echoes back to **жёсткий контроль над финансовыми потоками** as a...
    a. literary redundancy.
    b. use of opposites.

8. In the second sentence, circle the word to which a verbal adverb **не обращая** refers.

9. In the last sentence of this paragraph, find the use of literary redundancy.

Paragraph 4

10. In the first sentence **впрочем** is a transition marker, which means...
    a. support of the statement .
    b. shift to a new angle.

11. In the same sentence, there is a use of literary redundancy. Find and explain it.

Paragraph 5

12. In the first sentence **итак** marks a...
    a. beginning of the argument.
    b. conclusion.

13. In the last sentence, a quote from a Russian economist **последствия такого рода решений нетрудно спрогнозировать** is a sentence where there is no subject because it is...
    a. disguised in genitive case.
    b. an impersonal construction
    c. an **они**-omitted construction.

Paragraph 6

14. In the first sentence, find the use of opposites.
15. In the second sentence, there are two present active particles, Find them and circle the words to which they refer.

Paragraph 8

16. There are three transition markers in this paragraph. Find and and classify them.

Paragraph 9

17. In sentence two, there is no subject because it is...
    a. disguised in genitive case.
    b. an impersonal construction
    c. an **они**-omitted construction.

Paragraph 10

18. There are three transition markers in this paragraph. Find and classify them.

@ УПРАЖНЕНИЯ НА АУДИРОВАНИЕ

А. О чём идёт речь? In this segment two radio hosts interview Evengy Yasin, a former economics minister, about the state of the Russian economy. The broadcast occurred shortly after the beginning of the World Economic Crisis, which began with the U.S. sub-prime mortgage crash of 2008. At the time, Russia's economy was dependent on oil and gas exports.

The interview begins when the host asks Yasin what he thinks of the latest economic forecasts.

Б. Нужные слова

расстра́ивать / расстро́ить – to upset: **Этот прогно́з меня́ расстро́ил.**

позволя́ть / позво́лить себе́ *что* – to allow oneself *something*

долг – duty: **по до́лгу слу́жбы до́лжен** *делать что* – is duty bound *to do something*

обнадёживающие заявле́ния – uplifting pronuncements

просло́йка – *lit.* layer; *here:* contingent: **Слова́ напра́влены к у́зкой просло́йке на́ших согра́ждан, кото́рые в Кремль обраща́ются за деньга́ми.**

ипоте́чные креди́ты – mortgage loans

забира́ть / забра́ть дом – to foreclose on a house

исто́чник ро́ста благосостоя́ния – source of growth of well-being

объёмы (приро́дных, трудовы́х) ресу́рсов – amounts of (natural, labor) resources

В. Полити́ческий о́блик Евге́ния Ясина. Start out by listening to determine whether Evegeniy Yasin is a free marketeer or whether he believes in strong government intervention. Which of the following things did he say?

❑ The government should avoid overspending.
❑ The government cannot allow major industries to fail.
❑ Only competitive industries have done well in the last eight years.
❑ The Kremlin bears the ultimate responsibility for supplying credit.

Г. Кто что сказал? Match the speaker to the statement.

1. Ведущий передачи
2. Финансовый министр РФ Алексей Кудрин
3. Лауреат Нобелевской премии по экономике Роберт Мандел
4. Бывший министр финансов РФ Евгений Ясин
5. Никто этого не говорил

а. Ипотечный кризис в России уже приобрёл американские масштабы.

б. Не нужно рассчитывать на природные ресурсы для выхода из кризиса.

в. Нынешний кризис никогда не закончится.

г. Трудно поверить пессимистическим экономическим прогнозам.

д. Финансовый кризис продлится не меньше, чем три года.

Д. Главные идеи. One of the challenges of listening to impromptu paragraphed speech is extracting the main ideas. Based on what you have seen so far, which is Yasin's main idea?

a. Russia must move its economy away from natural resources.
b. The Ministry of Finance should allow failing industries to fail.
c. The government will eventually have to bail out Russian banks.
d. The Kremlin has previously allowed too many monopolistic practices.

Now find those key sentences that support your conclusion.

Е. Язык в контексте. Прослушайте интервью ещё раз с тем, чтобы узнать, как сказать:

1. Этот прогноз [scared me] _____.

2. Эти деньги [will be especially necessary] _____, когда мы начнём выходить из кризиса.

3. Эти слова обращены к тем, кто [turn to the Kremlin for money] _____.

4. [The scale of the debt] _____ российских сограждан не сравнимы с американскими.

5. Мы раньше говорили, что [we had no such crisis] _____, но с точки зрения модернизации нашей экономики [we have done practically nothing] _____.

6. [One can debate this] _____, но там где была конкурентная обстановка, экономика развивалась нормально.

7. Мы не можем втягивать [additional amounts of natural resources] _____, потому что они становятся [more and more expensive] _____.

КРУГ ВТОРОЙ

УРОК ЧЕТЫРЕ
ТЕРРОРИЗМ И
ВОЙНЫ

@ **ТЕКСТ. Прослушайте текст, затем прочитайте и переведите его на английский язык в письменной форме.**

Часть 1
ТЕРАКТЫ В МУМБАЕ: ПОЧЕРК «АЛЬ-КАИДЫ»

Нападе́ние террори́стов на Мумба́й ста́ло одно́й из са́мых кру́пных террористи́ческих ата́к, произошéдших в ми́ре по́сле 11 сентября́ 2001 го́да. Бо́льше двух су́ток террори́сты держа́ли в стра́хе° оди́н из гла́вных городо́в Индии. В результа́те э́той вы́лазки° о́коло двухсо́т челове́к бы́ло уби́то и не́сколько сот ра́нено. Премье́р-мини́стр Индии Манмоха́н Сингх в пе́рвом же своём публи́чном выступле́нии по́сле тера́кта заяви́л, что де́йствиями террори́стов руководи́ла группиро́вка, бази́рующаяся за преде́лами° Индии. Хотя́ премье́р и воздержа́лся° от прямо́го указа́ния на Пакиста́н, намёк° был поня́тен.

terrorize
bold attack

outside
refrained
hint

В инди́йских СМИ уже́ разверну́лась но́вая а́нти-пакиста́нская кампа́ния. Журнали́сты «тре́бовали

крови»°, прямо обвиняя Исламабад в спонсировании   demand blood
терроризма, и возмущались° «мягкотелостью»°   was upset with
индийского правительства, которое, по их мнению, не   weakness
отреагировало «должным образом». Так сложилось°,   came about
что все громкие теракты в индийских городах Дели
традиционно приписывает° Исламабаду. Например, в   attribute to …
декабре 2001 года террористы взяли штурмом здание
индийского парламента. Индия сразу же обвинила в
теракте Пакистан и начала переброску войск к
границе. В ответ пакистанские войска сконцентриро-
вались на востоке страны, вблизи индийских
рубежей°. Напряжение было настолько велико, что   border
возникла угроза атомной войны между двумя
азиатскими странами. Очевидно, что и
террористическая операция в Мумбае должна была
привести к обострению отношений между Индией и
Пакистаном.

Однако возникает° вопрос: нужен ли сейчас Паки-   arise
стану конфликт с Индией? А Индии – конфликт с
Пакистаном? Ведь сегодня отношения между двумя
странами во многом определяются° наличием° у них   defined   presence
ядерного оружия и средств его доставки — реактивных
самолётов и баллистических ракет различной дальности. В последние годы обе стороны стараются воздер-
живаться° от резких движений в отношении друг   to refrain from
друга – уже давно не было индо-пакистанских войн, а
ведь всего 30–40 лет назад они составляли
неотъемлемую° часть политической картины мира.   inseparable
Периодически возникающие пограничные и
межрелигиозные конфликты стороны стремятся
гасить° дипломатическим путём.   to extinguish

Надо заметить, что теракт в Мумбае не выгоден
«главному подозреваемому°» – Пакистану, в адрес   the main suspect
которого уже прозвучали обвинения в причастности°   taking part
к подготовке акции: мол°, боевики, осуществившие°   in (his/her/their) words   who
теракт, были уроженцами° этой страны и готовились   committed
на её территории. Пакистан в настоящее время пере-   natives
живает, мягко говоря, сложное время. В стране
разворачивается внутренний конфликт, связанный с
проводимой США и их союзниками операцией в
Афганистане. Некогда° тесный союз с США в настоя-   bygone

щее вре́мя обора́чивается для Исламаба́да ино́й стороно́й° – америка́нские боевы́е самолёты и вертолёты, «охо́тясь° за террори́стами», нано́сят уда́ры уже́ по террито́рии Пакиста́на, что справедли́во воспринима́ется сами́ми пакиста́нцами как акт агре́ссии. В э́тих усло́виях идти́ на вое́нный конфли́кт с Индией бы́ло бы самоуби́йством для любо́го пакиста́нского прави́тельства. В результа́те де́йствия Пакиста́на, напра́вившего в Индию главу́ разве́дывательной слу́жбы для обме́на информа́цией о тера́кте, вполне́ логи́чны. Таки́м о́бразом, Пакиста́ну не вы́годно дразни́ть° Индию, устра́ивая на её террито́рии гро́мкие тера́кты. Сли́шком тяжёлыми мо́гут быть после́дствия эскала́ции конфли́кта. Сто́роны, скоре́е, ока́жут друг дру́гу по́мощь в по́исках и ликвида́ции тех, кто руководи́л террори́стами и обеспе́чивал° их подгото́вку. Но кому́ был ну́жен тера́кт в Мумба́е?

оборачивать … иной стороной – to take a different turn

hunting

taunt

guaranteed; assured

@ КОГНАТЫ:

акт агре́ссии
бази́рующаяся
баллисти́ческие раке́ты
группиро́вка
дипломати́ческий
информа́ция
кампа́ния
конфли́кт

ликвида́ция
межрелигио́зные
конфли́кты
опера́ция
отреаги́ровать
публи́чный
реакти́вный

результа́т
сконцентри́ровать
спонси́ровать
террито́рия
террористи́ческая ата́ка
штурм
эскала́ция

СЛОВА И ВЫРАЖЕНИЯ

боевы́е самолёты и вертолёты «охо́тятся за террори́стами» – combat planes and helicopters hunt down the terrorists

взя́ть шту́рмом – to storm
    зда́ние парла́мента – the Indian Parliament
    гости́ницу – the hotel

вое́нный конфли́кт с Индией был бы самоуби́йством *для кого* – a military confrontation with India would be suicidal *for someone*

воздержа́ться *от чего* – to refrain from *something*
    от прямо́го указа́ния на Пакиста́н – from pointing a finger at Pakistan
    от обвине́ния Пакиста́на – from accusing Pakistan

возде́рживаться от *чего* – to refrain from *something*

> **от ре́зких движе́ний в отноше́нии друг дру́га** – provocative moves vis-à-vis each other
>
> **от пограни́чных и межрелигио́зных конфли́ктов** – from border and religious conflicts

возмуща́ться *чем* to be upset about *something*

> **«мягкоте́лостью»** – about the spinelessness (of…)
>
> **нереши́тельностью** – …about the indecisiveness (of…)

возни́кла угро́за а́томной войны́ – a threat of nuclear war emerged

> **угро́за обостре́ния отноше́ний ме́жду** *кем* – threat of the deterioration of relations with *someone*

воспринима́ться *кем* **как акт агре́ссии** – to be perceived *by someone* as an act of aggression

вы́годен, вы́годна, – о, -ы *кому* – in the interest *of someone*

> **«гла́вному подозрева́емому»** – of the main suspect
>
> **боевика́м, осуществи́вшим тера́кт** – of the terrorists who implemented the terrorist act
>
> **разве́дывательной слу́жбе** – … of the intelligence services

гаси́ть (га́сят) дипломати́ческим путём – to solve in a diplomatic fashion

держа́ть в стра́хе жи́телей – to terrorize the population

дразни́ть (дра́знят) to taunt

> **Инди́ю** – India
>
> **боевико́в** – the terrorists

концентри́ровать (концентри́руют)/сконцентри́ровать войска́ на восто́ке – to mass troopes in the East

нападе́ние на го́род – attack on the city

нача́ть перебро́ску войск к грани́це – to begin troop movements to the border

обвиня́ть / обвини́ть (обвиня́т) *кого (асс.)* **в спонси́ровании** *чего* = **припи́сывать** *кому* **подде́ржку** *чего* – to accuse *someone* of sponsoring *something*

> **обвиня́ть** *кого* **в нападе́нии на Мумба́й** – accuse *someone* of the attack on Mumbai
>
> **в прича́стности к подгото́вке а́кции** – …of participating in the preparation of the action

обеспе́чивать to secure

> **подгото́вку тера́кта** – the preparation of the terrorist act
>
> **ликвида́цию руководи́телей** – the liquidation of the leaders

отноше́ния во мно́гом определя́ются нали́чием у них – relations are mainly determined by their possession of…
    я́дерного ору́жия – of nuclear weapons
    средств доста́вки ору́жия – of means of delivery
    реакти́вных самолётов – of jet planes
    баллисти́ческих раке́т разли́чной да́льности– of multiple-range ballistic missiles

отреаги́ровать до́лжным о́бразом – to give a proper response

развернула́сь но́вая антипакиста́нская кампа́ния – a new anti Pakistan campaign was launched
    антиросси́йская агита́ция – …anti-Russian propaganda …

результа́т: в результа́те э́той вы́лазки – as a result of this bold attack…
    о́коло двухсо́т челове́к бы́ло уби́то – about 200 people were killed
    не́сколько сот бы́ло ра́нено – several hundred were wounded

руководи́ть вы́лазкой – to lead the assault

руководи́ть де́йствиями террори́стов – to coordinate the actions of the terrorists

ЛЕКСИЧЕСКИЕ УПРАЖНЕНИЯ

Просмотри́те слова и выраже́ния к те́ксту «Тера́кты в Мумба́е: по́черк Аль-Каи́ды», часть 1 и сде́лайте сле́дующие упражне́ния.

A. Запо́лните про́пуски пра́вильными предло́гами.

1. Разве́дывательная слу́жба США давно́ охо́тится _____ Аль-Ка́идой.
2. Во вре́мя Холо́дной войны США и СССР возде́рживались _____ ре́зких движе́ний _____ отноше́нии друг дру́га.
3. Инди́йское прави́тельство обвиня́ет Пакиста́н _____ спонси́ровании де́рзкой вы́лазки.
4. Буква́льно сра́зу по́сле инциде́нта начала́сь перебро́ска во́йск _____ грани́це.
5. Ата́ка _____ Мумба́ю не вы́годна _____ сла́бому пакиста́нскому прави́тельству.
6. Инди́йско-пакиста́нские отноше́ния во мно́гом определя́ются нали́чием _____ обе́их стран средств доста́вки я́дерного ору́жия.
7. В результа́те а́нтипакиста́нской кампа́нии в пре́ссе появи́лись прямы́е указа́ния _____ се́верного сосе́да Индии как _____ «гла́вного подозрева́емого».
8. Прямы́е наруше́ния конститу́ции США припи́сываются _____ про́шлой администра́ции.

Б. Дайте русские эквиваленты следующим английским фразам.

- to lead the assault
- participating in the preparation of the action
- suicide
- to coordinate the bold attack
- troop movements to the border
- combat planes and helicopters
- to secure preparation and implementation of the terrorist act
- relations are mainly determined by the possession of nuclear weapons
- to be in the interest of the main suspect
- means of delivery of multiple-range ballistic missiles
- to hunt down the terrorists
- a new …campaign was launched
- to taunt intelligence services
- to refrain from provocative moves vis-à-vis each other
- spinelessness and indecisiveness
- to solve a problem in a diplomatic fashion

В. РАБОТА ПО МОДЕЛЯМ

1. Заполните пропуски словами по смыслу.

а. Террористы держа́ли в стра́хе

кого

_____
_____
_____

б. Премье́р воздержа́лся от

чего

_____
_____
_____

в. Всё пло́хое прави́тельство припи́сывает

кому

_____
_____

г. Пре́сса возмуща́лась

чем

_____
_____
_____

д.   Неда́вние инциде́нты мо́гут привести́ к   *чему*
           _____
           _____
           _____

е.   Для избежа́ния инциде́нтов ва́жно возде́рживаться от   *чего*
           _____
           _____
           _____

что

ж.   _____
    _____   сто́роны стремя́тся гаси́ть дипломати́чесим путём.
    _____

что

з.   _____   (не) вы́годен
    _____   (не) вы́годна   никому́.
    _____   (не) вы́годно
    _____   (не) вы́годны

делать что

и.   _____
    _____   бы́ло бы самоуби́йством.
    _____

2.   Зако́нчите предложе́ния, испо́льзуя логи́чески пра́вильные фра́зы.

Террори́сты, соверши́вшие де́рзкое нападе́ние на Мумба́и, дво́е су́ток держа́ли в _____ оди́н из гла́вных городо́в Индии. В результа́те _____ о́коло двухсо́т челове́к бы́ло _____ и не́сколько сот _____. Премье́р-мини́стр, выступа́я по́сле тера́кта, воздержа́лся от _____ на Пакиста́н, но намёк был по́нят, и пре́сса сра́зу же _____ Исламаба́ду спонси́рование террори́зма. Обще́ственность страны́ возмуща́лась _____ инди́йского прави́тельства.

Так сложи́лось, что Де́ли традицио́нно обвиня́ет Исламаба́д во _____ в инди́йских города́х и сра́зу начина́ет _____ во́йск к грани́це. В отве́т на э́то Пакиста́н _____ войска́ на грани́це с Индией. Очеви́дно, что террористи́ческая опера́ция в Мумба́е привела́ к _____ отноше́ний ме́жду сосе́дями. Но возника́ет вопро́с: кому́ ну́жен э́тот конфли́кт, и́з-за кото́рого возника́ет _____ я́дерной войны́?

Сего́дня отноше́ния ме́жду двумя́ стра́нами во мно́гом
определя́ются _____ у них _____ ору́жия и средств его́
доста́вки — _____. Именно
поэ́тому о́бе стороны́ стара́ются возде́рживаться от _____ в
отноше́нии друг дру́га и стремя́тся _____ их путём диплома́тии.

Ва́жно отме́тить, что тера́кт в Мумба́и не вы́годен _____,
кото́рый в настоя́щее вре́мя пережива́ет, мя́гко говоря́, сло́жное вре́мя.
В стране́ развора́чивается _____ и́з-за _____. В э́тих
усло́виях идти́ на_____ с Индией бы́ло бы самоуби́йством для
любо́го, осо́бенно э́того сла́бого пакиста́нского прави́тельства.

Г. Отве́тьте на следующие вопросы.

1. Сло́во «по́черк» от сло́ва «черка́ть» (разг.) зна́чит "handwriting". Объясни́те
загла́вие стате́й.
2. В пе́рвом абза́це есть три сино́нима сло́ва "attack". Найди́те их и объясни́те
ра́зницу ме́жду ни́ми.
3. В пе́рвом и второ́м абзаце́ есть три ра́зных сло́ва, кото́рые зна́чат «border».
Найди́те их.
4. СМИ разверну́ли а́нтипакиста́нскую кампа́нию. Что ещё мо́жно разверну́ть?
5. Объясни́те выраже́ние «тре́бовать кро́ви».
6. Сло́во «мягкоте́лость» состои́т из двух часте́й. Из каки́х?
7. Перефрази́руйте выраже́ние «обвиня́ть Исламаба́д в спонси́ровании»,
испо́льзуя глаго́л «припи́сывать».
8. По́мнине «глаго́лы движе́ния, веде́ния и несе́ния» из уро́ков 2 и 3? Оди́н из
них испо́льзуется во второ́м абза́це. Како́й?
9. Ма́ленькое сло́во «ведь» явля́ется мо́щным сигна́лом в ру́сском языке́. Вы с
ним познако́мились в упражне́ниях на у́стную речь. Это – «сло́во инте́нция»,
пока́зывающее ва́ше наме́рение объясни́ть мысль, кото́рую вы вы́сказали в
предыду́щих предложе́ниях. Каку́ю мысль вы хоти́те объясни́ть?
10. Сло́во «нали́чие» означа́ет "presence". «Нали́чные» по-англи́йски бу́дет
"cash".
11. Обы́чно мы «возде́рживаемся» от чего́-то, что мы не должны́ де́лать. От чего́
ещё ну́жно возде́рживаться?
12. «Подозрева́емый» – это прича́стие настоя́щего вре́мени пасси́вного зало́га.
От како́го глаго́ла оно́ образо́вано?
13. Сло́во «мол» – ещё одно́ сло́во инте́нция. Оно́ подчёркивает недове́рие
к слова́м, кото́рые сле́дуют за ним. К како́му фа́кту а́втор отно́сится с
недове́рием?
14. Абза́ц четы́ре бога́т «глаго́лами движе́ния, веде́ния и несе́ния». Найди́те их
и переведи́те на англи́йский язы́к.
15. Обрати́те внима́ние, что «не́когда», "at some point" и «никогда́», "never"
не явля́ются сино́нимами.
16. Сло́во «самоуби́йство» состои́т из двух часте́й. Из каки́х?
17. Сде́лайте спи́сок вое́нной терминоло́гии, испо́льзованной в э́том те́ксте.

ГРАММАТИКА: ПОРЯДОК СЛОВ

Students of Russian often are told that thanks to the Russian case system word order is free. If that were only totally true! While freer than that of English, Russian word order adheres to some fairly strict rules, especially in a more formal style (such as the kind of Russian you are expected to understand, read, write, and speak). The following rules therefore apply to standard "neutral" prose:

1. Old or non-essential information first; new or main information last.

2. Interrogative words come first.

In the examples below, the new or main information is in boldface.

	Совещание is "new"	*Совещание is "old"; the new information is в Риме.*
а.	Где состоялось **совещание?**	Совещáние состоялось **в Ри́ме.**

	Interrogative кто comes first	*Путин is "main" because it answers the question.*
б.	**Кто** встречáл делегáцию?	Делегáцию встречáл **Пу́тин.**

A few corollaries:

1. The concept of *old* versus *new* information often corresponds to English *the* (old) and *a* (new):

   При́няли **реше́ние.**
   A decision was made.

   Реше́ние **при́няли.**
   The decision was made.

2. If old or secondary information consists of a verb and something else (an object, time, place, or circumstance), the verb *never* comes first. Verbs occupy initial position in a sentence only as a last resort:

   a. Здесь живёт **Тимофе́ев.**
      Timofeev lives here.
      (Both *lives* and *here* are old information, but the verb "tries" not to come first.)

   b. Говори́т **Москва́.**
      This is *Moscow* speaking.
      (Moscow is "main," and that leaves no choice but to put the verb first.)

3. Subject pronouns usually are placed at the beginning of the sentence regardless of how new the information is:

– **Кто** говори́т?
– **Он** говори́т.

4. In "A=B" type sentences involving instrumental case, the noun in instrumental is the "less permanent" member of the equation, which may be either old or new information:

Леони́д Кравчу́к был **пе́рвым президе́нтом Украи́ны**.
Leonid Kravchuk was *Ukraine's first president.*
(Kravchuk was "Kravchuk" longer than he was president.)

Пе́рвым президе́нтом Украи́ны был Леони́д Кравчу́к.
The first president of Ukraine was Leonid Kravchuk.

УПРАЖНЕНИЯ НА ГРАММАТИКУ: ПОРЯДОК СЛОВ

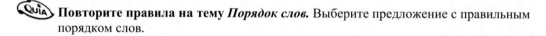 **Повторите правила на тему *Порядок слов*.** Выберите предложение с правильным порядком слов.

1. *A new program* has begun.
   a. Началась новая программа.
   b. Новая программа началась.

2. The UN General Secretary works in *New York*.
   a. Генеральный секретарь ООН работает в Нью-Йорке.
   b. В Нью-Йорке работает Генеральный секретарь ООН.

3. *The Russian President* lives in Novo-Ogarievo.
   a. Российский президент живёт в Ново-Огарёве.
   b. В Ново-Огарёве живёт российский президент.

4. The director has *a plan.*
   a. У директора есть план.
   b. План у директора.

5. *The director* has *the* plan.
   a. У директора есть план.
   b. План у директора.

6. Over the past ten months *inflation* has appeared.
   a. За последние 10 месяцев появилась инфляция.
   b. За последние 10 месяцев инфляция появилась.

7. – No, I don't agree. Prices have *fallen*.
   – Нет, я не согласен...
   a. Снизились цены.
   b. Цены снизились.

8. *Information exchange* was on the agenda.
   a. На повестке дня стоял обмен информацией.
   b. Обмен информацией стоял на повестке дня.

9. – Yes, information exchange is *an important topic*.
   a. – Да, обмен информацией – важная тема.
   b. – Да, важная тема – обмен информацией.

10. *Computer technology* will also be discussed.
    a. Также будет обсуждена компьютерная техника.
    b. Компьютерная техника также будет обсуждена.

11. The reason for the rise in food prices was *a bad harvest*.
    a. Плохой урожай был причиной повышения цен на продукты питания.
    б. Причиной повышения цен на продукты питания был плохой урожай.

12. *Yuri Gagarin* was the first man in space.
    a. Юрий Гагарин был первым человеком в космосе.
    b. Первым человеком в космосе был Юрий Гагарин.

13. *It was Gorbachev's policies* that formed the basis for perestroika.
    a. Политика Горбачёва являлась основой для перестройки.
    b. Основой для перестройки являлась политика Горбачёва.

УПРАЖНЕНИЯ НА ГРАММАТИКУ: ПОВТОРЕНИЕ СТРАДАТЕЛЬНЫХ ПРИЧАСТИЙ И ВОЗВРАТНЫХ ГЛАГОЛОВ

Повторите пассивные причастия в уроке 4, Круг один. Сделайте следующие упражнения.

A. Употребление причастий. Определите тип причастия в нижеследующих предложениях и замените причастные обороты относительными предложениями (**который**-*clause)*. Переведите ваши предложения на английский язык.

Образец: Вот интервью, **опубликованное** на страницах «Известий».

Вот интервью, **которое было опубликовано** на страницах «Известий».

1. Российские консульские работники встречаются с представителями соответствующих израильских учреждений для решения технических вопросов, **связанных** с пребыванием российских граждан в Израиле.

2. Хорошо **продуманные** меры контроля всех фаз ядерного разоружения должны стать фактором создания взаимного доверия.

3. В заявлении привлекается внимание к **зафиксированному** 13 августа российскими сейсмическими средствами ядерному испытанию в Неваде.

4. Министерство торговли всегда выполняло договоры, **заключённые** с иностранными фирмами.

5. Достижению этих целей способствует **рождённый** в США процесс маркетинга (marketing).

6. Реформа банковской системы нацелена на создание полностью **сбалансированной** экономической системы.

7. Рекомендации, **выработанные** специальной комиссией, остались на бумаге. Заместитель начальника ЦСУ (Центральное статистическое управление) подчеркнул, что **принятые** Думой документы расчищают путь приватизации.

8. Опрос, **проведённый** в 2008-м году, показал, что 63 процента европейцев считает политику президента Буша опасной для мировой стабильности.

Б. Употребление причастий. Определите тип причастия в нижеследующих предложениях и замените пассивное сказуемое активным. При отсутствии очевидного подлежащего *(an obvious subject)* используйте *«конструкцию-ОНИ»*.

Образец: Эта клубника **выращена** в зоне Чернобыля.

Эту клубнику **вырастили** в зоне Чернобыля.

1. Его интервью **было опубликовано** в очередном номере еженедельника «Новое время».

2. Более того, контроль над частичным сокращением вооружений **был объявлен** недостаточным.

3. В январе 1986 вера в беспредельное совершенство техники была существенно **подорвана** гибелью космического корабля «Челленджер».

4. Представитель ЕС **был ознакомлен** с задачами, которые сегодня стоят перед Россией.

5. С российской стороны **была выражена** поддержка борьбы Африки со спидом.

6. Заявление фракции **будет распространено** перед заседанием Бундестага представителем «зелёных».

7. Особое внимание **уделено** дозиметрическому контролю при разведении овощей в зоне аварии.

8. Отдельный раздел выставки **будет посвящён** истории русско-американских, советско-американских и российско-американских отношений.

9. Командующему американскими вооружёнными силами в регионе **поручено** выработать эффективные планы «контроля» над такими инцидентами.

B. Употребление причастий. Повторите таблицу 8, урок 4, Круг один. Определите тип причастий в нижеследующих предложениях и замените их, используя относительные предложения с возвратными глаголами (**ся**-*verbs*) в качестве сказуемого (*predicate).*

Образец:

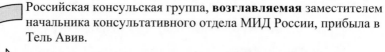

Российская консульская группа, **возглавляемая** заместителем начальника консультативного отдела МИД России, прибыла в Тель Авив.

Российская консульская группа, **которая возглавляется** начальником консульского отдела МИД России, прибыла в Тель-Авив.

1. Академик М. Марков в статье, **публикуемой** на страницах «Известий», убедительно показывает иллюзорность доктрины «ядерного сдерживания».

2. Автор делает вывод о необходимости запрограммированного, этапами **осуществляемого** всеобщего и полного ядерного разоружения.

3. Подобные действия идут вразрез с коллективными усилиями, **предпринимаемыми** сейчас постоянными членами Совета Безопасности.

4. Документ отражает тревогу определённых кругов, **вызываемую** у них утратой США лидирующих позиций.

5. **Проводимые** радиобиологической лабораторией практические испытания помогут возродить землю вокруг Чернобыля.

6. Директор Института экономики РАН России коснулся широко **дискутируемой** проблемы рынка.

7. Давайте обсудим вопрос, **рассматриваемый** в статье «Две политики – две доктрины».

8. **Провозглашаемая** Японией безъядерная политика допускает ввоз или транзит через японскую территорию американского ядерного оружия в случае чрезвычайных обстоятельств.

УПРАЖНЕНИЯ НА УСТНУЮ РЕЧЬ

А. Дискуссия. Начните дисскуссию на тему, предложенную в следующих предложениях, используя:

для нача́ла ну́жно определи́ть, что тако́е...
это помо́жет объясни́ть, почему́...

1. Нападе́ние террори́стов на Мумба́й ста́ло одно́й из са́мых кру́пных террористи́ческих ата́к, произоше́дших в ми́ре по́сле 11 сентября́ 2001 го́да.
2. В 2001 году́ напряже́ние ме́жду Индией и Пакиста́ном бы́ло насто́лько велико́, что возни́кла угро́за а́томной войны́ ме́жду двумя́ азиа́тскими стра́нами.
3. Журнали́сты «тре́бовали кро́ви», прямо́ обвиня́я Исламаба́д в спонси́ровании терроризма.
4. Де́йствия Пакиста́на, напра́вившего в Индию главу́ разве́дывательной слу́жбы для обме́на информа́цией о тера́кте, вполне́ логи́чны.

Б. Цитирование источников. Процитируйте следующие предложения, используя:

по мне́нию...
сове́тник президе́нта по дела́м национа́льной безопа́сности подчёркивает, что...
по ра́дио сообща́лось, что...

1. Де́йствиями террори́стов руководи́ла группиро́вка, бази́рующаяся за преде́лами Индии.
2. Ни Пакиста́ну, ни Индии не ну́жен сего́дня конфли́кт.
3. Боевики́, осуществи́вшие тера́кт, бы́ли уроже́нцами э́той страны́ и гото́вились на её террито́рии.

В. Вы согласны? Выразите своё согласие или несогласие в предложениях ниже, используя:

тру́дно согласи́ться с тем, что...   **де́ло в том, что...**
тру́дно не согласи́ться с тем, что...   **ведь...**

1. Хотя́ премье́р и воздержа́лся от прямо́го указа́ния на Пакиста́н как на подозрева́емый в организа́ции налёта, намёк был поня́тен.
2. Сего́дня отноше́ния ме́жду двумя́ стра́нами во мно́гом определя́ются нали́чием у них я́дерного ору́жия и средств его́ доста́вки.
3. Периоди́чески возника́ющие пограни́чные и межрелигио́зные конфли́кты сто́роны стремя́тся гаси́ть дипломати́ческим путём.

4. Не́когда те́сный сою́з с США в настоя́щее вре́мя обора́чивается для Исламаба́да ино́й стороно́й.

5. Вое́нный конфли́кт с Индией бы́л бы самоуби́йством для любо́го пакиста́нского прави́тельства.

Г. Ваше мнение? Вырази́те своё мнение в следующих предложениях, используя:

я ли́чно думаю, что...	**де́ло в том, что...**
мне ду́мается, что...	**ведь...**

1. Инди́йское прави́тельство прояви́ло «мягкоте́лость и не отреаги́ровало «до́лжным о́бразом».

2. Террористи́ческая опера́ция в Мумба́и должна́ была́ привести́ к обостре́нию отноше́ний ме́жду Индией и Пакиста́ном.

3. На́до заме́тить, что тера́кт в Мумба́и не вы́годен «гла́вному подозрева́емому».

4. В 2001 году́ в отве́т на перебро́ску инди́йских войск к границе пакиста́нские войска́ сконцентри́ровались на восто́ке страны́ вблизи́ инди́йских рубеже́й.

5. Америка́нские боевы́е самолёты и вертолёты, «охо́тясь за террори́стами», нано́сят уда́ры уже́ по террито́рии Пакиста́на, что справедли́во воспринима́ется сами́ми пакиста́нцами как акт агре́ссии.

Д. Продолжаем дискуссию! Если вы хотите добавить что-то к обсуждению данного вопроса, вы можете сказать:

Я хоте́л(а) бы доба́вить сле́дующее.

Если вы хотите объяснить, почему это дополнение важно, то вы можете сказать:

де́ло в том, что...
ведь с одно́й стороны́.... , а с друго́й стороны́...

Образец: В Туркмениста́не объяви́ли о введе́нии чрезвыча́йного положе́ния. **Я хоте́ла бы доба́вить сле́дующее. Де́ло в том, что** за 18 часо́в до э́того о́рганы безопа́сности на́чали кара́тельную опера́цию.

Сделайте дополнения к следующим предложениям:

1. Все гро́мкие тера́кты в инди́йских города́х Де́ли традицио́нно припи́сывают Исламаба́ду.

2. В после́дние го́ды о́бе стороны́ стара́ются возде́рживаться от ре́зких движе́ний в отноше́нии друг дру́га.

3. В 2001 году́ Индия обвини́ла в тера́кте Пакиста́н и начала́ перебро́ску войск к границе.

4. Пакиста́н в настоя́щее время пережива́ет, мя́гко говоря́, сло́жное вре́мя.

5. Пакиста́ну не вы́годно дразни́ть Индию, устра́ивая на её террито́рии гро́мкие тера́кты.

Е. Ответьте на следующие вопросы по тексту урока, цитируя текст статьи, соглашаясь или не соглашаясь с автором и выражая своё мнение.

1. С чем сра́внивается нападе́ние террори́стов на Мумба́й?

2. Ско́лько вре́мени продолжа́лась э́та вы́лазка?

3. Каки́е бы́ли поте́ри?

4. Како́й намёк сде́лал премье́р-мини́стр Индии в пе́рвом публи́чном выступле́нии по́сле тера́кта?

5. Как вели́ себя́ инди́йские СМИ?

6. Когда́ Индия и Пакиста́н стоя́ли на гра́ни а́томной войны́?

7. Почему́ ни Индии, ни Пакиста́ну сего́дня не ну́жен конфли́кт?

8. Как сейча́с «га́сятся» конфли́кты ме́жду ни́ми?

9. Почему́ конфли́кт не ну́жен «гла́вному подозрева́емому»?

10. Как обора́чивается для Пакиста́на не́когда те́сный сою́з с США?

11. Каки́м о́бразом Индия и Пакиста́н мо́гут оказа́ть по́мощь друг дру́гу в подо́бных ситуа́циях?

Ж. 1. Пересказ. Расскажите первую часть урока 4 с точки зрения Индии, цитируя текст статьи, соглашаясь или не соглашаясь с её автором и выражая своё мнение.

2. Рассказ с другой точки зрения. Расскажите ту же историю с точки зрения Пакистана, цитируя источники, (не) соглашаясь с её автором и выражая своё мнение!

ТЕКСТ. Прослушайте текст, затем прочитайте и переведите его на английский язык в письменной форме.

Часть 2
ТЕРАКТЫ В МУМБАЕ: ПОЧЕРК «АЛЬ-КАИДЫ»

На э́тот счёт существу́ет две́ основны́е ве́рсии. Во-пе́рвых, нельзя́ исключа́ть°, что опера́ция в Мумба́е – это «самоде́ятельность»° одно́й из ме́стных террористи́ческих организа́ций, нике́м не контроли́руемой и никому́ не подотчётной°. Времена́, когда́ террори́сты рабо́тали под пло́тным° контро́лем созда́вших° их спецслу́жб — незави́симо от цве́та фла́га — прошли́. Хотя́ в Де́ли и лю́бят всё сва́ливать на Пакиста́н, нельзя́ не призна́ть и то, что внутри́ само́й И́ндии есть си́лы, гото́вые добива́ться° свои́х це́лей террористи́ческими ме́тодами. Э́то и мусульма́нское меньшинство́, представи́тели кото́рого беру́тся за ору́жие в отве́т на погро́мы, устра́иваемые радика́льными индуи́стскими организа́циями. Э́то и сепарати́сты в Кашми́ре и на се́веро-восто́ке страны́. Э́то, наконе́ц, и индуи́стские группиро́вки, кото́рые бо́рются про́тив мусульма́н.

Одна́ко отню́дь не исключён и друго́й вариа́нт, при кото́ром зака́зчиком тера́кта явля́ется вне́шняя си́ла, кото́рой вы́годны дестабилиза́ция обстано́вки в регио́не и возмо́жная эскала́ция конфли́кта ме́жду И́ндией и Пакиста́ном. Е́сли э́тот вариа́нт ве́рен, то уда́р° по Мумба́и был напра́влен не сто́лько про́тив И́ндии, ско́лько про́тив стаби́льности в отноше́ниях И́ндии и Пакиста́на. Примеча́телен° сцена́рий, по кото́рому проходи́ла террористи́ческая опера́ция в Мумба́е: одновреме́нное нападе́ние сра́зу на не́сколько так называ́емых «мя́гких» це́лей. Э́то — по́черк Аль-Каи́ды. Скоордини́ровать де́йствия не́скольких кома́нд террори́стов в ра́зных то́чках — ме́лким ме́стным группиро́вкам э́то не по си́лам. Кро́ме того́, террори́сты целенапра́вленно° выбира́ли гра́ждан США, Великобрита́нии и Изра́иля — э́то то́же ука́зывает на междунаро́дный террори́зм.

Right column glosses:

exclude the possibility
independent action

not accountable to
tight   created

achieve

strike

noteworthy

purposefully

В 2001 году́ обостре́ние и́ндо-пакиста́нских отноше́ний позво́лило° Аль-Каи́де укрепи́ться в за́падных райо́нах Пакиста́на, куда́ боевико́в вы́-теснили° из Афганиста́на си́лы коали́ции. Схо́дная° ситуа́ция сложи́лась и сейча́с. Пакиста́нская а́рмия прово́дит крупномасшта́бную опера́цию про́тив Аль-Каи́ды на грани́це с Афганиста́ном, америка́нская авиа́ция обстре́ливает° ба́зы террори́стов с во́здуха. Поэ́тому Аль-Каи́да кро́вно° заинтересо́вана в ухудше́нии отноше́ний ме́жду Индией и Пакиста́ном. Э́то оттяну́ло° бы си́лы пакиста́нской а́рмии.

allowed

pushed out   similar

strafes
in blood-and-guts way

weaken

Крова́вые тера́кты в Мумба́и бу́дут име́ть после́дствия не то́лько для Индии. Они́ отразя́тся° на положе́нии во всём регио́не. Их мо́жно счита́ть и вы́зовом° президе́нту США Бара́ку Оба́ме. Он по́лон реши́мости переломи́ть° ситуа́цию в Афганиста́не и Ира́ке, но для э́того ему́ потре́буется ма́ксимум дипломати́ческого та́кта.

will be reflected

challenge
make a breakthrough

@ КОГНАТЫ

авиа́ция	контроли́руемый	регио́н
а́рмия	контро́ль	сепарати́сты
ба́зы	ма́ксимум	ситуа́ция
вариа́нт	ме́тод	скоордини́ровать
ве́рсия	организа́ции	сцена́рий
дестабилиза́ция	погро́м	флаг
коали́ция	радика́льный	эскала́ция конфли́кта

СЛОВА И ВЫРАЖЕНИЯ

авиа́ция обстре́ливает ба́зы террори́стов с во́здуха – the aircraft strafes the terrorists' bases

бра́ться/ взя́ться за ору́жие в отве́т на погро́мы – to take up arms in response to pogroms

вы́зов президе́нту США – a challenge to the U. S. president

вытесня́ть / вы́теснить (вы́стеснят) *кого-что* **из Афганиста́на** – to push *someone* out of Afganistan
   си́лы коали́ции – coalition forces
   боевико́в – commandos; terrorists

добива́ться / доби́ться (добью́тся) свои́х це́лей *чем* – to achieve one's goals *by what means*
   террористи́ческими ме́тодами – through terrorist methods
   ору́жием в рука́х – by force of arms
   погро́мами – through pogroms

исключён: не исключён и друго́й вариа́нт, при кото́ром зака́зчиком тера́кта явля́ется… – another option is possible when the person behind the terrorist act is…

кро́вно заинтересо́ван -а, -о,-ы *в чём* to be deeply vested *in something*
   в ухудше́нии отноше́ний – in worsening relations
   обостре́нии отноше́ний – in worsening relations

незави́симо от цве́та фла́га – regardless of the color of the flag

отража́ться / отрази́ться (отразя́тся) на положе́нии во всём регио́не – to be reflected in the situation of the entire region

оття́гивать / оттяну́ть (оття́нут) си́лы а́рмии – to draw away (to weaken) military forces

по́лон, полна́, -о, -ы реши́мости переломи́ть ситуа́цию – full of determination to make a breakthrough

примеча́телен сцена́рий, по кото́рому ____ – the scenario for the ____ is noteworthy
   …проходи́ла террористи́ческая опера́ция…
   …крупномасшта́бная опера́ция… – …the largescale operation …
   …обстре́л с во́здуха... – …the air raid…

рабо́тать под пло́тным контро́лем – to work under tight control

самоде́ятельность одно́й из ме́стных террористи́ческих организа́ций – independent actions of a local terrorist organization
   …нике́м не контроли́руемых – …not under any (outside) control
   …никому́ не подотчётных- … not accountable to anybody

сва́ливать / свали́ть (сва́лят): всё сва́ливать на *кого-что* – to blame someone/something for evrything
   на Пакиста́н – (to blame) Pakistan
   Аль-Ка́иду
   спецслу́жбы

тре́боваться / потре́боваться: ему́ потре́буется ма́ксимум дипломати́ческого та́кта – he will need to be perfectly diplomatic

уда́р по Мумба́ю был напра́влен не сто́лько про́тив Индии, ско́лько про́тив стаби́льности в отноше́ниях ме́жду… – the strike against Mumbai was not directed at India but rather at the stability of relations between …

э́то не по си́лам *кому* **в ра́зных то́чках** – it is more than *someone* could do
ме́стным группиро́вкам – local groups in different locations
самоде́ятельным организа́циям – independent organizations
а́рмии – the army; the infantry

ЛЕКСИЧЕСКИЕ УПРАЖНЕНИЯ

Просмотрите слова и выражения к тексту «Теракты в Мумбае: почерк «Аль-Каиды», часть 2 и сделайте следующие упражнения.

 А. Заполните пропуски правильными предлогами.

1. Поте́ря це́лым наро́дом смы́сла существова́ния негати́вно отража́ется _____ демографи́ческой ситуа́ции Росси́и.

2. Отка́з сена́та приня́ть паке́т стабилизацио́нных мер явля́ется пе́рвым вы́зовом _____ но́вому президе́нту.

3. Ли́ца, подозрева́емые _____ террори́зме, живу́т _____ пло́тным контро́лем спецслу́жб.

4. Авиа́ция НАТО обстре́ливает ба́зы боевико́в _____ во́здуха.

5. Объединённые си́лы НАТО пыта́ются вы́теснить гру́ппы Талиба́на _____ Афганиста́на и Пакиста́на.

6. В ситуа́ции экономи́ческого кри́зиса Росси́я кро́вно заинтересо́вана _____ улучшении отноше́ний с США.

7. Вариа́нт, _____ кото́ром гражда́нское населе́ние берётся _____ ору́жие, невели́к.

8. В нача́ле XX ве́ка евре́и на́чали эмигри́ровать из ца́рской Росси́и _____ отве́т _____ погро́мы.

 Б. Дайте русские эквиваленты следующим английским фразам.

- full of determination to make a breakthrough
- to take up arms in response to pogroms
- a challenge to the banking system
- strafe terrorists' bases

- it is more than local groups can do
- an air raid
- to direct a strike against the stability of relations
- a terrorist organization not accountable to anybody
- to conduct a large scale operation
- independent actions of a local terrorist organization
- regardless of the color of the flag

В. РАБОТА ПО МОДЕЛЯМ

1. **Заполните пропуски словами по смыслу.**

а.   Нельзя́ исключа́ть, что

что

————— про́сто самоде́ятельность.

б.   Времена́, когда́

происходило что

————————— прошли́.

в.   Не исключён вариа́нт, при кото́ром

происходит что

—————————

г.

делать что

————————— не по си́лам

кому

—————

д.   —————

кому

потре́буется ма́ксимум дипломати́ческого та́кта.

2. **Закончите предложения, используя логически правильные фразы.**

Кому́ был ну́жен тера́кт в Мумба́и? Тут нельзя́ исключа́ть, что опера́ция в Мумба́е _____, кото́рая нике́м не _____ и никому́ не _____. Хотя́ в Де́ли и лю́бят обвиня́ть Пакиста́н во всём, внутри́ само́й И́ндии есть си́лы, гото́вые _____ террористи́ческими ме́тодами. Э́то и мусульма́не, кото́рые _____ в отве́т на _____. Э́то и сепарати́сты в Кашми́ре и э́то, наконе́ц, и индуи́стские группиро́вки, кото́рые _____ .

Одна́ко отню́дь не исключён и друго́й вариа́нт, при кото́ром уда́р по Мумба́ю был напра́влен не сто́лько про́тив _____, ско́лько про́тив _____. Интере́сно, что нападе́ние в Мумба́е проходи́ло сра́зу на не́сколько так называ́емых _____. Э́то — _____ Аль-Ка́йды. Де́ло в том, что пакиста́нская а́рмия прово́дит _____ про́тив Аль-Ка́йды, и америка́нская авиа́ция _____ ба́зы террори́стов с во́здуха. Поэ́тому Аль-Ка́йда кро́вно заинтересо́вана в _____ ме́жду И́ндией и Пакиста́ном.

Крова́вые тера́кты в Мумба́е отразя́тся на _____ . Их мо́жно счита́ть и вы́зовом _____, кото́рый по́лон реши́мости _____.

Г. Ответьте на следующие вопросы.

1. Сло́во «самоде́ятельность» – са́мо…де́лать – т.е. «де́лать сами́м». В да́нном конте́ксте – "independent action". Ча́ще всего́ оно́ зна́чит "an amateur performance" и име́ет пренебрежи́тельный (contemptuous) отте́нок.
2. В словосочета́нии «одно́й из ме́стных террористи́ческих организа́ций» «одно́й» определя́ется двумя́ пасси́вными прича́стиями: «контроли́руемой» и «подотчётной». От каки́х глаго́лов они́ образо́ваны?
3. Выраже́ние «зака́зчик тера́кта» перево́дится как "a person behind the terrorist act". Как сказа́ть по-англи́йски «заказно́е уби́йство»?
4. Что зна́чит «эскала́ция конфли́кта»?
5. В словосочетании «если э́тот вариа́нт ве́рен» дайте сино́ним сло́ву «ве́рен».
6. Что тако́е «мя́гкие це́ли»?
7. Как по-друго́му мо́жно сказа́ть «э́то им не по си́лам»?
8. Сло́во «целенапра́вленный» состои́т из двух часте́й. Каки́х?
9. Слова́ «боеви́к», «террори́ст» и «партиза́н» о́чень близки́ по значе́нию. При негати́вном отноше́нии а́втора они́ перево́дятся как "terrorist", при позити́вном как "guerrilla" и при бо́лее нейтра́льном как "commando".
10. Найди́те эквивале́нт выраже́нию «вести́ ого́нь по ба́зам».
11. Что зна́чит «кро́вно заинтересо́ван»?
12. Кака́я ра́зница ме́жду слова́ми «райо́н» и «регио́н»?
13. Во второ́й ча́сти те́кста есть три «глаго́ла движе́ния и веде́ния». Найди́те их и переведи́те на англи́йский язы́к.
14. Сде́лайте спи́сок вое́нной терминоло́гии, испо́льзованной в э́том те́ксте.

ГРАММАТИКА: КОНСТРУКЦИЯ «–ТО, –НИБУДЬ И НИ– ... НЕ»

Look at the following sentences and their translations:

Пётр кого́-нибу́дь зна́ет?	Does Peter know somebody? Does Peter know anybody?
Пётр что-то зна́ет.	Peter knows something.
Пётр ничего́ не зна́ет.	Peter doesn't know anything. Peter knows nothing.

"As you can see, "something," "anything," and "nothing" are rendered by **–то, –нибу́дь**, and **ни– ... не** constructions, although *there is no direct one-to-one correspondence between the English words and their Russian counterparts.*

Note these **–то, –нибу́дь**, and **ни–...не** forms:

что-то	что-нибудь	ничего́ не	*something / nothing*
кто-то	кто-нибудь	никто́ не	*someone / no one*
когда́-то	когда́-нибудь	никогда́ не	*at some time / never*
где-то	где-нибудь	нигде́ не	*somewhere /nowhere*
куда́-то	куда́-нибудь	никуда́ не	*to somewhere / to nowhere*
как-то	как-нибудь	ника́к не	*somehow / in no way*
какой-то	какой-нибудь	никакой	*some sort of / no sort of*

Rules for –то, –нибу́дь, and ни– ... не:

1. **Use ни– ... не constructions** in *all* negative sentences:

    Мы **ника́к не** зако́нчим прое́кт.

    In sentences with genive case indicating absence use **ни– ... нет, ни– ... не было,** or **ни– ... не бу́дет: Здесь нет никого́. Здесь не́ было никого́.**

2. **Use –нибудь:**

    a. Future tense or idea: **Мы что-нибудь сде́лаем! На́до что-нибудь сде́лать.**
    b. Questions: **Она́ что-нибудь чита́ла?**
    c. Commands: **Сде́лайте что-нибудь!**
    d. With adverbs indicating habitual action: **Она́ всегда́ что-нибудь де́лает.**
    e. With adverbs of probability: **наве́рно, мо́жет быть,** etc.: **Она́, наве́рно, кого́-нибудь зна́ет.**

Never use **–нибудь** in negative constructions. Use **ни– ... не** constructions instead.

3. **Use –то in most other situations:**
   Она что-то говори́т. Он где-то был.

Note also:

a. Words with **что** and **кто** decline: **чему́-то, чему́-нибудь, ничему́ не; кого́-то, кого́-нибудь, никого́ не**, etc.

b. When a **ни– ... не** construction includes a preposition, the preposition breaks up the **ни–** word:

   — Вы **кого́-нибудь** ви́дели?
   — Нет, мы **никого́** не ви́дели.

   but:

   — Вы **о ко́м-нибудь** говори́ли?
   — Нет, **мы ни о ком** не говори́ли.

   — Вы **с ке́м-нибудь** бы́ли?
   — Нет, **мы ни с кем** не говори́ли.

   — Вы **кому́-нибудь** сообщи́ли?
   — Нет, **мы никому́** не сообщи́ли.

КОНСТРУКЦИЯ «–ТО», «– НИБУДЬ» И «НИ – ...НЕ» С ПРИЛАГАТЕЛЬНЫМИ: «ЧТО-ТО ИНТЕРЕСНОЕ»

Forms such as **кто-то, кто-нибудь,** and **никто́...не,** as well as **что-то, что́-нибудь,** and **ничего́...не** take long form declinable adjectives as in the following examples:

кто-то интере́сный (always masculine!) – *someone interesting*
кому́-нибудь интере́сному – *to someone interesting*
что-нибудь интере́сное (always neuter!) – *something interesting*
ни о **чём** интере́сном – *about nothing interesting*

КОНСТРУКЦИЯ: КАКОЙ-ТО, КАКОЙ-НИБУДЬ, AND НИКАКОЙ НЕ

Note the following examples:

Сообща́ли о каки́х-то волне́ниях.
Some sort of riots were reported.

Сообща́ли о каки́х-нибудь волне́ниях?
Were some sort of riots reported?

Ни о каки́х волне́ниях не сообща́ли.
No riots were reported.

Никаки́х волне́ний не́ было.
There were no riots.

Note that **какой-нибудь** is an adjective. It may not stand alone!

ГРАММАТИЧЕСКИЕ УПРАЖНЕНИЯ: КОНСТРУКЦИЯ «-ТО», «–НИБУДЬ» И «НИ – ...НЕ»

Повторите правила на тему «Конструкция -то, –нибудь и ни -не». Сделайте следующие упражнения.

 А. Выберите правильное слово.

1. Мы боимся, что [no one will] поможет нашим пленным в Афганистане. [кто-то не, кто-нибудь не, никто не]
2. Меры, принятые сегодня, действительно [not anyone] помогут. [кому-то не, кому-нибудь не, никому не]
3. Надо будет готовить [some sort of] подходящий ответ. [какой-то, какой-нибудь, никакого нет]
4. [There aren't any] расистских высказываний в выступлении лидера партии. [нет каких-то, нет каких-нибудь, нет никаких]
5. Вы [with someone] обсуждали изменения в американской политике? [с кем-то, с кем-нибудь, ни с кем не]
6. Будет ли на повестке дня [any] пункт, касающийся введения чрезвычайного положения в стране? [какой-то, какой-нибудь, никакой не]
7. [Not for anything] отдадим наше право голоса! [за что-то не, за что-нибудь не, ни за что не]
8. Вы думаете, что вы [somewhere] найдёте идеальное решение? Нет, вы идеального решения [not anywhere] найдёте. [где-то, где-нибудь, нигде не]
9. В нашей стране [there have been no] репрессий. [каких-то, каких-нибудь, не было никаких]
10. В Советском Союзе [at one time] запрещалась неофициальная литература. [когда-то, когда-нибудь, никогда не]

 Б. Частицы *–то, –нибудь* и *ни–...не* в ответах. Используйте «Конструкцию -то, –нибудь и ни– ... не» в ответах на вопросы, следуя образцу.

Образец:
— Кто-нибудь выступал?

— Да, *кто-то* выступал.
— Нет, *никто не* выступал.

1. Куда-нибудь высылают этих диссидентов?
2. Как-нибудь справятся с финансовым кризисом?
3. Кто-нибудь интересовался нашим вопросом?
4. Что-нибудь решили по этой проблеме?
5. Где-нибудь строят новые жилые дома?
6. Когда-нибудь в истории аннулировали конституцию?
7. Ваши люди с кем-нибудь говорили по этому поводу?
8. Пресса о чём-нибудь сообщила?

9. В стране были какие-нибудь репрессии?
10. «НГ» когда-нибудь писала о расправах (crackdowns)?
11. У нашего комитета есть какие-нибудь полномочия?
12. Вы обращались к каким-нибудь руководителям партии?
13. Они сотрудничали с какими-нибудь неофашистами?
14. Вам сообщили о каком-нибудь плане?
15. Ассамблея ООН ввела какие-нибудь санкции?
16. Наша фирма продавала России какую-нибудь технологию?

В. Переведите следующие фразы, следуя примеру внизу.

Образец:

about somebody?	⟹	**о ком-нибудь?**
of something	⟹	**чего-то**
not with anyone	⟹	**ни с кем не**
someone (will)	⟹	**кто-нибудь**

1. anywhere?
2. somehow?
3. to no one
4. someone (was)
5. something (will)
6. not about anything
7. nowhere
8. in front of someone (was)
9. behind no one
10. not for anyone
11. some sort of measures (are)
12. about any sorts of measures?
13. there were no measures
14. about no measures
15. something interesting (is)
16. about something bad?
17. with anyone interesting?
18. nothing good
19. of something good?
20. to something bad?

Г. Заполните пропуски, используя «-то, –нибудь, or ни– ... не»

1. [Someone] _____ из представителей сказал, что он боится, что не

    будет принято [no] _____ мер.

2. [Someone] _____ задавал вопросы на брифинге?

3. Состоялись [some kind of] _____ антигосударственные

   демонстрации, но местная полиция [no one] _____ не арестовала.

4. Говорят, что не было [no] _____ волнений, но я лично [no one] _____

   верю.

5. – Освободили [anyone] _____ из политзаключённых?

   – Нет, пока [no one] _____ освободили. Мы надеемся, что [someone]

   _____ будет освобождён после амнистии.

6. К сожалению, мы [not with anyone] _____ не можем

   согласиться.

7. [Some sort of] _____ террористы захватили самолёт и

   приказали полететь в [some] _____ исламскую страну.

8. [At one time] _____ политическое положение в Никарагуа было

   лучше, но оно [never] _____ не обещало особенно светлого будущего

   для народа.

9. Мы [somehow] _____ переубедим наших соперников, хотя у нас нет

   [no sort of] _____ представления, как мы это сделаем.

10. Предложите [something] _____!

ГРАММАТИЧЕСКОЕ УПРАЖНЕНИЕ: ПОВТОРЕНИЕ ПАДЕЖЕЙ

Повторение падежей. Повторите использование падежей в Первом круге.
Раскройте скобки, используя правильный падеж.

1. Главная из [причины] _____ – ослепляющий антиамериканизм, из-за
   [который] _____ многие [страны] _____ не оказали [отпор] _____
   фундаментализму.

2. За [первое полугодие] _____ новая система введена уже более чем в [четыре
   тысячи организаций] с общей численностью в [три миллиона человек]
   _____.

3. Социали́сты выступают за [медицинское обслуживание и пенсии, доступные
   трудящемуся населению] _____.

4. [Пребывание] _____ в лагерях он «искупил» свою вину перед [общество]
   _____.

5. Политический авантюризм Ральфа Надера имел целью противопоставить [роль партии «зелёных»] _____ [роль Демократической партии] _____.

6. Большое место в [дискуссия] _____ занял [вопрос] _____ о [созыв] _____ международной конференции под [эгида] _____ ООН.

7. Поощряемые [власти] _____ расисты бесчинствовали [were raging] по [весь штат] _____.

8. [Идентичное обвинение] _____ предъявлено [is presented] [все аккредитованные в США российские корреспонденты] _____.

9. США необходимо при [выработка политики] _____ учитывать привлекательность для [западноевропейские союзники] _____ российских предложений.

10. На афганской территории вдоль [граница] _____ с [Пакистан] _____ расположены лагеря Аль-Каиды.

УПРАЖНЕНИЯ НА УСТНУЮ РЕЧЬ

А. Дискуссия. Начните дискуссию на тему, предложенную в следующих предложениях, используя:

**для начáла нýжно определить, что такóе...
это помóжет объяснить, почемý...**

1. Насчёт тогó, комý нужнá былá эта операция, существýет двé основные вéрсии.
2. Дестабилизáция обстанóвки в региóне и возмóжная эскалáция конфликта мéжду Индией и Пакистáном мóжет быть выгодна какóй-то внéшней силе.
3. Кровáвые терáкты в Мумбáé мóжно считáть и вызовом президéнту США Барáку Обáме.

Б. Цитирование источников. Процитируйте следующие предложения, используя:

**по мнéнию...
совéтник президéнта по делáм национáльной безопáсности подчёркивает, что...
по рáдио сообщáлось, что...**

1. Ухудшéние отношéний мéжду Индией и Пакистáном оттянýло бы силы пакистáнской áрмии.
2. Примечáтелен сценáрий, по котóрому проходила террористическая операция в Мумбáé.
3. Пакистáнская áрмия провóдит крупномасштáбную операцию прóтив Аль-Кáйды на границе с Афганистáном ,и американская авиáция обстрéливает бáзы террористов с вóздуха.

В. Выразите своё согласие или несогласие в предложениях ниже, используя:

**трýдно согласиться с тем, что...   трýдно не согласиться с тем, что...
дéло в том, что...   ведь...**

1. Хотя в Дéли и лющбят всё свáливать на Пакистáн, нельзя не признáть и то, что внутри самóй Индии есть силы, готóвые добивáться своих цéлей террористическими мéтодами.
2. Одновремéнное нападéние срáзу на нéсколько так называéмых «мягких» цéлей -это пóчерк Аль-Кáйды.
3. Кровáвые терáкты в Мумбáи бýдут имéть послéдствия не тóлько для Индии.
4. Чтóбы переломить ситуáцию в Афганистáне и Ирáке, американскому президéнту потрéбуется мáксимум дипломатического тáкта.

Г. Выразите своё мнение в следующих предложениях, используя:

я ли́чно думаю, что...　　　　　　мне ду́мается, что...
де́ло в том, что...　　　　　　　　ведь...

1. Отню́дь не исключён вариа́нт, при кото́ром зака́зчиком тера́кта явля́ется вне́шняя си́ла.
2. Уда́р по Мумба́ю был напра́влен не сто́лько про́тив Индии, ско́лько про́тив стаби́льности в отноше́ниях Индии и Пакиста́на.
3. Аль-Каи́да кро́вно заинтересо́вана в ухудше́нии отноше́ний ме́жду Индией и Пакиста́ном.
4. Ата́ку на Мумба́й мо́жно счита́ть вы́зовом президе́нту США Бара́ку Оба́ме.

Д. Сделайте дополнения к следующим предложениям, используя:

я хоте́л(а) бы доба́вить сле́дующее.
де́ло в том, что...
ведь с одно́й стороны́.... , а с друго́й стороны́...

1. Опера́ция в Мумба́е – это «самоде́ятельность» одно́й из ме́стных террористи́ческих организа́ций, нике́м не контроли́руемой и никому́ не подотчётной.
2. Скоордини́ровать де́йствия не́скольких кома́нд террори́стов в ра́зных то́чках ме́лким ме́стным группиро́вкам не по си́лам.
3. В 2001 году́ обостре́ние и́ндо-пакиста́нских отноше́ний позво́лило Аль-Каи́де укрепи́ться в за́падных райо́нах Пакиста́на.

Е. Ответьте на следующие вопросы по тексту урока, цитируя текст статьи, соглашаясь или не соглашаясь с автором и выражая своё мнение.

1. Насчёт того́, кому́ нужна́ была́ ата́ка на Мумба́й, существу́ет две ве́рсии. Кака́я пе́рвая ве́рсия?
2. Каки́е си́лы внутри́ Индии гото́вы испо́льзовать терро́р для достиже́ния свои́х це́лей?
3. Кто был зака́зчиком нападе́ния на Мумба́й в соотве́тствии с друго́й ве́рсией?
4. Про́тив кого́ был напра́влен уда́р, е́сли э́та ве́рсия пра́вильная?
5. По како́му сцена́рию проходи́ла террористи́ческая опера́ция?
6. В чём а́втор статьи́ ви́дит по́черк Аль-Каи́ды?
7. В чём ситуа́ция Аль-Каи́ды в тот моме́нт была́ схо́дна с 2001 го́дом?
8. Почему́ ухудше́ние отноше́ний ме́жду Индией и Пакиста́ном в интере́сах Аль-Каи́ды?
9. Почему́ крова́вые конфли́кты в Мумба́и мо́жно счита́ть вы́зовом америка́нскому президе́нту?
10. Что потре́буется от США для перело́ма ситуа́ции в Афганиста́не и Ира́ке?

Ж. 1. Рассказ. Расскажите первую и вторую части урока 4 с точки зрения Индии, цитируя текст статьи, соглашаясь или не соглашаясь с её автором и выражая своё мнение.

2. С другой точки зрения. Расскажите ту же историю с точки зрения Пакистана, цитируя источники, (не) соглашаясь с её автором и выражая своё мнение!

3. Рассказ о теракте. Расскажите о другой террористической атаке и о политической ситуации, вызвавшей её. Не забывайте цитировать источники, соглашаться и не соглашаться и выражать своё мнение!

И. Дополнительные вопросы (optional)

1. Корни терроризма.
2. История терроризма за последние три века.
3. Методы борьбы с терроризмом.

@ К. Разговор. Прослушайте разговор двух журналистов после пресс-конференции с представителем российского МИД по вопросу теракта в Мумбае и разыграйте его с другим студентом.

Антон: Не слишком содержательная пресс-конференция. Как обычно, официальные лица воздерживаются от прямых обвинений, но намёк понятен.

Вероника: Намёк на кого? На Исламабад?

Антон: Пакистан – главный подозреваемый. По-моему, очевидно, что он спонсирует терроризм. Вся история индо-пакистанских отношений свидетельствует об этом.

Вероника: Ну, знаешь, этого недостаточно, чтобы всё всегда сваливать на Пакистан! Зачем ему сейчас нужен конфликт с Дели? Ведь страна переживает, мягко говоря, сложное время. Американцы охотятся за афганскими террористами и наносят удары уже по территории Пакистана. Пакистанцы это справедливо воспринимают как агрессию. В этих условиях воевать с Индией было бы самоубийством!

Антон: Верно. Но я всё равно считаю, что эта вылазка – дело рук исламистов. А поддерживал их официальный Исламабад или нет – вопрос второстепенный.

Вероника: Ты меня поражаешь, милый мой! Это – первостепенный вопрос. Внутри самой Индии полно ребят, готовых добиваться своих це́лей с по́мощью терро́ра. Ата́ку подо́бную той, что была́ в Мумбае, вполне́ могли́ бы устро́ить и индуи́стские группиро́вки, кото́рые бо́рются про́тив мусульма́н....

Антон: Ну, это вряд ли. Посмотри́ на сцена́рий, по кото́рому проходи́ла террористи́ческая опера́ция: одновреме́нное нападе́ние сра́зу на не́сколько так называ́емых «мя́гких» це́лей. Это — по́черк Аль-Кайды.

Вероника: То́чно!

Антон: Но зачем э́то ну́жно Аль-Кайде?

Вероника: А ты сам посуди́, США наседа́ют на исламистов в Афганиста́не, Пакиста́н помога́ет америка́нцам. Ну́жно отвле́чь си́лы пакиста́нской а́рмии. Как? Да столкну́ть лба́ми Де́ли и Исламаба́д! Аль-Кайда кро́вно заинтересо́вана в ухудше́нии отноше́ний ме́жду Индией и Пакиста́ном.

Антон: Логи́чно. К то́му же и Индия, и Пакиста́н облада́ют я́дерным ору́жием и сре́дствами его доста́вки. Любо́й конфли́кт ме́жду ни́ми мо́жет привести́ к а́томной войне́!

Вероника: Пра́вильно. А ло́зунг экстремистов: чем ху́же, тем лу́чше! Представля́ешь, спровоци́ровать войну́, в кото́рой поги́бли бы и Индия, и Пакиста́н.

Антон: Ну, до э́того, ду́маю, не дойдёт! А пока́ вся э́та ситуа́ция – хоро́ший «пода́рок» но́вому америка́нскому президе́нту! А представля́ешь, как отве́тила бы на э́то про́шлая администра́ция?

Вероника: Стра́шно поду́мать!

Полезные слова:

второстепе́нный вопрос – secondary question
наседа́ть – to pressure
первостепе́нный вопрос – main question
содержа́тельный, -ая, -ое, -ые – informative
столкну́ть лба́ми – to set at loggerheads

УПРАЖНЕНИЯ НА ЧТЕНИЕ

Предтекстовые упражнения

А. Фоновая информация. In this article, a Russian political observer analyzes the war on terrorism. To have a better understanding of the article, keep in mind what positions the U.S. and Russia took on terrorism in the first decade after the September 11 attack.

1. Who did the United States target as the main agents of terrorism?
2. Who did the Russian government target as terrorists?
3. Which of the two countries was more likely to speak about "world terrorism"?

Б. Нужные слова и выражения

> **вы́зов** – challenge
> **за́мысел** – idea; plan
> **крестоно́сец** < **крест** 'cross' + **носи́ть** 'bear' – a crusader
> **навя́зывает / навяза́ть** *кому* – to force upon *someone*
> **облада́ть** *чем* – to possess *something (usually abstract)*
> **острие́** – sharp edge; *what is* **острие́ пробле́мы**?
> **перечи́сленный** < **перечи́слить** < to list
> **постепе́нность** < **постепе́нный** < **по** + **сте́пень** – degree: gradual(ness)
> **превраще́ние** *во что* – change over *into something*
> **предпосы́лка** – premise
> **предупрежде́ние** – warning; prevention. *Which meaning is used here?*
> **преодоле́ние** – surmounting
> **противоре́чие** < **про́тив** + **речь** 'speech' (-dict-)
> **развя́зываемый** < **развя́зывать/развяза́ть** – to unleash
> **ру́сло** – direction
> **сверже́ние** – an overthrow
> **сгла́живать** – to smooth out
> **сте́пень: в изве́стной сте́пени** – to a certain degree
> **счёт: по большо́му счёту** – in general
> **уме́ренный** – moderate < **ме́ра** – measure
> **уничтожа́ть / уничто́жить** < **у** + **ничто́** 'nothing'
> **шахи́д** – Islamic martyr
> **ша́хский режи́м** = **режи́м Ша́ха Ира́на**

В. Тезис статьи. Russsian and English editorial styles differ in their order of presentation. American editorials read "top-down": the authors state their premise, and each of the following paragraphs then supports that premise. Russian style is often "bottom-up." Editorial writers start with a peripheral idea and work their way towards the main premise.

For each of the paragraphs below determine whether any of these statements represents a paragraph-level premise. Then determine which of the premises represent the main points of the article.

The concept of the war on terrorism is a false one.
Russia fears suicide bombers more than the United States does.
There is no global terrorist conspiracy.
The notion of a common enemy can be useful.
The main problem is the radical perception of Christians and Jews.
Islamic radicalism is a struggle against global modernism.
Saudi Arabia is a corrupt anti-globalist regime.
The main international powers should pursue Islamic moderates.
Iraq, Iran, and Palestine have the potential to make it in a globalist world order.

Г. Что сказали о… In what connection were the following mentioned?

Pakistan
Turkey
Chechnya
"G-10"
Kashmir
Central Asia

Бороться против тактики бессмысленно

Само выражение "борьба с терроризмом" является, строго говоря, некорректным. Терроризм – это лишь метод, тактика, а не политическая программа или идеология. Можно и нужно уничтожать террористов и предпринимать меры по предупреждению терактов, но бороться против тактики как таковой бессмысленно. Понятие "международный терроризм" является не менее спорным. Администрация США понимает под международным терроризмом действия "Аль-Каиды" и ее союзников, направленные против Америки, ее интересов и ее союзников. В глазах руководства России место "Аль-Каиды" занимают чеченские боевики и шахиды, в Индии – это кашмирские сепаратисты, в Китае – уйгурские националисты, в Израиле – ХАМАС и Исламский джихад.

Несмотря на существование связей между всеми перечисленными организациями, никакого "террористического интернационала" в смысле координации их деятельности из единого центра или хотя бы общей идеологии не существует. По большому счету, международный терроризм как общий противник – это миф: на самом деле "терроризмов" много, каждый со своей историей и своей перспективой. Правда, миф об общем враге в известной степени полезен, поскольку он позволяет США и крупным державам, составляющим основу нынешней системы международных отношений (прежде всего Китаю и России), сглаживать противоречия между собой в противостоянии главному противнику современной цивилизации – международному терроризму.

Отсутствие общего врага не означает, однако, отсутствия общей проблемы. Америка, Европа, Россия, Китай, Индия, Япония столкнулись с вызовом, требующим солидарных действий. Этот вызов – не исламистский терроризм. Он лишь острие проблемы. Главная проблема состоит в неспособности значительной части современного мира – Ближнего и Среднего Востока – справиться с вызовом глобализации.

Глобализация жестко навязывает местным обществам необходимость модернизации, к которой большинство этих обществ катастрофически не готово. Правящие режимы, охраняющие статус-кво, настаивают на постепенности развития (что прикрывает их желание сохранить все как есть), но все менее способны контролировать ситуацию. Их время уходит. Радикалы-исламисты однозначно противятся глобализации, стремясь втянуть Запад в развязываемую радикалами гражданскую войну. По замыслу радикалов, открытая поддержка Западом ("крестоносцами и евреями") коррумпированных режимов позволит превратить войну гражданскую в "освободительную", привлечь на сторону исламистов большинство населения и в конце концов привести к смене власти.

Что делать в этой связи? Естественный союзник Запада и России – умеренные силы в мусульманском мире, стремящиеся к модернизации своих стран как к средству преодоления отсталости, очевидно слабы. Внутриполитическое положение реальных союзников – консервативных правительств Пакистана, Саудовской Аравии, Египта, ряда стран Центральной Азии – непрочно. Здесь в принципе может повториться "иранский сценарий", когда свержение шахского режима привело к превращению вчерашнего союзника в злейшего врага.

По ироничной логике политической ситуации, три наиболее проблемных участка региона – Ирак, Иран и Палестинская автономия – являются потенциальными "точками роста" в модернизационном проекте. Ирак обладает необходимыми человеческими и природными ресурсами, чтобы стать одной из самых успешных арабских стран. Стимулирование нового иракского национализма, нацеленного на быстрое восстановление и ускоренное развитие страны, могло бы направить развитие ситуации в позитивное русло. Нормализация отношений между США и Ираном (при достижении негласного понимания между Ираном и Израилем) и включение Ирана в формирующуюся систему безопасности Персидского залива (наряду с Ираком, Саудовской Аравией и малыми странами региона) стали бы прорывом в области обеспечения региональной стабильности.

Итак, Ирак, Иран и Палестина – три главных ключа, способных повернуть Ближний и Средний Восток на путь развития. Здесь особая ответственность ложится на США. Другим долговременным позитивным фактором может стать решение Европейского союза о начале переговоров о вступлении в него Турции. Со своей стороны, Россия должна активизировать свою политику в странах Центральной Азии и Кавказа, способствуя преодолению последствий вооруженных конфликтов и содействуя экономическим реформам в СНГ. Огромное значение имел бы переход к политике консолидации всех политических сил чеченского общества для восстановления республики. Наконец, сотрудничество США и ведущих региональных игроков в обстановке, сложившейся после 11 сентября, создает предпосылки для включения в неформальный форум глобальных лидеров Китая и Индии и превращения, таким образом, "восьмерки" в "десятку".

ПОСЛЕТЕКСТОВЫЕ УПРАЖНЕНИЯ (ИСПОЛЬЗУЯ КОНТЕКСТ):

1. The article proceeds from…
   a. examples to statement.
   b. statement to illustrations.

Paragraph 1

2. There are two transition markers in this paragraph. They are **строго говоря** and **ведь**. They respectively mean...
   a. support of the statement.
   b. shift to a new angle.

3. In sentence 2, there is a use of redundancy. Locate it, and translate it into English.

4. In sentence 3, there is no subject to the predicates **можно**, **нужно** and **бессмысленно** because it is…
   a. disguised in genitive case.
   b. an impersonal construction.
   c. an **они**-omitted construction.

5. In sentence 5, circle the word to which **направленные** refers. Translate the sentence into English.

6. In sentence 6, an emphatic word order is used. Rewrite it using a direct word order.

Paragraph 2

7. In the first sentence of this paragraph, there is no subject to the predicate **не существует** because it is…
   a. disguised in genitive case.
   b. an impersonal construction.
   c. an **они**-omitted construction.

8. In the second sentence, a transition marker **по большому счёту** shows...
   a. support of the previous statement.
   b. ontradiction of the previous statement.

Paragraph 4

9. In the second sentence of this paragraph, there is a case of redundancy. Find it, and translate it into English.

10. Circle the word in the second sentence to which **их** in third sentence refers.

11. In sentence 5, **таким образом** means...
    a. support of the previous statement.
    b. contradiction of the previous statement.

Paragraph 5

12. In the first sentence of this paragraph, there is no subject and there is no complete predicate – only the infinitive **делать**. What is the missing part which the author chose to omit?

13. In the last sentence of this paragraph, there is a use of opposites. Find it, and explain its use.

Paragraph 7

14. The first sentence of this paragraph starts with a transition marker **итак**, which indicates...
    a. a conclusion.
    b. shift to a new angle.

15. In the third sentence of this paragraph, an emphatic word order is used. Rewrite it using a direct word order.

16. In sentence 4, circle the word to which a verbal adverb **способствуя** refers. Translate the sentence into English.

17. Make a list of words you can use to talk about terrorism.

@ УПРАЖНЕНИЯ НА АУДИРОВАНИЕ

ДО ПРОСЛУШИВАНИЯ

А. Терроризм в Индии. In this segment radio host Olga Bychkova interviews Maksim Shevchenko. This broadcast occurred during the terrorist attack on the Taj Mahal Hotel in Mumbai in 2008. At the time of the broadcast those behind the attack had not been identified.

Б. Кто такой Максим Шевченко? Maksim Shevchenko comments frequently on Islamic issues. A snapshot summary of some of his views comes from his article «Кто сталкивает Россию с Исламом» (http://www.archipelag.ru/geopolitics/piryadok/terror/who) where he writes:

> За последние триста лет мусульмане первыми ни разу не атаковали территории т.н. «христианских» (западных) государств.
> Агрессия Запада против исламского мира вызвана, прежде всего, следующими факторами:
> * необходимостью контроля над зонами углеводородного сырья;
> * недопустимостью выхода ислама как идеологии на уровень самостоятельной политической государственной субъектности (после устранения включенных в пространство Запада правящих элит так называемых «исламских государств»).

With this background in mind, what would Shevchenko be expected to say about the following assertions:

1. Al Quaeda was involved in the 2008 attack on Mumbai.
2. Those who planned the Mumbai attacks are part of the same conspiracy that carried out the September 11 attacks on the World Trade Center.
3. The main terrorists in India are Hindu, not Muslim.

В. Нужные слова

Это всё ерунда́ – It's all nonsense

откры́ть Аме́рику – *literally* to discover America, *but figuratively* to state the obvious

по́чва – soil; ground: **на этни́ческой по́чве** – on ethnic grounds

Го́а – Goa

сожжённые деревни – burned out villages

шива́ист – Hindu

язы́чник – pagan

распиа́рить < рас + пиа́р 'PR': **Всё это распиа́рено** – this has all been blown out of proportion.

я́кобы – allegedly: **я́кобы бы́ли на э́тих самолётах** – Allegedly the ones on the planes were…

ли́повый – fake: **ли́повый докуме́нт**

чушь соба́чья – utter nonsense

борт- диспе́тчер – cockpit–airport ground control: **за́писи ме́жду борта́ми и диспе́тчерами.** *Note that* **борт** *literally means* board *as in* "on board."

поража́ть / порази́ть – to astonish: **Вас порази́т – счёт идёт на со́тни** – This will astonish you: the number is in the hundreds.

мече́ть – mosque

После прослушивания

А. Максим Шевченко на тему терроризма.

According to Shevchenko…

1. Who was not responsible for the 2008 Mumbai attack?
2. Who is responsible for a thousand deaths every year in India?
3. What sorts of violent acts are committed?
4. Who is *not* trying to provoke war with Pakistan? (This demands some inferencing. Shevchenko does not say this word for word.)
5. What doubts are there about the September 11 attacks on the World Trade Center? What are the supporting arguments?
6. What can be said about the U.S. Congressional September 11 investigation?
7. Why are Shevchenko's statements about the sources of religious violence in India not widely known in the West and in Russia?

Б. Как это сказали? Прослушайте фрагмент ещё раз. Найдите русские эквилаленты:

1. This is the latest large-scale terrorist attack.

2. These are consequences of the religious war being conducted in India.

3. They are pagans who treat others as non-persons.

4. They are trying to whip up war between India and Pakistan.

5. The Pakistanis have nothing to do with this.

6. Interreligious violence is the the permanent background there.

7. Countries involved with trade with that country say nothing.

8. Russia is a major trading partner in weapons systems.

КРУГ ВТОРОЙ

**УРОК ПЯТЬ
ДЕМОГРАФИЯ И
ИММИГРАЦИЯ**

@ **ТЕКСТ. Прослушайте текст, затем прочитайте и переведите его на английский язык в письменной форме.**

Часть 1
ДЕМОГРАФИЧЕСКАЯ КАТАСТРОФА: ЧТО ДЕЛАТЬ?

В послéдние гóды Росси́йская Федера́ция столкну́лась° с уника́льной демографи́ческой ситуа́цией. Высóкая смéртность сочета́ется° в странé с чрезвыча́йно ни́зкой рожда́емостью. Это явлéние° получи́ло назва́ние – «ру́сский крест». По слова́м одногó из веду́щих демóграфов страны́ Л.Л. Рыбакóвского, «сложи́вшийся° режи́м воспроизвóдства населéния... сочета́ет в себé "европéйскую рожда́емость и африка́нскую смéртность"».	has faced goes together with phenomenon current
Сегóдня в Росси́и ка́ждую мину́ту рожда́ется три человéка и умира́ет четы́ре. Для сравнéния: в Кита́е за мину́ту рожда́ется 38, умира́ет 16 человéк, в США — соотвéтственно° 8 и 4, в Áфрике — 8 и 3. В Индии	respectively

ежемину́тно фикси́руется 48 рожде́ний и 17 смерте́й, в
Пакиста́не — 10 и 3. В Евро́пе и Япо́нии приро́ст
населе́ния приме́рно нулево́й (рожда́ется сто́лько же,
ско́лько и умира́ет), но в четырёх из семи́ са́мых
ра́звитых стран ми́ра наблюда́ется пусть и небольшо́й,
но всё-таки приро́ст населе́ния.

Росси́я же ка́ждый год теря́ет от пятисо́т ты́сяч до
одного́ миллио́на челове́к — то есть не ме́нее 0,65[1]
проце́нта населе́ния. А в центра́льных областя́х
европе́йской Росси́и ежего́дные поте́ри составля́ют до
1,0 проце́нта. У нас умира́ет 2,3 млн.[2] челове́к в год, в
пересчёте на 100 тыс. населе́ния — это в 2 ра́за
бо́льше, чем в Евро́пе и США. У нас в 3 ра́за бо́льше
самоуби́йц, чем в сре́днем° по ми́ру (40 на 100 тыс.   average
населе́ния), и по э́тому показа́телю мы занима́ем
пе́рвое ме́сто на плане́те. Продолжи́тельность жи́зни
мужчи́ны в Росси́и составля́ет непо́лные 59 лет —
ни́же, чем в Еги́пте (А́фрика) и Боли́вии (Лати́нская
Аме́рика). В то же вре́мя в Япо́нии сре́дняя
продолжи́тельность жи́зни мужчи́ны – 77,3 го́да, в
Шве́ции — 77 лет, в Великобрита́нии — 75 лет, во
Фра́нции — 74,5 года, в Герма́нии — 74,4 года, в
США — 74 го́да. А ведь в конце́ 1960-х годо́в в СССР
благодаря́ разви́тию медици́ны продолжи́тельность
жи́зни дости́гла у́ровня веду́щих за́падных стран.

На сего́дня в ми́ре насчи́тывается 39 стран с
населе́нием бо́лее 140 ты́сяч челове́к, число́ жи́телей в
кото́рых уменьша́ется. В э́той гру́ппе стран Росси́я
занима́ет 6-е ме́сто по те́мпам сокраще́ния населе́ния.
Нас опережа́ют то́лько Эсто́ния, Болга́рия, Украи́на,
Гру́зия и Гайа́на. Но по абсолю́тным показа́телям
поте́рь Росси́я на пе́рвом ме́сте. По да́нным пе́реписи
населе́ния на 1 января́ 2002 го́да в Росси́и жи́ло 143
млн. 954 тыс. челове́к. Если сравни́ть э́ти ци́фры с
результа́тами предыду́щей пе́реписи, то вы́яснится,
что населе́ние страны́ сократи́лось° бо́лее чем на 3   dipped
миллио́на. И э́то несмотря́ на большо́й прито́к°   flow

---

[1] – 0,65 проце́нта – ноль це́лых и шестьдеся́т пять со́тых проце́нта (см. Кру́г пе́рвый, Уро́к 6 –
genitive case with decimals)
[2] – 2,3 млн. – два це́лых и три деся́тых миллио́на

иммигра́нтов из респу́блик бы́вшего Сове́тского
Сою́за. По прогно́зам, сде́ланным слу́жбой
народонаселе́ния ООН, к среди́не настоя́щего
столе́тия° чи́сленность населе́ния Росси́и мо́жет   100 + лет = век
оказа́ться ме́ньше 100 млн. челове́к. Не бу́дет
преувеличе́нием° сказа́ть, что ситуа́ция не про́сто   exaggeration
чрезвыча́йная, а катастрофи́ческая: под угро́зой
бу́дущее страны́.

    Е́сли росси́йское о́бщество ничего́ не предпри́мет°   will undertake
для исправле́ния положе́ния, то уже́ в ближа́йшие
десятиле́тия мир ста́нет свиде́телем° исчезнове́ния°   witness   disappearance
Росси́и с ка́рты ми́ра. На сего́дняшний день
Росси́йская Федера́ция занима́ет 7-е ме́сто в ми́ре по
чи́сленности населе́ния, уступа́я° Кита́ю, Индии,   behind
США, Индоне́зии, Брази́лии и Пакиста́ну. Но при э́том
Росси́я облада́ет° са́мой большо́й в ми́ре террито́рией   = име́ет
— бо́лее 17 млн. квадра́тных киломе́тров. На э́той
террито́рии, по не́которым оце́нкам, размеща́ется до
42 проце́нтов приро́дных бога́тств ми́ра. В усло́виях
обостря́ющейся борьбы́ за ресу́рсы положе́ние, когда́
населе́ние гига́нтской террито́рии бы́стро
уменьша́ется, чрева́то° больши́ми опа́сностями и не   is fraught
мо́жет сохраня́ться°до́лго.   to be preserved; to go on

@ КОГНАТЫ

гига́нтская	проце́нт
демографи́ческая катастро́фа	режи́м
крест	ресу́рсы
медици́на	террито́рия
нулево́й	уника́льная ситуа́ция
плане́та	фикси́роваться
прогно́з	центра́льный

СЛОВА И ВЫРАЖЕНИЯ

благодаря́ разви́тию медици́ны – owing to the development of medicine

занима́ть пе́рвое ме́сто на плане́те *по чему́* – to rank first in the world *in something*
    по коли́честву самоуби́йц – in suicides
    по продолжи́тельности жи́зни мужчи́ны – in male life span
    те́мпам сокраще́ния населе́ния – in population decrease

исправле́ние: ничего́ не предприня́ть для исправле́ния положе́ния – to do
    nothing to correct the situation

ка́ждую мину́ту = ежемину́тно

наблюда́ется приро́ст населе́ния – there is a growth in population
    ...высо́кая сме́ртность – ...a high mortality rate

насчи́тываться – to number

несмотря́ на большо́й прито́к иммигра́нтов – despite a large influx of immigrants

нулево́й: приро́ст приме́рно нулево́й – the increase is almost zero
    рождае́мость приме́рно нулева́я – the birthrate is almost zero

опережа́ть – to lead; to be ahead

пе́репись – census: **по да́нным пе́реписи населе́ния** – according to the census

пересчёт: в пересчёте на 100 тыс. населе́ния – the rate for 100 thousand people

приро́дные бога́тства ми́ра – the world's natural resources

прогно́з: по прогно́зам слу́жбы народонаселе́ния ООН – according to the
    predictions of the UN population bureau

рожда́ться / роди́ться – to be born

рожде́ние – birth

сложи́вшийся режи́м воспроизво́дства населе́ния – the current pattern of
    population replacement

смерть – death

сочета́ться *с чем* – to go together *with something*
    с ни́зкой рождае́мостью – with a low birthrate
    с высо́кой сме́ртностью – with a high mortality rate

ста́ть свиде́телем исчезнове́ния Росси́и с ка́рты ми́ра – to witness the
    disappearance (extinction) of Russia from the map of the world

столкну́ться с уника́льной ситуа́цией – to face a unique situation

**теря́ть / потеря́ть 0,65 проце́нта населе́ния (см. Кру́г 1, Уро́к 6 – genitive case
    with decimals)** – to lose .65% of the population

угро́за: под угро́зой бу́дущее страны́ – the future of the country is under threat

умира́ть / умере́ть (умру́т у́мер; умерла́, у́мерли) – to die

уступа́ть Кита́ю – to be next after China

чрева́т, -а, -о, -ы больши́ми опа́сностями – fraught with great dangers

ЛЕКСИЧЕСКИЕ УПРАЖНЕНИЯ

Просмотрите слова и выражения к тексту «Демография и иммиграция», часть 1 и сделайте следующие упражнения.

А. Заполните пропуски правильными предлогами.

1. Аме́рика впервы́е столкну́лась _____ феноме́ном террори́зма _____ свое́й террито́рии _____ 11 сентября́ 2001 го́да.
2. Росси́я занима́ет пе́рвое ме́сто _____ коли́честву разво́дов (divorce).
3. Несмотря́ _____ име́ющиеся да́нные, премье́р воздержа́лся _____ прямы́х обвине́ний.
4. Концентри́рование войск _____ восто́ке сочета́ется _____ перебро́ской деса́нта бли́же _____ грани́це.
5. _____ да́нным после́дней пе́реписи населе́ния са́мой большо́й столи́цей ми́ра оказа́лась япо́нская столи́ца.
6. _____ результа́те демографи́ческой катастро́фы бу́дущее Росси́и нахо́дится _____ угро́зой.
7. _____ значи́тельной иммигра́ции чи́сленность населе́ния США значи́тельно увели́чилась.
8. Предыду́щая администра́ция ничего́ не предприня́ла _____ разреше́ния пробле́мы медици́нского обслу́живания.
9. Высо́кая сме́ртность и ни́зкая рожда́емость чрева́ты _____ серьёзными после́дствиями.

Б. Дайте русские эквиваленты следующим английским фразам.

- to rank first in suicides
- to go together with the population decrease
- every minute (variants)
- to face a unique situation
- despite the progress in medicine
- high mortality rate
- to do nothing to correct the situation
- low birthrate
- there is growth in numbers of immigrants
- fraught with big dangers

- owing to the last census data
- to be next after Russia in divorce rate
- to be under threat of extinction
- to disappear from the map of the world
- natural wealth

В. РАБОТА ПО МОДЕЛЯМ

1. **Заполните пропуски словами по смыслу.**

что   *чем*

а.   _____ } сочета́ется в стране́ с { _____
      _____   _____
      _____

кто   *чего*

б.   _____ } занима́ет пе́рвое ме́сто на плане́те по коли́честву   _____
      _____   _____
      _____

                                                      чего

б.   Администра́ция ничего́ не предприняла́ для { _____
                                                          _____
                                                          _____

что

в.   _____ } чрева́т, -а, -о, -ы больши́ми опа́сностями.
      _____
      _____

                                                      что

д.   В настоя́щее вре́мя под угро́зой нахо́дится { _____
                                                        _____
                                                        _____

2. Закончите предложения, используя логически правильные фразы.

Российская Федерáция переживáет _____, при котóрой высóкая смéртность _____ с чрезвычáйно нúзкой рождАемостью. Это явлéние получúло назвáние _____.

Сегóдня в Россúи кáждую минýту _____ три человéка и _____ четы́ре. Нáдо сказáть, что в Еврóпе и Япóнии прирóст населéния _____, но в четырёх из семú сáмых рáзвитых стран мúра всё-таки наблюдáется _____.

Россúя кáждый год _____ от пятисóт ты́сяч до одногó миллиóна человéк. В РФ в 3 рáза бóльше _____, чем в срéднем по мúру. Онá занимáет _____ по этому показáтелю. _____ в Россúи составлáет непóлные 59 лет, в то врéмя как в концé 1960-х годóв в СССР благодаря развúтию медицúны продолжúтельность жúзни

_____.

По дáнным _____ на 1 января 2002 гóда в Россúи жúло 143 млн. 954 тыс. человéк. То есть с предыдýщей пéреписи _____, что населéние страны́ _____ бóлее чем на 3 миллиóна. И это несмотря на _____ из респýблик бы́вшего Совéтского Сою́за.

Если россúйское óбщество ничегó не _____ для исправлéния положéния, то к середúне 2050-х годóв мир стáнет свидéтелем _____ с кáрты мúра. При том, что Россúя обладáет _____ в бóлее 17 млн. квадрáтных киломéтров и _____ в 42 процéнта, в услóвиях обостряющейся борьбы́ за ресýрсы ситуáция Россúи чревáта

_____.

Г. Ответьте на следующие вопросы.

1. «Столкнýться» знáчит "to run into something; to face" от слóва «толкáться». Как это сказать по-английски?

2. «Смéртность» и «рождáемость» существúтельные, образóванные с пóмощью сýффикса «сть», котóрый чáсто встречáется в абстрáктных существúтельных жéнского рóда. Какúе другúе словá такóго тúпа вы знáете?

3. Русскоговорящие áвторы всегдá любúли слóво «сложúвшийся». Какúе синóнимы этому слóву вы знáете?

4. Трýдно не согласúться, что словá «рождáться / родúться» вáжные. У них большáя семья́. Какúе словá этого кóрня вам срáзу прихóдят на ум? Как сказáть по-англúйски «рóды»? А «рождество́»?

5. «Кáждую минýту» знáчит «ежеминýтно»: «éже» плюс нарéчие от выражéния врéмени. Попрóбуйте слéдовать той же модéли с выражéниями «кáждый мéсяц», «кáждый год» и «кáждую недéлю».

6. Слóво «прирóст» состоúт из сýффикса «при», котóрый в сочетáнии с глагóлами означáет "addition" и «рост» от слóва «растú»». Вы пóмните прошéдшее врéмя от этого глагóла?

7. Слóво «самоубúйца» состоúт из двух частéй. Объяснúте его значéние.

8. «Благодаря́» – это деепричáстие (verbal adverb). От какóго глагóла онó образóвано?

9. Какóй кóрень глагóла «опережáть» – "to lead"?

10. Слóво «пéрепись» по-англúйски бýдет "census". Объяснúте егó структýру.

11. «Чревáт» óчень мрáчное слóво, котóрое знáчит "fraught with something (usually bad)». Как же это случилось? Ведь существительное «чрево» значит "uterus".

12. Сдéлайте спúсок демографúческой терминолóгии, испóльзованной в пéрвой чáсти этого тéкста.

ГРАММАТИКА: ПОВТОРЕНИЕ ДЕЕПРИЧАСТИЙ НЕСОВЕРШЕННОГО ВИДА (IMPERFECTIVE VERBAL ADVERBS)

Повторите использование деепричастий несовершенного вида, Круг 1, Урок 5.

A. Дееапичастия. Соедините следующие предложения, образовав деепричастия несовершенного вида из слов в курсиве (italics). Сделайте необходимые изменения.

Образец: Официальный Вашингтон *разглагольствует* на тему «борьбы с терроризмом». Однако он ничего при этом не предпринимает.

Разглагольствуя на тему «борьбы с терроризмом», официальный Вашингтон ничего не предпринимает.

1. Пэт Робертсон *стремился* избавиться от представления о себе как о сугубо религиозном деятеле, и поэтому за день до выдвижения своей кандидатуры он сложил с себя сан баптистского священника.

2. Когда председатель государственного Комитета по использованию атомной энергии *отвечал* на вопросы журналистов, он подчеркнул серьёзность изучения последствий аварии на Чернобыльской АЭС.

3. В то время как парижский корреспондент «Известий» *анализирует* реакцию во Франции на российско-американскую договорённость по РСД (ракеты средней дальности), он делает следующий вывод.

4. Запад *пытался* помешать сближению Советской России и мусульманского Востока. Он развернул мощную пропагандистскую кампанию. Тем самым он *искажал* сущность советской политики по отношению к народам Востока.

5. США должны сознавать, что это долгосрочная политика и *не выдвигать* при этом никаких нереалистичных экономических надежд.

6. Так как ракета «Ланс» *является* оружием «двойного назначения», наряду с обычной она может быть оснащена ядерной боеголовкой.

7. Представитель Пентагона сообщил, что в ближайшее время вступит в строй ещё одна плавучая база. При этом он *не называл* своего имени.

8. Поскольку участники семинара *не планируют* показать методику токсикологической оценки этих химикатов, они осложняют заключение конвенции.

ГРАММАТИКА: ПОВТОРЕНИЕ ДЕЕПРИЧАСТИЙ СОВЕРШЕННОГО ВИДА (PERFECTIVE VERBAL ADVERBS)

Повторите использование деепричастий совершенного вида, Круг 1, Урок 5. Сделайте следующее упражнение.

А. Деепричастия в предложениях. Соедините следующие предложения, образовав деепричастия несовершенного вида из выделенных слов. Сделайте необходимые изменения.

Образец: Самолёты ВВС Ирака **поразили** «крупную морскую цель» у побережья Ирана и возвратились на свои базы.

Поразив «крупную морскую цель» у побережья Ирана, самолёты ВВС Ирака вернулись на свои базы.

1. США **сконцентрировали** в районе Персидского залива крупнейшую со времён второй мировой войны военно-морскую группировку. Тем самым они обеспечили боевые операции американских вооружённых сил на международных морских коммуникациях.

2. Советский Союз **предложил** создание Всемирной космической организации (ВКО). Тем самым он реализует конкретную программу сотрудничества.

3. Мусульманские народы **сбросили** с себя вековую спячку. Они приветствовали подъём большевизма.

4. Если **проинспектировать** один из американских кораблей, то можно установить, нарушают ли США один из трёх безъядерных принципов.

5. После того как Чжао Цзыян **коснулся** вопроса российско-китайских отношений, он сказал, что эти отношения в некоторой степени улучшились.

6. Сначала США **развернули** эти ракеты на территории Бельгии и Великобритании, а затем они приступили к размещению их на территории ФРГ, Италии и Нидерландов.

7. «Силы самообороны» сражались упорно. Они **потеряли** в боях 40 процентов личного состава.

8. Президент США **встретился** с вернувшимися из России государственным секретарём и помощником президента по национальной безопасности. В ходе совещания они обсудили итоги состоявшихся в Москве переговоров.

ГРАММАТИКА: ПОВТОРЕНИЕ ПАДЕЖЕЙ

 Повторите использование падежей в Круге 1. Затем раскройте скобки.

1. Они передумали и отказываются встречаться с [российский представитель] _____.

2. Запущенная с [надводный корабль] _____ ракета пролетела свыше [800 километров] _____ до [заданный район] _____.

3. Новое политическое мышление могло бы способствовать [окончательная выработка] _____ текста конвенции.

4. Силы второго эшелона передвинулись под [прикрытие] _____ артиллерии.

5. Он отказался говорить про [аппаратура] _____ американского и японского происхождения, [находящаяся] _____ за [пределы] _____ базы.

6. Только [усиление] _____ гарантий прав граждан мы сможем углубить нашу демократию.

7. Несколько [направляющиеся] _____ на родину [беженцы] _____ было задержано.

8. Они навязывали [американские журналисты] _____ ультимативно [самые дорогие транспортные билеты] _____.

9. Специалисты из Пентагона стоят за [срочная «модификация»] _____ устаревших радаров на [Британские острова] _____.

10. В [ход] _____ нынешнего процесса представители компаний упорно твердят, что им ничего не известно про [шпионское оборудование] _____.

УПРАЖНЕНИЯ НА УСТНУЮ РЕЧЬ

А. Дискуссия. Если вы хотите перейти к другому аспекту той же дискуссии или совсем поменять тему, вы можете сказать:

тут всё бо́лее и́ли ме́нее я́сно, но ...
с э́тим тру́дно не согласи́ться, но ...

Если вы хоти́те объясни́ть, почему́ э́тот но́вый у́гол зре́ния ва́жен, то вы мо́жете сказа́ть:

но нельзя́ забыва́ть, что ...
ина́че обстои́т де́ло с ...

Образец: Одни́м из сле́дствий оконча́ния холо́дной войны́ ста́ло сокраще́ние вооружённых сил в Росси́и.
С э́тим тру́дно не согласи́ться, но нельзя́ забыва́ть, что сокраще́ние вооружённых сил ста́ло происходи́ть и в США.

Сделайте переход к другому аспекту на материале следующих предложений:

1. Сложи́вшийся в Росси́и режи́м воспроизво́дства населе́ния сочета́ет в себе́ «европе́йскую рожда́емость и африка́нскую сме́ртность».
2. Если сравни́ть э́ти ци́фры с результа́тами предыду́щей пе́реписи, то вы́яснится, что населе́ние страны́ сократи́лось бо́лее чем на 3 миллио́на.
3. Положе́ние, когда́ населе́ние гига́нтской террито́рии бы́стро уменьша́ется, чрева́то больши́ми опа́сностями.

Б. Начните дисскуссию на тему, предложенную в следующих предложениях, используя:

что́бы разобра́ться с э́тим вопро́сом, дава́йте попыта́емся поня́ть, кто (что тако́е, где, почему́) ...
это помо́жет объясни́ть, почему́ (как, где, кто, что) ...

1. Феноме́н высо́кой сме́ртности в сочета́нии с чрезвыча́йно ни́зкой рожда́емостью получи́л назва́ние – «ру́сский крест».
2. В Росси́и в 3 ра́за бо́льше самоуби́йц, чем в сре́днем по ми́ру.
3. Населе́ние РФ сократи́лось бо́лее чем на 3 миллио́на несмотря́ на большо́й прито́к иммигра́нтов из респу́блик бы́вшего Сове́тского Сою́за.
4. Росси́я облада́ет са́мой большо́й в мире террито́рией — бо́лее 17 млн. квадра́тных киломе́тров, на кото́рой размеща́ется до 42 проце́нтов приро́дных бога́тств ми́ра.

В. Процитируйте следующие предложения, используя:

в э́той статье речь идёт о ...
по определе́нию ...

1. Сложи́вшийся режи́м воспроизво́дства населе́ния в Росси́и сочета́ет в себе́ «европе́йскую рожда́емость и африка́нскую сме́ртность».
2. По да́нным пе́реписи населе́ния на 1 января́ 2002 го́да в Росси́и жи́ло 143 млн. 954 тыс. челове́к.

Г. Вы согласны? Выразите своё согласие или несогласие в предложениях ниже, используя:

я стопроце́нтно согла́сна (согла́сен) с тем, что...
де́ло в том, что...
я категори́чески не согла́сна (согла́сен) с тем, что...
ведь...

1. А ведь в конце́ 1960-х годо́в в СССР благодаря́ разви́тию медици́ны продолжи́тельность жи́зни дости́гла у́ровня веду́щих за́падных стран.
2. Росси́я занима́ет пе́рвое ме́сто на плане́те по коли́честву самоуби́йств.
3. Если росси́йское о́бщество ничего́ не предпри́мет для исправле́ния положе́ния, то уже́ в ближа́йшие десятиле́тия мир ста́нет свиде́телем исчезнове́ния Росси́и с ка́рты ми́ра.
4. Положе́ние, когда́ населе́ние гига́нтской террито́рии бы́стро уменьша́ется, не мо́жет сохраня́ться до́лго.

Д. Ваше мнение. Выразите своё мнение в следующих предложениях, используя:

у меня́ сложи́лось тако́е впечатле́ние, что...
де́ло в том, что...
мне ли́чно ду́мается, что...
ведь...

1. В Евро́пе и Япо́нии прирост населе́ния приме́рно нулево́й.
2. Продолжи́тельность жи́зни мужчи́ны в Росси́и ни́же, чем в Еги́пте (Африка) и Боли́вии (Лати́нская Аме́рика).
3. Демографи́ческая ситуа́ция в РФ не про́сто чрезвыча́йная, а катастрофи́ческая: под угро́зой бу́дущее страны́.
4. В сего́дняшнем ми́ре происхо́дит обостря́ющаяся борьба́ за ресу́рсы.

Е. Продолжение дискуссии. Сделайте дополнения к следующим предложениям, используя:

здесь есть о чём поду́мать; но ведь нельзя́ забыва́ть, что…

1. В четырёх из семи́ са́мых ра́звитых стран ми́ра наблюда́ется пусть и небольшо́й, но всё-таки приро́ст населе́ния.
2. Росси́я занима́ет 6-е ме́сто по те́мпам сокраще́ния населе́ния среди 39 больши́х стран, число́ жи́телей в кото́рых уменьша́ется.
3. По прогно́зам, сде́ланным слу́жбой народонаселе́ния ООН, к середи́не настоя́щего столе́тия чи́сленность населе́ния Росси́и мо́жет оказа́ться ме́ньше 100 млн. челове́к.
4. В усло́виях обостря́ющейся борьбы́ за ресу́рсы демографи́ческий кри́зис чрева́т больши́ми опа́сностями.

Ж. Цитирование источников. Ответьте на следующие вопросы по тексту урока, цитируя текст статьи, соглашаясь или не соглашаясь с автором и выражая своё мнение.

1. Что тако́е «ру́сский крест»?
2. Ско́лько челове́к рожда́ется и умира́ет ка́ждую мину́ту в ра́зных стра́нах?
3. Чем отлича́ется эта ситуа́ция от росси́йской?
4. Из чего́ скла́дываются ци́фры ежего́дных поте́рь населе́ния Росси́и?
5. По каки́м показа́телям Росси́я занима́ет пе́рвое ме́сто на плане́те?
6. Како́й была́ ситуа́ция в СССР в конце́ 1960-х годо́в?
7. В како́й гру́ппе Росси́я занима́ет 6-е ме́сто по те́мпам сокраще́ния населе́ния?
8. Каки́е стра́ны опережа́ют Росси́ю по э́тим те́мпам?
9. Сравни́те да́нные пе́реписи населе́ния 2002-го го́да с данными предыду́щей пе́реписи.
10. Почему́ а́втор называ́ет э́ту ситуа́цию не про́сто чрезвыча́йной, а катастрофи́ческой?
11. Что произойдёт, е́сли Росси́я ничего́ не предпри́мет для исправле́ния ситуа́ции?
12. Почему́ в усло́виях обостря́ющейся борьбы́ за ресу́рсы положе́ние, когда́ населе́ние гига́нтской террито́рии бы́стро уменьша́ется, не мо́жет сохраня́ться до́лго?

З. 1. С одной точки зрения… Расскажи́те пе́рвую часть уро́ка 5 с то́чки зрения россия́нина, цити́руя текст стате́й, соглаша́ясь или не соглаша́ясь с её а́втором и выража́я своё мне́ние.

   2. С другой точки зрения… Расскажи́те ту же исто́рию с то́чки зре́ния друго́й страны́, цити́руя исто́чники, (не) соглаша́ясь с её а́втором и выража́я своё мне́ние!

   3. В кратце… Сумми́руйте пе́рвую часть в двух-трёх предложе́ниях.

@ ТЕКСТ. Прослушайте текст, затем прочитайте и переведите его на английский язык в письменной форме.

Часть 2
ДЕМОГРАФИЧЕСКАЯ КАТАСТРОФА: ЧТО ДЕЛАТЬ?

Особенно ненормальным, с геополитической точки зрения, является ситуация в азиатской России, на которую приходится° большая° часть территории страны, но где проживает лишь пятая часть населения. Особенно слабо заселены° районы Крайнего Севера и приравненные° к ним по климатическим условиям территории. В этих районах, составляющих до 70 процентов территории страны, проживает всего 11,5 млн. человек или 1 человек на 1 квадратный километр. Но даже это относительно небольшое население азиатской и северной части Российской Федерации с 1992 года неуклонно° уменьшается.

to fall on
большой – big; больший – greater
populated
equated; similar

persistently; unflinchingly

В России произошёл слом механизма воспроизводства° населения, и началась депопуляция. Вымирание страны имеет безусловную духовно–смысловую° природу: это — утрата россиянами оригинального оптимистического мировоззрения°, на котором строятся базовые ценности. За демографической проблемой в России стоит цивилизационный кризис, и с него надо начинать решение проблемы. Однако выработка нового мировоззрения, обретение° целым народом смысла существования – процесс непростой и очень длительный. Между тем существует иной, более быстрый по историческим меркам° способ поправить положение. Речь идёт об иммиграции.

replacement

spiritually perceived
worldview; Weltanschauung

acquisition of; discovery of

measurements; standards

«...Целые секторы экономики рухнули° бы в течение одной ночи, если бы вдруг исчезли работники-мигранты». Эти слова взяты не из статьи какого-нибудь склонного к эпатажу° журналиста. Это цитата из доклада Глобальной комиссии по международной миграции, созданной° по инициативе

collapsed

exaggeration

created

Генера́льного секретаря́ ООН Ко́фи Анна́на. Сего́дня
Росси́я занима́ет 2-е ме́сто в ми́ре (по́сле США) по
коли́честву иммигра́нтов — у нас их уже́ бо́лее 13
миллио́нов. Иммигра́нты — э́то огро́мное бога́тство,
испо́льзовав его́, Росси́я могла́ бы стать «Аме́рикой
XXI ве́ка». Но для э́того необходи́ма разу́мная
миграцио́нная поли́тика. А её в Росси́и как не было,
так и нет.

Вме́сто того́ чтобы вся́чески° стимули́ровать
иммигра́цию, госуда́рство ведёт настоя́щую войну́ с
вы́ходцами из други́х стран. Бессмы́сленно жесто́кие
зако́ны о гражда́нстве и о правово́м положе́нии
иностра́нных гра́ждан сде́лали практи́чески
невозмо́жным получе́ние гражда́нства че́стным путём.
Сле́дствием° явля́ется рост корру́пции. Кримина́льные
элеме́нты покупа́ют паспорта́ без вся́ких пробле́м.
Число́ нелега́льных иммигра́нтов стреми́тельно°
растёт (сейча́с их о́коло 5 миллио́нов), а лега́льное
переселе́ние в Росси́ю на ПМЖ° почти́ прекрати́лось.
А разгово́ры об иммиграцио́нной амни́стии и о
програ́мме доброво́льного переселе́ния так
разгово́рами и остаю́тся.

by any means possible

= результа́том

at full speed
постоя́нное ме́сто жи́тельства

@ КОГНАТЫ

амни́стия
ба́зовые
геополити́ческий
глоба́льная коми́ссия
депопуля́ция
иммигра́ция
инициати́ва
климати́ческий
корру́пция
кри́зис
кримина́льные элеме́нты

механи́зм
мигра́нты
нелега́льный
оптимисти́ческий
оригина́льный
паспорта́
практи́чески
пробле́ма
се́кторы
стимули́ровать
цивилизацио́нный

СЛОВА И ВЫРАЖЕНИЯ

ба́зовые це́нности – basic values

бессмы́сленно жесто́кие зако́ны *о чём* – unnecessarily cruel laws *on something*
    о гражда́нстве – on citizenship
    о правово́м положе́нии – on legal status

вме́сто того́ что́бы стимули́ровать иммигра́цию... – instead of stimmulating immigration...

вымира́ние име́ет духо́вно–смыслову́ю приро́ду – dying out has a spiritually perceived explanation

вы́работка но́вого мировоззре́ния – development of a new worldview

вы́ходцы из други́х стран – people coming from other countries

доброво́льное переселе́ние так разгово́рами и остаю́тся – voluntary relocation remains only talk

лега́льное переселе́ние на ПМЖ (постоя́нное ме́сто жи́тельства) – legal relocation to a permanent place of residence

начина́ть реше́ние пробле́мы с цивилизацио́нного кри́зиса – to begin solving the problem starting from the civilizational crisis

обрете́ние смы́сла существова́ния – acquiring a meaning of life

по истори́ческим ме́ркам – in historical terms

получе́ние гражда́нства (не)че́стным путём – (dis)honest acquisition of citizenship

прира́вненный, -ая, -ое, -ы к Кра́йнему Се́веру по климати́ческим усло́виям – similar (equated) to the Far North in climate conditions

прожива́ть – to reside

рабо́тники-мигра́нты – migrant workers

разу́мная миграцио́нная поли́тика – intelligent migration policy

речь идёт об иммигра́ции – we are talking about immigration

скло́нный к эпата́жу – inclined to exaggeration, the dramatic

сла́бо заселён, заселена́, -а́, -о́, -ы́ – thinly populated

слом механи́зма – a breakdown of the mechanism

стоя́ть за чем – to be *a reason for something*; to serve *as an explanation for something*
    за демографи́ческой пробле́мой – for the demographic problem
    за огро́мным бога́тством – for huge wealth

то́чка зре́ния: с геополити́ческой то́чки зре́ния – from a geopolitical point of view

утра́та оптимисти́ческого мировоззре́ния – a loss of an optimistic worldview (*Weltanschauung*)

ЛЕКСИЧЕСКИЕ УПРАЖНЕНИЯ

Просмотрите слова и выражения к тексту «Демография и иммиграция», часть 2 и сделайте следующие упражнения.

(Quia) **А. Заполните пропуски правильными предлогами.**

1. Проблéму депопуляции нýжно начинáть _____ создáния нóвых бáзовых цéнностей.

2. _____ климатическим услóвиям российский Крáйний Сéвер мóжно приравнивать _____ Юкóну, сéверной территóрии Канáды.

3. Россйи нужны нóвые закóны _____ правовóм положéнии инострáнных грáждан.

4. Авторы-журналисты, пишущие _____ демогрáфии, склóнны _____ преувеличéниям (exaggerations).

5. Срéдняя Азия представляет вáжность для Россйи _____геополитической тóчки зрéния.

6. _____ инициатйве ООН былá сóздана комйссия _____ миграциóнной полйтики.

7. Какóй процéнт населéния прихóдится _____ Востóчное побережье США?

8. Что стоит _____ рóстом криминáльных элемéнтов в США?

9. Мóжно ли вестй войнý _____ террорйзмом.

(Quia) **Б. Дайте русские эквиваленты следующим английским фразам.**

- to be a reason for the demographic problem
- dying out of a nation
- voluntary relocation
- unnecessarily cruel laws
- people coming from other countries
- a breakdown of the mechanism
- from the geopolitical point of view
- a loss of an optimistic worldview
- basic values
- migrant workers
- in historical terms
- to remain only talk

В. РАБОТА ПО МОДЕЛЯМ

1. **Заполните пропуски словами по смыслу.**

а.   Ба́зовые це́нности стро́ятся на   } *что*
          ————————
          ————————
          ————————

б.   За демографи́ческой пробле́мой в Росси́и стои́т   } *что*
          ————————
          ————————
          ————————

в.   Речь идёт о(б)   } *чём*
          ————————
          ————————
          ————————

г.   Вме́сто того́ что́бы   } *делать что*
          ————————
          ————————
     госуда́рство   } *делает что*
          ————————
          ————————

д.   Сле́дствием   } *чего*
          ————————
          ————————
     является рост   } *чего*
          ————————
          ————————

е.   Разгово́ры о   } *чём*
          ————————
          ————————   так разгово́рами и остаю́тся.

2. Закончите предложения, используя логически правильные фразы.

Ситуа́ция в азиа́тской Росси́и явля́ется осо́бенно ненорма́льной с _____, потому́ что на неё _____ бо́льшая часть террито́рии страны́, но где _____ лишь пя́тая часть населе́ния. Но да́же э́то относи́тельно небольшо́е населе́ние _____.

С 1992 го́да в Росси́и начался́ слом _____, и начал́ось _____ страны́. Одно́й из причи́н э́того проце́сса явля́ется _____ россия́нами _____, на кото́ром стро́ятся _____.

Одна́ко существу́ет бы́стрый по истори́ческим ме́ркам спо́соб попра́вить демографи́ческое положе́ние страны́. Речь идёт об _____. Це́лые се́кторы эконо́мики ру́хнули бы в тече́ние одно́й но́чи, е́сли бы вдруг исче́зли _____. Росси́я занима́ет 2-е ме́сто в ми́ре (по́сле США) по _____. Иммигра́нты — э́то огро́мное бога́тство. Росси́я могла́ бы стать _____, испо́льзовав его́.

Но вме́сто разу́мной миграцио́нной поли́тики госуда́рство ведёт настоя́щую войну́ с _____. Бессмы́сленно жесто́кие зако́ны о гражда́нстве и о правово́м положе́нии иностра́нных гра́ждан приво́дят к ро́сту _____. Криминá́льные элеме́нты без вся́ких пробле́м покупа́ют _____.

Число́ иммигра́нтов стреми́тельно _____, а _____ почти́ прекрати́лось. Разгово́ры о(б) _____ и о (б) _____ так разгово́рами и остаю́тся.

Г. Отве́тьте на следующие вопросы.

1. Во второ́й ча́сти э́той статьи́ есть три сло́ва из семе́йства «глаго́лов движе́ния и веде́ния». Найди́те их и переведи́те на англи́йский язы́к.

2. «Прожива́ть» зна́чит "to reside". С каки́ми други́ми приста́вками употребля́ется ко́рень «жить – жива́ть»? Как сказа́ть "to live through"? А как насчёт "to worry"?

3. Что зна́чит «слом механи́зма воспроизво́дства»?

4. В словосочетáнии «неуклóнно уменьшáться» дáйте синóним слóву «неуклóнно».

5. Слóво «мировоззрéние» состои́т из двух частéй. Из каки́х? Объясни́те его значéние.

6. Какáя рáзница мéжду «начинáть с когó – чегó» и «начинáть с кем – чем»?

7. Слóво «целенапрáвленный» состои́т из двух частéй. Каки́х?

8. Во вторóй чáсти э́того тéкста есть четы́ре идиомати́ческих выражéния с пристáвкой «по». Найди́те их и переведи́те на рýсский язы́к.

9. В выражéнии «чéстным путём», "in an honest fashion", испóльзуется твори́тельный падéж в значéнии «каки́м óбразом». Посмотри́те на выражéние «говори́ть шЁпотом» и́ли «развивáться бы́стрыми тéмпами». Как э́то бýдет по-английски?

10. Что такóе ПМЖ?

11. Сдéлайте спи́сок демографи́ческой терминолóгии, испóльзованной во вторóй чáсти э́того тéкста.

ГРАММАТИКА: ПОВТОРЕНИЕ СОСЛАГАТЕЛЬНОГО НАКЛОНЕНИЯ (SUBJUNCTIVE MOOD)

Повторите использование сослагательного наклонения, Круг 1, Урок 6.

A. **Употребление сослагательного наклонения.** Проанализируйте следующие предложения. Переведите их на английский язык.

1. Нужно ограничить размеры ежегодных платежей стран-должников, чтобы это не причиняло ущерба интересам их социально-экономического развития.

2. Необходимо, чтобы правительства начали борьбу с протекционизмом.

3. Россия просит правительства, чтобы морские и воздушные суда не заходили в эти районы и воздушное пространство над ними ежедневно с 6 до 19 часов по местному времени.

4. Пора, чтобы у нашей партии были и устав, и программа.

5. Партия требует от своих членов, чтобы они соблюдали её программу и устав.

6. Конгресс принял этот закон, чтобы все американские ведомства могли расширить борьбу против наркотрафика.

7. Новое руководство хочет, чтобы китайско-американские отношения получили здоровое развитие.

8. В этом аспекте мы также желаем, чтобы США продолжали усилия во имя ещё более значительного развития экономического, торгового и технического сотрудничества между Китаем и США.

9. Желательно, чтобы США и Россия совместно способствовали смягчению международной обстановки.

10. Важно, чтобы договор по ракетам средней и меньшей дальности стал хорошей прелюдией к решению более крупной задачи.

11. Мы настаиваем на том, чтобы широкие массы американцев узнали «настоящую правду о нашей стране».

12. Сенатор Джексон ввёл свою поправку, чтобы разрядка в международных отношениях пришла к концу.

Б. Чтобы + прошедшее время. Замените инфинитив после глагола «хотеть» на придаточное предложение (subordinate clause) в сослагательном наклонении. Используйте слово в скобках как подлежащее в вашем придаточном предложении. Переведите оба предложения на английский язык.

Образец: Он хочет восстановить американцев против России. [пресса]

Он **хочет, чтобы пресса восстановила** американцев против России.

1. Министр не хочет выступать в роли миротворца. [посол]

2. Члены парламента хотят установить хорошие отношения с Польшей. [министерство иностранных дел]

3. Военно-промышленный комплекс хочет проводить форсированную разработку ПРО. [Пентагон]

4. Войска противника хотят подорвать нашу ракетную установку. [партизаны]

5. Пресса не хочет манипулировать общественным мнением. [кандидаты]

6. Горбачёв хотел сделать необратимым (irreversible) процесс перестройки. [закон]

 В. Требовать + сослгагательное наклонение. Замените прямую речь (direct speech) после глагола «требовать» на придаточные предложения в сослагательном наклонении. Сделайте необходимые перемены и переведите ваши предложения на английский язык.

Образец: Чёткий голос потребовал: «Оружие остаётся на виду!»

Чёткий голос **потребовал, чтобы оружие осталось** на виду.

1. Общественность требует: «Граждане могут сами изменить организацию работы!»

2. Закон требует: «Выборы должны проводиться при тайном голосовании».

3. Новая практика требует: «Судьи отзываются только в установленном законом порядке» (in a manner established by law).

4. Жизнь требует: «Человек не должен исключаться из политической системы как основное действующее лицо».

5. Представители профсоюза требовали: «Полномочия профсоюза не ограничиваются без ведома (without the knowledge) его членов».

Г. Чтобы + инфинитив. Замените инфинитив цели (infinitive of purpose) в следующих предложениях на предложения в сослагательном наклонении. Сделайте необходимые перемены.

Образец:

Россия делает все усилия, чтобы продвигать вперёд переговоры по ядерным и космическим вооружениям.

Россия делает все усилия, **чтобы переговоры** по ядерным и космическим вооружениям **продвигались** вперёд.

1. Стороны встретились, чтобы достигнуть договорённости о глобальной ликвидации ракет средней дальности.

2. Западные державы посылают оружие в Таджикистан, чтобы еще более накалить обстановку в этом районе.

3. Вашингтонские пропагандисты хитроумно манипулировали сознанием американцев, чтобы удерживать свое население на пути неверия в искренность палестинцев.

4. Пентагон рассылает по всему миру свои войска, чтобы повсеместно осуществлять принцип сфер влияния США.

5. СССР гнался за военным превосходством над Соединёнными Штатами, чтобы утвердить своё влияние в международных отношениях.

6. Американским мусульманам важно предпринимать усилия, чтобы отражать (to repell) «психологические» атаки фундаменталистов.

7. Делегация России предпринимает усилия, чтобы сделать единый текст из двух проектов.

ГРАММАТИКА: ВИДЫ ГЛАГОЛА В ПОВЕЛИТЕЛЬНОМ НАКЛОНЕНИИ (IMPERATIVE MOOD)

A rule of thumb for the use of aspect in imperatives is as follows:

1. **Use perfective for affirmative commands:** Сообщи́те об э́том Козло́ву!

   Exceptions: Obviously, if the imperative refers to repeated action or a process verb, use imperfective: Пиши́те **ка́ждый день**! Рабо́тайте! (process verb).

2. **Use imperfective for...**

   a. **Negative commands**: Не **расска́зывайте** глу́постей!

      Note that **не на́до** + imperfective infinitive is often used instead of a negative imperative: **не на́до расска́зывать**!

      Exceptions: "Watch out" warning verbs:
      Не **упади́те**! – Don't *fall*!
      Не **забу́дьте**! – Don't *forget*!
      Не **поду́майте**! – Don't *let the thought enter your head*!

   b. **Invitations and insistences.** Note the following:

      Пожа́луйста, **заходи́те**! – Please, *come on in*!
      Бери́те кофе! – *Come one and have* some coffee!
      Закрыва́йте дверь, я вам сказа́л! – *Go on and close the door*, I told you!

      Even though invitations and insistences seem to be semantic opposites, they both can be rendered into English with the phrases "come on and… (do something)" or "go on and (do something)." If you feel that a "come on" or "go on" phrase is appropriate for an English command, whether polite or demanding, chances are that Russian will use imperfective for the imperative.

КОМАНДЫ В ПЕРВОМ ЛИЦЕ: «ДАВАЙТЕ...»

First person imperatives are formed by the construction:

   Дава́йте + future of **мы:**

   Дава́йте **посмо́трим**.
   Дава́йте **не бу́дем смотре́ть**.

As you can see, both perfective and imperfective forms can be used. Russians often omit **бу́дем** in давайте constructions:

Дава́йте **не смотре́ть** на всё э́то сейча́с.

The rules given for imperatives above apply to **Дава́йте** + future (let's) constructions, as shown in the examples above.

КОМАНДЫ В ТРЕТЬЕМ ЛИЦЕ: «ПУСТЬ...»

Third person imperatives are formed with **пусть** + third person verb of either aspect:

Пусть Козло́в **сообщи́т. Пусть** Козло́в не **сообща́ет.**

Again, the examples above show that the aspectual rules for imperative apply here.

ГРАММАТИЧЕСКИЕ УПРАЖНЕНИЯ: ВИДЫ ГЛАГОЛА В ПОВЕЛИТЕЛЬНОМ НАКЛОНЕНИИ

Прочитайте объяснения видов глагола в повелительном наклонении и сделайте следующие упражнения.

 А. Отрицание императива. Сделайте следующие команды отрицательными, а затем измените эти команды, используя «не надо» + инфинитив.

Образец: Покажите ваш план!

Не пока́зывайте ваш план!
Не на́до пока́зывать ваш план!

1. Спросите об этом!
2. Задайте свой вопрос!
3. Обратитесь к специалисту!
4. Подумайте об этом!
5. Решите этот вопрос сегодня же!
6. Рассмотрите это дело сейчас!
7. Отдайте их территорию!
8. Вернитесь на родину!
9. Объявите войну!
10. Помогите!

Б. Повествовательные (affirmative) команды. Измените отрицательные команды в повествовательные.

1. Не передавайте этой информации!
2. Не оказывайте никакого сопротивления!
3. Не пользуйтесь своим правом голоса!
4. Не сообщайте о последних событиях!
5. Не делайте заявления!
6. Не начинайте бесед!
7. Не обсуждайте таких вопросов!
8. Не принимайте такого решения!
9. Не отвечайте на их вопрос!
10. Не возвращайте этих документов!

 В. Давайте + будущее время. Переделайте повелительные предложения в упражнениях А и Б в повествовательные (affirmative), используя «давайте **сделаем**...» и «давайте **не делать**...».

Образец: Покажите ваш план!

> **Давайте покажем наш план!**
> **Давайте не будем показывать наш план!**

 Г. Переделайте повелительные предложения в упражнениях А и Б в повествовательные и отрицательные, используя «пусть...».

Образец: Покажите ваш план!

> **Пусть покажут наш план!**
> **Пусть не показывают наш план!**

УПРАЖНЕНИЯ НА УСТНУЮ РЕЧЬ

А. Продолжаем дискуссию! Сделайте переход к другой теме на материале следующих предложений, используя:

тут всё бо́лее и́ли ме́нее я́сно, но...
но нельзя́ забыва́ть, что...
с э́тим тру́дно не согласи́ться, но…
ина́че обстои́т де́ло с...

1. Осо́бенно ненорма́льным, с геополити́ческой то́чки зре́ния, явля́ется ситуа́ция в азиа́тской Росси́и.
2. Произошла́ утра́та россия́нами оптимисти́ческого мировоззре́ния, на кото́ром стро́ятся ба́зовые це́нности.
3. Бессмы́сленно жесто́кие зако́ны о гражда́нстве сде́лали практи́чески невозмо́жным получе́ние гражда́нства че́стным путём.

Б. Дискуссия. Начните дисскуссию на тему, предложенную в следующих предложениях, используя:

что́бы разобра́ться с э́тим вопро́сом, дава́йте попыта́емся поня́ть, кто (что тако́е, где, почему́)...
это помо́жет объясни́ть, почему́ (как, где, кто, что)...

1. За демографи́ческой пробле́мой в Росси́и стои́т цивилизацио́нный кри́зис.
2. Существу́ет бы́стрый по истори́ческим ме́ркам спо́соб попра́вить демографи́ческое положе́ние.
3. Разгово́ры об иммиграцио́нной амни́стии и о програ́мме доброво́льного переселе́ния так разгово́рами и остаю́тся.

В. Цитирование источников. Процитируйте следующие предложения, используя:

в э́той статье речь идёт о...
по определе́нию...

1. В Росси́и начала́сь депопуля́ция.
2. Вымира́ние це́лой на́ции име́ет духо́вно–смыслову́ю приро́ду.
3. Сего́дня Росси́я занима́ет 2-е ме́сто в ми́ре (по́сле США) по коли́честву иммигра́нтов.

Г. Вы согласны? Выразите своё согласие или несогласие в предложениях ниже, используя:

я стопроце́нтно согла́сна (согла́сен) с тем, что...
де́ло в том, что...
я категори́чески не согла́сна (согла́сен) с тем, что...
ведь...

1. В Росси́и произошёл слом механи́зма воспроизво́дства населе́ния.
2. Иммигра́нты — э́то огро́мное бога́тство, испо́льзовав его́, Росси́я могла́ бы стать «Аме́рикой XXI ве́ка».
3. Сле́дствием бессмы́сленно жесто́ких зако́нов о гражда́нстве явля́ется рост корру́пции.

Д. Ваше мнение? Выразите своё мнение в следующих предложениях, используя:

у меня́ сложи́лось тако́е впечатле́ние, что...
де́ло в том, что...
мне ли́чно ду́мается, что...
ведь...

1. Вымира́ние страны́ име́ет безусло́вную духо́вно–смыслову́ю приро́ду: э́то — утра́та россия́нами оригина́льного оптимисти́ческого мировоззре́ния, на кото́ром стро́ятся ба́зовые це́нности.
2. Це́лые се́кторы эконо́мики ру́хнули бы в тече́ние одно́й но́чи, е́сли бы вдруг исче́зли рабо́тники-мигра́нты.
3. Вме́сто того́ чтобы вся́чески стимули́ровать иммигра́цию, госуда́рство ведёт настоя́щую войну́ с вы́ходцами из други́х стран.
4. Лега́льное переселе́ние в Росси́ю на ПМЖ почти́ прекрати́лось.

Е. Ответ собеседнику. Сделайте дополнения к следующим предложениям, используя:

здесь есть о чём поду́мать.
но ведь нельзя́ забыва́ть, что...

1. Осо́бенно сла́бо заселены́ райо́ны Кра́йнего Се́вера и прира́вненные к ним по климати́ческим усло́виям террито́рии.
2. Вы́работка но́вого мировоззре́ния, обрете́ние це́лым наро́дом смы́сла существова́ния – проце́сс непросто́й.
3. Для разреше́ния демографи́ческого кри́зиса необходи́ма разу́мная миграцио́нная поли́тика.
4. Кримина́льные элеме́нты покупа́ют паспорта́ без вся́ких пробле́м.

Ж. Ваше мнение. Ответьте на следующие вопросы по тексту урока, цитируя текст статьи, соглашаясь или не соглашаясь с автором и выражая своё мнение.

1. Какая ситуация особенно ненормальна с геополитической точки зрения?

2. Что стоит за сломом механизма воспроизводства?

3. Почему утрата оптимистического мировоззрения опасна?

4. Какой существует способ относительно быстро поправить демографическое положение России?

5. На каком месте в мире Россия по количеству иммигрантов?

6. Объясните выражение «Россия могла бы стать Америкой XXI века».

7. Как российское государство стимулирует иммиграцию?

8. Каково следствие бессмысленно жестоких законов о гражданстве?

9. Сравните ситуацию нелегальной иммиграции с легальным переселением в Россию.

З. 1. **С вашей точки зрения.** Расскажите первую и вторую части урока 5, цитируя текст статьи, соглашаясь или не соглашаясь с её автором и выражая своё мнение.

2. **Ваше мнение о статье.** Расскажите о демографической ситуации в другой стране, цитируя источники, (не) соглашаясь с её автором и выражая своё мнение!

3. **Суммируйте первую и вторую часть в двух-трёх предложениях.**

И. Дополнительные вопросы (optional)

1. Плюсы и минусы иммиграции.
2. Влияние иммиграции на базовые ценности нации.
3. Роль государства в увеличении/ снижении рождаемости.
4. Размеры населения и влияние нации в мире.

@ **К. Разговор.** Разговаривают два журналиста после пресс-конференции представителя российского МИД по вопросу демографического кризиса. Прослушайте диалог и разыграйте его с другим студентом.

Антон:	Слы́шала? «В Росси́и европе́йская рожда́емость и африка́нская сме́ртность»... Это, ка́жется, называ́ется «ру́сский крест». И что ты об э́том ду́маешь?
Вероника:	Вымира́ем, брат, вымира́ем. Ну, почему́ ба́бы не хотя́т рожа́ть, поня́тно. В За́падной Евро́пе и в Япо́нии они́ то́же не торо́пятся с детьми́. Но почему́ у нас мужики́ мрут в таки́х коли́чествах?!
Антон:	Я ду́маю, де́ло в том, что мы пережива́ем цивилизацио́нный кри́зис. Коммуни́зм ведь был своего́ ро́да рели́гией, с утра́той её и с разва́лом импе́рии мы потеря́ли «себя́». Лиши́лись смы́сла существова́ния!
Вероника:	Е́сли не произойдёт чу́да, то лет че́рез сто мы исче́знем с ка́рты ми́ра!
Антон:	Представля́ю, ско́лько найдётся жела́ющих заня́ть террито́рию, на кото́рой размеща́ется 42 проце́нта приро́дных бога́тств ми́ра!
Вероника:	«Русофо́бы» бу́дут сча́стливы! Уж они́ попля́шут на на́ших ко́сточках! Вот то́лько, наверняка́, передеру́тся, когда́ «насле́дство» дели́ть начну́т. Устро́ят ещё одну́ мирову́ю войну́!
Антон:	Ну, ла́дно, а е́сли серьёзно, что де́лать? Что́бы вы́работать но́вую национа́льную иде́ю, нужны́ десятиле́тия, а у нас вре́мени нет.
Вероника:	Бы́стрый отве́т – иммигра́ция. Росси́я могла́ бы стать «Аме́рикой XXI ве́ка». Мы ведь на второ́м ме́сте по́сле США по коли́честву иммигра́нтов. Но для э́того необходи́ма разу́мная миграцио́нная поли́тика. А её в Росси́и как не́ было, так и нет.
Антон:	Да уж! У нас не поли́тика, а са́мая настоя́щая война́ с иммигра́нтами. На́ши «гума́нные» зако́ны сде́лали практи́чески невозмо́жным получе́ние гражда́нства че́стным путём.
Вероника:	Вот-вот! А ну́жно, что́бы иммигра́нты име́ли таки́е же права́, как и коренны́е жи́тели, что́бы их учи́ли ру́сскому языку́ за счёт госуда́рства, что́бы их де́ти ходи́ли в норма́льные шко́лы.
Антон:	А ты не бои́шься, что е́сли иммигра́нтов ста́нет сли́шком мно́го, ру́сские среди́ них растворя́тся?

Вероника: Нет, я не боюсь, что мы исчéзнем из-за иммигрáции. Как раз наоборóт – мы смóжем ассимилировать тех, кто приéдет сюдá. Рýсская культýра óчень сильная. Она всё перемéлет. Ну а éсли к ней прибáвятся нóвые крáски, это тóлько хорошó. Посмотри на Амéрику. Когó там тóлько нет, но при этом онá остаётся преимýщественно англоязычной странóй с протестáнтской этикой.

Антон: Ты правá.

Вероника: Ну, вот и чýдно. Мы убедили друг дрýга. Нам тóлько остáлось убедить нáше правительство.

Полезные слова

делить «наслéдство» – to divide the inheritance
желáющие – interested parties
коренны́е жители – aborigines
мрут = умирáют *(разг.)* – are dying
передрáться – to fight
перемолóть – to grind out
попляшýт на нáших кóсточках! – they will dance on our graves
раствориться – to be dissolved

УПРАЖНЕНИЯ НА ЧТЕНИЕ

ПРЕДТЕКСТОВЫЕ УПРАЖНЕНИЯ

А. Фоновая информация. By the end of the first decade of the twenty-first century Russia was in the throes of a demographic meltdown as demonstrated by this chart from Wikipedia (**http://ru.wikipedia.org/wiki/Россия**):

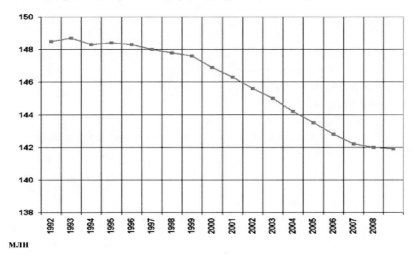

МЛН

Б. Общий демографический облик экономически развитых стран. Skim the article to determine what three demographic categories are given for economically developed countries.

В. Глубинный анализ вопроса. С помощью словаря, данного ниже, перечитайте статью, для того чтобы ответить на вопросы.

1. Some claim that nearly all developed countries should expect to experience negative population growth. Judging from the first paragraph, would the author of this article support that claim?
2. What, according to the author, is the annual growth rate of category 1 countries. How is that figure arrived at?
3. For some countries in category 2, a figure of 1.6 percent is mentioned. To what does this refer? Is it bigger or smaller than the figures quoted for countries in Category 1? To what do the various numbers in category 1 refer?
4. For Category 3 countries, a rise of 3 to 15 percent was noted. What rise is being referred to?
5. What is meant by "bottom up ageing"? How does it differ from "top-down" ageing?

6. What two "family" issues does the author target? What is meant when certain northern European countries are said to have won the championship?
7. What was true of Eastern Europe?
8. When, according to the author, did Russia's demographic slide begin? What were the main reasons?
9. Why is the Russian population predicted to fall to 138 million by 2015?

Г. Нужные слова

брак – marriage: **без оформле́ния бра́ка** – registration of marriage, i.e. common-law marriage; **внебра́чные де́ти** < вне 'outside' + брак

взаи́мо – *(as a prefix)* mutually...

вопию́щий – stark; glaring

воспроизво́дство – reproduction

входи́ть *во что* – to be included *in something*: **В пе́рвую подгру́ппу вхо́дят стра́ны...**

выдвига́ть / вы́двинуть – to put forth

до́ля – portion (*of a whole*)

еди́ная тракто́вка – overall approach

заверша́ться / заверши́ться – to come to an end

зре́лый = взро́слый

колеба́ться – to waiver; to vary (*of statistics*)

коли́чественно < коли́чество – quantity

минова́ть *что* – to pass by *or* through *something*; to be done *with something*

наблюда́ться – to be observed

обва́льный – cascading

обеспе́чивать – to guarantee

относи́ть / отнести́ *что к чему* – to categorize *something as something*: **ко второ́й подгру́ппе ну́жно отнести́ стра́ны...**

отрица́тельный – negative

повлия́ть *на что* – to influence *something. Imperf.* **влия́ть**

полоса́ – column (*in a chart*)

превыше́ние *чего над чем* – rise of *something over something*

преде́льно = о́чень

предполага́ться – to be assumed

сожи́тельство < со + жить – cohabitation

сохраня́ться – to be maintained; to be kept

старе́ние сни́зу – bottom-up ageing; compare to **старе́ние све́рху**

суще́ственный – substantive

усто́йчивый – stable

ча́стность: в ча́стности – in particular

Демографический кризис в современном мире

Как известно, экономически развитые страны мира давно миновали первую фазу демографического перехода, т.е. высокого прироста населения, вторую фазу, т.е. демографического взрыва, и вступили в его третью фазу, для которой характерно понижение показателей естественного прироста. До недавнего времени каких-либо очень существенных различий в этом отношении между ними почти не наблюдалось. Однако в последнее время в этой группе стран также стала происходить довольно сильная дифференциация, и ныне эту группу тоже можно подразделить на три подгруппы.

В **первую подгруппу** входят страны, где еще сохраняется довольно благоприятная демографическая обстановка, для которой характерны, по крайней мере, средние показатели рождаемости и естественного прироста, обеспечивающие расширенное воспроизводство населения. Примером страны такого рода могут служить США, где формула воспроизводства (рождаемость – смертность = естественный прирост) в конце 90-х годов сохранялась на уровне 15‰ – 9‰ = 6‰. Соответственно среднегодовой прирост населения составлял 0,6%. К этой же подгруппе можно отнести Канаду, Францию, Нидерланды, Норвегию, Ирландию, Швейцарию, где среднегодовой прирост населения находился на уровне хотя бы 0,3—0,5%. При таком темпе прироста удвоения населения в этих странах можно ожидать через 100—200 лет, а то и более (в Швейцарии — через 250 лет).

Ко **второй подгруппе** нужно отнести страны, в которых фактически уже не обеспечивается расширенное воспроизводство населения. К ним относятся в основном страны Европы, где суммарный коэффициент рождаемости еще в середине 90-х годов снизился до показателя 1,5. Некоторые из этих стран (например, Польша) еще имеют минимальное превышение рождаемости над смертностью. Другие же, которых гораздо больше, стали странами с нулевым приростом населения. Это Австрия, Бельгия, Испания, Португалия, Дания, Хорватия, Ирландия.

Наконец, **третья подгруппа** объединяет страны с *отрицательным естественным приростом* населения, или, проще говоря, с его *естественной убылью (депопуляция)*. Суммарный коэффициент рождаемости в этой группе стран также предельно низкий. Число таких стран с «минусовым» приростом населения только в 1990—2000 гг. выросло с 3 до 15.

Не будет ошибкой утверждать, что страны третьей (а фактически и второй) подгруппы уже вступили в полосу *демографического кризиса*, который был вызван к жизни комплексом взаимосвязанных причин. В первую очередь к ним относится быстрое, а иногда прямо-таки обвальное снижение показателя рождаемости, что ведет к уменьшению в населении доли лиц молодого возраста. Это явление демографы называют *старением снизу*. Далее, увеличение средней продолжительности жизни людей в условиях повышающегося уровня материального благополучия также привело к более быстрому, чем предполагалось, увеличению в населении доли лиц старшего («невоспроизводящего») возраста, то есть, как говорят, к *старению сверху*.

Однако пытаться объяснить наступивший кризис только демографическими причинами было бы неправильно. На его возникновение повлияли также многие социально-экономические, психологические, медико-социальные, нравственные факторы, которые вызвали, в частности, такое явление, как *кризис семьи*. Средний размер семьи в странах второй и третьей подгрупп в последнее время уменьшился до 2,2—3 человек. Да и стала она гораздо менее прочной — с увеличением числа разводов, широкой практикой сожительства без оформления брака, резким ростом числа внебрачных детей.

Если в начале 60-х годов число разводов на 1000 браков в странах зарубежной Европы колебалось в пределах от 100 до 200, то в конце 90-х годов оно возросло до 200—300. Еще более вопиющи данные о внебрачных детях, доля которых за это же время увеличилась в 5—10 раз. В Великобритании и Франции, например, доля внебрачных детей превышает 30%. Еще выше она в Дании — 40%. Но «абсолютными чемпионами» в этом отношении были и остаются Швеция, Норвегия и Исландия с показателем свыше 50%.

Все эти причины и факторы в перечисленных странах сочетаются по-разному. Так, в Германии и Италии, по-видимому, действительно преобладает влияние демографических факторов. В постсоциалистических странах Центрально-Восточной Европы (Чехия, Венгрия, Румыния, Болгария и др.) сказалось то, что в 90-х годах им пришлось пройти через довольно мучительный этап реформирования политического строя и перехода от командно-плановой к рыночной экономике. То же относится к Литве, Латвии и Эстонии. А в странах — членах СНГ (Россия, Украина, Белоруссия) естественное ухудшение демографической обстановки совпало с глубоким политическим и социально-экономическим кризисом 90-х годов.

Что же касается России, то в XX в. с демографической обстановкой ей, можно сказать, не повезло. Дело в том, что, с одной стороны, первая фаза демографического перехода завершилась в ней к началу XX в., но, с другой стороны, настоящего демографического взрыва за этим так и не последовало. Более того, на протяжении полувека Россия испытала три демографических кризиса: во время первой мировой и гражданской войн, в годы коллективизации деревни и жестокого голода и, наконец, в период Великой Отечественной войны. В 60—80-е годы демографическая обстановка в стране в целом стабилизировалась. Однако в 90-х годах разразился новый, причем особенно сильный, демографический кризис.

В начале 80-х годов демографическое положение России было относительно благоприятным. Так, в 1983 г. в РСФСР родилось 2,5 млн детей. Затем на рождаемости и естественном приросте населения благотворно сказались начало перестройки и борьба со злоупотреблением алкоголем. Однако с началом социально-экономического кризиса 90-х годов демографическая ситуация резко ухудшилась. Начиная с 1992 г. в России происходит абсолютная убыль населения. Можно добавить, что в РСФСР в 1988 г. на одну женщину приходилось еще 2 ребенка (в СССР в целом — 2,2 ребенка), а к концу 90-х годов фертильность женщин в стране снизилась до 1,24 ребенка, тогда как для устойчивого роста населения необходимо более двух. Согласно имеющимся прогнозам, численность населения России будет продолжать уменьшаться и в первые десятилетия XXI в., когда в зрелый возраст вступит малочисленное поколение, рожденное в 90-е годы, а выходить из рабочего возраста будет самое многочисленное поколение, рожденное в 50-х годах. В результате к 2015 г. число жителей в России может уменьшиться до

138 млн чел.

По-видимому, обе демографические крайности — и взрыв и кризис — имеют как свои достоинства, так и свои недостатки. Поэтому некоторые ученые выдвигают понятие демографического оптимума, который при единой его трактовке для разных регионов и стран может быть количественно неодинаковым.

ПОСЛЕТЕКСТОВЫЕ УПРАЖНЕНИЯ (ИСПОЛЬЗУЯ КОНТЕКСТ)

1. The article starts with...
    a. a list of examples concluded by a statement.
    b. a statement followed by illustrations.

Paragraph 1

2. There are three transition markers in this paragraph. They are **как известно**, **т.е.**, and **однако**. They indicate
    a. a statement.
    b. an explanation.
    c. a shift to a new problem.
    d. support of the statement.

3. In the first part of the last sentence, an emphatic word order is used. Rewrite it using a direct word order.

Paragraph 2

4. In the first sentence of this paragraph, circle the word to which **обеспечивающие** refers.

5. In the second sentence, an emphatic word order is used. Rewrite it using a direct word order.

6. In the third sentence, the transition marker **соответственно** indicates…
    a. a statement.
    b. an explanation.
    c. a shift to a new problem.
    d. a conclusion.

7. In the main clause of the fourth sentence, there is no subject to the predicate «можно отнести» because it is...
    a. disguised in genitive case.
    b. an impersonal construction.
    c. an **они**-omitted construction.

Paragraph 3

8. In the first sentence of this paragraph, there is no subject to the predicate **можно отнести** because it is...
   a. disguised in genitive case.
   b. an impersonal construction.
   c. an **они**-omitted construction.

9. In sentence 3, the transition marker **например** indicates the author's...
   a. shift to a new problem.
   b. illustration of the statement.
   10. In the last sentence of this paragraph, circle the word to which **которых** refers. Translate this sentence into English.

Paragraph 4

11. This paragraph contains two transition markers: **наконец** and **проще говоря**. They indicate...
   a. a statement.
   b. an explanation.
   c. a shift to a new problem.
   d. a conclusion.

Paragraph 5

12. In this paragraph, transition markers **в первую очередь** and **далее** indicate...
   a. an illustration.
   b. an explanation.
   c. a shift to a new problem.
   d. a conclusion.

Paragraph 6

13. In the first sentence of this paragraph, the subject to the predicate **было бы неправильно** is...
   a. a noun.
   b. an infinitive.

Paragraph 7

14. In the second sentence, circle the word to which **которых** refers. Translate it into English.

15. In the last sentence, an emphatic word order is used. Rewrite it using a direct word order.

Paragraphs 8, 9, 10, and 11

16. There are eight transition markers in these paragraphs. Find them, and determine what they indicate.

17. Make a list of words which can be used to discuss demographics.

@ УПРАЖНЕНИЯ НА АУДИРОВАНИЕ

A. Президент РФ о демографическом кризисе. In the latter part of the first decade of the twenty-first century, then-President Vladimir Putin addressed Russia's demographic crisis. You can hear excerpts of that address here.

Listen to the very first part of the report to learn what three problems require action if the crisis is to be solved.

Problem 1:

Problem 2:

Problem 3:

Б. Нужные слова и выражения

профила́ктика – preventative care

законопослу́шный < **зако́н + слу́шаться** 'to obey'

со́бственный – one's own: **в на́шей со́бственной стране́**

кардина́льным о́бразом – in a fundamental way

посо́бие по ухо́ду за ребёнком – financial assistance for childcare

детдома́ – orphanages

сирота́ – orphan

содержа́ние ребёнка – childcare

опеку́н (*кого* **опекуна́)** – guardian

родово́й сертифика́т – voucher that covers medical care for childbearing, delivery, and childcare after birth

выбыва́ть *из чего* – not to take part *in something*. **Же́нщина на до́лгое вре́мя выбыва́ет из трудово́й де́ятельности, теря́я свою́ квалифика́цию.** (*Note that here* **квалифика́ция** *does not mean* qualification, *but rather* job status).

унизи́тельный – demeaning: **попада́ет в унизи́тельное положе́ние в семье́**

B. Предлагаемые решения — Проблема 1. Name two proposals that addressed the first problem.

Γ. Проблема 2. Which of the following fits with what was proposed:

❑ Limit emigration from Russia to the republics of the former Soviet Union.
❑ Limit emigration from Russia to the West.
❑ Encourage Russians abroad to return to Russia.
❑ Encourage wide scale immigration into Russia.
❑ Allow immigration in limited numbers by nationality.
❑ Encourage immigration by those with skills and respect for Russian authority.

Д. Проблема 3. Which of the following measures are in Putin's proposal?

❑ Give a 700-ruble/month stipend to first-time mothers.
❑ More than quadruple the monthly assistance paid to second-time mothers.
❑ Pay more in subsidies for prenatal care and birthing procedures.
❑ Tighten laws on divorce.
❑ Restrict access to abortion.
❑ Provide subsidies for day care services.
❑ Replace birthing centers with real hospitals.
❑ Require post-natal care for all mothers.
❑ Provide return-to-work guarantees for new mothers.
❑ Provide subsidies to adoptive parents.

Е. Как сказали…? Use Putin's speech to find out how to say the following.

1. The number of inhabitants decreases by 700,000 annually.

2. Our situation in this area is critical.

3. Without monetary guarantees, nothing will work.

4. Nothing will solve our demographic problems unless we create the required conditions and stimuli for growth in the birthrate.

5. We must provide birthing centers with the necessary equipment, specialized transportation, and other technology.

6. We must double pay-outs for child care.

7. If the state is truly interested in raising the birthrate, it is dutybound to support women who have decided to have a second child.

8. The problem of low birthrates cannot be solved without a change in our entire society's attitudes toward the family and its values.

КРУГ ВТОРОЙ

УРОК ШЕСТЬ
НЕЗАВИСИМЫЕ
РОССИЙСКИЕ СМИ

@ ТЕКСТ. Прослушайте текст, затем прочитайте и переведите его на английский язык в письменной форме.

Часть 1
ПОСЛЕДНИЙ ГОД ДЛЯ НЕЗАВИСИМЫХ РОССИ́ЙСКИХ СМИ?

Фина́нсовый кри́зис — удо́бное время для госуда́рства, чтобы подмя́ть под себя́° би́знес, распра́виться° с инакомы́слием° и поко́нчить с незави́симыми сре́дствами ма́ссовой информа́ции (СМИ).	take over to crush the dissent

В э́том году́ все без исключе́ния росси́йские сре́дства ма́ссовой информа́ции попа́ли° в тру́дное положе́ние. И не они́ одни́°. Угро́за банкро́тства нави́сла едва́ ли не° над всей росси́йской эконо́микой. Впро́чем, эконо́мика, хоть и° с поте́рями, но всё же вы́карабкается°. Со сре́дствами ма́ссовой информа́ции сложне́е. Здесь поте́ри мо́гут быть необрати́мыми°. Этот год мо́жет стать после́дним в исто́рии незави́симых росси́йских СМИ.	found themselves they are not alone virtually albeit will muddle through irreversible

В конце́ декабря́ 2008 прави́тельство обнаро́довало° спи́сок крупне́йших «системообразу́ющих» предприя́тий, кото́рым госуда́рство ока́жет подде́ржку. Есть среди́ них и сре́дства ма́ссовой информа́ции, в том числе́ три подконтро́льных госуда́рству телекана́ла — ВГТРК°, «Пе́рвый кана́л» и «Петербу́рг-Пя́тый кана́л», два госуда́рственных информацио́нных аге́нтства — «РИА Но́вости» и «ИТАР-ТАСС», а та́кже ме́диа, веща́ющие° на заграни́цу, — телекана́л Russia Today и ра́дио «Го́лос Росси́и». Ло́гика здесь очеви́дна. Госуда́рство гото́во поддержа́ть те СМИ, кото́рые формиру́ют «пра́вильный» о́браз Росси́и как внутри́ страны́, так и за рубежо́м.

made public

Всероссийская государственная
телевизионная и
радиовещательная компания

broadcasting

Така́я же ситуа́ция и на регио́нальном у́ровне. На подде́ржку мо́гут рассчи́тывать° те, кто нахо́дится на содержа́нии° ме́стных власте́й или осо́бо к ним лоя́лен. Всем остальны́м остаётся рассчи́тывать° то́лько на себя́. И здесь карти́на скла́дывается°, увы́°, безра́достная.

to count on
on the dole
rely on yourself
the picture comes together   alas

СМИ страда́ют от безде́нежья°. Причи́ны очеви́дны: паде́ние рекла́много ры́нка и отсу́тствие инвести́ций. Акционе́ры, инве́сторы, спо́нсоры в усло́виях дефици́та де́нег ре́зко сократи́ли финанси́рование, а то и прекрати́ли его́ во́все°.

lack of money

at all

Ещё о́сенью 2008 го́да мно́гие росси́йские СМИ объяви́ли о сокраще́нии° бюдже́тов и шта́тов°. Все СМИ без исключе́ний стара́ются уре́зать° расхо́ды. Кто́-то уменьша́ет объёмы изда́ния, сокраща́я число́ страни́ц, кто́-то ликвиди́рует приложе́ния° и други́е прое́кты. Сокраща́ются или во́все упраздня́ются° регио́нальные се́ти и корпу́нкты°. Кто́-то увольня́ет сотру́дников, кто́-то понижа́ет зарпла́ту, где́-то де́ньги вообще́ прекраща́ют плати́ть, предлага́ют журнали́стам затяну́ть пояса́° и как-то пережи́ть тру́дности вме́сте с изда́нием. С фина́нсовыми пробле́мами столкну́лись° мно́гие изве́стные свои́ми либера́льными настрое́ниями° газе́ты, таки́е, как «Коммерса́нт», «Незави́симая газе́та», «Но́вая газе́та» и други́е.

cuts   staff
to cut back

supplements
are sent packing…bureaus

tighten their belts
ran into
orientation

Но экспе́рты полага́ют, что э́то — то́лько нача́ло и что ху́дшие времена́ ещё впереди́. В ско́ром бу́дущем мно́гие изда́ния мо́гут вообще́ переста́ть выходи́ть. Руководи́тели росси́йских СМИ стара́ются де́лать хоро́шую ми́ну при плохо́й игре́° и не говоря́т откры́то об и́стинном° положе́нии дел, называ́я происходя́щее «оптимиза́цией» и «реструктуриза́цией». Они́ вполне́ оптимисти́чны в свои́х публи́чных выска́зываниях: мол°, кри́зис расста́вит всё по свои́м места́м, си́льные вы́живут и преуспе́ют, а сла́бые пойду́т ко дну°. В то же вре́мя в прива́тных бесе́дах мно́гие открове́нно заявля́ют о ско́ром кра́хе росси́йских СМИ. Коне́чно, не все разделя́ют° столь глубо́кий пессими́зм. Одна́ко росси́йская реа́льность подтвержда́ет скоре́е мра́чные° прогно́зы.

> put a good face on things
> true
>
> in their words
>
> will sink
>
> share
> gloomy

@ КОГНАТЫ

аге́нтства	оптимиза́ция	публи́чный
акционе́ры	оптимисти́чны	реа́льность
ликвиди́ровать	пессими́зм	региона́льный
ло́гика	подконтро́льный	реструктуриза́ция
ма́ссовая информация	прогно́зы	телекана́л
ме́диа	прое́кты	формирова́ть
		штат

СЛОВА И ВЫРАЖЕНИЯ

веща́ть = передава́ть – to broadcast

выкара́бкиваться / выкара́бкаться с необрати́мыми поте́рями – to muddle through with irreversible losses

изве́стный , -ая, -ое, -ые свои́ми либера́льными настрое́ниями – known for their liberal orientation

карти́на скла́дывается безра́достная – the picture looks gloomy

лоя́лен, лоя́льна, – о, -ы *к кому* – loyal to *someone*

ме́диа, веща́ющие на заграни́цу – media broadcasting overseas
теле(радио)кана́лы,… – TV(radio) channels…

нахо́дится на содержа́нии to be on the dole *кого – of whom*
ме́стных власте́й – of local authorities
це́нтра –…. of the capital

обнаро́довать спи́сок «системообразу́ющих» предприя́тий – to make public a list of core institutions

отсу́тствие инвести́ций – lack of investments
    рекла́много ры́нка –…of the advertising market

паде́ние рекла́много ры́нка – the collapse of the advertising market
    би́ржи –…of the stock market

подконтро́льные госуда́рству сре́дства ма́ссовой информа́ции – mass media controlled by the state
    подконтро́льные госуда́рству ба́нки –…banks
    подконтро́льные госуда́рству телекана́лы –…TV channels

попада́ть / попа́сть (попаду́т; попа́ли) *куда* – to end up *where*
    в тру́дное положе́ние – in a fix
    чёрный спи́сок – on a blacklist
    тюрьму́ – in prison

причи́ны очеви́дны – the reasons are obvious

разделя́ть столь глубо́кий пессими́зм – to share such deep pessimism

распра́виться *с чем* = **поко́нчить** *с чем* – – to do away with
    с инакомы́слием – with dissent
    незави́симыми сре́дствами ма́ссовой информа́ции – with the independent media

расста́вить всё по свои́м места́м – to put everything in the right place

рассчи́тывать – to rely on: **всем остальны́м остаётся рассчи́тывать то́лько на себя́** – the rest have to rely on themselves

си́льные вы́живут, а сла́бые пойду́т ко дну́ – the strong will survive and the weak will sink

сокраще́ние бюдже́тов – reduction of budgets
    шта́тов –…of staff
    зарпла́т –…of salaries

страда́ть от безде́нежья – to suffer from lack of money

увольня́ть / уво́лить (уво́лят) сотру́дников – to lay off staff

угро́за банкро́тства нави́сла над чем – the threat of bankrupcy is hanging over *something*
    над всей эконо́микой – over the entire economy
    над всем ми́ром – over the entire world

упраздня́ть региона́льные се́ти – to eliminate regional networks
    корпу́нкты –…bureaus
    приложе́ния –…supplements

уре́зать расхо́ды – cutting back expenses
    объёмы изда́ния –…a publication's volume
    число́ страни́ц –…the number of pages

формирова́ть «пра́вильный» о́браз *где...* – to form a proper image of (Russia) *where*
    внутри́ страны́ – at home
    за рубежо́м – abroad
    на регiона́льном у́ровне – in the provinces

ЛЕКСИЧЕСКИЕ УПРАЖНЕНИЯ

Просмотрите слова и выражения к тексту «Последний год для независимых российских СМИ?», часть 1 и сделайте следующие упражнения.

А. Заполните пропуски правильными предлогами.

1. _____ ситуа́ции кри́зиса о́чень удо́бно распра́виться _____ независи́мыми СМИ.
2. _____ спи́ске «системообразу́ющих предприя́тий» есть ми́дия, веща́ющие _____ заграни́цу.
3. Руководи́тели росси́йских СМИ выска́зывают мне́ние, что кри́зис расста́вит всё _____ свои́м места́м.
4. «Кака́я ситуа́ция существу́ет _____ регiона́льном у́ровне?»
    «Си́льные вы́живут, а сла́бые пойду́т _____ дну!»
5. Журнали́сты открове́нно заявля́ют _____ ско́ром кра́хе росси́йских СМИ.
6. _____ нача́ла го́да да́же веду́щие изда́ние столкну́лись _____ фина́нсовыми пробле́мами.
7. Прави́тельство собира́ется подмя́ть _____ себя́ либера́льно настро́енные газе́ты.
8. _____ коро́ткую исто́рию незави́симых росси́йских СМИ 2009-й год войдёт как после́дний.
9. Газе́там и журна́лам, страда́ющим _____ безде́нежья, придётся рассчи́тывать то́лько _____ себя́.
10. Госуда́рство гото́во поддержа́ть те СМИ, кото́рые лоя́льны _____ нему́.

Б. Дайте русские эквиваленты следующим английским фразам.

- to lay off staff
- an advertising market
- to broadcast abroad
- TV channels controlled by the state
- to find oneself in a fix
- loyal to central government
- to do away independent mass media
- lack of investments
- to muddle through

- to put everything in the right place
- to eliminate regional bureaus
- known for his conservative orientation
- to share deep pessimism
- a proper image of Russia at home
- to be on the dole
- the picture looks gloomy

В. РАБОТА ПО МОДЕЛЯМ

1. **Заполните пропуски словами по смыслу.**

а. Угро́за   *чего*   навѝсла над   *кем – чем*
———————   ———————
———————   ———————

б.   *кто – что*   нахо́дится на содержа́нии   *кого – чего*
———————   ———————
———————   ———————

в.   *кому*   остаётся рассчи́тывать то́лько на   *кого*
———   ———————   ———————
———   ———————   ———————

г.   *кто*   изве́стный , -ая, -ое, -ые   *чем*
———   ———————
———   ———————

д.   *кто*   попа́л, -а, – о, – и   *куда*
———   ———————
———   ———————

2. Закончите предложения, используя логически правильные фразы.

Во вре́мя фина́нсового кри́зиса все без исключе́ния росси́йские сре́дства ма́ссовой информа́ции _____ в тру́дное положе́ние. Эконо́мика же, хоть и с поте́рями, но всё же _____. Со сре́дствами ма́ссовой информа́ции поте́ри мо́гут быть _____.

Прави́тельство обнаро́довало спи́сок крупне́йших сре́дств ма́ссовой информа́ции, в том числе́ три _____ госуда́рству, кото́рым оно́ ока́жет _____. Госуда́рство гото́во поддержа́ть те СМИ, кото́рые формиру́ют _____ Росси́и как _____ так и _____. На региона́льном у́ровне на подде́ржку мо́гут рассчи́тывать те, кто нахо́дится на _____ ме́стных власте́й и осо́бо к ним _____.

СМИ страда́ют от безде́нежья из-за паде́ния _____ ры́нка и отсу́тствия _____. Росси́йские СМИ объяви́ли о сокраще́нии _____ и _____. Все СМИ без исключе́ния стара́ются уре́зать расхо́ды. Кто́-то уменьша́ет _____, кто́-то ликвиди́рует _____. Сокраща́ются и́ли во́все упраздня́ются _____.

Экспе́рты полага́ют, что э́то — то́лько нача́ло. Ху́дшие времена́ _____. Ско́ро мно́гие изда́ния мо́гут вообще́ _____.

Руководи́тели росси́йских СМИ стара́ются де́лать хоро́шую ми́ну при плохо́й игре́ в свои́х публи́чных _____. В прива́тных бесе́дах они́ открове́нно заявля́ют, что кри́зис расста́вит всё _____: си́льные _____, а сла́бые _____.

Г. Ответьте на следующие вопросы.

1. Да́йте два вариа́нта англи́йскому "to crush".

2. Сло́во «инакомы́слие» состои́т из двух часте́й. Из каки́х?

3. «Попа́сть» отвеча́ет на вопро́с «куда́». Куда́ ещё мо́жно попа́сть?

4. «Вы́карабкаться» зна́чит, что вы в чрезвыча́йно тру́дной ситуа́ции. Отку́да мо́жно вы́карабкаться?

504   *POLITICAL RUSSIAN*

5. Объясни́те выраже́ние «тре́бовать кро́ви».

6. Сло́во «подконтро́льный» состои́т из двух часте́й. Объясни́те его значе́ние.

7. ВГТРК, РИА и ИТАР-ТАСС прово́дят сокраще́ния. Назови́те их по́лную фо́рму э́тих скраще́ний.

8. Да́йте противополо́жное значе́ние выраже́нию «внутри́ страны́».

9. Росси́йские СМИ страда́ют от безде́нежья. От чего́ ещё мо́жно страда́ть?

10. Говоря́ о безде́нежье, что организа́ции обы́чно де́лают, чтобы спра́виться с ним?

11. В ру́сском языке́ сло́во «либера́льный» ча́сто не име́ет экономи́ческого значе́ния в отли́чие от за́падного лексико́на. Оно́ зна́чит «демократи́ческий», не «реакцио́нный». Конте́кст вам помо́жет разобра́ться.

12. «Ху́дший» – это превосхо́дная сте́пень (superlative degree) от прилага́тельного «плохо́й». Кака́я превосхо́дная сте́пень у прилага́тельного «хоро́ший»?

13. В после́днем абза́це пе́рвой ча́сти статьи́ есть выраже́ние «в публи́чных выска́зываниях». Немно́го ни́же нахо́дится выраже́ние, противополо́жное по смы́слу. Найди́те его́.

14. Во второ́й ча́сти этого те́кста есть два глаго́ла движе́ния. Найди́те их и да́йте им англи́йские эквивале́нты.

15. Найди́те анто́ним прилага́тельному «пессимисти́чный».

16. Сло́во «самоуби́йство» состои́т из двух часте́й. Из каки́х?

17. Сде́лайте спи́сок терминоло́гии СМИ, испо́льзованной в э́том те́ксте.

ГРАММАТИКА: ПОВТОРЕНИЕ УСЛОВНЫХ ПРЕДЛОЖЕНИЙ

Повторите использование условных предложений в Круге 1, урок 6.

УПРАЖНЕНИЯ НА УСЛОВНЫЕ ПРЕДЛОЖЕНИЯ

Измените слова в курсиве в следующих предложениях с реального условия на нереальное условие. Переведите оба варианта на английский язык.

Образец: *Если* зарплата трудящихся значительно *возрастёт*, то многие *захотят* выкупить свои государственные квартиры.

If salaries *increase* dramatically, many people *will want* to purchase their state-owned apartments.

Если бы зарплата значительно *возросла*, то многие *захотели бы* выкупить свои государственные квартиры.

Were salaries *to increase* dramatically, many people *would like* to purchase their state-owned apartments.

1. *Если* представитель в ГАТТ *примет* строгие меры против «технобандитов», то западные компании, которые порываются торговать с Россией, *не смогут* этого делать.

2. *Если* в ряде западноевропейских стран *не возьмёт* верх здравый смысл в отношении поставок оборудования России, то они *потеряют* на этом много денег.

3. Против западногерманских фирм *будут приняты* «жёсткие меры», *если* они всё ещё *намереваются* воспротивиться американскому нажиму.

4. Наследие «холодной войны» *будет* искусственно *сохраняться, если* Пентагон *расширит* список запрещённых к экспорту товаров.

5. *Если* Россия *будет продолжать* имперскую политику по отношению к своим соседям, то дискриминационные препятствия в торговле западных стран с ней *усилятся*.

6. Мы *получим* данные о распределении жилья, *если будет проведена* жилищная перепись.

7. *Если останется* табу на политические реформы, то это *погубит* все попытки экономических преобразований.

8. Наше общество *начнёт* приходить в движение, *если* в душе каждого *исчезнет* страх.

9. *Если будет существовать* серьёзная общественная критика крупных проектов, то *не будет* безнравственного отношения к природным богатствам.

10. *Если* учёные и инженеры *поверят* в свою силу, то они *увидят* возможность победы в борьбе за свои убеждения.

ГРАММАТИКА: ИДИОМАТИЧЕСКОЕ ИСПОЛЬЗОВАНИЕ СОСЛАГАТЕЛЬНОГО НАКЛОНЕНИЯ

Conditional mood (бы) expressions are used idiomatically as follows.

A. Emphatic constructions:

Где бы он **ни был**, все хотя́т говори́ть с ним.
No matter where he is, everybody wants to talk to him.

Subjunctive is used only in the subordinate clause of the construction. Note the absence of subjunctive in English.

Since such constructions by nature express regularity of action, the imperfective aspect is found most often in them.

Куда́ бы он **ни шёл**, его́ узна́ют.
Wherever he goes, he is recognized.

Кто бы ни приходи́л, его́ реа́кция была́ всегда́ бу́рной.
Whoever arrives, his reaction was always loud.

С кем бы он **ни говори́л**, он приво́дит одни́ и те же аргуме́нты.
No matter with whom he talks, he uses the same arguments.

Note the use of emphatic **ни** before the verb.

Б. After the verbs *боя́ться* and *опаса́ться*.

Они́ **опа́саются, как бы** США **не ввели́** войска́ в страну́.
They are concerned lest the U. S. will invade the country.

Note the use of the negative **не** before the verb.

The indicative mood is also used after these verbs as well.

Они́ боя́тся, что США **введу́т** войска́.
They are afraid the United States will invade the country.

ГРАММАТИЧЕСКИЕ УПРАЖНЕНИЯ НА ИДИОМАТИЧЕСКОЕ ИСПОЛЬЗОВАНИЕ СОСЛАГАТЕЛЬНОГО НАКЛОНЕНИЯ

Прочитайте объяснение грамматики на идиоматическое использование сослагательного наклонения и сделайте следующие упражнения.

А. Сослагательное наклонение. *Проанализируйте следующие предложения и переведите их на английский язык.*

1. Горбачёв боялся, как бы общественность не поддержала противников его реформ.

2. Сколько бы ни продолжался полёт, горючего хватит!

3. Кого бы ни назначили на этот пост, положение не улучшить!

4. Иностранные вкладчики опасаются, как бы революционное правительство не начало экспроприировать их собственность.

5. Западная Европа боится, как бы страны ОПЕК не повысили значительно цены на нефть.

6. В какой бы час дня или ночи самолёты ни приземлялись, воздушные диспетчеры ведут наблюдение за безопасностью посадки.

7. Демократы опасаются, как бы экономический спад не кончился накануне выборов.

8. Что бы вы ни говорили в своё оправдание, вам не поверят!

9. Сталин боялся, как бы Бухарин не получил большинство в политбюро.

10. Где бы ни проходили обыски, полиция повсюду находила наркотики.

Б. Переведите следующие предложения.

1. No matter how hard the pilot tried, he could not avoid the hostile plane.

2. Whenever officials from oil-producing countries meet, they inevitably disagree.

3. Whoever frees the people from the tyrant will become president.

4. The public becomes disappointed in the administration whenever taxes go up.

5. No matter how convincing he may be, he failed to persuade our partners to reduce their allocations for space development.

УПРАЖНЕНИЯ НА УСТНУЮ РЕЧЬ

А. Дискуссия. Начните дискуссию на тему, предложенную в следующих предложениях, используя:

снача́ла нужно ясно представля́ть себе́, почему́...
это объясни́т, как...
Что? Как? Почему́? Что же тако́е? и т.д.

1. Фина́нсовый кри́зис — удо́бное вре́мя для госуда́рства, что́бы подмя́ть под себя́ би́знес и инакомы́слие.

2. Ло́гика очеви́дна: госуда́рство гото́во поддержа́ть те СМИ, кото́рые формиру́ют «пра́вильный» о́браз Росси́и как внутри́ страны́, так и за рубежо́м.

3. Прави́тельство обнаро́довало спи́сок крупне́йших «системообразу́ющих» предприя́тий, кото́рым госуда́рство ока́жет подде́ржку.

4. Руководи́тели росси́йских СМИ стара́ются де́лать хоро́шую ми́ну при плохо́й игре́.

Б. Цитирование источников. Процитируйте следующие предложения, используя:

прав (права́) а́втор, когда он (она́) пи́шет, что...
в соотве́тствии с а́втором,...

1. Этот год мо́жет стать после́дним в исто́рии незави́симых росси́йских СМИ.

2. В конце́ декабря́ прави́тельство обнаро́довало спи́сок крупне́йших «системообразу́ющих» предприя́тий, кото́рым госуда́рство ока́жет подде́ржку.

3. Ху́дшие времена́ ещё впереди́.

В. Вы согласны? Выразите своё согласие или несогласие в предложениях ниже, используя:

тру́дно с э́тим спо́рить.
с э́тим тру́дно согласи́ться.
де́ло в том, что...
ведь...

1. В э́том году́ все без исключе́ния росси́йские сре́дства ма́ссовой информа́ции попа́ли в тру́дное положе́ние.

2. В ситуа́ции кри́зиса госуда́рство гото́во поддержа́ть те СМИ, кото́рые формиру́ют «пра́вильный» о́браз страны́ как внутри́, так и за рубежо́м.

3. Для тех, кому́ остаётся рассчи́тывать то́лько на себя́, карти́на скла́дывается безра́достная.

4. Это — то́лько нача́ло. Ху́дшие времена́ ещё впереди́.

Г. Ваше мнение? Выразите своё мнение в следующих предложениях, используя:

моё мне́ние по э́тому вопро́су сле́дующее.
де́ло в том, что...
мне ли́чно ду́мается, что,
ведь...

1. Росси́йская эконо́мика, хоть и с поте́рями, но всё же вы́карабкается из кри́зиса.

2. Госуда́рство должно́ подде́рживать те СМИ, кото́рые формиру́ют «пра́вильный» о́браз Росси́и за рубежо́м.

3. Причи́ны безде́нежья СМИ в паде́нии рекла́много ры́нка и отсу́тствии инвести́ций.

4. С фина́нсовыми пробле́мами столкну́лись мно́гие изве́стные свои́ми либера́льными настрое́ниями газе́ты.

Д. Продолжение дискуссии. Сделайте дополнения к следующим предложениям, используя:

здесь нельзя́ не сказа́ть и о...
а как насчёт...?

1. В э́том году́ не то́лько росси́йские сре́дства ма́ссовой информа́ции попа́ли в тру́дное положе́ние.

2. Росси́йское госуда́рство гото́во подде́рживать те региона́льные СМИ, кото́рые формиру́ют «пра́вильный» о́браз Росси́и внутри́ страны́.

3. Причи́ны безде́нежья СМИ очеви́дны.

4. С фина́нсовыми тру́дностями столкну́лись мно́гие изве́стные газе́ты.

5. В ско́ром бу́дущем мно́гие изда́ния мо́гут вообще́ переста́ть выходи́ть.

6. Руководи́тели росси́йских СМИ и не говоря́т откры́то об и́стинном положе́нии дел.

Е. Переход к новой теме. Сделайте переход к другой теме на материале следующих предложений, используя:

Безусло́вно, в э́том есть до́ля и́стины...	**но нельзя́ недооце́нивать тот факт, что...**
де́ло в том, что	**че́стно говоря́,...**

1. Со сре́дствами ма́ссовой информа́ции поте́ри в результа́те кри́зиса мо́гут быть необрати́мыми.

2. На подде́ржку мо́гут рассчи́тывать то́лько те, кто нахо́дится на содержа́нии ме́стных власте́й.

3. В усло́виях дефици́та де́нег акционе́ры, инве́сторы и спо́нсоры во́все прекрати́ли финанси́рование СМИ.

4. Но экспе́рты полага́ют, что э́то — то́лько нача́ло и что ху́дшие времена́ ещё впереди́.

Ж. Сделайте вывод. Если вам ну́жно сделать вывод, вы можете начать словами:

сле́довательно,...	**че́стно говоря́,...**
ита́к,...	**ведь**

Образец: **Сле́довательно,** кри́зис позади́. **Ведь** бизнесме́ны ста́ли уве́реннее смотре́ть в бу́дущее.

Сделайте вывод к следующим предложениям, используя вводные слова, данные выше.

1. Потéри для российских СМИ в результáте крúзиса мóгут быть необратúмыми.

2. Влáсти поддéрживают тех, кто осóбо к ним лоя́лен.

3. В услóвиях дефицúта дéнег акционéры, инвéсторы и спóнсоры рéзко сократúли финансúрование СМИ.

3. **Ваше мнение о тексте.** Ответьте на следующие вопросы по уроку 6, цитируя текст статьи, соглашаясь или не соглашаясь с автором, выражая своё мнение, делая дополнения и выводы.

1. Чем опáсен финáнсовый крúзис для независимых российских СМИ?

2. Чем отличáется ситуáция российской экономики от положéния независимых СМИ?

3. Какúм предприя́тиям государство окáжет поддéржку?

4. Объяснúте лóгику, по котóрой государство окáзывает или не окáзывает поддéржку СМИ.

5. Какáя ситуáция существýет на региональном ýровне?

6. Каковы́ причúны бездéнежья СМИ?

7. Как российские СМИ готóвились к ожидáемому бездéнежью?

8. Почемý экспéрты считáют, что сегóдняшний крúзис тóлько начáло?

9. Объясните предложение: «Руководúтели российских СМИ стараются дéлать хорóшую мúну при плохóй игрé».

10. Что заявля́ют руководúтели российских СМИ публúчно, а что в привáтных бесéдах?

И. 1. **Ваша точка зрения.** Расскажите первую часть урока 6, цитируя текст статьи, соглашаясь или не соглашаясь с её автором, выражая своё мнение, делая дополнения к рассказу и выводы.

2. **Другая точка зрения.** Расскажите ту же историю с точки зрения региональной прессы. Используйте выражения из текста Урока 6. Не забывайте вводить тему дискуссии, цитировать источники, (не) соглашаться, дополнять новые факты, выражать своё мнение, менять направление дискуссии и делать выводы!

3. **Суммируйте первую часть в двух-трёх предложениях.**

@ **ТЕКСТ. Прослушайте текст, затем прочитайте и переведите его на английский язык в письменной форме.**

Часть 2
ПОСЛЕДНИЙ ГОД ДЛЯ НЕЗАВИСИМЫХ РОССИЙСКИХ СМИ?

Коне́чно, кто́-то мо́жет сказа́ть: здесь нет никако́й поли́тики, одна́ эконо́мика. Коне́чно, тру́дно с э́тим спо́рить. Но, по́мнится, «эконо́мика» была́ в ходу́° и ра́ньше, когда́ разгоня́ли° неуго́дный° Кремлю́ незави́симый телекана́л НТВ°. То́лько называ́лось э́то «спо́ром хозя́йствующих субъе́ктов»°. Тогда́, напо́мним, кру́пный акционе́р и кредито́р НТВ — госуда́рственный конце́рн «Газпро́м» потре́бовал от телекомпа́нии погаси́ть долги́°, а когда́ телевизио́нщики не смогли́ сде́лать э́того, — уво́лил° руково́дство кана́ла и поменя́л его́ поли́тику.

to be in use
broke up   out of favor with
Незави́симое телеви́дение
a dispute of economic entities

to pay off debts
fired

Сего́дня говоря́т: «экономи́ческий кри́зис». Но все прекра́сно понима́ют, что мо́жно про́сто напра́вить «эконо́мику» в ну́жное ру́сло°. Сде́лать э́то нетру́дно. Доста́точно побесе́довать с акционе́рами и спо́нсорами СМИ, намекну́ть°, что «кри́зис» мо́жет охвати́ть° и их основно́й, не свя́занный с медиапрое́ктами би́знес. Кто же захо́чет разори́ться° или тем бо́лее идти́ по пути́ Михаи́ла Ходорко́вского, финанси́ровавшего полити́ческую оппози́цию и оказа́вшегося в ито́ге за решёткой°? Мо́жно взвинти́ть аре́ндную пла́ту за помеще́ния°, за услу́ги типогра́фии°, мо́жно меша́ть распространя́ть печа́тные изда́ния° — всё э́то в усло́виях отсу́тствия де́нег сме́рти подо́бно°. Мо́жно включи́ть так называ́емый «администрати́вный ресу́рс»°, заму́чить изда́ние° приди́рками° и прове́рками. И тогда́ на «информацио́нном по́ле» оста́нутся лишь прове́ренные, «пра́вильные» СМИ.

to channel in the proper direction

to hint   to envelop

to go broke

behind bars
office space
the use of printing facilities
to distribute printed materials
deadly
administrative power publication
nitpicks

В изве́стном италья́нском фи́льме оди́н из гла́вных геро́ев произно́сит таку́ю фра́зу: "Настоя́щий мужчи́на всегда́ до́лжен пыта́ться, настоя́щая де́вушка – всегда́ сопротивля́ться°". То же са́мое происхо́дит в отноше́ниях средств ма́ссовой информа́ции и вла́сти.

to resist

Власть всегда́ пыта́ется обеспе́чить свои́ интере́сы, уме́ньшить коли́чество кри́тики в свой а́дрес, а сре́дства ма́ссовой информа́ции всегда́ стара́ются обрати́ть внима́ние о́бщества на оши́бки де́йствующей вла́сти. Одна́ко в усло́виях жесто́кого экономи́ческого кри́зиса де́лать э́то стано́вится всё трудне́е.

Не удиви́тельно, что сего́дня мно́гие сре́дства ма́ссовой информа́ции не риску́ют откры́то критикова́ть вла́сти. Самоцензу́ра журнали́стов явля́ется большо́й пробле́мой росси́йских СМИ. Изда́тели и репортёры подча́с° не беру́тся за о́стрые° те́мы, не жела́я идти́ на конфронта́цию с властя́ми и́ли затра́чивать дополни́тельные уси́лия на разрабо́тку° сло́жных вопро́сов. Колле́гам и са́мим себе́ они́ объясня́ют э́то недоста́точностью со́бранных фа́ктов° ли́бо про́сто уста́лостью чита́телей от негати́ва°.

> at times
> burning issues
>
> development
> insufficient facts
> exhaustion from negativity

Одновреме́нно госуда́рство создаёт тепли́чные° усло́вия для со́бственных СМИ. Для э́того применя́ются как откры́тые, так и скры́тые фо́рмы подде́ржки. К откры́тым отно́сится° пряма́я фина́нсовая по́мощь из федера́льного и́ли ме́стного бюдже́та. Скры́тое финанси́рование — э́то разли́чные тари́фные льго́ты° на распростране́ние сигна́ла°, тамо́женные и нало́говые послабле́ния, по́мощь в привлече́нии рекла́мы. Не удиви́тельно, что госуда́рственные СМИ всегда́ подде́рживают и одобря́ют° де́йствия власте́й. Ча́сто о нежела́тельной информа́ции госуда́рственные кана́лы про́сто не сообща́ют. На федера́льных телекана́лах существу́ет негла́сный спи́сок «разрешённых» тем и госте́й. Участи́лись° слу́чаи «сня́тия» сюже́тов из вы́пусков новосте́й. Са́ми журнали́сты в неформа́льных разгово́рах сообща́ют, что не беру́тся за о́стрые те́мы, так как увере́ны, что материа́л всё равно́ не пойдёт в пре́ссу или эфи́р.

Так что не исключено́°, что э́тот год ста́нет после́дним го́дом существова́ния в Росси́и немно́гих пока́ ещё остаю́щихся незави́симыми от госуда́рства СМИ.

> hot-house conditions
>
> to be categorized as
>
> тари́фные льго́ты – rate discounts
> распростране́ние сигна́ла – transmission
>
> approve of
>
> became more frequent
>
> not out of the question

@ КОГНАТЫ

а́дрес
акционе́р
бюдже́т
интере́сы
колле́га
конфронта́ция
конце́рн

кредито́р
кри́тика
критикова́ть
негати́в
репортёры
ресу́рс
рискова́ть
сигна́л

спо́нсор
субъе́кт
сюже́т
тари́фные
фа́кт
федера́льный
финанси́рование

СЛОВА И ВЫРАЖЕНИЯ

бра́ться / взя́ться за о́стрые те́мы – to take up burning issues

быть в ходу́ – to be in use

в усло́виях отсу́тствия де́нег сме́рти подо́бно – when money is short, it is deadly

взви́нчивать / взвинти́ть (взвинтя́т) аре́ндную пла́ту за помеще́ния – to increase the cost of office leases dramatically
 за услу́ги типогра́фии –…of printing facilities

жела́ть: не жела́ть *делать что* – to avoid *doing something*
 идти́ на конфронта́цию с властя́ми – confronting the authorities
 затра́чивать дополни́тельные уси́лия на разрабо́тку сло́жных вопро́сов – making the additional effort to work on complex issues

заму́чить изда́ние приди́рками – to torment those involved in publication with nitpicksing
 прове́рками –…with inspections

исключено́: не исключено́, что… – it is not out of the question that…

как… так и… – both… and…: **как откры́тые, так и скры́тые фо́рмы подде́ржки** – both open and hidden forms of support

кри́тика в а́дрес власте́й – criticism directed at the authorities

материа́л всё равно́ не пойдёт в пре́ссу – the material will not come out anyway

направля́ть/напра́вить «эконо́мику» в ну́жное русло́ – to channel the economy in the proper direction
 напра́вить СМИ –… to channel the media

негла́сный спи́сок «разрешённых» тем – an unspoken list of prohibited themes

обеспе́чивать / обеспе́чить (обе́спечат) свои́ интере́сы – to secure one's interests

обраща́ть / обрати́ть (обратя́т) внима́ние о́бщества на оши́бки де́йствующей вла́сти – to draw public attention to mistakes of the authorities

объясня́ть *чем* – to explain away *citing something*

    объясня́ть недоста́точностью со́бранных фа́ктов – to explain away citing with insufficient facts

    объясня́ть уста́лостью чита́телей от негати́ва – to explain away citing readers' negativity fatugue

оказа́ться за решёткой = попа́сть за решётку – to go to prison

привлече́ние рекла́мы – providing advertising

прове́ренные СМИ – the tried and true media

разгоня́ть / разогна́ть (разго́нят) неуго́дный Кремлю́ незави́симый телекана́л – to break up an independent channel out of favor with the Kremlin

разоря́ться / разори́ться (разоря́тся) = обанкро́титься – to go broke

распространя́ть печа́тные изда́ния – to distribute printed materials

рискова́ть (риску́ют) откры́то критикова́ть вла́сти – to take the risk of criticizing the authorities

создава́ть / созда́ть тепли́чные усло́вия – to create hot-house conditions

тари́фные льго́ты *на что* – rate discounts for something

    скры́тое финанси́рование – э́то тари́фные льго́ты на распростране́ние сигна́ла – hidden financing means rate discounts for transmission

    тамо́женные – customs breaks mean…

    нало́говые послабле́ния – tax leniency…

участи́лись слу́чаи «сня́тия» сюже́тов из вы́пусков новосте́й – banning news subjects became more frequent

хозя́йствующий субъе́кт – economic entity

эфи́р – air (radio, TV)

    идти́ / пойти́ в эфи́р – go on the air

юриди́ческий – legal

ЛЕКСИЧЕСКИЕ УПРАЖНЕНИЯ

Просмотрите слова и выражения к тексту «Последний год для независимых российских СМИ?», часть 2 и сделайте следующие упражнения.

А. Заполните пропуски правильными предлогами.

1. В совреме́нном ру́сском языке́ _____ ходу́ слова́ и выраже́ния уголо́вного ми́ра.

2. Из кри́тики _____ а́дрес власте́й его материа́л не пошёл _____ эфи́р.

3. Журнали́сты боя́тся бра́ться _____ о́стрые те́мы, не жела́я идти́ на конфронта́цию _____ властя́ми .

4. Гла́вная фу́нкция пре́ссы – э́то обраща́ть внима́ние о́бщества _____ оши́бки де́йствующей вла́сти.

5. Настоя́щая администра́ция пыта́ется напра́вить на́шу нездоро́вую «эконо́мику» _____ ну́жное русло́.

6. Ходорко́вский оказа́лся _____ решёткой, когда́ он попыта́лся игра́ть роль _____ росси́йской поли́тике.

7. Не забыва́йте, что всем СМИ на́до плати́ть _____ аре́нду помеще́ния, где оно́ нахо́дится.

8. Властям ничего не стоит заму́чить изда́ние _____ приди́рками.

Б. Дайте русские эквиваленты следующим английским фразам.

- to go on the air
- to go to prison (2 варианта)
- criticism directed at the authorities
- to become more frequent
- to take the risk of criticizing the authorities
- both open and hidden forms of support
- to secure one's interests
- an unspoken list of prohibited themes
- rate discounts for transmission
- to torment those involved in publication with nitpicking
- an independent channel objectionable to the Kremlin
- tried and true method -
- to avoid confronting the authorities

В. РАБОТА ПО МОДЕЛЯМ

1. Заполните пропуски словами по смыслу.

а. ———— *что* } в усло́виях отсу́тствия } ———— *чего* } сме́рти подо́бно.

б. Администра́ция заму́чила страну́ } ———— *чем*

в. Ва́жно обрати́ть внима́ние о́бщества на } ———— *кого – что*

г. ———— *кому – чему* } не по си́лам } ———— *что / делать что*

д. Пре́сса бои́тся бра́ться за } ———— *что*

е. Свои́ прова́лы администра́ция объясня́ет } ———— *чем*

ж. Участи́лись слу́чаи } ———— *чего / когда*

2. Закончите предложения, используя логически правильные фразы.

Трудно спорить с теми, кто говорит: здесь, в контексте трудностей СМИ, нет никакой политики, а только одна экономика. Все прекрасно понимают, что _____ «экономику» в нужное русло нетрудно. Достаточно побеседовать с акционерами и спонсорами СМИ, намекнуть, что «кризис» может _____ и их бизнес.

Кто же захочет оказаться _____, Михаил Ходорковский? К тому же можно взвинтить _____ за помещения, за услуги типографии, можно мешать _____ печатные издания — всё это в условиях _____ денег смерти подобно. Можно включить так называемый «административный ресурс», замучить издание _____ и _____. И тогда на «информационном поле» останутся лишь проверенные, «правильные» СМИ.

Однако важно помнить, что власть всегда пытается _____ свои интересы, _____ количество критики в свой адрес, а средства массовой информации всегда стараются _____ общества на ошибки _____. К сожалению, в условиях жестокого экономического кризиса делать это становится всё труднее.

Не удивительно, что сегодня многие средства массовой информации не рискуют _____. Большой проблемой российских журналистов является самоцензура. Издатели и репортёры подчас не _____ острые темы, не желая идти на _____ с властями.

Одновременно государство создаёт _____ для собственных СМИ. Для этого применяются как открытые, так и скрытые формы поддержки. К открытым относится _____ из федерального или местного бюджета. Скрытое финансирование — это различные _____ на распространение сигнала, таможенные и налоговые _____, помощь в _____ рекламы. Не удивительно, что государственные СМИ всегда _____ и _____ действия властей.

Г. Ответьте на следующие вопросы.

1. Глагол «помнится», как «думается», «хочется», используется в безличной конструкции. В отличие от тех же глаголов без частицы «ся», они подчёркивают состояние человека, а не действие.

2   «Разгоняют» всегда что-то, неугодное, нежелательное властям. Что ещё можно «разгонять»?

3. «Спор хозяйствующих субъектов» – это юридическое выражение. Какие ещё «споры» "disputes" вы знаете?

4. Найдите в тексте эквивалент выражения «попасть в тюрьму».

5. Глагол «взвинтить» образован от существительного «винт», "screw." Чем он отличается по значению от глагола «увеличить»?

6. Как по-другому можно сказать «при отсутствии…»?

7. Объясните выражение «административный ресурс».

8. Слово «замучить» образовано от существительного «мука», "torment", а не «мука», "flour". Что это слово значит по-английски?

9. Слово «самоцензура» состоит из двух частей. Объясните его значение.

10. «Желая» – это деепричастие. От какого глагола оно образовано?

11. Можно «разрабатывать сложные вопросы», «программу», т.е. проекты. Но ещё можно «разрабатывать» ресурсы. Например, «разработка» нефти, угля, бокситов.

12. Какие слова от корня «тепл– вы знаете?

13. Как по-русски "leniency", "break"?

14. Во второй части текста есть четыре «глагола (существительного) движения и ведения». Найдите их и переведите на английский язык.

15. Сделайте список терминологии СМИ, использованной в этом тексте.

ГРАММАТИКА: СОГЛАСОВАНИЕ ВРЕМЁН (SEQUENCE OF TENSE)

Russian sequence of tenses is not like that of English. Note these examples:

Она́ сказа́ла, что совеща́ние **бу́дет** здесь.
She said the session *would be* here.

Она́ сказа́ла, что совеща́ние здесь.
She said the session *was* here.

Note that the action in the second clause takes place *concurrently* with the action of the first clause.

Она́ сказа́ла, что совеща́ние **бы́ло** здесь.
She said the session *had been* here.

Note that the action of the second clause *precedes* the action of the first clause.

Remember that **бы** is used for *would* only in truly conditional sentences (If A were true then B *would* be true). If you don't have an *if...then* situation, you probably are dealing with sequence of tense and should use the forms given above.

Note also the following examples for **если** and **когда** clauses:

Если Хама́с **пойдёт** на компроми́сс, перегово́ры **даду́т** конкре́тные результа́ты.
If Hamas *agrees* to compromise, the negotiations *will produce* concrete results.

Когда́ ХАМАС **пойдёт** на компроми́сс, перегово́ры **даду́т** конкре́тные результа́ты.
When Hamas *agrees* to compromise, the negotiations *will produce* concrete results.

As you can see, if the main clause is in the future tense, the **если** or **когда́** clause is also in the future tense.

УПРАЖНЕНИЯ НА СОГЛАСОВАНИЕ ВРЕМЁН

Повторите грамматику на согласование времён и сделайте следующие упражнения.

 A. Выберите правильную форму глагола в скобках.

1. Уровень безработицы снизится, только когда администрация серьёзно [занимается, займётся] этим вопросом.

2. Если Мишкин [объявляет, объявит] о своей кандидатуре, он непременно будет избран.

3. Каждый раз, когда [предлагают, предложат] ввести новый налог на бензин, возникают громкие протесты.

4. Если конгресс [принимает, примет] программу президента, военный бюджет будет резко сокращён.

5. Когда [происходит, произойдёт] какая-нибудь трагедия, корреспонденты спешат на место происшествия.

6. Если программа правого правительства [проваливается, провалится], мы, наверно, увидим сдвиг влево.

7. Никто не знал, что [произошло бы, произойдёт], когда Горбачёв пришёл к власти.

8. Если бы Брежнев умер раньше, Горбачёв не [пришёл бы, придёт] к власти.

9. Если бы разрешено было экспортировать новейшую технику в Ирак, американские фирмы [расширили бы, расширят] контакты с ним.

10. Сенатор заявил, что он не [стал бы, станет] кандидатом в президенты.

11. Премьер думал, что президент США не [отказался бы, откажется] от предложения.

12. Многие выражают мнение, что если бы было возможно иметь свободу выбора, некоторые республики [вышли бы, выйдут] из состава Российской Федерации.

Б. Времена глагола. Выберите правильный глагол. Ваше решение должно основываться на том, что действие во втором предложении одновременное или предшествующее [concurrent or previous] действию в первом предложении. Дайте объяснение, если оба глагола возможны.

1. I didn't know that U.S. Representatives were elected every other year. Я не знал, что американские конгрессмены [избирались, избираются] раз в два года.

2. We were told that up until the beginning of the nineteenth century, the loser in a presidential election used to become vice president. Нам сказали, что до начала девятнадцатого века проигравший кандидат в президенты [становится, становился] вице-президентом.

3. By the middle of the eighties, it became clear that Gorbachev was proposing major changes. К середине восьмидесятых годов стало ясно, что Горбачёв [предлагал, предлагает] крупные перемены.

4. Upon leaving office, the U.S. President said that the Russian President was his friend. При выходе в отставку американский президент сказал, что российский президент [был, Ø] его друг.

5. The president said yesterday that the world was no longer as dangerous as it once was. Президент сказал, что мир сейчас [был, Ø] менее опасен, чем раньше.

6. Economists agreed that prices had fallen by 10%, and that they were still falling. Экономисты согласились, что цены [снижаются, снизились] на 10 процентов и [продолжили, продолжают] снижаться.

7. The State Department spokesman said that the parties reached agreement without particular difficulty. Представитель Госдепартамента сказал, что стороны [достигли, достигают] договорённости без особого труда.

8. Everyone knew that the Vice President was sick. Все знали, что вице-президент [болел, болеет].

9. No one would tell the prime minister that he was in danger. Никто не сказал премьер-министру, что он [находился, находится] в опасности.

10. If you said that the earth was round, he would say that it was flat. Если бы ты сказал, что земля [была, Ø] круглая, он бы ответил, что она [была, Ø] плоская.

QUIA B. Раскройте скобки.

1. Генеральный секретарь выразил уверенность, что он [would convince]
    _____ Генеральную Ассамблею в необходимости реформ.

2. Все опросы общественного мнения показывали, что президент страны
    [would be re-elected] _____ .

3. Если бы президент высказался против абортов, он [would not be re-elected]
    _____ .

4. Стало известно, что социалисты [would leave] _____ из
    правительства.

5. Никто не мог предсказать, что банки [would close] _____ .

6. Наша фирма [would sign] _____ больше контрактов с российскими
    предприятиями, если бы рубль был стабильным.

7. Кеннеди не верил, что война во Вьетнаме значительно [would become wider]
    _____ .

8. Если бы социалисты имели абсолютное большинство, тогда парламент
    [would take measures] _____ меры относительно
    бездомных.

9. В 2000 году никто не подозревал, что Б. Обама [would run for president]
    _____ .

10. Политический курс страны существенно изменится, когда [comes to power]
    _____ новое правительство.

11. Если партия не [help] _____ своим кандидатам, они потерпят
    сокрушительное поражение.

12. Договор обречён на гибель, если его не [support] _____ лидеры обеих
    палат Конгресса.

13. Положение станет яснее, когда президент [appears] _____ по
    телевидению.

14. Коалиция не будет нужна, только когда партия [receives] _____
    абсолютное большинство в парламенте.

15. Вооружённые силы можно будет вывести только тогда, когда [ends]
    _____ война.

Г. Реальные и нереальные условия. Переведите следующие предложения с нереальным условием на английский язык. Переделайте те же предложения, используя реальное условие. Переведите их на английский язык.

Образец: *Если бы отменили лимит на подписку, то тираж газеты удвоился бы.*
If they *stopped* limiting subscriptions, the newspaper's circulation *would double.*

Если отменят лимит на подписку, то тираж удвоится.
If they *stop* limiting subscription, circulation *will double.*

1. *Если бы была созвана* международная конференция по политическому урегулированию на Ближнем Востоке, то она *должна была бы* включить все заинтересованные стороны.

2. Израильские власти не *ввели бы* круглосуточный комендантский час, *если бы не продолжались* демонстрации против израильской оккупации на Западном берегу и в секторе Газа.

3. Израильский адвокат Лангер *не потребовала бы* возбуждения уголовного дела (to bring a case to court) против израильской военной администрации, *если бы* палестинцы *не подвергались* пыткам и издевательствам (subjected to tortures and humiliations) в израильских тюрьмах.

4. *Если бы не было* провозглашения политического национального примирения (reconciliation), то шесть руководителей крупных групп душманов, приговорённых к смертной казни, *не были бы помилованы.*

5. Запуск космического корабля многоразового пользования (space shuttle) *не был бы перенесён, если бы не обнаружили* новые неполадки (problems), показанные ультразвуковым «просвечиванием» (scanning).

ГРАММАТИЧЕСКОЕ УПРАЖНЕНИЕ: ПОВТОРЕНИЕ ПАДЕЖЕЙ

Повторение падежей. Повторите использование падежей в Первом круге. Затем сделайте следуюшее упражнение. Раскройте скобки.

1. Россия придаёт [чрезвычайное значение] _____ [международное сотрудничество] _____ в космических исследованиях.

2. Отвечая на [брифинг] _____ на [вопрос] _____ японского корреспондента, заместитель министра иностранных дел упомянул договорённость о [проведение] _____ регулярных встреч министров иностранных дел России и Японии.

3. На рассвете [1 сентября] _____ Вермахт обрушился на [Польша] _____.

4. На [борт] _____ корабля срочно доставили продовольствие и питьевую воду.

5. Генерал, командующий [войска] _____, призвал к себе [репортёры, фотографы и кинооператоры] _____.

6. Участники направили [приветственная телеграмма] _____ в адрес [Генеральный секретарь ООН] _____.

7. Итальянская полиция предупредила о [радиосигналы, посылаемые] _____ за [пределы] _____ страны.

8. Специалисты выступят с [серия докладов] _____ о [российская система] _____ химического оружия.

9. У [афганские мятежники] _____ стало больше [деньги и зенитные ракеты] _____.

10. Сквозь [густой дым] _____ стали видны очертания [приближающиеся самолёты] _____.

УПРАЖНЕНИЯ НА УСТНУЮ РЕЧЬ

А. Дискуссия. Начните дискуссию на тему, предложенную в следующих предложениях, используя:

снача́ла ну́жно я́сно представля́ть себе́, почему́...
это объясни́т, как...
Что? Как? Почему́? Что же тако́е?
и т.д.

1. «Эконо́мика» была́ в ходу́ и ра́ньше, когда́ разгоня́ли неуго́дный Кремлю́ незави́симый телекана́л НТВ.
2. Так называ́емый «администрати́вный ресу́рс» в усло́виях отсу́тствия де́нег сме́рти подо́бен.
3. Одновреме́нно госуда́рство создаёт тепли́чные усло́вия для со́бственных СМИ.

Б. Цитирование источников. Процитируйте следующие предложения, используя:

прав (права́) а́втор, когда́ он (она́) пи́шет, что...
в соотве́тствии с а́втором,...

1. Разго́н неуго́дного Кремлю́ незави́симого НТВ называ́лся «спо́ром хозя́йствующих субъе́ктов».
2. Мо́жно заму́чить изда́ние приди́рками и прове́рками.
3. Ча́сто о нежела́тельной информа́ции госуда́рственные кана́лы про́сто не сообща́ют.

В. Вы согласны? Выразите своё согласие или несогласие в предложениях ниже, используя:

тру́дно с э́тим спо́рить.
де́ло в том, что...
с э́тим мо́жно поспо́рить
ведь...

1. Все прекра́сно понима́ют, что мо́жно про́сто напра́вить «эконо́мику» в ну́жное русло́.
2. Мо́жно взвинти́ть аре́ндную пла́ту за помеще́ния, за услу́ги типогра́фии, мо́жно меша́ть распространя́ть печа́тные изда́ния — всё это в усло́виях отсу́тствия де́нег сме́рти подо́бно.
3. Не удиви́тельно, что сего́дня мно́гие сре́дства ма́ссовой информа́ции не риску́ют откры́то критикова́ть вла́сти.

Г. Ваше мнение? Выразите своё мнение в следующих предложениях, используя:

моё мнение по этому вопросу следующее.	**мне лично думается, что,...**
дело в том, что...	**ведь...**

1. Достаточно побеседовать с акционерами и спонсорами СМИ, намекнуть, что «кризис» может охватить и их основной, не связанный с медиапроектами бизнес.

2. На «информационном поле» останутся лишь проверенные, «правильные» СМИ, если включить так называемый «административный ресурс».

3. Издатели и репортёры подчас не берутся за острые темы, не желая идти на конфронтацию с властями.

4. Сами журналисты в неформальных разговорах сообщают, что не берутся за острые темы, так как уверены, что материал всё равно не пойдёт в прессу или эфир.

Д. Продолжение дискуссии. Сделайте дополнения к следующим предложениям, используя:

здесь нельзя не сказать и о...
а как насчёт...?

1. Никто не захочет разориться или тем более идти по пути Михаила Ходорковского, финансировавшего политическую оппозицию.

2. Власть всегда пытается обеспечить свои интересы, уменьшить количество критики в свой адрес.

3. К открытым способам финансирования собственных СМИ относится прямая финансовая помощь из федерального или местного бюджета.

4. На федеральных телеканалах существует негласный список «разрешённых» тем и гостей.

Е. Переход к новой теме. Сделайте переход к другой теме на материале следующих предложений, используя:

> **безусло́вно в э́том есть до́ля и́стины...**
> **де́ло в том, что**
> **но нельзя́ недооце́нивать тот факт, что...**
> **че́стно говоря́,...**

1. Кру́пный акционе́р и кредито́р НТВ — госуда́рственный конце́рн «Газпро́м» потре́бовал от телекомпа́нии погаси́ть долги́, а когда́ телевизио́нщики не смогли́ сде́лать этого, — уво́лил руково́дство кана́ла.

2. Сре́дства ма́ссовой информа́ции всегда́ стара́ются обрати́ть внима́ние о́бщества на оши́бки де́йствующей вла́сти.

3. Журнали́сты объясня́ют самоцензу́ру недоста́точностью со́бранных фа́ктов.

4. Скры́тое финанси́рование — э́то разли́чные тари́фные льго́ты на распростране́ние сигна́ла, тамо́женные и нало́говые послабле́ния, по́мощь в привлече́нии рекла́мы.

Ж. Делаем выводы. Сделайте вывод к следующим предложениям, используя:

> **сле́довательно,...**   **ита́к,...**
> **ведь...**   **че́стно говоря́,...**

1. В усло́виях жёсткого экономи́ческого кри́зиса обрати́ть внима́ние о́бщества на оши́бки де́йствующей вла́сти стано́вится всё трудне́е.

2. Самоцензу́ра журнали́стов явля́ется большо́й пробле́мой росси́йских СМИ.

3. Не исключено́, что этот год ста́нет после́дним го́дом существова́ния в Росси́и немно́гих пока́ ещё остаю́щихся незави́симыми от госуда́рства СМИ.

4. Не удиви́тельно, что госуда́рственные СМИ всегда́ подде́рживают и одобря́ют де́йствия власте́й.

З. Вопросы. Ответьте на следующие вопросы по уроку 6, цитируя текст статьи, соглашаясь или не соглашаясь с автором, выражая своё мнение, делая дополнения и выводы.

1. Что стоит за пессимистической картиной российских СМИ: экономика или политика?

2. Что случилось с неугодным Кремлю каналом НТВ?

3. Как государство может направить «экономический кризис» в удобное для него русло в контексте независимых СМИ? Назовите несколько вариантов.

4. Объясните сравнение поведения мужчины и девушки с отношениями СМИ и власти.

5. Что такое самоцензура и как она работает?

6. Как создаются тепличные условия для удобных для государства СМИ?

7. Какие существуют скрытые и открытые формы поддержки «угодных» Кремлю СМИ?

8. Как работает негласный список «разрешённых тем и гостей?

И. 1. С вашей точки зрения. Расскажите вторую часть урока 6, цитируя текст статьи, соглашаясь или не соглашаясь с её автором, выражая своё мнение, делая дополнения к рассказу и выводы.

2. Суммируйте первую и вторую часть в двух-трёх предложениях.

3. СМИ за рубежом. Расскажите историю независимых СМИ в другой стране. Используйте выражения из текста урока 6. Не забывайте вводить тему дискуссии, цитировать источники, (не) соглашаться, дополнять новые факты, выражать своё мнение, менять направление дискуссии и делать выводы!

К. Дополнительные вопросы (optional)

1. Цензура и самоцензура.
2. СМИ и состояние общества.
3. Конец СМИ и демократия.
4. Интернет и свобода слова.

@ **Л. Разговор.** Разговор двух журналистов перед пресс-конференцией представителя Министерства связи и массовых коммуникаций по вопросу о господдержке СМИ в условиях финансового кризиса Прослушайте диалог и разыграйте его с другим студентом.

Антон:	Ты слышала? «Огонёк» не выходит уже второй месяц!
Вероника:	Да-а-а, легендарный журнал! Ему как раз исполнилось бы 110 лет. Но не выжил старичок в «джунглях» медиа-бизнеса. Что делать? Такова, к сожалению, новая реальность: не приносишь денег – пошёл вон!
Антон:	Жалко! «Огонёк» ещё мой дедушка и бабушка выписывали. Хороший был журнал!
Вероника:	Ну, хорошим он стал только при перестройке, а до этого был средненьким журнальчиком – винтиком в советской пропагандистской машине. Тут важно другое: финансовый кризис — удобное время для того, чтобы потихоньку избавиться от независимых СМИ.
Антон:	Согласен. Но почему «Огонёк»?
Вероника:	Думаю, это только начало. Сначала «Огонёк», а потом всё дальше и дальше. Потери могут быть необратимыми!
Антон:	Ну, когда экономика трещит по швам, выживают сильные, а слабые идут ко дну. Это происходит не только с прессой.
Вероника:	Неужели? Всё по-честному? Тогда почему одни СМИ получают помощь от государства, а другие – нет? Вот вашему «РИА Новости» не дадут пропасть. Ведь вы «системообразующее» предприятие, вы формируете «правильный» образ России.
Антон:	В любой стране власть всегда пытается обеспечить свои интересы и уменьшить количество критики в свой адрес.
Вероника:	Это точно! А так как мы на «Эхе Москвы» стараемся количество критики увеличить, то нас поддерживать не будут. Хотя по идее должны. Ведь смысл существования независимой прессы именно в том и состоит, чтобы обращать внимание общества на ошибки действующей власти. Поэтому независимые СМИ надо холить и лелеять! А у нас государство только и думает о том, как бы поскорее избавиться от надоедливых журналистов. При полном безразличии общества! В Москве ещё можно работать, а где-нибудь в провинции попробуй сказать что-нибудь против губернатора: тут же включается так называемый «административный ресурс», и могут замучить придирками и проверками.
Антон:	Очень безрадостную картину ты рисуешь.

Вероника: Кака́я есть… Факт остаётся фа́ктом: на подде́ржку мо́гут рассчи́тывать то́лько те, кто лоя́лен вла́сти. Всем остальны́м остаётся рассчи́тывать то́лько на себя́. Но са́мое стра́шное – это самоцензу́ра. Госуда́рственную цензу́ру отмени́ли, а своя́, вну́тренняя, включи́лась! Журнали́сты про́сто не беру́тся за о́стрые те́мы, не жела́я идти́ на конфронта́цию с властя́ми.

Антон: Могу́ тебя́ «уте́шить». Самоцензу́ра – это не то́лько росси́йское явле́ние. Интере́сно бы́ло наблюда́ть, что твори́лось в за́падных СМИ пе́ред нача́лом войны́ в Ира́ке. Всё писа́ли то́лько то, что Бе́лый Дом хоте́л услы́шать, что́бы не лиши́ться до́ступа к высокопоста́вленным чино́вникам. Хотя́ в ча́стных бесе́дах лю́ди говори́ли, что они́ категори́чески про́тив войны́.

Вероника: У меня́ иллю́зий на счёт за́падной пре́ссы давно́ уже́ нет. Но от э́того не ле́гче.

Антон: Бою́сь, на э́той гру́стной но́те мы должны́ прерва́ться. Нас зову́т на пресс-конфере́нцию. Хотя́ ду́маю, о кри́зисе и СМИ мы могли́ бы рассказа́ть чино́вникам бо́льше, чем они́ нам.

Поле́зные слова́:

пошёл вон! – get lost!
хо́лить и леле́ять – to pester
ви́нтик в пропаганди́стской маши́не – a bolt in the propaganda machine
по иде́е – ideally
надое́дливый – annoying
уте́шить – to console
твори́ться – to be going on
чино́вник – bureaucrat

УПРАЖНЕНИЯ НА ЧТЕНИЕ

ПРЕДТЕКСТОВЫЕ УПРАЖНЕНИЯ

А. Основная фоновая информация. "Огонёк" (Little Light) a weekly magazine similar to the Saturday Evening Post began publication before the October Revolution and survived as an institution into post-Communist Russia. Read the article to find out more about the magazine's eventual fate.

Б. Бренд журнала «Огонёк». Перед тем как прочитать статью, посмотрите на материалы об этом журнале, которые расположены на вэб-сайте учебника.

1. В каком году был основан журнал?

2. Определите, какие из жанров, данных ниже, можно было бы увидеть в типичном номере:

   ❑ коро́ткий расска́з
   ❑ полити́ческий репорта́ж
   ❑ редакцио́нная статья́
   ❑ фотоэссе́
   ❑ репроду́кции жи́вописи
   ❑ истори́ческий о́черк

В. Подробности из материала. Прочитайте статью. Узнайте больше об этом журнале.

1. What threat was facing *Ogonёk*? How did this come to pass?
2. What was considered so special about the magazine in Soviet times?
3. What was said about *Ogonёk* in the 1950s?
4. The article says that *Ogonёk* helped to educate the masses. On what subject?
5. What changes did *Ogonёk* undergo in the late 1980s?
6. Why did *Ogonёk* face financial difficulties in the 1990s?
7. What is said about the current owners of *Ogonёk*?
8. What solution, according to the editor in chief, has not been seriously considered?
9. What, according to the editor, is one of *Ogonёk's* main assets?

Г. Нужные слова

акти́в – asset

бе́режно – with care

винтик – screw

вкла́дка < в + клад 'put', 'place' – insert

га́снуть / пога́снуть – to be extinguished

гламу́рный < glamour – flashy

забо́та – worry; problem

закономе́рный < **закономе́рность** – tendency; rule of thumb (*something that occurs with predictable regularity*)

изя́щные иску́сства – the fine arts

обло́жка – cover (*of a publication*)

подзаголо́вок < под + заголо́вок 'headline'

подши́вка – bound editions (*of periodicals*)

приложе́ние – *here*: supplement

прича́стный – involved

просто́й: находи́ться в просто́е – to be suspended

протяже́ние: на протяже́нии *чего* – over the course *of a time period*

расце́ниваться < цена́ 'value'

со́бственник = хозя́ин

фельетони́ст < **фельето́н** – satirical piece < *French* feuilleton

фи́рменный – branded; recognizable as a brand

шеде́вр – masterpiece < *French* chef d'œuvre

Погаснет ли «Огонёк»?

Легендарный журнал «Огонёк», оказавшийся под угрозой закрытия, не выходит уже второй месяц. Собственник решил, что этот бизнес ему больше не интересен, нового владельца у издания не появилось, сообщает радио «Вести FM». Журнал, который на протяжении многих лет, даже десятилетий, был зеркалом общественной и культурной жизни и формировал вкусы, не справился с ролью винтика в сложном механизме медиа- бизнеса. Погаснуть «Огонёк» может в год своего юбилея — в 2009-м журналу исполняется 110 лет.

Можно любить или не любить «Огонёк», читать или не читать его, но неоспоримым остается факт, что это — уникальное издание, ведь с ним выросло несколько поколений. Первый номер «Огонька» вышел в позапрошлом веке — в декабре 1899-го. Его подзаголовок определил роль журнала на многие десятилетия вперёд: «Иллюстрированное обобщение общественной и политической жизни, наук и изящных искусств». Во все годы своего существования «Огонёк» зеркально отражал реальную жизнь, и в этом многообразии каждый мог найти интересное для себя. Подшивки «Огонька» бережно хранились и передавались следующим поколениям, статьи пересказывались, а мнение, высказанное в журнале, расценивалось как неоспоримый авторитет. С «Огоньком» сотрудничали лучшие фотографы, писатели, поэты, репортеры и фельетонисты.

Для начала нужно объяснить, что фирменный стиль «Огонька» сформировался в 1950-е. С тех пор на обложке журнала — портрет знаменитого человека, рассказ и стихи в каждом номере, фоторепортажи и так называемая вкладка, которая имела в истории советской культуры уникальную функцию — с помощью цветных репродукций огромные массы людей знакомились с шедеврами мировой культуры. Важнейшей частью издания было недавно возрожденное литературное приложение, знаменитая «Библиотечка "Огонька"».

Затем в эпоху перестройки, в 80-е, из журнала «для стабильной жизни» «Огонёк» превратился в школу демократии. С ним связана эпоха «гласности». Его авторы первыми стали писать о привилегиях номенклатуры, сталинских репрессиях и о том, что в СССР дела плохи. Такое сильное влияние на политическую жизнь страны, пожалуй, не оказывало ни одно издание.

Новые экономические условия 90-х диктовали поиск способов выживания на рынке. И нынешняя ситуация стала, пожалуй, закономерной для журнала, отказавшегося в свое время стать гламурным изданием. По мнению журналиста, бывшего издателя «Огонька» Леонида Бершидского, причина в том, что руководство издания принципиально отказалось менять его формат.

Но дело не только в формате издания. Нынешняя ситуация с журналом к этому не имеет никакого отношения. Все сложности сейчас в том, что журнал не нужен тем, кто им формально владеет, а нового собственника найти пока не удалось, сообщил главный редактор «Огонька» Виктор Лошак: «Решается вопрос, чей будет "Огонёк". Компанию, которая им владела, саму перепродали. Новым владельцам, по всей видимости, этот актив не нужен. Я встречаюсь с людьми, причастными к возможной сделке по покупке журнала. Пока сделка не осуществлена, журнал находится в простое».

По мнению Виктора Лошака, в качестве альтернативы решения проблемы, возможно, стоит обратиться к государству. Тем более, что судьбой «Огонька» власти интересуются. Этот вопрос обсуждали даже в Госдуме. «Возможно, стоило бы на какой-то момент "Огонек" поддержать, чтобы он продолжал выход, не прерывался, не нарушил своих обязательств перед читателями и подписчиками. А затем рано или поздно его судьба будет решена, и эти средства, которые уйдут на поддержание журнала сейчас, можно было бы как бы засчитать кредитом новому собственнику. Но, насколько я знаю, этот вопрос не рассматривается», — говорит Лошак.

Помощь властей или передача журнала под начало какого-либо государственного холдинга может быть выходом, но не в период экономического кризиса. Сейчас у государства другие заботы, считает Леонид Бершидский: «Бренд очень старый, и существует у «Огонька» еще такая прекрасная штука, как его архив. Много очень ценных старых фотографий. Если те, кто занимается журналом, попросят у государства каких-то денег на спасение этого проекта, то некоторые из чиновников могут прислушаться к этим аргументам — может быть, дать каких-то денег или пристроить это хозяйство в какой-нибудь из медиа-холдингов с госучастием. Но, честно говоря, это такой вариант чудесного спасения, потому что у государства сейчас есть много других забот помимо "Огонька"».

Несмотря на неопределенное будущее «Огонька», никто из 60 работающих в редакции журналистов не уволился и находится в ожидании того, как решится судьба журнала. Все они надеются, что «Огоньку» не дадут погаснуть в год своего юбилея.

По материалам Петра Гарина

ПОСЛЕТЕКСТОВОЕ УПРАЖНЕНИЕ (ИСПОЛЬЗУЯ КОНТЕКСТ)

1. The article proceeds from…
   a. examples to statement.
   b. statement to illustrations.

Paragraph 1

2. In the third sentence, find the use of literary redundancy. Translate or paraphrase the sentence.

3. In the second half of the last sentence, **…в 2009-м журналу исполняется 110 лет** is a sentence without a subject. The subject missing because it is…
   a. disguised in genitive case.
   b. an impersonal construction.
   c. an **они**-omitted construction.

Paragraph 2

4. In the first sentence, there is no subject to the predicate **Можно любить или не любить...** because it is...
   a. disguised in genitive case.
   b. an impersonal construction.
   c. an **они** omitted construction.

5. There is a transition marker in the same sentence. Find it, and determine whether it means...
   a. support of the statement
   b. a shift to a new angle

Paragraph 3

6. There is a transition marker in this paragraph. Find it, and determine whether it means...
   a. support of the statement
   b. a shift to a new angle

7. In the last sentence of this paragraph, an emphatic word order is used. Rewrite it using a direct word order.

Paragraph 4

8. In this paragraph, find a transition marker which indicates the quoting of a source.

Paragraph 5

9. There are two transition markers in this paragraph. Find them, and determine their meaning.

10. There are two predicates in sentence 2, and neither of them has a subject. Find them, and determine why their subjects are missing.

Paragraph 6

11. In the first sentence, the subject to the predicate «стоит обратиться» is missing because it is...
    a. disguised in genitive case.
    b. an impersonal construction.
    c. an **они**-omitted construction.

12. Find the use of opposites in this paragraph. Translate or paraphrase the sentence in which it is located.

Paragraph 7

13. In this paragraph, the transition marker **честно говоря** means...
    a. an expression of opinion.
    b. disagreement with the author.
    c. a conclusion.
    d. a shift to a new angle.

Paragraph 8

14. In the last sentence of this paragraph, the subject of the predicate **не дадут** is...
    a. disguised in genitive case.
    b. an impersonal construction.
    c. an **они**-omitted construction.

@ УПРАЖНЕНИЯ НА АУДИРОВАНИЕ

А. Фоновая информация. This segment is about national versus regional TV news. A member of the TEFI jury is interviewed. **ТЭФИ (телевизио́нный эфи́р)** is an annual prize awarded to the best in Russian television. It is similar to the American Emmy Award.

Б. Общая идея. Read the word list below. Then listen to the segment initially all the way through. Which statement best sums up the interviewee's point of view?

Regional TV news...

a. enjoys unexpected freedom compared to national networks.
b. is more constrained than news on the national networks.
c. concentrates on apolitical events like accidents and disasters.
d. is boring and amateurish compared to national TV news.

В. Нужные слова

Words that make a "difference":
отлича́ться *друг от друга* –
разли́чие = ра́зница. *Note: the phrase* **две больши́е ра́зницы** *"two big differences," coined by nineteenth century aphorist Kozma Prutkov, is stylistically equivalent to the English* "that's a whole 'nother thing"
ра́зные – varied; various
многообра́зие – variety

Other words:

ра́довать / пора́довать *кого́-что* – to make someone happy

столи́чный < столи́ца

со́бственник – owner

снима́ть шля́пу *перед кем* – to tip (*literally*, to remove) one's hat *to someone*

реда́кция – editorial office

пря́тать / спря́тать – to hide *something*: – **пря́тать смысл** – to hide (the true) meaning

кно́пка – button; knob: **переключа́ть с одно́й кно́пки на другу́ю** – to keep switching the channels (knobs)

пу́тать – to mix up; to be confused

завоёвывать / завоева́ть – to win (*popularity, loyalty,* etc.)

зри́тель – viewer: **это не не́кий эфеме́рный зри́тель** – It's not some ephemeral viewer out there…

ЧП – чрезвыча́йное положе́ние *but here:* fires and cops

официо́з – official announcements

хозя́ева *pl. of* **хозя́ин** – owner; master; people in charge

Г. **Действи́тельно так сказа́ли?** Прослу́шайте фрагме́нт ещё раз. Определи́те, сказа́л ли гость сле́дующие ве́щи:

- ❑ Зри́тели в регио́нах интересу́ются сюже́тами о жи́зни за рубежо́м.
- ❑ Отноше́ние к ме́стным властя́м отлича́ется от отноше́ния к Кремлю́.
- ❑ Настоя́щая журнали́стика не мо́жет существова́ть без свобо́дного ду́ха.
- ❑ Конкуре́нция ме́жду ме́стными телекана́лами о́чень о́страя.
- ❑ Е́сли в одно́м го́роде оди́н из кана́лов принадлежи́т ме́стной вла́сти, то друго́й нахо́дится в ча́стных рука́х.
- ❑ Ме́стные кана́лы ча́сто врут свои́м зри́телям.
- ❑ Ме́стные телеста́нции «бли́же» к свои́м зри́телям, чем столи́чные кана́лы.
- ❑ Ны́нешнее состоя́ние росси́йского ме́стного телеви́дения мо́жно охарактеризова́ть как ЧП.
- ❑ Состоя́ние региона́льного ТВ сего́дня мо́жно объясни́ть тем, что в регио́нах э́то не то́лько поли́тика, а би́знес.

Д. **Не все слушатели согласны.** The radio host invited listeners to text comments.
Some did not agree with the guest. What did they say?

1. Валéрий пи́шет: «На́ши мéстные телекана́лы ника́к
_____ не назовёшь. Сюжéты новостéй свóдятся к
_____, _____, и два – три сюжéта с уча́стием
_____. Нет дéнег в региóне – нет _____».

2. Марсéль: «В Каза́ни все _____ начина́ются с
[президéнта Татарста́на Минтимéра] Шайми́ева. Никтó не
_____ егó. Как Пýтина».

3. «В Ижéвске почти́ все мéстные кана́лы _____ и закры́ли на э́тих
кана́лах _____», — пи́шет Кóстя. Вот таки́х рéплик óчень-
óчень мнóго.

4. «_____ давнó явля́ется home-video нашего Рахи́мова»,
— пишет Руслан.

5. «Что вы можете сказать о _____?»

APPENDIX

DECLENSION OF NOUNS

Masculine Singular

	Consonant	–й	–ь
Nominative *кто, что*	мини́стр	геро́й	секрета́рь
Genitive *кого, чего*	мини́стра	геро́я	секретаря́
Dative *кому, чему*	мини́стру	геро́ю	секретарю́
Accusative animate *кого* Accusative inanimate *что*	мини́стра[1] догово́р	геро́я[1] музей	секретаря́[1] календа́рь
Instrumental *кем, чем*	мини́стром	геро́ем[2]	секретарём[2]
Prepositional *о ком, о чём*	мини́стре	геро́е	секретаре́

Masculine Plural

	Consonant	–й	–ь
Nominative *кто, что*	мини́стры[3]	геро́и	секретари́
Genitive *кого, чего*	мини́стров	геро́ев[2]	секретаре́й
Dative *кому, чему*	мини́страм	геро́ям	секретаря́м
Accusative animate *кого* Accusative inanimate *что*	мини́стров[1] догово́ры[3]	геро́ев[1] музеи	секретаре́й[1] календари́
Instrumental *кем, чем*	мини́страми	геро́ями	секретаря́ми
Prepositional *о ком, о чём*	мини́страх	геро́я	секретаря́х

Masculine Singular

	–ий	Fleeting -о, -е, -ё
Nominative *кто, что*	мора́торий	америка́нец
Genitive *кого, чего*	мора́тория	америка́нца
Dative *кому, чему*	мора́торию	америка́нцу
Accusative animate *кого* Accusative inanimate *что*	пролета́рия[1] мора́торий	америка́нца[1] коне́ц
Instrumental *кем, чем*	мора́торием	америка́нцем
Prepositional *о ком, о чём*	мора́тории	америка́нце

Masculine Plural

	–ий	Fleeting -о, -е, -ё
Nominative *кто, что*	мора́тории	америка́нцы
Genitive *кого, чего*	мора́ториев	американцев[2]
Dative *кому, чему*	мора́ториям	америка́нцам
Accusative animate *кого* Accusative inanimate *что*	пролета́риев[1] мора́тории	америка́нцев[1] концы́
Instrumental *кем, чем*	мора́ториями	америка́нцами
Prepositional *о ком, о чём*	мора́ториях	америка́нцах

1. All accusative animates except feminine singular look like genitive.
2. When stressed, –ёв, –ём: чаёв, словарём
3. Subject to spelling rule variants: банки, отцо́м, etc. See Spelling Rules.

Feminine Singular

	–а	**–я**
Nominative *кто, что*	угро́за	ассамбле́я
Genitive *кого, чего*	угро́зы[3]	ассамбле́и
Dative *кому, чему*	угро́зе	ассамбле́е
Accusative *кого что*	угро́зу	ассамбле́ю
Instrumental *кем, чем*	угро́зой	ассамбле́ей[2]
Prepositional *о ком, о чём*	угро́зе	ассамбле́е

Feminine Plural

	–а	**–я**
Nominative *кто, что*	угро́зы[3]	ассамбле́и
Genitive *кого, чего*	угро́з	ассамбле́й
Dative *кому, чему*	угро́зам	ассамбле́и
Accusative animate *кого*	перево́дчиц[1]	тётей
Accusative inanimate *что*	угро́зы[3]	ассамбле́и
Instrumental *кем, чем*	угро́зой[2]	ассамбле́ями
Prepositional *о ком, о чём*	угро́зе	ассамбле́ях

Feminine Singular

	–ия	**–ь**
Nominative *кто, что*	делега́ция	но́вость
Genitive *кого, чего*	делега́ции	но́вости
Dative *кому, чему*	делега́ции	но́вости
Accusative *кого что*	делега́цию	но́вость
Instrumental *кем, чем*	делега́цией	но́востью
Prepositional *о ком, о чём*	делега́ции	но́вости

Feminine Plural

	–ия	**–ь**
Nominative *кто, что*	делега́ции	но́вости
Genitive *кого, чего*	делега́ций	но́востей
Dative *кому, чему*	делега́циям	но́востям
Accusative *кого что*	делега́ции	но́вости
Instrumental *кем, чем*	делега́циями	но́востями
Prepositional *о ком, о чём*	делега́циях	но́востях

1. All accusative animates except feminine singular look like genitive.
2. When stressed, **–ёй**: семьёй
3. Subject to spelling rule variants: ба́нки, этажи́, etc. See Spelling Rules.

Neuter Singular

	—о	—е
Nominative *кто, что*	прави́тельство	мо́ре
Genitive *кого, чего*	прави́тельства	мо́ря
Dative *кому, чему*	прави́тельству	мо́рю
Accusative *кого что*	прави́тельство	мо́ре
Instrumental *кем, чем*	прави́тельством	мо́рем[1]
Prepositional *о ком, о чём*	прави́тельстве	мо́ре

Neuter Plural

	—о	—е
Nominative *кто, что*	прави́тельства	моря́
Genitive *кого, чего*	прави́тельств	море́й
Dative *кому, чему*	прави́тельствам	моря́м
Accusative *кого что*	прави́тельства	моря́
Instrumental *кем, чем*	прави́тельствами	моря́ми
Prepositional *о ком, о чём*	прави́тельствах	моря́х

Neuter Singular

	—ие	—я
Nominative *кто, что*	мне́ние	вре́мя
Genitive *кого, чего*	мне́ния	вре́мени
Dative *кому, чему*	мне́нию	вре́мени
Accusative *кого что*	мне́ние	вре́мя
Instrumental *кем, чем*	мне́нием	вре́менем
Prepositional *о ком, о чём*	мне́нии	вре́мени

Neuter Plural

	—ие	—я
Nominative *кто, что*	мне́ние	времена́
Genitive *кого, чего*	мне́ния	времён
Dative *кому, чему*	мне́нию	времена́м
Accusative *кого что*	мне́ние	времена́
Instrumental *кем, чем*	мне́нием	времена́ми
Prepositional *о ком, о чём*	мне́нии	времена́х

Путь – singular (Plural is regular). **Путь** is masculine (больш**о́й** путь) but takes some feminine endings.

Nominative *кто, что*	путь
Genitive *кого, чего*	пути́
Dative *кому, чему*	пути́
Accusative *кого что*	путь
Instrumental *кем, чем*	путём
Prepositional *о ком, о чём*	пути́

1. When stressed, –ём: копьём

Nouns in –анин, –янин in plural (singular is regular)

Nominative *кто, что*	англича́**не**
Genitive *кого, чего*	англича́**н**
Dative *кому, чему*	англича́**нам**
Accusative *кого что*	англича́**н**
Instrumental *кем, чем*	англича́**нами**
Prepositional *о ком, о чём*	англича́**нах**

DECLENSION OF PRONOUNS

Personal pronouns

Nominative *кто, что*	я	ты	reflexive	он/оно	она
Genitive *кого, чего*	меня́	тебя́	себя́	(н)его́	(н)её
Dative *кому, чему*	мне	тебе́	себе́	(н)ему́	(н)ей
Accusative *кого что*	меня́	тебя́	себя́	(н)его́	(н)её
Instrumental *кем, чем*	мной мно́ю	тобо́й тобо́ю	собо́й собо́ю	(н)им	(н)ей (н)е́ю
Prepositional *о ком, о чём*	мне	тебе́	себе́	нём	ней

Nominative *кто, что*	мы	вы	они
Genitive *кого, чего*	нас	вас	(н)их
Dative *кому, чему*	нам	вам	(н)им
Accusative *кого что*	нас	вас	(н)их
Instrumental *кем, чем*	на́ми	ва́ми	(н)и́ми
Prepositional *о ком, о чём*	нас	вас	них

Possessive pronouns/adjectives

Nominative *кто, что*	мой, моё	моя́	мои́	твой твоё	твоя́	твои́
Genitive *кого, чего*	моего́	мое́й	мои́х	твоего́	твое́й	твои́х
Dative *кому, чему*	моему́	мое́й	мои́м	твоему́	твое́й	твои́м
Accusative animate *кого* Accusative inanimate *что*	моего́ мой, моё	мою́	мои́х мои́	твоего́ твой, твоё	твою́	твои́х твои́
Instrumental *кем, чем*	мои́м	мое́й	мои́ми	твои́м	твое́й	твои́ми
Prepositional *о ком, о чём*	моём	мое́й	мои́х	твоём	твое́й	твои́х

Possessive pronouns/adjectives (continued)

Nominative *кто, что*	наш, наше	наша	наши	ваш, ваше	ваша	ваши
Genitive *кого, чего*	нашего	нашей	наших	вашего	вашей	ваших
Dative *кому, чему*	нашему	нашей	нашим	вашему	вашей	вашим
Accusative animate *кого* Accusative inan. *что*	нашего наш, наше	нашу	наших наши	вашего ваш, ваше	вашу	ваших ваши
Instrumental *кем, чем*	нашим	нашей	нашими	вашим	вашей	вашими
Prepos. *о ком, о чём*	нашем	нашей	наших	вашем	вашей	ваших

Negative pronouns

Nominative *кто, что*	никто́	ничто́
Genitive *кого, чего*	никого́ (ни у кого́)	ничего́ (не для чего́)
Dative *кому, чему*	никому́ (ни к кому́)	ничему́ (не к чему́)
Accusative *кого что*	никого́ (ни на кого́)	ничто́ (ни за что)
Instrumental *кем, чем*	нике́м (ни с кем)	ниче́м (ни с чем)
Prepositional *о ком, о чём*	ни о ко́м	ни о чём

сам – emphatic "self"

Nominative *кто, что*	сам, само́	сама́	са́ми
Genitive *кого, чего*	самого́	само́й	сами́х
Dative *кому, чему*	самому́	само́й	сами́м
Accusative animate *кого* Accusative inanimate *что*	самого́ сам, само́	саму́	сами́х са́ми
Instrumental *кем, чем*	сами́м	само́й	сами́ми
Prepositional *о ком, о чём*	само́м	само́й	сами́х

весь, всё, вся, все

Nominative *кто, что*	весь, всё	вся	все
Genitive *кого, чего*	всего́	всей	всех
Dative *кому, чему*	всему́	всей	всем
Accusative animate *кого* Accusative inanimate *что*	всего́ весь, всё	всю	всех все
Instrumental *кем, чем*	всем	всей	все́ми
Prepositional *о ком, о чём*	всём	всей	всех

весь, всё, вся, все

Nominative *кто, что*	чей, чьё	чья	чьи
Genitive *кого, чего*	чьегó	чьей	чьих
Dative *кому, чему*	чьемý	чьей	чьим
Accusative animate *кого*	чьегó	чью	чьих
Accusative inanimate *что*	чей, чьё		чьи
Instrumental *кем, чем*	чьем	чьей	чьúми
Prepositional *о ком, о чём*	чьём	чьей	чьих

DECLENSION OF ADJECTIVES

Adjectives are subject to the spelling rules. They are reproduced at the end of the Appendix.

Masculine and neuter adjectives

	Hard endings		Soft endings
Nominative *кто, что*	нóвый, нóвое	молодóй, молодóе	блúжний, -ее
Genitive *кого, чего*	нóвого	молодóго	блúжнего
Dative *кому, чему*	нóвому	молодóму	блúжнему
Accusative animate *кого*	нóвого	молодóй, молодóе	блúжнего
Accusative inanimate *что*	нóвый, нóвое	молодóй	блúжний, -ее
Instrumental *кем, чем*	нóвым	молоды́м	блúжним
Prepositional *о ком, о чём*	нóвом	молодóм	блúжнем

Feminine adjectives

	Hard endings		Soft endings
Nominative *кто, что*	нóвая	молодáя	блúжняя
Genitive *кого, чего*	нóвой	молодóй	блúжней
Dative *кому, чему*	нóвой	молодóй	блúжней
Accusative *кого что*	нóвую	молодýю	блúжнюю
Instrumental *кем, чем*	нóвой	молодóй	блúжней
Prepositional *о ком, о чём*	нóвой	молодóй	блúжней

Plural adjectives

	Hard endings		Soft endings
Nominative *кто, что*	но́вые	молоды́е	бли́жние
Genitive *кого, чего*	но́вых	молоды́х	бли́жних
Dative *кому, чему*	но́вым	молоды́м	бли́жним
Accusative animate *кого*	но́вых	молоды́х	бли́жних
Accusative inanimate *что*	но́вые	молоды́е	бли́жние
Instrumental *кем, чем*	но́выми	молоды́ми	бли́жними
Prepositional *о ком, о чём*	но́вых	молоды́х	бли́жних

DECLENSION OF NUMERALS

один

Nominative *кто, что*	оди́н, одно́	одна́	одни́
Genitive *кого, чего*	одного́	одно́й	одни́х
Dative *кому, чему*	одному́	одно́й	одни́м
Accusative animate *кого*	одного́	одну́	одни́х
Accusative inanimate *что*	оди́н, одно́		оди́н, одно
Instrumental *кем, чем*	одни́м	одно́й	одни́ми
Prepositional *о ком, о чём*	одно́м	одно́й	одни́х

один

Nominative *кто, что*	два, две	три	четы́ре	пять
Genitive *кого, чего*	двух	трёх	четырёх	пяти́
Dative *кому, чему*	двум	трём	четырём	пяти́
Accusative animate *кого*	двух	три	четы́ре	пять
Accusative inanimate *что*	два, две	трёх	четырёх	
Instrumental *кем, чем*	двумя́	тремя	четырьмя́	пятью́
Prepositional *о ком, о чём*	двух	трёх	четырёх	пяти́

	50 – 80	200 – 400	500 – 900
Nominative *кто, что*	пятьдеся́т	две́сти, три́ста	пятьсо́т
Genitive *кого, чего*	пяти́десяти	двухсо́т	пятисо́т
Dative *кому, чему*	пяти́десяти	двумста́м	пятиста́м
Accusative *кого, что*	пятьдеся́т	две́сти, три́ста	пятьсо́т
Instrumental *кем, чем*	пятью́десятью	две́сти	пятьюста́ми
Prepositional *о ком, о чём*	пяти́десяти	двумяста́ми	пятиста́х

	40, 90, 100	1,5
Nom., acc.	со́рок, девяно́сто, сто	полтора́, полторы́
All other cases	сорока́, девяно́ста, ста	полу́тора

Genitive *кого, чего*

498

Nominative *кто, что*	четы́реста девяно́сто во́семь
Genitive *кого, чего*	четырёхсо́т девяно́ста восьми́
Dative *кому, чему*	четырёмста́м девяно́ста восьми́
Accusative *кого, что*	четы́реста девяносто во́семь
Instrumental *кем, чем*	четырьмяста́ми девяно́ста восемью́
Prepositional *о ком, о чём*	четырёхста́х девяно́ста восьми́

VERBS

Note: The infinitive is not an accurate predictor of the present/perfective future conjugation. Students should learn the infinitive, as well as the third person plural (**они**) form of the present/future perfective conjugation.

PRESENT/FUTURE PERFECTIVE TENSE

A note on stress in the present/future perfective: There are three stress patterns:

1. Stem stress: **рабо́тать** with stress on the stem throughout.
2. Ending stress: **говори́ть** with stress on the endings throughout.
3. Mobile stress: **смотре́ть** - stress on the ending for infinitive, imperative, and first person singular (**я**): **смотре́ть, смотри́(те), смотрю́**; stress on the stem elsewhere: **смо́тришь, смо́трите, смо́трят.**

Conjugation I

Vowel stems:

	Stem stress	**Ending stress** (drop –ва–)
	рабо́тать	**встава́ть**
я	рабо́таю	я встаю́
ты	рабо́таешь	ты встаёшь
он	рабо́тает	он встаёт
мы	рабо́та ем	мы встаём
вы	рабо́таете	вы встаёте
они	рабо́тают	они встаю́т
	рабо́тай(те)!	встава́й(те)!

Consonant stems:

	Stem stress	**Ending stress**	**Mobile stress**
	встать	**идти́**	**писа́ть**
я	вста́ну	иду́	пишу́
ты	вста́нешь	идёшь	пи́шешь
он	вста́нет	идёт	пи́шет
мы	вста́нем	идём	пи́шем
вы	вста́нете	идёте	пи́шете
они	вста́нут	иду́т	пи́шут
	вста́нь(те)!	иди́(те)!	пиши́(те)!

Conjugation II

	Stem stress	**Ending stress**	**Mobile stress**
	спо́рить	**говори́ть**	**смотре́ть**
я	спо́рю	говорю́	смотрю́
ты	спо́ришь	говори́шь	смо́тришь
он	спо́рит	говори́т	смо́трит
мы	спо́рим	говори́м	смо́трим
вы	спо́рите	говори́те	смо́трите
они	спо́рят	говоря́т	смо́трят
	спо́рь(те)!	говори́(те)!	смотри́(те)!

PAST TENSE

Stress in the past tense comes in one of three patterns: stem stress, ending stress, and mobile stress. Past tense stress is often independent of present/perfective future tense stress.

Stem stress	**Mobile stress**

Infinitives in -ть:

	рабо́тать	**быть**
он	рабо́тал	был
она	рабо́тала	была́
оно	рабо́тало	бы́ло
они	рабо́тали	бы́ли

Infinitives in -сти (Ending stress)

	вести́
он	вёл
она	вела́
оно	вело́
они	вели́

Infinitives in -дти and vowel + ти (Ending stress)

	прийти́
он	пришёл
она	пришла́
оно	пришло́
они	пришли́

Infinitives in -зти and -чь (Ending stress)

	везти	**мочь**	**течь**
он	вёз	мог	тёк
она	везла́	могла́	текла́
оно	везло́	могло́	текло́
они	везли́	могли́	текли́

MAIN EXCEPTIONS

First Conjugation

1. Verbs with infinitives ending in **–овать** and **–евать** have present/perfective future stems ending in –у: **кома́ндовать: кома́ндую, кома́ндуешь, кома́ндуют, кома́ндуй** but past tense **кома́ндовал**.

2. Verbs with infinitives ending in **-чь** have stems ending in **-г** or **-к** with mutations as follows:

   мочь: могу́, мо́жешь, мо́жет, мо́жем, мо́жете, мо́гут, мог, могла́, могло́, могли́
   течь: теку́, течёшь, течёт, течём, течёте, теку́т, тёк, текла́, текло́, текли́

3. Some first conjugation verbs undergo mutations throughout the conjugation according to the mutation chart below: **писа́ть: пишу́, пи́шешь, пи́шут, пиши́(те),** but **писа́л**.

Second Conjugation

1. All verbs are subject to this spelling rule:

   After **к г х ц ж ч ш щ**, **ю** and **я** are replaced by **у** and **а**:
   реши́ть: я решу́, они реша́т

2. Stem consonants in the first person singular mutate according to the table below:

   отве́тить: отве́чу, отве́тишь, отве́тят
   вози́ть: вожу́, во́зишь, во́зят
   прости́ть: прощу́, прости́шь, простя́т
   люби́ть: люблю́, лю́бишь, лю́бят

Consonant mutation table	
ч ⟹ к, т	пеку́, печёшь отве́тить, отве́чу
г, з ⟹ ж	могу́, мо́жешь вози́ть, вожу́
х, с ⟹ ш	маха́ть, машу́ писа́ть, пишу́
ст ⟹ щ and sometimes т ⟹ щ	прости́ть, прощу́ возврати́ть, возвращу́
в, ф, п, в, м ⟹ вл, фл, бл, пл, мл	лови́ть, ловлю́ люби́ть, люблю́ офо́рмить, офо́рмлю

SPELLING RULES

1. After **к, г, х, ж, ч, ш, щ** never write **ы**. Write **и** instead: **банки, русский, большие**.

2. After **ц, ж, ч, ш, щ**, unstressed **о** is replaced by **е**: **большо́го** but **хоро́шего**; **отцо́м** but **америка́нцем**.

3. After **ж, ч, ш, щ** never write **ю** or **я**; write y and a instead: **говорю** and **говорят**, but **слышу** and **слышат**.